O Chamado do Cuco

SOBRE O AUTOR

Robert Galbraith é pseudônimo de J.K. Rowling, autora da série Harry Potter e de *Morte súbita*.

Robert Galbraith

O Chamado do Cuco

Tradução de
Ryta Vinagre

Título original
THE CUCKOO'S CALLING

Primeira publicação na Grã-Bretanha em 2013 por Sphere.

Todos os personagens e acontecimentos neste livro,
com exceção dos claramente em domínio público, são fictícios
e qualquer semelhança com pessoas reais, vivas ou não, é mera coincidência.

Copyright © 2013 by Robert Galbraith

O direito moral do autor foi assegurado.

Todos os direitos reservados.
Nenhuma parte desta obra pode ser reproduzida, ou transmitida por qualquer forma ou meio
eletrônico ou mecânico, inclusive fotocópia, gravação ou sistema de armazenagem
e recuperação de informação, sem a permissão escrita do editor.
A reprodução sem a devida autorização constitui pirataria.

Direitos para a língua portuguesa reservados
com exclusividade para o Brasil à
EDITORA ROCCO LTDA.
Av. Presidente Wilson, 231 – 8º andar
20030-021 – Rio de Janeiro, RJ
Tel.: (21) 3525-2000 – Fax: (21) 3525-2001
rocco@rocco.com.br
www.rocco.com.br

Printed in Brazil/Impresso no Brasil

Preparação de originais
MÔNICA MARTINS FIGUEIREDO

CIP-Brasil. Catalogação na fonte.
Sindicato Nacional dos Editores de Livros, RJ.

G148c Galbraith, Robert
     O chamado do Cuco/Robert Galbraith; tradução de Ryta Vinagre.
– Rio de Janeiro: Rocco, 2013.

     Tradução de: The Cuckoo's calling
     ISBN 978-85-325-2874-2 (capa dura)

     1. Romance inglês. I. Vinagre, Ryta. II Título.

13-05341

CDD–823
CDU–821.111-3

*Para o verdadeiro Deeby,
com muitos agradecimentos*

Por que nasceste com a neve em flocos?
Devias vir ao chamado do cuco
Ou com as uvas verdes nos cachos
Ou quando andorinhas são bandos
    Em voo para distante
    Do verão agonizante.

Por que morrer na tosquia dos anhos?
Devia ser quando caem os frutos
Quando os gafanhotos se inquietam
E os trigais molhados se eriçam
    E velam ventos arfantes
    Doçuras agonizantes.

Christina G. Rossetti, "Um Lamento"

PRÓLOGO

Is demum miser est, cuius nobilitas miserias nobilitat.

Infeliz é aquele cuja fama enobrece suas desgraças.

Lúcio Ácio, *Télefo*

O RUMOR NA RUA PARECIA o zumbido de moscas. Fotógrafos se agrupavam em massa atrás de barreiras patrulhadas pela polícia, suas câmeras de focinhos longos aprumadas, o hálito elevando-se como vapor. A neve caía sem parar nos chapéus e nos ombros; dedos enluvados limpavam lentes. Ocasionalmente irrompiam surtos de cliques erráticos, conforme os espectadores preenchiam o tempo de espera batendo instantâneos da tenda de lona branca no meio da rua, da entrada do alto edifício de tijolos aparentes atrás dela e da sacada no último andar de onde o corpo caíra.

Atrás dos paparazzi espremidos, alinhavam-se furgões brancos com enormes antenas de satélite no teto e jornalistas falando, alguns em línguas estrangeiras, enquanto operadores de som com seus fones de ouvido pairavam ao redor. Entre as gravações, os repórteres batiam os pés e esquentavam as mãos em copos de café quente da cafeteria movimentada a algumas ruas dali. Para preencher o tempo, os cinegrafistas de gorro de lã filmavam as costas dos fotógrafos, a sacada, a tenda que escondia o corpo, depois se reposicionavam para panorâmicas que englobavam o caos que explodira na sossegada e nevada rua de Mayfair, com suas fileiras de portas pretas e lustrosas emolduradas por pórticos de pedra branca e flanqueadas por arbustos de topiaria. A entrada do número 18 estava isolada com fita. Policiais, alguns peritos forenses em trajes brancos, podiam ser vislumbrados no saguão além do isolamento.

As emissoras de televisão já transmitiam a notícia havia horas. Populares se agrupavam em cada extremidade da rua, mantidos ao largo por outros policiais; alguns vieram, propositalmente, para olhar, outros pararam a caminho do trabalho. Muitos erguiam celulares para tirar fotos antes de seguir adiante. Um jovem, sem saber qual era a sacada em questão, fotografou cada uma delas seguidamente, embora a do meio estivesse tomada por uma fila de arbustos bem podados, três globos folhosos elegantes, que mal abriam espaço para um ser humano.

Um grupo de jovens trouxera flores e foi filmado entregando-as a policiais, que ainda não haviam decidido onde colocá-las e as dispuseram, constrangidos, na traseira do furgão da polícia, cientes de que as lentes das câmeras acompanhavam cada um de seus movimentos.

Os correspondentes enviados por canais de notícias 24 horas mantinham um fluxo constante de comentários e especulações em torno dos poucos fatos sensacionais de que já tinham conhecimento.

"... de sua cobertura, por volta das duas da madrugada. A polícia foi avisada pelo segurança do prédio..."

"... ainda nenhum sinal de retirada do corpo, o que levou alguns a especularem..."

"... não se sabe se ela estava sozinha quando caiu..."

"... equipes entraram no prédio e realizarão uma busca completa."

Uma luz fria banhava o interior da tenda. Dois homens estavam agachados ao lado do corpo, prontos para, enfim, transferi-lo para um saco mortuário. A cabeça da mulher sangrara um pouco na neve. O rosto estava esmagado e inchado, um olho reduzido a uma prega, o outro mostrando uma lasca de branco opaco por entre pálpebras distendidas. Quando o top de lantejoulas que ela vestia cintilava nas leves alterações da luz, dava a impressão inquietante de movimento, como se ela voltasse a respirar ou retesasse os músculos, pronta para se levantar. A neve caía com toques suaves de pontas de dedos na lona do alto.

– Onde está a droga da ambulância?

O mau humor do inspetor-detetive Roy Carver aumentava. Um homem barrigudo, com uma cara sanguínea como carne enlatada, cujas camisas em geral tinham rodelas de suor nas axilas, sua curta reserva de paciência se esgotara horas antes. Ele estava ali havia quase tanto tempo quanto o corpo; seus pés tão frios que ele não os sentia mais, e estava tonto de fome.

– A ambulância está a dois minutos daqui – disse o sargento-detetive Eric Wardle, respondendo involuntariamente à pergunta de seu superior ao entrar na tenda com o celular na orelha. – Só estão abrindo espaço para ela.

Carver grunhiu. Seu mau gênio era exacerbado pela convicção de que Wardle estava alvoroçado com a presença dos fotógrafos. De uma beleza juvenil e cabelos castanhos ondulados e bastos, agora cobertos de neve, Wardle, na opinião de Carver, demorava-se demais nas poucas incursões que fazia fora da tenda.

– Pelo menos esse pessoal vai sair depois que o corpo for embora – disse Wardle, ainda olhando os fotógrafos.

– Eles não irão embora enquanto tratarmos essa merda de lugar como cena de crime – rebateu Carver.

Wardle não respondeu à provocação implícita. Carver explodiu mesmo assim.

– A infeliz pulou. Não tinha mais ninguém lá. Sua suposta testemunha estava entupida de cocaína...

– Está chegando – disse Wardle e, para desagrado de Carver, voltou a escapulir da tenda para esperar a ambulância à plena vista das câmeras.

A história ofuscou as notícias de política, guerras e desastres, e cada nova versão faiscava com imagens do rosto impecável da morta, seu corpo magro e esculpido. Horas depois, os poucos fatos conhecidos tinham se disseminado a milhões como um vírus; a briga pública com o namorado famoso, a ida para casa sozinha, o grito no alto e a queda definitiva e fatal...

O namorado fugiu para uma clínica de reabilitação, mas a polícia continuava impenetrável; aqueles que estiveram com ela na noite anterior à sua morte foram acossados; milhares de colunas de jornal foram ocupadas, além de horas de noticiários de TV, e a mulher que jurou ter ouvido uma segunda discussão momentos antes de o corpo cair também ficou brevemente famosa e foi recompensada com fotos menores, ao lado das imagens da linda falecida.

Mas então, com um gemido quase audível de decepção, provou-se que a testemunha mentira, e *ela* foi para a reabilitação, dando lugar ao famoso principal suspeito, como bonequinhos de um homem e uma mulher numa casinha do tempo que nunca podem ficar do lado de fora ao mesmo tempo.

Afinal foi declarado suicídio, e a história ganhou um leve segundo fôlego depois de um hiato de aturdimento. Escreveram que ela era desequilibrada, instável, inadequada para o superestrelato em que a rebeldia e a beleza a capturaram; que passara a andar com uma classe endinheirada e imoral que a corrompera; que a decadência de sua nova vida atordoou uma personalidade já frágil. Ela se tornou uma densa fábula moral de *Schadenfreude,* e tantos colunistas fizeram alusão a Ícaro que a revista *Private Eye* publicou uma matéria especial.

E então, finalmente, o frenesi se esgotou a tal ponto que até mesmo os jornalistas nada mais tinham a dizer, exceto que muito já havia sido dito.

TRÊS MESES DEPOIS

PARTE UM

*Nam in omni adversitate fortunae infelicissimum
est genus infortunii, fuisse felicem.*

Pois em cada revés da fortuna, o mais infeliz
dos infelizes é aquele que foi feliz.

BOÉCIO, *A consolação da filosofia*

1

EM SEUS 25 ANOS DE VIDA, Robin Ellacott tivera seus momentos de infortúnio e seus percalços, mas jamais acordou com a certeza de que o dia vindouro seria lembrado pelo tempo que ela vivesse.

Logo depois da meia-noite, o namorado de longa data, Matthew, propôs-lhe casamento debaixo da estátua de Eros no meio do Piccadilly Circus. No alívio exultante que se seguiu à aceitação, ele confessou que pretendia fazer o pedido no restaurante tailandês onde eles tinham acabado de jantar, mas não contava com o casal silencioso ao lado, que entreouvira toda a conversa. Assim, sugeriu uma caminhada pelas ruas escuras, apesar dos protestos de Robin de que ambos precisavam acordar cedo, e finalmente lhe veio inspiração e ele a levou, confusa, aos degraus da estátua. Ali, lançando ao vento gelado a discrição (de um jeito muito pouco matthewiano), ele fez a proposta, de joelhos, na frente de três indigentes aconchegados nos degraus, dividindo o que parecia uma garrafa de álcool metilado.

Na opinião de Robin, foi a proposta mais perfeita na história dos matrimônios. Ele tinha até um anel no bolso, que ela agora usava; uma safira com dois diamantes, servia-lhe perfeitamente, e no caminho para a cidade ela ficou olhando a joia na mão pousada no colo. Agora ela e Matthew tinham uma história para contar, uma divertida história de família, do tipo que se conta aos filhos, em que todo o planejamento (ela adorava que ele tivesse planejado) não deu certo e evoluiu para algo espontâneo. Ela adorou os mendigos, a lua e Matthew, em pânico e atrapalhado, abaixado sobre um joelho; adorou Eros, o sujo e velho Piccadilly Circus e o táxi preto que eles pegaram para Clapham. Na realidade, ela não estava longe de adorar Londres inteira, a mesma cidade que até agora não a havia entusiasmado, naquele mês que ali vivera. Até os passageiros pálidos e belicosos espremidos no vagão do metrô em volta dela foram iluminados pelo esplendor do anel e, ao sair para a luz do dia gelado de março na estação da Tottenham Court Road, ela afagou com o polegar a face inferior do anel de platina e experimentou uma explosão de felicidade ao pensar que poderia comprar algumas revistas de noivas na hora do almoço.

Olhos masculinos se demoravam em Robin enquanto ela avançava com cuidado pelas obras no alto da Oxford Street, consultando uma folha de papel na mão direita. Robin, por quaisquer padrões, era uma mulher bonita; alta e curvilínea, de cabelos compridos louro-avermelhados que ondulavam quando ela andava a passo acelerado, o ar frio conferindo cor ao rosto pálido. Este era o primeiro dia de um emprego de secretária de uma semana. Ela vinha trabalhando em empregos temporários desde que viera morar com Matthew em Londres, embora não por muito tempo; agora tinha marcadas o que chamava de entrevistas "de verdade".

O que mais a desafiava nesses empregos fragmentados e nada inspiradores era encontrar os escritórios. Londres, depois da cidade pequena em Yorkshire que ela deixara, parecia-lhe vasta, complexa e impenetrável. Matthew lhe disse que não andasse por ali com o nariz num guia, o que a faria parecer uma turista e, portanto, vulnerável; assim ela dependia, na maioria das vezes, de mapas mal desenhados por alguém da agência de empregos temporários. Não estava convencida de que aquilo a fizesse parecer mais londrina.

As barricadas de metal e as paredes de plástico azul Corimec que cercavam as obras na rua tornavam muito difícil enxergar aonde devia ir, porque cobriam metade das referências assinaladas no papel em sua mão. Ela atravessou a rua revirada na frente de um arranha-céu empresarial, rotulado de "Centre Point" no mapa, que parecia um waffle de concreto gigante com sua densa grade de janelas quadradas e uniformes. Seguiu na direção aproximada da Denmark Street.

Encontrou-a quase por acaso, seguindo uma viela estreita chamada Denmark Place e entrando numa rua curta cheia de fachadas coloridas de lojas; vitrines repletas de violões, teclados e toda sorte de objetos musicais colecionáveis. Tapumes vermelhos e brancos cercavam outro buraco aberto na rua, e trabalhadores com casacos fluorescentes a cumprimentaram com assovios maliciosos matinais, que Robin fingiu não ouvir.

Ela olhou o relógio. Tendo se permitido a margem habitual de tempo para a eventual desorientação, estava 15 minutos adiantada. A indefinida porta pintada de preto do prédio que procurava ficava à esquerda do 12 Bar Café; o nome do ocupante do escritório estava escrito em um pedaço de papel pautado preso com fita adesiva ao lado da campainha do segundo andar. Num dia comum, sem o anel novo em folha brilhando no dedo, ela teria achado isso desanimador; hoje, porém, o papel sujo e a tinta que descascava na porta, como os mendigos da noite anterior, eram meros detalhes pitorescos no cenário de seu grandioso romance. Ela olhou mais uma vez o relógio (a safira cintilou e seu coração deu um salto; apreciaria aquela pedra brilhar pelo resto da vida), depois decidiu, numa explosão de euforia, subir cedo e se mostrar entusiasmada por um trabalho sem a menor importância.

Tinha acabado de estender a mão para a campainha quando a porta preta se abriu por dentro e uma mulher saiu de rompante. Por um estranho e estático segundo, as duas se olharam bem nos olhos, cada uma delas preparada para suportar uma colisão. Os sentidos de Robin estavam extraordinariamente receptivos nessa manhã encantada; a visão de uma fração de segundo daquele rosto branco causou-lhe tal impressão que ela pensou, momentos depois, quando as duas conseguiram se esquivar uma da outra, evitando o choque por um centímetro, depois que a mulher de cabelos pretos correu pela rua, virou a esquina e sumiu de vista, que ela poderia desenhá-la perfeitamente de memória. Não foi apenas a beleza extraordinária daquele rosto que se imprimiu em suas lembranças, mas também a expressão da outra; lívida, mas estranhamente alegre.

Robin segurou a porta antes que se fechasse no vão sujo da escada. Uma escada de metal antiquada subia em espiral em volta de um elevador de gaiola igualmente antiquado. Concentrando-se em evitar que os saltos altos se prendessem nos degraus, ela foi até o primeiro andar, passando por uma porta que trazia um pôster laminado e emoldurado com as palavras *Crowdy Graphics*, e continuou a subir. Foi só quando chegou à porta de vidro no andar acima que Robin percebeu, pela primeira vez, a que tipo de empresa fora enviada para auxiliar. Ninguém na agência lhe dissera. O nome no papel ao lado da campainha estava gravado no vidro: *C. B. Strike* e, abaixo dele, as palavras *Detetive Particular*.

Robin ficou totalmente imóvel, de boca entreaberta, presa em um momento de assombro que ninguém que a conhecesse teria compreendido. Nunca confidenciara a um ser humano que fosse (nem a Matthew) a ambição secreta e infantil que alimentara a vida toda. Pois isto foi acontecer hoje, justamente hoje! Parecia uma piscadela de Deus (e isto também, de certo modo, ela relacionava com a magia do dia; com Matthew e o anel; embora, pensando bem, não tivessem relação alguma).

Saboreando o momento, ela se aproximou muito lentamente da porta gravada. Estendeu a mão esquerda (a safira escura agora sob essa luz fraca) para a maçaneta; mas, antes que a tocasse, a porta de vidro se abriu.

Desta vez, nada ficou por um triz. Cem quilos imprevistos de um homem desgrenhado esbarraram nela; Robin foi arrancada do chão e catapultada para trás, a bolsa voando, os braços como um moinho, no vazio sobre a escada letal.

2

STRIKE ABSORVEU O IMPACTO, ouviu o grito agudo e reagiu por instinto; lançou um braço comprido, apanhou um punhado de roupas e carne; um segundo grito de dor ecoou pelas paredes de pedra e então, com um puxão e certa luta, conseguiu arrastar a mulher de volta à terra firme. Seus gritos ainda ecoavam nas paredes, e ele percebeu que também ele tinha berrado:
– Meu Deus!

A mulher se recurvou de dor na porta do escritório, gemendo. A julgar pelo jeito torto com que se curvava, a mão cravada sob a lapela do casaco, Strike deduziu que a salvara agarrando parte substancial de seu seio. Uma cortina grossa e ondulada de cabelo louro e brilhante escondia a maior parte do rosto corado da mulher, mas Strike via lágrimas de dor vertendo do olho exposto.

– Merda... desculpe! – Sua voz alta reverberou pela escada. – Eu não a vi... Não esperava que tivesse alguém aqui...

Abaixo de seus pés, o estranho e solitário designer gráfico que ocupava um escritório gritou.

– O que está havendo aí? – E, um segundo depois, uma reclamação abafada vinda de cima indicava que o gerente do bar do térreo, que dormia num apartamento do sótão, também tinha sido perturbado – talvez acordado – pelo barulho.

– Venha cá...

Strike abriu a porta com a ponta dos dedos para não tocá-la acidentalmente enquanto ela se espremia na porta, e a conduziu à sua sala.

– Está tudo bem? – gritou, rabugento, o designer gráfico.

Strike bateu a porta depois de passar.

– Eu estou bem. – Robin mentiu numa voz trêmula, ainda arqueada com a mão no peito, de costas para ele. Depois de um ou dois segundos, endireitou-se e se virou, o rosto escarlate e os olhos ainda molhados.

Seu agressor acidental era imenso; a altura, o excesso geral de pelos, combinados com uma barriga que se expandia suavemente, sugeriam um urso-pardo. Um dos olhos estava inchado e tinha um hematoma, a pele logo abaixo da sobrancelha cortada. Sangue coagulado se alojava em rastros de unha em relevo e de bordas brancas na bochecha esquerda e no lado direito do pescoço grosso, revelado pelo colarinho aberto e amassado da camisa.

– É o s... sr. Strike?

– Sou.

– Eu... eu sou a temporária.

– A o quê?

– A temporária. Da Temporary Solutions?

O nome da agência não eliminou a expressão de incredulidade de seu rosto golpeado. Eles se encararam, aborrecidos e antagônicos.

Como Robin, Cormoran Strike sabia que se lembraria das últimas 12 horas como uma noite transformadora em sua vida. Agora, ao que parecia, as Parcas tinham enviado uma emissária vestida em um impermeável bege e elegante para importuná-lo com o fato de que sua vida cortejava a catástrofe. Não era para haver uma temporária. Ele pretendia que a demissão da predecessora de Robin desse um fim ao contrato.

– Por quanto tempo mandaram você?

– Uma... uma semana a partir de hoje – disse Robin, que nunca fora recebida com tanta falta de entusiasmo.

Strike fez um cálculo rápido. Uma semana à taxa exorbitante da agência impeliria ainda mais seu cheque especial para a região do irreparável; talvez fosse até a gota d'água pela qual seu principal credor insinuava constantemente esperar.

– Me dê licença um minutinho.

Ele saiu da sala pela porta de vidro e de imediato entrou à direita, num banheiro úmido e minúsculo. Ali trancou a porta e se olhou no espelho rachado e mosqueado no alto da pia.

O reflexo que o fitava não era bonito. Strike tinha a testa alta e protuberante, nariz largo e sobrancelhas grossas de um jovem Beethoven dedicado ao pugilismo, impressão realçada pelo inchaço no olho roxo. Graças ao cabelo grosso e encaracolado, elástico como um tapete, seus muitos apelidos da juventude incluíam "Cabeça de Pentelho". Ele parecia ter mais do que os 35 anos reais.

Colocando a tampa no ralo, ele encheu de água fria a pia rachada e imunda, respirou fundo e mergulhou inteiramente a cabeça latejante. A água deslocada foi derramada em seus sapatos, mas ele a ignorou em troca do alívio de dez segundos de quietude gelada e cega.

Palpitavam por sua mente imagens díspares da noite anterior: esvaziando três gavetas de pertences numa bolsa de viagem enquanto Charlotte gritava com ele; o cinzeiro atingindo-o na sobrancelha quando ele a olhou da porta; o percurso a pé pela cidade escura até seu escritório, onde dormiu na cadeira da mesa por uma ou duas horas. Depois a cena final e vulgar, quando Charlotte o perseguiu de manhã bem cedo, para cravar aquelas últimas *banderillas* que esquecera de fincar antes de ele sair de seu apartamento; sua decisão de deixá-la ir quando, depois de arranhar seu rosto, ela saiu correndo pela porta; e depois, aquele momento de desvario em que ele partiu atrás dela – uma perseguição que terminou com a rapidez com que começou, com a intervenção involuntária desta mulher descuidada e inútil, que ele foi obrigado a salvar e acalmar.

Ele emergiu da água fria com um ofegar e um grunhido, o rosto e a cabeça agradavelmente entorpecidos e formigando. Com a toalha de textura de papelão que ficava pendurada atrás da porta, secou-se e olhou novamente o reflexo carrancudo. Parecia que os arranhões, sem o sangue, não passavam de marcas de um travesseiro amarfanhado. A essa altura, Charlotte teria chegado ao metrô. Um dos pensamentos loucos que o impeliram a ir atrás dela foi o medo de que se jogasse nos trilhos. Uma vez, depois de uma briga particularmente violenta quando eles tinham 20 e poucos anos, ela subiu em um telhado, onde oscilou como bêbada, jurando pular. Talvez ele devesse ficar feliz porque a Temporary Solutions o obrigara a abandonar a perseguição. Talvez não houvesse como reverter a cena das primeiras horas daquela manhã. Desta vez, parecia ter acabado.

Afastando o colarinho molhado do pescoço, Strike puxou o ferrolho enferrujado e saiu do banheiro, voltando pela porta de vidro.

Uma britadeira começou a trabalhar na rua. Robin estava diante da mesa, de costas para a porta; passava a mão na frente do casaco enquanto ele voltava à sala, e Strike sabia que ela massageava o seio de novo.

— Você... você está bem? – perguntou Strike, com o cuidado de não olhar o local da lesão.

— Estou bem. Olha, se não precisa de mim, vou embora – disse Robin com dignidade.

— Não... não, de maneira alguma – disse uma voz emitida pela boca de Strike, embora ele a ouvisse com repulsa. — Uma semana... é, vai ficar tudo bem. Humm... a correspondência está aqui... – Ele a pegou no capacho enquanto falava e a espalhou na mesa vazia diante dela, uma oferta conciliatória. — Pois é, se puder abrir isso, atender ao telefone, dar uma arrumada geral... A senha do computador é Hatherill23, vou anotar... – Ele anotou, sob o olhar cauteloso e desconfiado de Robin. — Pronto... estarei ali.

Ele entrou na sala interna, fechou a porta com cuidado e se postou imóvel, olhando a bolsa de viagem debaixo da mesa vazia. Continha tudo o que possuía, porque ele duvidava de que um dia veria novamente os nove décimos de seus pertences que tinha deixado na casa de Charlotte. Provavelmente deviam desaparecer lá pela hora do almoço; incendiados, largados na rua, retalhados e amassados, mergulhados em alvejante. A britadeira batia incansavelmente na rua.

E agora a impossibilidade de pagar sua dívida gigantesca, as consequências pavorosas que acompanhariam o fracasso iminente de seus negócios, a sequência avultante, desconhecida, mas inevitavelmente horrível, de sua separação de Charlotte; na exaustão de Strike, a infelicidade de tudo isso parecia empinar numa espécie de caleidoscópio de terror.

Mal tendo consciência de que se mexia, ele se viu de volta à cadeira em que passara a última parte da noite. Do outro lado da divisória insubstancial, vinham os ruídos abafados de movimento. A Temporary Solutions sem dúvida ligara o computador e logo descobriria que ele não havia recebido um único e-mail relacionado a trabalho em três semanas. E então, a pedido dele, ela começaria a abrir todos os ultimatos. Exausto, dolorido e com fome, Strike baixou a cara na mesa de novo, cobrindo olhos e ouvidos nos braços que a cingiam, para não ter de escutar enquanto sua humilhação era desnudada na sala ao lado por uma estranha.

3

CINCO MINUTOS DEPOIS, houve uma batida na porta e Strike, prestes a cair no sono, ergueu-se da cadeira num átimo.

– Com licença?

Seu inconsciente se envolvera com Charlotte de novo; foi uma surpresa ver a garota desconhecida entrar na sala. Ela tirara o casaco, revelando um suéter creme confortável e sedutoramente justo. Strike se voltou para a linha de seus cabelos.

– Sim?

– Tem um cliente para o senhor aqui. Devo fazê-lo entrar?

– Tem o quê?

– Um cliente, sr. Strike.

Ele a olhou por vários segundos, tentando processar a informação.

– Tudo bem, sei... não, me dê uns minutos, por favor, Sandra, depois mande entrar.

Ela se retirou sem fazer comentários.

Strike não perdeu mais que um segundo se perguntando por que a chamara de Sandra, antes de se levantar num salto e tratar de atenuar a aparência e o cheiro de um homem que dormira com aquela roupa. Abaixando-se sob a mesa para a bolsa de viagem, pegou um tubo de creme dental e espremeu sete centímetros do conteúdo na boca aberta; em seguida percebeu que sua gravata estava ensopada de água da pia e que a camisa tinha borrifos de sangue, então rasgou as duas, os botões tilintando nas paredes e no arquivo, puxou uma camisa limpa mas muito amarrotada da bolsa e a vestiu, atrapalhando-se com os dedos grossos. Depois de encafuar a bolsa atrás do arquivo vazio, apressadamente tornou a sentar-se e procurou remela nos cantos dos olhos, tudo isso enquanto se perguntava se o suposto cliente seria verdadeiro e se estaria preparado para pagar uma grana de verdade pelos serviços de um detetive. Strike passou a perceber, ao longo de uma espiral de 18 meses de ruína financeira, que não podia tomar nenhuma dessas coisas como certa. Ainda perseguia dois clientes para que concluíssem o pagamento de suas contas; um terceiro recusava-se a desembolsar um centavo que fosse, porque as descobertas de Strike não foram de seu agrado e, dado que ele resvalava cada vez mais fundo nas dívidas e que a revisão do aluguel da área ameaçava a locação da sala no centro de Londres que tinha tanto prazer em manter, Strike não estava em condições de contratar um advogado. Métodos mais rudes e diretos de cobrar dívidas tornaram-se matéria-prima de suas fantasias recentes; teria lhe dado mais prazer ver o mais presunçoso de seus devedores encolhendo-se à sombra de um taco de beisebol.

A porta voltou a se abrir; Strike tirou o indicador da narina e se aprumou na cadeira, tentando parecer animado e alerta.

– Sr. Strike, este é o sr. Bristow.

O provável cliente seguiu Robin para dentro da sala. A impressão imediata foi favorável. O estranho tinha a aparência de um coelho, com um lábio superior curto que não conseguia esconder os dentes grandes da frente; o tom da pele era arenoso e os olhos, a julgar pela espessura dos óculos, míopes; mas o terno cinza-escuro era belamente cortado e a gravata azul-gelo cintilante, o relógio e os sapatos pareciam caros.

A nívea maciez da camisa do desconhecido tornou Strike duplamente consciente dos milhares de vincos em suas próprias roupas. Ele se levantou para dar a Bristow todo o privilégio de seu um metro e noventa de altura, estendeu a mão de dorso peludo e tentou contrabalançar a superioridade indumentária de seu visitante projetando o ar de um homem ocupado demais para se preocupar com a roupa suja.

– Cormoran Strike; como vai?

– John Bristow – disse o outro, trocando um aperto de mãos. Sua voz era agradável, culta e insegura. Seu olhar se demorou no olho inchado de Strike.

– Os cavalheiros desejam um chá ou um café? – ofereceu Robin.

Bristow pediu um café puro e pequeno, mas Strike não respondeu; tinha acabado de ver a jovem de sobrancelhas grossas num terninho de tweed desalinhado, sentada no sofá puído ao lado da porta da antessala. Difícil acreditar que dois possíveis clientes tivessem chegado na mesma hora. Teriam lhe mandado uma segunda temporária?

— E o senhor, sr. Strike? – perguntou Robin.

— O quê? Ah... café puro, dois cubos de açúcar, por favor, Sandra – disse ele, antes de conseguir se conter. Ele viu a boca de Robin se torcer ao sair e fechar a porta, e só então se lembrou de que não tinha café nenhum, nem açúcar e tampouco, para falar a verdade, xícaras.

Sentando-se a convite de Strike, Bristow olhou o escritório desleixado com o que Strike receou ser decepção. O provável cliente parecia nervoso do jeito culpado que Strike passou a associar com maridos desconfiados, entretanto aferrava-se a ele um leve ar de autoridade, transmitido principalmente pelo preço evidentemente alto de seu terno. Strike perguntou-se como Bristow o encontrara. Era difícil conseguir negócios boca a boca quando sua única cliente (como a própria regularmente dizia soluçando ao telefone) não tinha amigos.

— O que posso fazer pelo senhor, sr. Bristow? – perguntou ele, de volta à sua cadeira.

— É... humm... na realidade, pensei que podia apenas verificar... creio que já nos conhecemos.

— Mesmo?

— Não deve se lembrar de mim, já se passaram anos e anos... Mas creio que você era amigo de meu irmão Charlie. Charlie Bristow? Ele morreu... num acidente... quando tinha 9 anos.

— Caramba – disse Strike. – Charlie... sim, eu me lembro.

E ele se lembrava perfeitamente. Charlie Bristow foi um dos muitos amigos que Strike colecionou durante sua infância complicada e peripatética. Um menino atraente, rebelde e impulsivo, líder da turma mais bacana da escola de Strike em Londres, Charlie deu uma olhada no enorme menino novo com o forte sotaque da Cornualha e o nomeou seu melhor amigo e braço direito. Seguiram-se dois vertiginosos meses de amizade íntima e mau comportamento. Strike, que sempre fora fascinado pelo funcionamento tranquilo das casas das outras crianças, com suas famílias mentalmente sãs e bem organizadas e os quartos que eles podiam ter por anos e anos, tinha uma lembrança nítida da casa de Charlie, grande e luxuosa. Havia um longo gramado ensolarado, uma casa de árvore e limonada gelada servida pela mãe de Charlie.

E então veio o horror sem precedentes do primeiro dia de volta às aulas depois do feriado de Páscoa, quando a professora lhes disse que Charlie nunca mais voltaria, que estava morto, que tinha ido de bicicleta pela beira de uma pedreira durante suas férias no País de Gales. Ela era uma vaca velha e má, aquela professora, e não resistiu ao impulso de dizer à turma que Charlie, como eles deviam se lembrar, *sempre desobedecia aos adultos*, tinha sido *expressamente proibido* de andar de bicicleta perto da pedreira, mas foi assim mesmo, *talvez para se exibir* – mas ela foi obrigada a parar naquele ponto, porque duas menininhas na fila da frente estavam aos prantos.

Daquele dia em diante, Strike viu a cara do menino louro e sorridente despedaçando-se sempre que ele olhava ou imaginava uma pedreira. Não ficaria surpreso se cada integrante da antiga turma de Charlie Bristow tivesse o mesmo medo permanente do grande poço escuro, da queda abrupta e da pedra implacável.

– Sim, eu me lembro de Charlie – disse ele.

O pomo de adão de Bristow subiu e desceu um pouco.

– Sim. É seu nome, entenda. Lembro-me com tanta clareza de Charlie falando sobre você, nas férias, nos dias antes de morrer; "meu amigo Strike", "Cormoran Strike". É incomum, não? De onde vem "Strike", sabe dizer? Nunca vi em lugar algum.

Bristow não era a primeira pessoa que Strike conhecia que se prenderia a qualquer assunto procrastinatório – o clima, o imposto sobre veículos, suas preferências por bebidas quentes – para adiar a discussão do que o levara ao escritório.

– Soube que tem alguma coisa a ver com milho – disse ele –, dosagem de milho.

– É mesmo? Nada a ver com pancadas ou greves, ha ha... não. Bem, como vê, quando eu procurava alguém para me ajudar neste assunto e vi seu nome na lista – o joelho de Bristow começou a se sacudir –, talvez possa imaginar como... ora, como me pareceu... um sinal. Um sinal de Charlie. Dizendo que eu tinha razão.

Seu pomo de adão subiu e desceu quando ele engoliu em seco.

– Tudo bem. – Strike falava com cautela, na esperança de que ele não o tomasse por um médium.

– É minha irmã, entenda – disse Bristow.

– Muito bem. Ela está com algum problema?

– Ela morreu.

Strike conseguiu se conter e não falar: "Como é, ela também?"

– Eu sinto muito – disse ele com cuidado.

Bristow aceitou as condolências com uma inclinação rápida da cabeça.

– Eu... isto não é fácil. Primeiramente, deve saber que minha irmã é... era... Lula Landry.

A esperança, tão brevemente reerguida pela novidade de que ele podia ter um cliente, tombou lentamente como uma lápide de granito e bateu com um golpe agonizante nas entranhas de Strike. O homem sentado diante dele era um delirante, se não verdadeiramente insano. Era uma impossibilidade semelhante à existência de dois flocos de neve idênticos que este homem de cara leporina e cor de soro de leite pudesse ter brotado do mesmo pool genético da beleza bronzeada, lapidada e jovem que fora Lula Landry.

– Meus pais a adotaram – disse Bristow mansamente, como se soubesse o que Strike pensava. – Todos nós somos adotivos.

– Arrã. – Strike tinha uma memória excepcionalmente acurada; pensando naquela casa imensa e organizada, e nos hectares resplandecentes de jardim, ele se lembrou de uma mãe loura e lânguida presidindo a mesa de piquenique, da voz grave e distante de um pai intimidador, de um irmão mais velho mal-humorado beliscando o bolo de frutas, Charlie fazendo a mãe rir com suas palhaçadas; mas não de uma garotinha.

– Você não teria conhecido Lula – continuou Bristow, mais uma vez como se Strike tivesse expressado seus pensamentos em voz alta. – Meus pais só a adotaram depois da morte de Charlie. Lula tinha 4 anos quando veio para nós; ficou num orfanato por alguns anos. Eu tinha quase 15. Ainda me lembro de ficar na porta da frente e ver meu pai carregando-a para cima. Ela estava com um chapeuzinho de tricô vermelho. Minha mãe ainda o tem.

E de súbito, surpreendentemente, John Bristow explodiu em prantos. Soluçou em suas mãos, de ombros recurvados, tremendo, enquanto as lágrimas e o muco deslizavam pelas frestas dos dedos. Sempre que parecia ter se imposto algum controle, mais soluços brotavam.

– Desculpe... desculpe... meu Deus...

Ofegante e soluçando, ele passou um lenço em chumaço por baixo dos óculos, tentando recuperar o domínio de si.

A porta da sala se abriu e Robin entrou, trazendo uma bandeja. Bristow virou a cara, seus ombros se erguiam e tremiam. Pela porta aberta, Strike teve outro vislumbre da mulher de terninho na antessala; agora ela o olhava com uma carranca por cima de um exemplar do *Daily Express*.

Robin baixou as duas xícaras, uma leiteira, um açucareiro e um prato de biscoitos de chocolate, nada que Strike tivesse visto antes, sorriu de um jeito mecânico para seus agradecimentos e fez menção de sair.

– Espere um minuto, Sandra – disse Strike. – Você poderia...?

Ele pegou uma folha de papel na mesa e a deslizou ao joelho. Enquanto Bristow soltava leves ruídos de deglutição, Strike escreveu, muito rapidamente e da forma mais legível que pôde.

> Por favor, procure Lula Landry no Google e descubra se foi adotada e, se foi, por quem. Não fale disto com a mulher lá fora (o que ela está fazendo aqui?). Escreva as respostas às perguntas anteriores e me traga, sem dizer o que descobriu.

Ele entregou a folha de papel a Robin, que a pegou sem dizer nada e saiu da sala.

– Desculpe... eu peço mil desculpas. – Bristow arquejava quando a porta se fechou. – Isto é... eu não costumo... tive de voltar ao trabalho, ver clientes... – Ele respirou fundo várias vezes. Com os olhos rosados, a semelhança com um coelho albino ficou acentuada. Seu joelho direito ainda se sacudia.

"Tem sido uma época pavorosa", sussurrou ele, respirando fundo. "Lula... e minha mãe morrendo..."

A boca de Strike salivava diante da visão dos biscoitos de chocolate, porque ele não comia nada pelo que pareciam dias; mas sentia que não seria nada simpático começar a lanchar enquanto Bristow se sacudia, fungava e enxugava os olhos. A britadeira ainda martelava na rua feito uma metralhadora.

– Ela desistiu completamente desde a morte de Lula. Seu câncer devia estar em remissão, mas voltou, e disseram que não havia mais nada a fazer. Quer dizer, esta é a segunda vez. Ela teve uma espécie de colapso depois de Charlie. Meu pai pensou que outro filho a faria se sentir melhor. Eles sempre quiseram uma menina. Não foi fácil para eles conseguir aprovação, mas Lula era mestiça e difícil de colocar, então – concluiu ele, num soluço estrangulado –, eles conseguiram ficar com ela.

"Ela sempre foi b-bonita. Foi d-descoberta na Oxford Street, fazendo compras com minha mãe. Contratada pela Athena. É uma das agências de maior prestígio. Ela já era modelo em t-tempo integral aos 17 anos. Quando morreu, valia cerca de dez milhões. Não sei por que estou lhe contando tudo isso. Provavelmente você já sabe. Todo mundo sabia... pensavam que sabiam... tudo sobre Lula."

Desajeitado, ele pegou a xícara; suas mãos tremiam tanto que o café se derramou da borda para as calças bem passadas do terno.

– O que exatamente gostaria que eu fizesse pelo senhor? – perguntou Strike.

Bristow recolocou a xícara na mesa e entrelaçou firmemente as mãos.

– Dizem que minha irmã se matou. Não acredito nisso.

Strike se lembrava das imagens na televisão: o saco mortuário preto numa maca, bruxuleando numa tempestade de flashes de câmeras ao ser levado para uma ambulância, os fotógrafos espremendo-se em volta quando a ambulância partia, levantando as câmeras para as janelas escurecidas enquanto luzes quicavam no vidro preto. Ele sabia mais da morte de Lula Landry do que pretendia ou queria saber; o mesmo poderia ser dito de quase todo ser senciente da Grã-Bretanha. Bombardeada com a história, a pessoa se interessa a contragosto e, antes que se dê conta, está tão bem informada, tão cheia de opiniões sobre o caso que teria sido desqualificada a se sentar num banco de jurados.

– Não houve um inquérito?

– Sim, mas o detetive encarregado do caso estava convencido desde o início de que foi suicídio, apenas porque Lula tomava lítio. As coisas que ele deixou passar... eles até localizaram algumas na internet.

Bristow apontou um dedo desproposital para a mesa despojada de Strike, onde deveria haver um computador.

Uma batida descuidada e a porta se abriu; Robin entrou, entregou a Strike um bilhete dobrado e se retirou.

– Pode me dar licença? – disse Strike. – Estava esperando por essa mensagem.

Ele abriu o bilhete no joelho, para que Bristow não pudesse ver pelo verso, e leu:

> Lula Landry foi adotada por Sir Alec e Lady Yvette Bristow quando tinha 4 anos. Foi criada como Lula Bristow, mas assumiu o nome de solteira da mãe quando começou a carreira de modelo. Tinha um irmão mais velho chamado John, que é advogado. A mulher na antessala é namorada do sr. Bristow e secretária em sua firma. Eles trabalham para a Landry, May, Patterson, a firma criada pelo avô materno de Lula e John. A foto no site de John Bristow na LMP é idêntica ao homem com quem está falando.

Strike amassou o bilhete e o largou no cesto de lixo a seus pés. Estava abalado. John Bristow não era um fantasista; e parecia que ele, Strike, tinha recebido a secretária temporária com mais iniciativa e melhor ortografia que jamais conhecera.

– Desculpe, continue – disse ele a Bristow. – Estava me falando... do inquérito?

– Sim. – Bristow passou levemente o lenço molhado na ponta do nariz. – Bem, não estou negando que Lula tinha problemas. Ela fez da vida da minha mãe um inferno, para ser sincero. Começou mais ou menos na época da morte de meu pai... deve saber de tudo isso, Deus sabe que há muito sobre o assunto na imprensa... mas foi expulsa da escola por se envolver com drogas; fugiu de Londres, minha mãe a encontrou morando em péssimas condições com viciados; as drogas exacerbaram os problemas mentais; ela fugiu de um centro de tratamento... foram cenas e dramas intermináveis. No fim, porém, eles perceberam que Lula tinha transtorno bipolar e lhe deram a medicação correta, e desde então, desde que começou a tomar os comprimidos, ela ficou bem; nem dava para saber que havia qualquer problema com ela. Até o legista admitiu que Lula *tinha* tomado os medicamentos, a autópsia provou isso.

"Mas a polícia e o legista não deixaram de lado a garota que tinha histórico de doença mental. Insistiram que ela era deprimida, mas eu mesmo posso atestar que Lula não estava nada deprimida. Eu a vi na manhã do dia de sua morte e ela estava perfeitamente bem. As coisas iam muito bem para ela, sobretudo na carreira. Havia acabado de assinar um contrato que lhe pagaria cinco milhões por dois anos; pediu-me para examiná-lo para ela, era um ótimo acordo. O estilista era um grande amigo dela, Somé, imagino que tenha ouvido falar dele, não? E ela estava com a agenda lotada por meses; teria uma sessão de fotos no Marrocos em breve e adorava viajar. Assim, veja bem, não havia nenhum motivo para ela tirar a própria vida."

Strike assentiu com educação, mas, no fundo, sem se impressionar. Os suicidas, segundo sua experiência, eram perfeitamente capazes de fingir interesse num futuro que não pretendiam habitar. A manhã cor-de-rosa e dourada de Landry podia muito bem tornar-se sombria e desesperançada durante o dia e a metade da noite que precederam sua morte; ele sabia que isso acontecia. Lembrava-se do tenente no Regimento de Artilharia Real, que levantou à noite depois de sua festa de aniversário, da qual, segundo disseram, ele foi a alma. Tinha escrito um bilhete à família, dizendo-lhes para chamar a polícia e não entrar na garagem. O corpo foi encontrado enforcado no teto da garagem pelo filho de 15 anos, que não percebeu o bilhete ao passar correndo pela cozinha para pegar a bicicleta.

– Não é só isso – continuou Bristow. – Há evidências, evidências sólidas. Para começar, as de Tansy Bestigui.

– A vizinha que disse ter ouvido uma discussão num andar de cima?

– Exatamente! Ela ouviu um homem gritando lá, pouco antes de Lula cair pela sacada! A polícia desprezou seu testemunho apenas porque ela... bem, tinha usado cocaína. Mas isso não quer dizer que ela não soubesse o que ouviu. Tansy sustenta que nesse dia Lula discutia com um homem segundos antes de cair. Eu sei, porque falei sobre esse assunto com ela muito recentemente. Nossa firma estava cuidando de seu divórcio. Tenho certeza de que posso convencê-la a falar com você.

"E há também", disse Bristow, olhando Strike ansiosamente, tentando avaliar sua reação, "a gravação do sistema de circuito interno. Um homem andando para os Kentigern Gardens cerca de 20 minutos antes de Lula cair, em seguida uma gravação do mesmo homem correndo como do diabo dos Kentigern Gardens depois de ela ser morta. Eles nunca descobriram quem era; nunca conseguiram identificá-lo."

Com certa ansiedade furtiva, Bristow agora tirava do bolso interno do paletó um envelope em branco meio amassado e o estendia.

– Escrevi tudo. Os horários e tudo. Está aí. Verá como tudo se encaixa.

O aparecimento do envelope não aumentou em nada a confiança de Strike na capacidade crítica de Bristow. Já lhe haviam entregue coisas assim antes: os frutos rabiscados de obsessões solitárias e equivocadas; divagações tacanhas sobre teorias obstinadas; horários complexos e distorcidos para comportar contingências fantásticas. A pálpebra esquerda do advogado palpitava, um de seus joelhos subia e descia espasmodicamente e os dedos que estendiam o envelope tremiam.

Por alguns segundos Strike confrontou estes sinais de tensão com os sapatos feitos à mão de Bristow e o relógio Vacheron Constantin revelado em seu pulso pálido quando ele gesticulava. Este era um homem que podia pagar, e pagaria; talvez por tempo suficiente para permitir que Strike liquidasse uma prestação do empréstimo que era a mais premente de suas dívidas. Com um suspiro e uma carranca íntima para sua própria consciência, Strike disse:

– Sr. Bristow...

– Pode me chamar de John.

– John... Serei franco com você. Não acho que seria direito aceitar seu dinheiro.

Manchas vermelhas brotaram no pescoço branco e na cara comum de Bristow enquanto ele ainda estendia o envelope.

– O que quer dizer com não seria direito?

– A morte de sua irmã provavelmente teve a investigação mais completa possível. Milhões de pessoas, a mídia do mundo todo, seguiram cada movimento da polícia. Eles devem ter sido duas vezes mais meticulosos do que o habitual. É difícil ter de aceitar um suicídio...

– Eu não aceito. Jamais aceitarei. Ela não se matou. Alguém a empurrou daquela sacada.

A britadeira na rua parou repentinamente, então a voz de Bristow soou alta na sala; e sua fúria pronta a ser disparada era de um homem dócil levado a seus limites absolutos.

– Sei. Entendo. Você é outro deles, não? Outro merda de psicólogo de bar? A morte de Charlie, a morte de meu pai, a morte de Lula e minha mãe morrendo... Eu perdi todos e preciso de terapia para o luto, não de um detetive. Acha que já não ouvi isso umas mil vezes, porra?

Bristow se levantou, impressionante apesar dos dentes de coelho e da pele manchada.

– Sou um homem muito rico, Strike. Lamento ser grosseiro, mas aí está. Meu pai me deixou aplicações consideráveis. Estive vendo o preço em vigor para esse tipo de coisa, e estaria disposto a lhe pagar o dobro.

O dobro dos honorários. A consciência de Strike, antes firme e inflexível, foi enfraquecida pelos golpes repetidos do destino; este era o nocaute. Seu self mais vil já dava cambalhotas no reino da especulação feliz: um mês de trabalho lhe daria o bastante para pagar a temporária e parte dos aluguéis atrasados; dois meses, as dívidas mais prementes... Três meses, uma boa parcela da dívida no cheque especial sumiria... Quatro meses...

Mas John Bristow falava por sobre o ombro ao se afastar para a porta, agarrando e amassando o envelope que Strike se recusou a pegar.

– Queria que fosse você por causa de Charlie, mas soube de umas coisinhas a seu respeito, não sou um completo idiota. Ramo de investigação especial, a SIB, a polícia militar real, não foi? Condecorado e tudo. Não posso dizer que fiquei impressionado com seus escritórios – agora Bristow quase gritava e Strike estava ciente de que as vozes femininas abafadas na antessala tinham silenciado –, mas ao que parece eu estava enganado, e você está em condições de rejeitar trabalho. Muito bem! Pode esquecer. Sei que encontrarei alguém para fazer este serviço. Desculpe-me pelo incômodo!

4

Por alguns minutos, a conversa entre os homens foi transmitida com crescente clareza pela divisória fina; agora, no silêncio repentino que se seguiu à cessação da britadeira, as palavras de Bristow eram inteiramente audíveis.

Puramente pela diversão, no entusiasmo deste dia feliz, Robin estivera tentando fazer de modo convincente o papel de secretária efetiva de Strike e não entregar à namorada de Bristow que só trabalhava para o detetive particular havia meia hora. Escondeu ao máximo qualquer sinal de surpresa ou empolgação com a explosão de gritaria, mas, por instinto, ficou ao lado de Bristow, qualquer que fosse o motivo do conflito. O trabalho de Strike e seu olho roxo tinham certo glamour surrado, mas a atitude dele para com ela era deplorável e seu seio esquerdo ainda doía.

A namorada de Bristow estivera encarando a porta fechada desde que as vozes dos homens ficaram audíveis, mesmo com o barulho da britadeira. Corpulenta e muito morena, com cabelo chanel e o que podia ser uma única sobrancelha se ela não tirasse, a mulher parecia naturalmente zangada. Robin sempre notava como os casais tendiam a ser equivalentes em relação à atratividade pessoal, embora claramente fatores como o dinheiro parecessem garantir um parceiro de aparência significativamente melhor do que a dele mesmo. Robin achava encantador que Bristow, que, pelos indícios de seu terno elegante e da firma de prestígio, podia ter posto os olhos em alguém muito mais bonito, tivesse escolhido esta mulher, que ela supunha ser mais calorosa e mais gentil do que sugeria a aparência.

– Tem certeza de que não quer um café, Alison? – perguntou ela.

A mulher olhou em volta como se estivesse surpresa de alguém lhe falar, como se esquecesse da presença de Robin ali.

– Não, obrigada. – Sua voz grave era surpreendentemente melodiosa. – Eu sabia que ele se aborreceria – acrescentou, com uma estranha satisfação.

— Tentei convencê-lo a não fazer isso, mas ele não me deu ouvidos. Parece que este suposto detetive está rejeitando seu caso. Que bom para ele.

A surpresa de Robin deve ter transparecido, porque Alison continuou, com certa impaciência:

— Seria melhor para John se ele simplesmente aceitasse a realidade. Ela se matou. O resto da família já aceitou isso, não sei por que ele não consegue.

Não tinha sentido fingir não saber do que a mulher falava. Todos sabiam o que acontecera com Lula Landry. Robin lembrava exatamente onde estava quando soube que a modelo tinha mergulhado para a morte numa noite abaixo de zero de janeiro: diante da pia da cozinha da casa de seus pais. A notícia chegou pelo rádio e ela soltou um gritinho de surpresa, correndo de camisola da cozinha para contar a Matthew, que passava o fim de semana lá. Como a morte de alguém que nem se conhece podia afetar tanto? Robin admirava imensamente a beleza de Lula Landry. Não gostava muito de seu próprio tom leitoso: a modelo tinha pele escura, era luminosa, de feições delicadas e ardente.

— Não faz muito tempo que ela morreu.

— Três meses — disse Alison, sacudindo seu *Daily Express*. — Ele é bom, esse homem?

Robin percebeu a expressão desdenhosa de Alison ao olhar as condições dilapidadas e o desleixo inegável da salinha de espera, e ela acabara de ver, online, o escritório imaculado e palaciano onde trabalhava a mulher. Sua resposta, portanto, foi incitada pelo respeito próprio e não pelo desejo de proteger Strike.

— Ah, sim — respondeu friamente. — É um dos melhores.

Ela abriu um envelope cor-de-rosa adornado de gatinhos com o ar de uma mulher que lidava diariamente com exigências muito mais complexas e intrigantes do que Alison podia imaginar.

Enquanto isso, Strike e Bristow se encaravam na sala, este furioso, aquele tentando achar um jeito de reverter sua situação sem alijar o respeito próprio.

— O que quero, Strike, é apenas — disse Bristow, rouco, a cor intensa no rosto fino — *justiça*.

Ele podia ter tocado um diapasão divino; a palavra soou pela sala malcuidada, provocando um som inaudível, mas plangente, no peito de Strike.

Bristow localizara a lâmpada-piloto que Strike escondia quando todo o resto explodira em cinzas. Ele estava desesperado por dinheiro, mas Bristow lhe dera um motivo melhor para se livrar de seus escrúpulos.

– Tudo bem. Eu entendo. E quero dizer, John, que entendo de verdade. Volte aqui e sente-se. Se ainda quiser minha ajuda, eu gostaria de oferecê-la.

Bristow o fuzilou com os olhos. Não havia ruído na sala além dos gritos distantes dos trabalhadores na rua.

– Gostaria que sua... humm, esposa, não é?... entrasse?

– Não – disse Bristow, ainda tenso, com a mão na maçaneta. – Alison pensa que eu não devia fazer isso. Não sei por que quis vir comigo. Provavelmente torcendo para que você declinasse.

– Por favor... sente-se. Vamos resolver isso corretamente.

Bristow hesitou, voltando então à cadeira abandonada.

Com o autodomínio enfim esfacelado, Strike pegou um biscoito de chocolate e o meteu, inteiro, na boca; tirou um bloco virgem da gaveta da mesa, abriu-o, pegou uma caneta e conseguiu engolir o biscoito a tempo de Bristow reassumir seu lugar.

– Devo pegar isto? – sugeriu ele, apontando o envelope a que Bristow ainda se agarrava.

O advogado o entregou como se não tivesse certeza de poder confiá-lo a Strike. Este, que não desejava examinar o conteúdo na frente de Bristow, colocou-o de lado com um leve tapinha, pretendendo mostrar que agora era um valioso componente da investigação, e preparou a caneta.

– John, se puder me dar um breve esboço do que houve no dia em que sua irmã morreu, seria muito útil.

De natureza metódica e meticulosa, Strike fora treinado para investigar com padrão elevado e rigoroso. Primeiro, permitir que a testemunha conte sua história à sua maneira: o fluxo desimpedido costumava revelar detalhes, inconsequências aparentes, que mais tarde se provam evidências inestimáveis. Colhida a primeira torrente de impressões e recordações, era hora de instar e organizar os dados com rigor e precisão: *pessoas, lugares, bens...*

– Oh. – Bristow parecia, depois de toda a sua veemência, sem saber por onde começar. – Não sei bem... vejamos...

– Quando foi a última vez que a viu? – Strike o incitou.

– Teria sido... sim, na manhã de sua morte. Nós... tivemos uma discussão, na realidade, embora graças a Deus tenhamos nos entendido.

– A que horas foi?

– Cedo. Antes das nove, eu estava a caminho do trabalho. Talvez 8:45.

– E sobre o que discutiram?

– Ah, sobre o namorado dela, Evan Duffield. Eles tinham acabado de reatar de novo. A família pensava que tinha terminado, e ficamos muito satisfeitos. Ele é uma pessoa horrível, viciado e autopromotor crônico; quase a pior influência sobre Lula que se pode imaginar.

"Posso ter sido meio grosseiro, eu... agora percebo isso. Eu era 11 anos mais velho do que Lula. Sentia-me protetor com relação a ela, entenda. Talvez às vezes eu fosse mandão. Ela sempre me dizia que eu não entendia."

– Entendia o quê?

– Ora... tudo. Lula tinha muitos problemas. Problemas por ser adotada. Problemas por ser negra numa família de brancos. Ela costumava dizer que para mim era fácil... Não sei. Talvez tivesse razão. – Ele piscou rapidamente por trás dos óculos. – A briga na realidade foi a continuação de outra que tivemos por telefone na noite anterior. Eu simplesmente não acreditava que ela tivesse sido tão idiota a ponto de voltar com Duffield. O alívio que todos sentimos quando eles se separaram... quero dizer, dada sua história com as drogas, namorar um viciado... – Ele puxou o ar. – Ela não me deu ouvidos. Nunca dava. Ficou furiosa comigo. Na realidade, deu instruções ao segurança do prédio para não me deixar passar da portaria na manhã seguinte, mas... bem, Wilson gesticulou para que eu seguisse em frente.

Humilhante, pensou Strike, ter de depender da compaixão do porteiro.

– Eu não teria subido – disse Bristow, infeliz, com as manchas de cor mais uma vez salpicando o pescoço fino –, mas tinha o contrato com Somé para entregar a ela; ela me pediu para ver e precisava assinar... Lula podia ser bem blasé com coisas assim. De qualquer modo, ela não estava muito satisfeita por terem me deixado subir e brigamos novamente, mas tudo logo se dissipou. Ela se acalmou.

"Então eu disse a ela que mamãe gostaria de uma visita. Minha mãe tinha acabado de sair do hospital, entenda. Fez uma histerectomia. Lula disse que podia dar uma passada para vê-la mais tarde, na casa dela, mas que não sabia bem. Tinha coisas a fazer."

Bristow respirou fundo; seu joelho direito voltou a se sacudir e as mãos de nós grossos se esfregavam uma na outra.

– Não quero que pense mal dela. As pessoas a consideravam egoísta, mas ela era a mais nova da família e muito mimada, depois era doente e, naturalmente, o centro das atenções, e foi lançada nessa vida extraordinária onde as coisas, as pessoas, giravam em torno dela, e era perseguida em toda parte pelos paparazzi. Não era uma existência normal.

– Não – disse Strike.

– Então, eu disse a Lula que mamãe estava grogue e sentia dores, e ela disse que podia dar uma olhada nela mais tarde. Eu saí; fui rapidamente a meu escritório para pegar uma papelada com Alison, porque queria trabalhar no apartamento de minha mãe naquele dia e lhe fazer companhia. Em seguida vi Lula na casa de mamãe, no meio da manhã. Ela se sentou com mamãe por um tempo no quarto até que meu tio chegou de visita, depois deu uma passada no escritório onde eu estava trabalhando, para se despedir. Ela me abraçou antes de...

A voz de Bristow falhou e ele baixou os olhos para o colo.

– Mais café? – sugeriu Strike. Bristow meneou a cabeça abaixada. Para lhe dar um momento para se recompor, Strike pegou a bandeja e levou para a antessala.

A namorada de Bristow levantou a cabeça do jornal, carrancuda, quando Strike apareceu.

– Terminaram? – perguntou ela.

– Evidentemente não – respondeu Strike, sem se esforçar para abrir um sorriso. Ela o olhou feio enquanto ele se dirigia a Robin.

– Posso tomar outra xícara de café, humm...?

Robin se levantou e pegou a bandeja dele em silêncio.

– John precisa voltar ao escritório às 10:30 – Alison informou a Strike numa voz um tanto mais elevada. – Precisaremos sair no máximo em dez minutos.

– Terei isso em mente – garantiu-lhe Strike mansamente, antes de voltar à sua sala, onde Bristow estava sentado como que em oração, de cabeça baixa nas mãos entrelaçadas.

– Desculpe – murmurou ele, enquanto Strike voltava a se sentar. – Ainda é difícil falar nisso.

— Não tem problema. – Strike pegou o bloco novamente. – Então Lula foi ver sua mãe? A que horas foi isso?

— Lá pelas 11. Está tudo no inquérito o que ela fez depois disso. Pediu ao motorista para levá-la a uma butique de que gostava e voltou para casa, onde tinha hora marcada com uma maquiadora que conhecia e a amiga Ciara Porter, que se juntou a ela ali. Deve ter visto Ciara Porter, ela é modelo. Muito loura. Elas foram fotografadas juntas como anjos, você deve ter visto: nuas, a não ser por bolsas de mão e asas. Somé usou a foto em sua campanha publicitária depois da morte de Lula. Comentaram que era de mau gosto.

"Então Lula e Ciara passaram a tarde juntas no apartamento de Lula, depois saíram para jantar, onde se encontraram com Duffield e algumas outras pessoas. O grupo todo foi para a Uzi, a boate, e ali ficaram até depois da meia-noite.

"Em seguida, Duffield e Lula discutiram. Muita gente viu. Ele a tratou com certa grosseria, tentou fazê-la ficar, mas ela saiu da boate sozinha. Todos pensaram que tinha sido ele, depois, mas por acaso ele tem um álibi forte."

— Esclarecido pelo testemunho do traficante dele, não foi? – perguntou Strike, ainda escrevendo.

— Sim, exatamente. E então... então Lula voltou para casa lá pela uma e vinte. Foi fotografada entrando. Deve se lembrar dessa foto. Depois apareceu em todo canto.

Strike se lembrava: uma das mulheres mais fotografadas do mundo, de cabeça baixa, ombros arriados, olhos pesados e braços cruzados, virando a cara para os fotógrafos. Depois que o veredicto de suicídio foi claramente estabelecido, a foto assumiu um aspecto macabro: a rica e linda jovem, a menos de uma hora de sua morte, tentando esconder sua desventura das lentes que ela cortejava e que a adoravam tanto.

— Os fotógrafos costumavam ficar na frente do prédio?

— Sim, em especial se soubessem que ela estava com Duffield, ou se quisessem tirar uma foto de seu retorno embriagada. Mas naquela noite eles não estavam ali por causa dela. Um rapper americano devia chegar e ficar no mesmo prédio; Deeby Macc é o nome dele. A gravadora alugou o apartamento abaixo do dela. Por acaso ele nunca apareceu, porque, com a polícia pelo prédio todo, era mais fácil para ele ir para um hotel. Mas os fotógrafos que perseguiram o carro de Lula quando ela saiu da Uzi se juntaram àqueles que esperavam por Macc na frente do edifício, então formou uma boa multidão deles perto da entrada, embora todos tivessem se dispersado pouco depois de ela entrar. De algum modo eles tiveram a dica de que Macc ainda demoraria umas horas para aparecer.

"Era uma noite amargamente fria. Nevava. Estava abaixo de zero. Então a rua estava vazia quando ela caiu."

Bristow piscou e tomou outro gole do café, e Strike pensou nos paparazzi que saíram antes de Lula cair da sacada. Imagine, pensou ele, o que teria rendido uma foto de Landry mergulhando para a morte; o suficiente para se aposentar, talvez.

– John, sua namorada disse que você precisa estar em algum lugar às 10:30.

– O quê?

Bristow pareceu voltar a si. Olhou o relógio caro e arquejou.

– Meu Deus do céu, não sabia que estava aqui há tanto tempo. Mas... e agora? – perguntou ele, um tanto aturdido. – Vai ler minhas anotações?

– Sim, claro – garantiu-lhe Strike –, e ligarei daqui a alguns dias quando tiver feito algum trabalho preliminar. Espero ter muitas outras perguntas então.

– Muito bem. – Bristow levantou-se estupefato. – Tome... aqui está meu cartão. E como gostaria de receber?

– Um mês de honorários adiantado será ótimo – disse Strike. Reprimindo uma leve agitação de vergonha e lembrando-se de que o próprio Bristow ofereceu honorários em dobro, ele especificou uma quantia exorbitante e, para seu prazer, Bristow não se esquivou, nem perguntou se aceitaria cartões de crédito, nem mesmo prometeu deixar o dinheiro depois, mas sacou um talão de cheques de verdade e uma caneta.

– Se, digamos, um quarto dele puder ser em espécie – acrescentou Strike, testando sua sorte; e ficou abalado pela segunda vez naquela manhã quando Bristow respondeu.

– Eu me perguntava se preferiria... – E contou um maço de notas de cinquenta, além do cheque.

Eles foram para a antessala no exato instante em que Robin estava prestes a entrar com o café fresco de Strike. A namorada de Bristow se levantou quando a porta se abriu e dobrou o jornal com o ar de quem esteve esperando demais. Era quase tão alta quanto Bristow, de compleição larga, com uma expressão carrancuda e mãos grandes e masculinas.

– Então concordou em fazer, não foi? – perguntou ela a Strike. Ele teve a impressão de que ela pensava que ele estava se aproveitando do namorado rico. E muito possivelmente tinha razão.

– Sim, John me contratou – respondeu ele.

– Ah, bom – disse ela, sem a menor cortesia. – Está satisfeito, espero, John.

O advogado lhe sorriu, ela suspirou e lhe deu um tapinha no braço, como uma mãe tolerante, mas um tanto exasperada com o filho. John Bristow levantou a mão numa saudação e seguiu a namorada para fora da sala, seus passos soando escada de metal abaixo.

5

STRIKE VOLTOU A ROBIN, que se sentara ao computador. Seu café estava ao lado das pilhas de correspondência bem organizadas em fila na mesa ao lado dela.

– Obrigado – disse ele, tomando um gole –, e pelo bilhete. Por que você é temporária?

– Como assim? – perguntou ela, mostrando desconfiança.

– Você conhece bem a ortografia. Pega tudo muito rápido. Mostra iniciativa... de onde vieram as xícaras e a bandeja? O café e os biscoitos?

– Peguei emprestado com o sr. Crowdy. Disse a ele que devolveríamos na hora do almoço.

– Senhor quem?

– Crowdy, o homem do andar de baixo. O designer gráfico.

– E ele deixou que você trouxesse?

– Sim – disse ela, meio na defensiva. – Eu pensei que, depois de oferecer café a um cliente, devíamos providenciá-lo.

O uso do plural parecia um leve tapa na moral de Strike.

– Bom, foi de uma eficiência além de qualquer coisa que a Temporary Solutions tenha mandado para cá antes, pode acreditar. Desculpe por insistir em chamá-la de Sandra; ela foi a última garota. Qual é o seu nome?

– Robin.

– Robin – repetiu ele. – Será fácil de lembrar.

Ele teve a intenção de fazer uma alusão jocosa a Batman e seu fiel parceiro, mas a piada ruim morreu nos lábios enquanto o rosto dela assumia um tom de rosa vívido. Tarde demais, ele percebeu que poderia haver uma interpretação infeliz de suas palavras inocentes. Robin girou a cadeira para o monitor do computador, e assim só o que Strike podia ver era a beira de um rosto em brasa. Em um momento paralisado de mútuo constrangimento, a sala parecia ter encolhido ao tamanho de uma cabine telefônica.

— Vou sair por um tempinho — disse Strike, baixando o café praticamente intocado, e andou como um caranguejo para a porta, pegando o sobretudo no gancho atrás dela. — Se alguém telefonar...

— Sr. Strike... antes que vá, acho que deve ver isto.

Ainda ruborizada, Robin pegou, no alto da pilha de cartas abertas ao lado do computador, uma folha de papel de carta cor-de-rosa e um envelope da mesma cor, ambos colocados por ela em um saco plástico transparente. Strike notou seu anel de noivado quando ela lhe estendeu as coisas.

— É uma ameaça de morte.

— Ah, sim — disse Strike. — Não há por que se preocupar. Chega mais ou menos uma a cada semana.

— Mas...

— É um ex-cliente insatisfeito. Mas doente mental. Acha que pode me enganar usando esse papel.

— Claro, mas... a polícia não devia ver isso?

— Para rir, quer dizer?

— Não é engraçado, é uma ameaça de morte! — Strike percebeu então por que ela a colocara, com o envelope, no saco plástico. Ele ficou levemente comovido.

— Basta arquivar com as outras. — Ele apontou os arquivos no canto. — Se ele quisesse me matar, já teria feito alguma coisa. Vai encontrar cartas de seis meses ali em algum lugar. Algum problema em segurar o forte enquanto estou fora?

— Vou dar meu jeito — respondeu Robin, e ele achou graça do seu tom irritado e de sua óbvia decepção por ninguém procurar as digitais na ameaça de morte cheia de gatinhos.

— Se precisar de mim, o número de meu celular está nos cartões na primeira gaveta.

— Tudo bem. — Ela não olhou para ele, nem para a gaveta.

— Se quiser sair para almoçar, fique à vontade. Tem uma chave sobressalente na mesa em algum lugar.

— Tudo bem.

— Até mais, então.

Ele parou pouco depois da porta de vidro, na soleira do minúsculo banheiro úmido. A pressão em suas entranhas estava ficando dolorosa, mas ele sentia que a eficiência de Robin, sua preocupação impessoal com sua segurança, tornava-a meritória de certa consideração. Resolvendo esperar até chegar ao pub, Strike desceu a escada.

Na rua, ele acendeu um cigarro, entrou à esquerda e passou pelo 12 Bar Café, fechado, subiu a viela estreita da Denmark Place, passou por uma vitrine cheia de violões multicoloridos e paredes cobertas de folhetos esvoaçantes, longe do martelar incessante da britadeira. Contornando o entulho e os destroços da rua ao pé de Centre Point, ele passou por uma gigantesca estátua dourada de Freddie Mercury postada na entrada do Dominion Theatre do outro lado da rua, de cabeça baixa, um punho erguido, como um deus pagão do caos.

A fachada vitoriana e decorada do pub Tottenham se ergueu atrás do entulho e da obra na rua, e Strike, agradavelmente ciente da grande quantidade de dinheiro no bolso, abriu caminho pelas portas, entrando na serena atmosfera vitoriana de volutas reluzentes de madeira escura e ferragens de bronze. Suas meias divisórias de vidro fosco, as banquetas de couro envelhecido, os espelhos do bar cobertos de dourado, os muitos querubins e chifres falavam de um mundo confiante e ordenado que formava um contraste satisfatório com a rua arruinada. Strike pediu um *pint* de Doom Bar e levou para o fundo do pub quase deserto, colocando o copo numa mesa alta e redonda, sob a espalhafatosa cúpula de vidro no teto, e foi diretamente para o toalete, que tinha um forte cheiro de urina.

Dez minutos depois e sentindo-se consideravelmente reconfortado, Strike tinha bebido um terço do copo, que aprofundava o efeito anestésico de sua exaustão. A cerveja da Cornualha tinha gosto de lar, paz e segurança há muito perdidos. Bem à frente dele, havia uma pintura grande e borrada de uma donzela vitoriana, dançando com rosas nas mãos. Brincando timidamente ao olhá-lo por uma chuva de pétalas, os seios enormes guarnecidos de branco, ela era tão diferente de uma mulher real como a mesa em que pousava o copo, ou o obeso de rabo de cavalo que manejava as bombas no bar.

E agora os pensamentos de Strike voltavam a Charlotte, que sem dúvida alguma era real; bonita, perigosa como uma raposa encurralada, inteligente, às vezes engraçada e, nas palavras do mais antigo amigo de Strike: "Fodida até a medula." Será que desta vez realmente chegara ao fim? Embalado no cansaço, Strike recordou as cenas da noite anterior e desta manhã. Enfim, ela fez algo que ele não podia perdoar, e a dor, sem dúvida, seria torturante depois de passado o efeito do anestésico: mas nesse meio-tempo havia certos aspectos práticos a serem enfrentados. Foi no apartamento de Charlotte que eles moraram; sua casinha de dois andares cara e de estilo na Holland Park Avenue, o que significava que ele, desde as duas horas da madrugada, era um sem-teto voluntário.

("Bluey, venha morar comigo. Pelo amor de Deus, você sabe que faz sentido. Pode economizar dinheiro enquanto monta seu negócio e eu posso cuidar de você. Não devia ficar sozinho enquanto está em recuperação. Bluey, não seja bobo..."

Ninguém nunca o chamaria de Bluey de novo. Bluey morreu.)

Era a primeira vez em seu longo e turbulento relacionamento que ele saía. Por três vezes, foi Charlotte que desistira. Havia uma consciência inconfessa entre eles, sempre, de que se um dia ele fosse embora, se um dia ele decidisse que bastava, a separação seria de uma ordem inteiramente diferente de todas aquelas que ela instigou, nenhuma das quais, embora dolorosas e conturbadas, definitivas.

Charlotte não descansaria até que o magoasse o quanto pudesse como retaliação. A cena feita de manhã, quando ela o seguiu até seu escritório, sem dúvida foi um mero antegozo do que se desenrolaria nos meses, até anos futuros. Ele nunca conheceu ninguém com tanto apetite pela vingança.

Strike mancou até o balcão, pediu um segundo *pint* e voltou à mesa para uma reflexão mais sombria. Abandonar Charlotte o deixou à beira da verdadeira penúria. Ele estava tão profundamente endividado que só John Bristow era o que havia entre ele e um saco de dormir numa porta. Na realidade, se Gillespie cobrasse o empréstimo que compunha a caução pela sala de Strike, este não teria alternativa a não ser dormir ao relento.

("Só estou ligando para saber como vão as coisas, sr. Strike, porque a parcela deste mês ainda não chegou... Podemos esperar que venha nos próximos dias?")

E finalmente (já que havia começado a procurar as imperfeições de sua vida, por que não fazer um levantamento abrangente?) havia seu ganho de peso mais recente; nove quilos completos, assim ele não só se sentia gordo e inepto, como imprimia uma desnecessária pressão a mais à prótese da perna que agora pousava na barra de bronze debaixo da mesa. Strike desenvolvia a sombra de uma claudicação simplesmente porque a carga adicional estava provocando algum esfolado. Sabendo que caminhava para a penúria, ele se decidiu a ir até lá da forma mais barata.

Ele voltou ao balcão para um terceiro copo. De volta à mesa sob a cúpula, sacou o celular e ligou para um amigo na Polícia Metropolitana cuja amizade, embora de apenas alguns anos, fora forjada em condições excepcionais.

Assim como Charlotte era a única pessoa que o chamava de "Bluey", o inspetor-detetive Richard Anstis era a única pessoa que chamava Strike de "Mystic Bob", nome que berrou assim que ouviu a voz do amigo.

– Preciso de um favor – disse Strike a Anstis.

– Fala.

– Quem cuidou do caso Lula Landry?

Enquanto procurava na agenda, Anstis perguntou sobre os negócios de Strike, sobre a perna direita e a noiva. Strike mentiu sobre a situação dos três.

– É bom saber – disse Anstis animadamente. – Muito bem, aqui está o número de Wardle. Ele é boa gente; um ególatra, mas você vai se dar melhor com ele do que com Carver; esse é um babaca. Posso dar uma palavrinha com Wardle. Ligo para ele agora, se quiser.

Strike arrancou um folheto de turista de um quadro na parede e copiou o número de Wardle no espaço ao lado de uma foto da Guarda Montada.

– Quando vai aparecer? – perguntou Anstis. – Traga Charlotte uma noite dessas.

– Tá, seria ótimo. Eu te ligo; agora tenho muito que fazer.

Depois de desligar, Strike ficou um tempo ali, imerso em pensamentos, depois telefonou para um conhecido muito mais antigo do que Anstis, cuja vida corria na direção contrária.

– Preciso de um favor, parceiro – disse Strike. – Preciso de informações.

– Sobre o quê?

– Me diga você. Preciso de algo que me dê influência sobre um policial.

A conversa durou 25 minutos e envolveu muitas pausas, que ficavam maiores e mais sugestivas até que, por fim, Strike recebeu um endereço aproximado e dois nomes, que também copiou ao lado da Guarda Montada, e um alerta, que ele não escreveu, mas aceitou no espírito da intenção que sabia existir. A conversa terminou com um tom amistoso e Strike, agora bocejando à larga, discou o número de Wardle, que atendeu quase imediatamente com uma voz alta e ríspida.

– Wardle.

– Sim, alô. Meu nome é Cormoran Strike e...

– Você é o quê?

– Cormoran Strike – disse Strike –, é o meu nome.

– Ah, sim – disse Wardle. – Anstis acaba de telefonar. É o detetive particular? Anstis disse que você estava interessado em falar de Lula Landry, não é isso?

– Sim, estou – repetiu Strike, reprimindo outro bocejo ao examinar os painéis pintados do teto: bacanais que se tornavam, conforme ele olhava, um festim das fadas: *Sonhos de uma noite de verão*, um homem com uma cabeça de burro. – Mas o que realmente quero é o arquivo.

Wardle riu.

– Você não salvou a porra da *minha* vida, colega.

– Tenho informações que podem te interessar. Mas podemos fazer uma troca.

Houve uma curta pausa.

– Devo entender que não quer falar nisso ao telefone?

– É isso mesmo – disse Strike. – Há algum lugar em que queira tomar uma cerveja depois de um dia duro de trabalho?

Depois de anotar o nome de um pub perto da Scotland Yard e concordar que dali a uma semana (sem conseguir uma data anterior) também seria bom para ele, Strike desligou.

Nem sempre foi assim. Alguns anos atrás, ele conseguia a aquiescência de testemunhas e suspeitos; era como Wardle, um homem cujo tempo tinha mais valor do que a maioria daqueles com quem ele convivia, e que decidia quando, onde e como aconteceriam longas entrevistas. Como Wardle, ele não precisava de farda; estava constantemente revestido pelo caráter oficial e pelo prestígio. Agora, era um manco de camisa amassada, regateando com velhos conhecidos, tentando fazer acordos com policiais que antigamente ficavam felizes em receber seus telefonemas.

– Babaca – disse Strike em voz alta, fazendo eco no copo. O terceiro *pint* desceu com tanta facilidade que quase não restou nada no fundo.

Seu celular tocou; olhando a tela, ele viu o número do escritório. Sem dúvida Robin queria lhe dizer que Peter Gillespie estava atrás de dinheiro. Ele deixou que ela caísse na caixa postal, esvaziou o copo e saiu.

A rua estava iluminada e fria, a calçada molhada e as poças intermitentemente prateadas enquanto as nuvens deslizavam pelo sol. Strike acendeu outro cigarro ao passar pela porta de entrada e ficou fumando na soleira do Tottenham, vendo os trabalhadores que andavam em volta do buraco na rua. Cigarro terminado, partiu pela Oxford Street para matar tempo até que a Temporary Solutions tivesse ido embora e ele pudesse dormir em paz.

6

ROBIN ESPEROU DEZ MINUTOS para ter certeza de que Strike não estava prestes a voltar e deu vários telefonemas prazerosos de seu celular. A notícia de seu noivado foi recebida pelos amigos com gritos de empolgação ou comentários invejosos, que davam a Robin igual satisfação. Na hora do almoço, ela se presenteou com uma hora de folga, comprou três revistas de noivas e um pacote de biscoitos para devolução (que registrou na caixinha de despesas, uma lata com rótulo de biscoito amanteigado, como dívida a ela de 42 pence), e voltou ao escritório vazio, onde passou quarenta felizes minutos examinando buquês e vestidos de noiva, formigando de empolgação.

Quando acabou a hora de almoço que ela mesma determinou, Robin lavou e devolveu as xícaras e a bandeja ao sr. Crowdy, além dos biscoitos. Notando a ansiedade com que ele tentava retê-la numa conversa em seu segundo aparecimento, os olhos dele vagando distraidamente da boca aos seios de Robin, ela resolveu evitá-lo pelo resto da semana.

Strike ainda não voltara. Por vontade de ter o que fazer, Robin arrumou suas gavetas, jogando fora o que reconheceu como lixo acumulado por outras temporárias: dois quadrados pardos de chocolate ao leite, uma lixa de unhas careca e muitos pedaços de papel trazendo números de telefone desconhecidos e rabiscos. Havia uma caixa de clipes de metal antiquados, que ela nunca tinha visto na vida, e um número considerável de bloquinhos azuis em branco que, embora sem timbre, tinham um ar oficial. Robin, experiente no mundo dos escritórios, teve a sensação de que pudessem ter sido afanados de um armário de suprimentos institucional.

O telefone tocava de vez em quando. Seu novo chefe parecia ser uma pessoa de muitos nomes. Um homem perguntou pelo "Pastelão"; outro por "Gorila", enquanto uma voz seca e ríspida pediu que o "sr. Strike" retornasse a ligação do sr. Peter Gillespie assim que fosse possível. Em cada ocasião,

Robin entrava em contato com o celular de Strike e só conseguia a caixa postal. Assim, deixava mensagens de voz, escrevia nome e número de cada um que havia ligado num Post-It, levava para a sala de Strike e o grudava em sua mesa de forma organizada.

A britadeira roncava sem parar na rua. Lá pelas duas horas, o teto começou a ranger quando o ocupante do apartamento de cima ficou mais ativo; não fosse por isso, Robin estaria sozinha em todo o prédio. Aos poucos a solidão, combinada com a sensação de puro prazer que ameaçava explodir sua caixa torácica sempre que seus olhos caíam no anel na mão esquerda, deixou-a mais ousada. Começou a limpar e arrumar a salinha sob seu controle interino.

Apesar do desleixo geral e uma sujeira sobrejacente, Robin logo descobriu uma firme estrutura organizacional que agradava a sua natureza arrumada e organizada. As pastas de cartolina marrom (estranhamente antiquadas nesses tempos de plástico néon) enfileiradas na prateleira atrás de sua mesa foram arrumadas por ordem cronológica, cada uma delas com um número de série escrito à mão na lombada. Ela abriu uma delas e viu que os clipes de metal eram usados para prender folhas soltas em cada pasta. Grande parte do material em seu interior tinha uma letra enganosa e difícil de entender. Talvez fosse assim que a polícia trabalhasse; talvez Strike fosse ex-policial.

Robin descobriu na gaveta do meio do arquivo a pilha cor-de-rosa de ameaças de morte a que Strike fizera alusão, ao lado de um maço magro de acordos de confidencialidade. Pegou um deles e leu: um formulário simples, solicitando que o signatário não discutisse, fora do horário de trabalho, qualquer nome ou informação de que houvesse tomado conhecimento durante o dia. Robin ponderou por um momento, depois assinou e datou cuidadosamente um dos documentos, levou para a sala de Strike e colocou em sua mesa, para que ele pudesse acrescentar seu nome na devida linha pontilhada. Fazer esse juramento unilateral de sigilo lhe trouxe de volta parte da mística, até do glamour, que ela imaginava existir por trás da porta de vidro gravado, antes de a porta voar na sua cara e Strike quase derrubá-la escada abaixo. Foi depois de colocar o formulário na mesa de Strike que ela localizou a bolsa de viagem metida num canto atrás do arquivo. A bainha de uma camisa suja, um despertador e um sachê de sabonete espiavam por entre os dentes abertos do zíper da bolsa. Robin fechou a porta entre as duas salas como se tivesse testemunhado por acaso algo constrangedor e particular. Acrescentou a isto a mulher bonita de cabelos pretos que saiu às pressas do prédio naquela manhã, os vários ferimentos de Strike e o que parecia, pensando bem agora, ter sido uma perseguição um tanto atrasada, mas decidida. Em sua nova e alegre condição de noiva, Robin estava predisposta a sentir pena desesperadamente de qualquer um com uma vida amorosa menos afortunada do que a dela – se compaixão desesperada podia descrever o prazer extraordinário que ela na verdade sentia à ideia de seu próprio paraíso comparativo.

Às cinco horas e na ausência contínua do chefe temporário, Robin concluiu que estava liberada para ir para casa. Cantarolava consigo mesma enquanto preenchia sua própria folha de ponto, explodindo numa cantoria ao abotoar o impermeável; depois trancou a porta do escritório, passou a chave extra pela caixa de correio e desceu, com certa cautela, a escada de metal, para Matthew e para casa.

7

STRIKE PASSOU O INÍCIO DA TARDE no prédio da University of London Union onde, atravessando decidido a recepção com uma leve carranca, chegou aos chuveiros sem ser contestado ou lhe solicitarem a carteira de estudante. Tinha então comido um rolinho de presunto velho e uma barra de chocolate na cantina. Depois disso perambulou, de olhar inexpressivo em seu cansaço, fumando entre as lojas baratas que visitava para comprar com o dinheiro de Bristow os poucos artigos de que precisava, agora que não tinha mais cama e mesa. No final da tarde viu-se entocado num restaurante italiano, com várias caixas grandes encostadas no fundo, ao lado do balcão, prolongando ao máximo a cerveja até se esquecer um pouco do motivo para matar o tempo.

Eram quase oito horas quando voltou ao escritório. Esta era a hora em que ele achava Londres mais linda; o dia de trabalho acabara, as janelas do pub estavam quentes e pareciam joias, suas ruas zuniam de vida, e a permanência infatigável de seus prédios envelhecidos, suavizada pelas luzes de rua, tornava-se estranhamente tranquilizadora. Vimos muitos iguais a você, pareciam murmurar de forma apaziguadora, enquanto ele mancava pela Oxford Street carregando uma cama de campanha encaixotada. Sete milhões e meio de corações batiam em intimidade nesta velha cidade ofegante, e muitos, afinal, doíam bem mais do que o dele. Andando cansado pelas lojas que fechavam, enquanto os céus ficavam índigo, Strike encontrou consolo na vastidão e no anonimato.

Foi certa proeza forçar a cama de campanha pela escada de metal até o segundo andar e, quando chegou à entrada que trazia seu nome, a dor na ponta da perna direita era torturante. Ele se encostou por um momento, escorando todo o peso no pé esquerdo, ofegando contra a porta de vidro, vendo-a embaçar.

— Seu gordo babaca — disse em voz alta. — Dinossauro velho e acabado.

Enxugando o suor da testa, ele destrancou a porta e passou as várias compras pela soleira. Em sua sala, empurrou a mesa de lado e armou a cama, desenrolou o saco de dormir e encheu sua chaleira barata na pia do lado de fora da porta de vidro.

Seu jantar ainda estava num pote de macarrão instantâneo, que ele escolhera porque o lembrava do rango que costumava carregar em sua ração: uma associação profundamente arraigada entre o aquecimento rápido, comida reidratada e habitações improvisadas o fizeram estender a mão automaticamente para a coisa. Quando a chaleira ferveu, ele colocou água no pote e comeu a massa reidratada com um garfo de plástico que pegou na cantina da ULU, sentando-se na cadeira do escritório, olhando a rua quase deserta abaixo, o trânsito que roncava ao crepúsculo no final da rua, ouvindo a pancada decidida de um baixo dois andares abaixo, no 12 Bar Café.

Strike já dormira em lugares piores. Houve o chão de pedra de um estacionamento de vários andares em Angola e a siderúrgica bombardeada onde tinham erguido barracas e acordavam tossindo fuligem preta pela manhã; e, pior de tudo, o dormitório úmido da comunidade em Norfolk à qual sua mãe o arrastara com uma de suas meias-irmãs quando eles tinham respectivamente 8 e 6 anos. Ele se lembrava da calma desconfortável dos leitos hospitalares em que se deitou por meses, dos vários imóveis invadidos (também com sua mãe) e dos bosques enregelantes em que acampou nos exercícios militares. Embora a cama de campanha parecesse básica e nada convidativa sob uma única lâmpada nua, era um luxo se comparada com todos eles.

O ato de comprar o necessário, e de definir o fundamental para si mesmo, levou Strike de volta ao familiar estado marcial de fazer o que era preciso, sem questionar nem reclamar. Ele jogou fora o pote de macarrão instantâneo, acendeu a luz e se sentou à mesa, onde Robin passara a maior parte do dia.

Enquanto montava os componentes preliminares de um novo arquivo — a pasta de capa de cartolina, o papel em branco e um clipe de metal; o bloco em que registrara a entrevista com Bristow; o folheto de Tottenham; o cartão de Bristow — ele notou a nova arrumação nas gavetas, a falta de poeira no monitor do computador, a ausência de copos vazios e lixo, o leve cheiro de desinfetante Pledge. Um tanto intrigado, abriu a caixinha de despesas e viu ali, na letra nítida e redonda de Robin, a nota segundo a qual ele lhe devia 42 pence pelos biscoitos de chocolate. Strike pegou na carteira quarenta das libras que Bristow lhe dera e depositou na lata; pensando melhor, contou 42 pence em moedas e colocou por cima.

Em seguida, com uma das esferográficas que Robin tinha arrumado na primeira gaveta, Strike escreveu, com fluência e rapidez, começando pela data. As anotações da entrevista de Bristow ele arrancou e prendeu separadamente na pasta; as medidas que tomara até agora, inclusive os telefonemas a Anstis e a Wardle, foram anotados, seus números preservados (mas os detalhes de seu outro amigo, que lhe deu os nomes e endereços úteis, não foram arquivados).

Enfim, Strike deu a seu novo caso um número de série, que escreveu, junto com a legenda Morte Súbita, Lula Landry, na lombada, antes de guardar a pasta em seu lugar na extremidade direita da prateleira.

Agora, por fim, abria o envelope que, segundo Bristow, continha todas as pistas fundamentais que a polícia deixara passar. A letra do advogado, elegante e fluida, curvava-se para trás em linhas densamente escritas. Como Bristow prometera, o conteúdo tratava principalmente dos atos de um homem que ele chamava de "o Corredor".

O Corredor era um negro alto, cujo rosto era oculto por um cachecol e que aparecia nas gravações de segurança de um ônibus tarde da noite indo de Islington para o West End. Tinha embarcado nesse ônibus cerca de cinquenta minutos antes de Lula Landry morrer. Em seguida foi visto em gravações de circuito interno feitas em Mayfair, andando na direção da casa de Landry, à 1:39 da manhã. Ele parou na câmera e pareceu consultar uma folha de papel (possível endereço ou informações?, acrescentara Bristow prestativamente em suas anotações), antes de sair de vista.

A gravação feita pelo mesmo circuito de câmeras de vigilância mostrava brevemente o Corredor disparando de volta às 2:12 e saindo de vista. Um segundo negro também correndo - possível vigia? Interrompido num roubo de carro? Alarme de carro disparou perto da esquina nesse horário, escrevera Bristow.

Por fim havia uma gravação de circuito interno de um negro com forte semelhança com o Corredor andando por uma rua perto da Gray's Inn Square, vários quilômetros dali, na manhã da morte de Landry. Rosto ainda escondido, anotou Bristow.

Strike parou para esfregar os olhos, estremecendo por ter se esquecido de que um deles estava machucado. Agora se encontrava naquele estado zonzo e irrequieto que significava verdadeira exaustão. Com um suspiro longo e grunhido, ele refletiu sobre as anotações de Bristow, um punho cabeludo segurando a caneta pronta para tomar suas próprias notas.

Bristow podia interpretar a lei sem paixão e com objetividade na firma que lhe fornecia os cartões de apresentação elegantes e em relevo, mas o conteúdo deste envelope meramente confirmava a opinião de Strike de que a vida pessoal de seu cliente era dominada por uma obsessão injustificável. Qualquer que fosse a origem das preocupações de Bristow com o Corredor – fosse porque ele acalentava um medo secreto daquele bicho-papão urbano, o negro criminoso, ou por outro motivo mais pessoal e mais profundo – era impensável que a polícia não tivesse investigado o Corredor e seu companheiro (possivelmente vigia, possivelmente ladrão de carros), e era certo que tinham um bom motivo para excluí-lo como suspeito.

Bocejando à larga, Strike virou a segunda página das anotações de Bristow.

À 1:45, Derrick Wilson, segurança de serviço na portaria à noite, sentiu-se mal e foi ao banheiro dos fundos, onde permaneceu por cerca de 15 minutos. Por 15 minutos antes da morte de Lula, portanto, o saguão de seu prédio ficou deserto e alguém pode ter entrado e saído sem ser visto. Wilson só saiu do banheiro depois que Lula caiu, quando ouviu os gritos de Tansy Bestigui.

Esta janela de oportunidade bate exatamente com a hora em que o Corredor teria chegado ao número 18 da Kentigern Gardens, se tivesse passado pela câmera de segurança no cruzamento da Alderbrook com a Bellamy Road à 1:39.

– E como – resmungou Strike, massageando a testa – ele enxergou pela portaria, para saber que o guarda estava na privada?

Falei com Derrick Wilson, que ficou feliz em ser entrevistado.

E aposto que você pagou por isso, pensou Strike, notando o número do telefone do segurança abaixo dessas palavras conclusivas.

Ele baixou a caneta com a qual pretendia acrescentar suas próprias anotações e prendeu com um clipe na pasta os apontamentos de Bristow. Depois apagou a luz da mesa e mancou para urinar no banheiro úmido do andar.

Depois de escovar os dentes na pia rachada, trancou a porta de vidro, ajustou o despertador e se despiu.

Ao brilho de néon do poste da rua, Strike desfez as tiras da perna protética, soltando-a do coto dolorido, removendo o forro de gel que tinha se tornado um amortecedor inadequado contra a dor. Deitou a perna postiça ao lado do celular que recarregava, manobrou para seu saco de dormir e se deitou com as mãos na nuca, olhando o teto. Agora, como ele temia, a pesada fadiga do corpo não era suficiente para aquietar sua mente acesa. A velha infecção estava ativa de novo; atormentando-o, arrastando-o com ela.

O que ela estaria fazendo agora?

Na noite da véspera, num universo paralelo, ele morava em um belo apartamento numa parte muito desejável de Londres, com uma mulher que fazia cada homem que deitava os olhos nela tratar Strike com uma espécie de inveja incrédula.

"Por que não vem morar comigo? Ah, pelo amor de Deus, Bluey, não faz sentido? Por que não?"

Ele sabia, desde o comecinho, que era um erro. Eles já haviam tentado, e toda vez fora mais calamitosa do que a anterior.

"Estamos noivos, pelo amor de Deus, por que não mora comigo?"

Ela dissera coisas que deviam ser provas de que, no processo de quase perdê-lo para sempre, ela havia mudado irrevogavelmente tanto quanto ele, com sua perna e meia.

"Não preciso de aliança. Não seja ridículo, Bluey. Você precisa de todo o seu dinheiro para o negócio novo."

Ele fechou os olhos. Não poderia haver retorno para esta manhã. Ela mentira com frequência demasiada, sobre algo sério demais. Mas ele repassou tudo, como um cálculo que tinha resolvido havia muito tempo, temeroso de ter cometido algum erro elementar. Aflitivamente, acrescentou as constantes mudanças de horário, a recusa em marcar hora com farmacêutico ou médico, a fúria com a qual ela reagia a qualquer pedido de esclarecimento, depois o anúncio súbito de que tinha acabado, sem um tico de prova de que fosse para valer. Junto com qualquer outra circunstância suspeita, havia o conhecimento que muito lhe custou da mitomania da mulher, sua necessidade de provocar, de insultar, de testar.

"Não se atreva a *me* investigar, porra. Não se atreva a me tratar como um *soldadinho* drogado. Não sou uma merda de caso a ser resolvido; você devia me amar e não aceita minha palavra nem mesmo *nisso*..."

Mas as mentiras que ela contava se entremeavam no tecido de seu ser, de sua vida; e assim, viver com ela e amá-la, aos poucos, era ser enredado nelas, brigar com ela pela verdade, lutar para manter um pé na realidade. Como pode ter acontecido que ele, que desde sua juventude mais extrema sentia a necessidade de investigar, ter certeza, arrancar a verdade dos menores enigmas, como é possível que tenha se apaixonado tanto e por tanto tempo por uma mulher que contava mentiras com a facilidade com que outras respiravam?

– Acabou – disse ele a si mesmo. – Tinha de acontecer.

Mas ele não queria contar a Anstis e não suportaria contar a ninguém, ainda não. Tinha amigos por toda Londres que o receberiam de bom grado e ansiosamente em suas casas, que abririam os quartos de hóspedes e suas geladeiras, ávidos por se condoer e ajudar. O preço de todas essas camas confortáveis e refeições caseiras, porém, seria se sentar a mesas de cozinha, depois que as crianças limpas e de pijama estivessem na cama, e reviver a batalha final e suja com Charlotte, submeter-se à solidariedade ultrajada e à piedade das namoradas e esposas dos amigos. A isto, ele preferia a solidão severa, um pote de macarrão instantâneo e um saco de dormir.

Ele ainda sentia o pé ausente, amputado de sua perna dois anos e meio antes. Estava ali, sob o saco de dormir; podia flexionar os dedos desaparecidos, se quisesse. Apesar de exausto, ele levou algum tempo para dormir completamente e, quando conseguiu, Charlotte entrou e saiu de cada sonho, linda, vituperiosa e assombrada.

PARTE DOIS

Non ignara mali miseris succurrere disco.

Sem ignorar o mal, aprendo a socorrer os infelizes.

Virgílio, *Eneida*, Livro 1

1

— "Com as toneladas de matérias em jornais e horas de falação pela TV sobre o assunto da morte de Lula Landry, raras vezes se fez essa pergunta: *por que nos importamos?*

"'Ela era linda, é claro, e as mulheres bonitas têm ajudado a movimentar jornais desde as sereias hachuradas de pálpebras caídas de Dana Gibson para a revista *New Yorker*.

"'Ela também era negra, ou melhor, de um delicioso tom de *café au lait* e isto, ouvimos constantemente, representava um avanço num setor preocupado com a aparência. (Tenho minhas dúvidas: não poderia ser que, nesta temporada, o *café au lait* estivesse 'in'? Já notamos um influxo repentino de negras no setor, na esteira de Landry? Nossas concepções da beleza feminina sofreram uma revolução com seu sucesso? As Barbies negras agora vendem mais do que as brancas?)

"'A família e os amigos da Landry de carne e osso ficarão perturbados, é claro, e têm minha mais profunda solidariedade. Nós, porém, os leitores, os espectadores, não temos pesar pessoal que justifique nossos excessos. Morrem jovens todo dia, em circunstâncias 'trágicas' (isto é, não naturais): em acidentes de carro, de overdose e de vez em quando porque tentaram se matar de fome para seguir o padrão do corpo exibido por Landry e outros do gênero. Reservaríamos nós a algumas dessas garotas mais do que um pensamento de passagem, enquanto viramos a página e cobrimos seus rostos comuns?'"

Robin parou para tomar um gole de café e limpar a garganta.

— Até agora, hipócrita demais — murmurou Strike.

Ele estava sentado na ponta da mesa de Robin, colocando fotografias em uma pasta aberta, numerando cada uma delas e registrando uma descrição do assunto de cada uma num índice no verso. Robin continuou de onde parara, lendo o monitor do computador.

— "Nosso interesse desproporcional, até nosso pesar, conduz a uma análise. Até o momento em que Landry deu seu mergulho fatal, seria natural supor que dezenas de milhares de mulheres teriam trocado de lugar com ela. Jovens chorosas depositaram flores abaixo da sacada da cobertura de 4,5 milhões de libras de Landry, depois de removido seu corpo esmagado. Alguma aspirante a modelo teria desanimado em sua busca pela fama dos tabloides graças à ascensão e queda brutal de Lula Landry?"

— Continua assim — disse Strike. — Ela, não você — acrescentou ele rapidamente. — É uma mulher que escreve, não?

— Sim, uma tal de Melanie Telford — disse Robin, rolando para o alto da tela e revelando a foto de rosto de uma alegre loura de meia-idade. — Quer que pule o resto?

— Não, não, continue.

Robin pigarreou e prosseguiu.

— "A resposta, certamente, é não." Esta é a parte sobre as aspirantes a modelos desanimadas.

— Sei, entendi.

— Muito bem, então... "Cem anos depois de Emmeline Pankhurst, uma geração de meninas púberes não procura nada melhor do que ser reduzida ao status de boneca de papel, um avatar plano cujas aventuras fictícias mascaram perturbação e aflição suficientes para ela se atirar de uma janela do terceiro andar. A aparência é tudo: o estilista Guy Somé apressou-se a informar à imprensa que ela pulou com um de seus vestidos, cujo estoque esgotou 24 horas depois da morte. Que melhor propaganda poderia haver de que Lula Landry ter decidido encontrar seu criador vestida num Somé?

"'Não, não é a jovem cuja perda lamentamos, pois ela não era mais real para a maioria de nós do que as meninas Gibson que se derramavam da caneta de Dana. O que lamentamos é a imagem física que flutua por uma multiplicidade de tabloides e revistas de celebridades; uma imagem que nos vende roupas, bolsas e uma ideia de fama que, em sua morte, provou-se vazia e transitória como uma bolha de sabão. O que realmente nos faz falta, se formos honestas o suficiente para admitir, são as travessuras divertidas dessa garota de boa vida e fina como papel, de cuja existência de quadrinhos marcada por abuso de drogas, vida tumultuada, roupas elegantes e namorado perigoso e errante não podemos mais desfrutar.

"'O funeral de Landry teve a cobertura pródiga de qualquer casamento de celebridades nas revistas espalhafatosas que se alimentam dos famosos, cujos editores certamente lamentarão sua morte por mais tempo do que a maioria. Permitiram-nos o vislumbre de várias celebridades às lágrimas, mas sua família teve a menor foto de todas; surpreendentemente, formava um grupo nada fotogênico, vejam só.

"'Todavia, o relato de uma enlutada comoveu-me genuinamente. Em resposta à pergunta de um homem que pode não ter notado ser um repórter, ela revelou que tinha conhecido Landry numa clínica de tratamento e que as duas ficaram amigas. Ela assumiu seu lugar num banco do fundo para se despedir e escapuliu em silêncio. Não vendeu sua história, ao contrário de muitos outros que conviveram com Landry em vida. Talvez nos diga algo tocante sobre a verdadeira Lula Landry, que ela tenha inspirado um afeto autêntico em uma garota comum. Quanto ao resto de nós..."'

– Ela não deu um nome a essa garota comum da clínica? – interrompeu Strike.

Robin correu os olhos pela matéria.

– Não.

Strike coçou o queixo mal barbeado.

– Bristow não falou de nenhuma amiga de uma clínica de saúde.

– Acha que ela pode ser importante? – perguntou Robin ansiosamente, girando a cadeira para olhá-lo.

– Pode ser interessante conversar com alguém que conhecia Landry da terapia, em vez das boates.

Strike só pedira a Robin para procurar as ligações de Landry na internet porque não tinha mais nada para ela fazer. Robin já telefonara para Derrick Wilson, o segurança, e marcara para Strike um encontro na manhã de sexta-feira no Phoenix Café, em Brixton. A correspondência do dia compreendia duas circulares e um ultimato; não houve telefonemas e ela já organizara tudo no escritório que podia ser colocado em ordem alfabética, empilhado ou arrumado segundo tipo e cor.

Inspirado por sua proficiência no Google no dia anterior, portanto, ele lhe deu essa tarefa inútil. Por mais ou menos uma hora ela ficou lendo fragmentos ao acaso e artigos sobre Landry e seus amigos, enquanto Strike colocava em ordem uma pilha de recibos, contas telefônicas e fotografias relacionadas com seu único caso atual.

– Vamos ver se descobrimos mais sobre a garota, então? – perguntou Robin.

– Sim – concordou Strike distraidamente, examinando a foto de um careca atarracado de terno e uma ruiva de aparência muito madura vestida em jeans apertados. O homem de terno era o sr. Geoffrey Hook; a ruiva, porém, não tinha semelhança com a sra. Hook que, antes da chegada de Bristow a seu escritório, era a única cliente de Strike. Strike enfiou a foto na pasta da sra. Hook e rotulou de Nº 12, enquanto Robin voltava ao computador.

Por alguns instantes fez-se silêncio, a não ser pelo piparote de fotografias e o digitar das unhas curtas de Robin no teclado. A porta da sala de Strike estava fechada para esconder a cama de campanha e outros sinais de habitação, e o ar era pesado do cheiro de lima artificial, devido ao uso generoso por Strike do desodorizador de ambiente barato antes da chegada de Robin. Para que ela não percebesse qualquer nuance de interesse sexual em sua decisão de se sentar à sua mesa, ele fingiu perceber o anel pela primeira vez antes de se sentar, e por cinco minutos entabulou uma conversa educada e meticulosamente impessoal sobre o noivo. Soube que ele era contador recém-formado e se chamava Matthew; que foi para morar com Matthew que Robin se mudou de Yorkshire para Londres, no mês anterior, e que o emprego temporário era um tapa-buraco até que ela encontrasse uma colocação fixa.

– Acha que ela pode estar numa dessas fotos? – perguntou Robin depois de um tempo. – A garota da clínica?

Robin fora parar numa tela cheia de fotos de tamanho idêntico, cada uma delas mostrando uma ou mais pessoas vestidas de roupas escuras, todas indo da esquerda para a direita, a caminho do funeral. Barreiras de segurança e as caras borradas de uma multidão formavam o fundo de cada imagem.

A mais impressionante de todas era a foto de uma garota muito alta e pálida de cabelo dourado preso num rabo de cavalo, em cuja cabeça estava empoleirado um adorno de rede e plumas pretas. Strike a reconheceu, porque todo mundo sabia quem era: Ciara Porter, a modelo com quem Lula passou a maior parte de seu último dia na terra; a amiga com quem Landry foi fotografada para uma das mais famosas imagens de sua carreira; Porter estava linda e sombria ao andar para o serviço fúnebre de Lula. Parecia ter comparecido sozinha, porque não havia mão sem corpo escorando seu braço fino ou pousada em suas costas longas.

Ao lado da foto de Porter havia a de um casal com a legenda *Produtor de cinema Freddie Bestigui e a esposa Tansy*. Bestigui tinha a constituição de um touro, pernas curtas, um peito largo de barril e pescoço grosso. O cabelo era grisalho e bem curto; o rosto, uma massa amarfanhada de dobras, bolsas e sinais, dos quais seu nariz carnudo se projetava como uma tumescência. Entretanto, era uma figura imponente em seu sobretudo preto e caro, com a esposa esquelética pendurada no braço. Quase nada podia ser discernido da verdadeira aparência de Tansy, por trás das peles da gola do casaco erguidas e dos enormes óculos escuros.

A última foto desta fila superior era a de *Guy Somé, estilista*. Era um negro magro que usava um casacão azul muito escuro de corte exagerado. Estava cabisbaixo e sua expressão era indiscernível, devido ao modo como a luz incidiu sobre a cabeça escura, embora três grandes brincos de diamante no lóbulo voltado para a câmera tivessem captado os flashes e cintilassem como estrelas. Como Porter, ele parecia ter chegado desacompanhado, embora um pequeno grupo de enlutados, indignos de legendas próprias, tivesse sido encapsulado no enquadramento desta imagem.

Strike puxou a cadeira para mais perto da tela, embora ainda mantivesse a distância de mais de um braço entre ele e Robin. Um dos rostos identificados, meio cortado na beira da foto, era de John Bristow, reconhecível pelo lábio superior curto e os dentes de hamster. Tinha o braço em volta de uma mulher mais velha parecendo abatida e de cabelos brancos; o rosto era macilento e espantoso, a nudez de seu pesar, tocante. Atrás desta dupla estava um homem alto e de jeito arrogante que dava a impressão de deplorar o ambiente em que se encontrava.

– Não vejo ninguém que possa ser a tal garota comum – disse Robin, descendo pela tela para examinar outras fotos de famosos e gente bonita com suas caras tristes e sérias. – Ah, veja... Evan Duffield.

Ele vestia uma camiseta preta, jeans pretos e um sobretudo preto no estilo militar. O cabelo também era preto; o rosto, todo planos acentuados e concavidades; olhos azuis gelados encaravam diretamente a lente da câmera. Embora mais alto do que os outros dois, parecia frágil se comparado aos companheiros que o flanqueavam; um grandalhão de terno e uma mulher mais velha e ansiosa, cuja boca estava aberta e que fazia um gesto de quem abre o caminho à frente. O trio lembrou a Strike pais retirando uma criança doente de uma festa. Strike percebeu que, apesar do ar de desorientação e aflição de Duffield, ele aplicara muito bem o delineador nos olhos.

– Olha só essas flores!

Duffield fugiu para o alto da tela e desapareceu: Robin parou na foto de uma enorme coroa no formato do que Strike julgou ser, inicialmente, um coração, antes de perceber que representava duas asas de anjos dobradas, compostas de rosas brancas. Uma foto inserida mostrava um close do cartão.

– "Descanse em paz, Anjo Lula. Deeby Macc" – Robin leu em voz alta.

– Deeby Macc? O rapper? Então eles se conheciam?

– Não, acho que não; mas tinha toda uma história de ele alugar um apartamento no prédio dela; ela falou de algumas músicas dele, não foi? A imprensa ficou toda animada com a hospedagem dele ali...

– Você está bem informada sobre o assunto.

– Ah, sabe como é, revistas – disse Robin vagamente, rolando pelas fotos do funeral.

– Que nome é esse, "Deeby"? – perguntou-se Strike em voz alta.

– Vem das iniciais dele. É "D.B.", na realidade – enunciou ela com clareza. – O nome verdadeiro é Daryl Brandon Macdonald.

– Então você é fã de rap?

– Não. – Robin ainda estava atenta à tela. – Só que me lembro de coisas assim.

Ela clicou nas imagens que examinava e recomeçou a digitar. Strike voltou a suas fotos. A seguinte mostrava o sr. Geoffrey Hook beijando a companheira ruiva, a mão apalpando o traseiro grande e coberto de pano, na frente da estação da Ealing Broadway.

– Aqui tem um filme do YouTube, olha – disse Robin. – Deeby Macc falando de Lula depois que ela morreu.

– Vamos ver. – Strike rolou a cadeira mais alguns centímetros e, pensando melhor, recuou outros.

O vídeo pequeno e reticulado, de 7 centímetros por 10, ganhou vida de repente. Um negro grandalhão com uma espécie de camiseta de capuz e um punho realçado por tachas no peito estava sentado numa poltrona de couro preta, de frente para um entrevistador invisível. A cabeça era bem raspada e ele estava de óculos escuros.

"... Lula Landry se suicidou?", perguntou o entrevistador, que era inglês.

"Isso foi uma merda, cara, uma merda", respondeu Deeby, passando a mão na cabeça raspada. Sua voz era suave, grave e rouca, com um leve cicio. "É o que fazem para ter sucesso: perseguem você, acabam com você. É o que faz a inveja, meu amigo. A imprensa filhadaputa a perseguiu por aquela janela. Que ela descanse em paz, é o que digo. Ela está em paz agora."

"Não foi uma recepção muito chocante de Londres a você", disse o entrevistador, "isso de ela passar em queda por sua janela?"

Deeby Macc não respondeu de pronto. Ficou imóvel, olhando o entrevistador através de suas lentes opacas. Depois disse:

"Eu não estava lá, ou você ouviu alguém dizer que eu estava?"

O entrevistador soltou um uivo nervoso, apressadamente reprimindo o riso.

"Meu Deus, não, de jeito nenhum... não..."

Deeby virou a cabeça e se voltou para alguém fora do quadro.

"Acha que eu devia ter trazido meus advogados?"

O entrevistador zurrou com uma gargalhada hipócrita. Deeby voltou a olhá-lo, ainda sem sorrir.

"Deeby Macc", disse o entrevistador sem fôlego, "muito obrigado por seu tempo."

Uma mão branca se estendeu para a tela; Deeby ergueu o próprio punho. A mão branca se reconstituiu e eles bateram os nós dos dedos. Alguém em off riu com ironia. O vídeo terminou.

– "A imprensa filhadaputa a perseguiu por aquela janela" – repetiu Strike, rolando a cadeira de volta à sua posição original. – Que ponto de vista interessante.

Ele sentiu o celular vibrar no bolso da calça e o pegou. A visão do nome de Charlotte anexado a uma nova mensagem de texto lhe provocou uma onda de adrenalina pelo corpo, como se tivesse acabado de avistar uma fera agachada.

Estarei fora na manhã de sexta-feira entre 9 e meio-dia, se quiser pegar suas coisas.

— O quê? — Ele teve a impressão de que Robin acabara de falar.
— Eu disse que tem um artigo horrível aqui sobre a mãe biológica dela.
— Tudo bem. Leia.

Ele deslizou o celular para o bolso. Enquanto baixava a cabeça novamente para a pasta da sra. Hook, seus pensamentos pareciam reverberar, como se um gongo tivesse soado dentro do crânio.

Charlotte se comportava com uma sensatez sinistra; fingindo uma calma adulta. Ela levara seu duelo interminavelmente complicado a um novo nível, nunca antes alcançado ou testado: "Agora vamos nos comportar como adultos." Talvez uma faca fosse cravada entre suas omoplatas assim que ele entrasse pela porta do apartamento dela; talvez ele entrasse no quarto e descobrisse seu cadáver, de pulsos cortados, jazendo numa poça de sangue coagulando na frente da lareira.

A voz de Robin soava como o zumbido de fundo de um aspirador de pó. Com certo esforço, ele voltou a se concentrar.

— "... vendeu a história romântica de sua ligação com um jovem negro pelo que os jornalistas de tabloides estavam preparados para pagar. Mas não havia nada de romântico na história de Marlene Higson, segundo se lembravam seus antigos vizinhos.

"'— Ela se vendia', disse Vivian Cranfield, que morava no apartamento acima do de Higson na época em que ela engravidou de Landry. — Entravam e saíam homens de sua casa toda hora do dia e da noite. Ela nunca soube quem era o pai da criança, podia ser qualquer um deles. Ela jamais quis o bebê. Ainda me lembro dela no corredor, chorando, sozinha, enquanto a mãe estava ocupada com um apostador. Uma coisinha mínima de fralda, mal andava... Alguém deve ter chamado a assistente social, e já não era sem tempo. A melhor coisa que aconteceu com aquela garota, ser adotada.

"'A verdade, sem dúvida, chocará Landry, que falou extensamente na imprensa sobre seu reencontro com a mãe perdida ao nascer...' Isso foi escrito", explicou Robin, "antes de Lula morrer."

— Sei. — Strike fechou a pasta abruptamente. — Quer dar uma caminhada?

2

As CÂMERAS PARECIAM caixas de sapato malignas no alto de seus postes, cada uma delas um único olho vago e negro. Apontavam para lados opostos, de frente para a extensão da Alderbrook Road, movimentada de pedestres e trânsito. As duas calçadas eram apinhadas de lojas, bares e lanchonetes. Ônibus de dois andares roncavam, subindo e descendo a pista seletiva.

— Foi aqui que as gravações pegaram o Corredor de Bristow — observou Strike, voltando as costas para a Alderbrook Road para olhar a muito mais tranquila Bellamy Road, que levava, ladeada por casas altas e palacianas, ao coração residencial de Mayfair. — Ele passou aqui vinte minutos depois de ela cair... Esta seria a rota mais rápida para Kentigern Gardens. Passam ônibus noturnos por aqui. Melhor apostar num táxi. Mas ele não seria tão inteligente, se tivesse acabado de matar uma mulher.

Ele se enterrou novamente em um guia de ruas muito surrado. Strike não parecia preocupado que alguém o confundisse com um turista. Sem dúvida, pensou Robin, dado seu tamanho, não importaria se isto acontecesse.

No curso de sua breve carreira de secretária temporária, Robin foi solicitada a fazer várias coisas que não estavam incluídas nos termos do contrato e, portanto, ficou meio irritada com a sugestão de uma caminhada. Isentava Strike, porém, de quaisquer intenções sedutoras. A longa caminhada até o local foi realizada num silêncio quase completo. Strike aparentemente estava imerso em pensamentos, e de vez em quando consultava o seu mapa.

Até chegarem à Alderbrook Road, quando ele falou.

— Se vir alguma coisa, ou pensar em algo que não pensei, me diga, sim?

Isto era emocionante: Robin se orgulhava de sua capacidade de observação; era o motivo para, no fundo, ter acalentado, na infância, a ambição de ganhar a vida como o grandalhão ao lado dela. Ela olhou com inteligência a rua dos dois lados e tentou imaginar o que alguém podia ter feito, numa noite de neve, a uma temperatura abaixo de zero, às 2 horas da manhã.

– Por aqui – disse Strike, antes que qualquer insight ocorresse a Robin, e eles partiram, lado a lado, pela Bellamy Road. Havia uma curva suave para a esquerda, e ela continuava por cerca de sessenta casas quase idênticas, com suas portas pretas e reluzentes, as grades baixas dos dois lados de escadas brancas e limpas e os vasos com topiaria. Aqui e ali havia leões de mármore e placas de bronze, identificando nomes e credenciais profissionais; lustres cintilavam de janelas superiores e uma porta estava aberta, revelando um piso xadrez, telas a óleo com molduras douradas e uma escada georgiana.

Enquanto andava, Strike refletia sobre algumas informações que Robin conseguira encontrar na internet naquela manhã. Como Strike suspeitava, Bristow não fora sincero ao afirmar que a polícia não tentara identificar o Corredor e seu cúmplice. Soterrados na volumosa e furiosa cobertura de imprensa que sobreviveu online, havia apelos para que o homem se apresentasse, mas pareciam não ter produzido resultado algum.

Ao contrário de Bristow, Strike não achou nada que sugerisse incompetência da polícia, nem um plausível suspeito de homicídio sem investigação. O som repentino de um alarme de carro na hora em que os dois homens fugiram da área indicava um bom motivo para sua relutância em falar com a polícia. Além disso, Strike não sabia se Bristow estava familiarizado com o caráter mutante das gravações de câmeras de vigilância, mas ele mesmo tinha uma longa experiência com imagens em preto e branco borradas e frustrantes das quais era impossível colher um retrato fiel.

Strike também percebeu que Bristow não dissera uma só palavra pessoalmente, nem em suas anotações, sobre a prova de DNA recolhida dentro do apartamento da irmã. Ele desconfiava fortemente, pelo fato de que a polícia excluiu satisfeita de maiores investigações o Corredor e seu amigo, que nenhum vestígio de DNA estranho tivesse sido encontrado por lá. Porém, Strike sabia que os verdadeiramente iludidos desprezariam alegremente trivialidades como provas de DNA, citando contaminação ou conspiração. Eles viam o que queriam ver, cegos à verdade inconveniente e implacável.

Mas as pesquisas matinais no Google sugeriam uma possível explicação para a fixação de Bristow no Corredor. A irmã estivera procurando sua origem biológica e conseguira localizar a mãe de nascimento, que parecia, mesmo com a tolerância da imprensa sensacionalista, uma figura repulsiva. Revelações indubitáveis como as que Robin encontrou online teriam sido desagradáveis não só para Landry, mas para toda a sua família adotiva. Não era parte da instabilidade de Bristow (porque Strike não podia fingir que seu cliente dava a impressão de um homem equilibrado) ele acreditar que Lula, tão afortunada de algumas maneiras, tivesse tentado o destino? Que ela tivesse criado problemas ao tentar sondar o segredo de sua origem; que tivesse despertado um demônio que remontava ao passado distante e que a matou? Não era por isso que um negro no bairro dela o perturbava tanto?

Strike e Robin entravam cada vez mais no enclave dos ricos, até que chegaram à esquina da Kentigern Gardens. Como a Bellamy Road, projetava uma aura de prosperidade independente e intimidante. As casas ali eram no estilo do período alto vitoriano, de tijolos aparentes com adornos de pedra e pesadas janelas de frontão em quatro andares, com suas próprias sacadas pequenas de pedra. Pórticos de mármore branco emolduravam cada entrada, e três degraus brancos levavam da calçada a outras portas pretas e reluzentes. Tudo era dispendiosamente bem conservado, limpo e regulado. Havia poucos carros estacionados ali; uma pequena placa declarava que era necessário ter permissão para o privilégio.

Agora destituído da fita de isolamento da polícia e da massa de jornalistas, o número 18 voltara à conformidade graciosa de seus vizinhos.

– A sacada de onde ela caiu ficava no último andar – disse Strike –, a cerca de 12 metros, eu diria.

Ele contemplou a fachada bonita. As sacadas nos três últimos andares, pelo que observou Robin, não eram fundas e mal tinham espaço entre a balaustrada e as janelas longas.

– O caso – disse Strike a Robin, enquanto semicerrava os olhos para a sacada bem acima deles – é que empurrar alguém dessa altura não asseguraria a morte.

– Ah... será que não? – protestou Robin, imaginando a queda medonha entre a última sacada e a rua dura.

– Você ficaria surpresa. Passei um mês num leito ao lado de um galês que se atirou de um prédio dessa altura. Esmagou as pernas e a pélvis, teve muita hemorragia interna, mas ainda está entre nós.

Robin olhou para Strike, perguntando-se por que ele teria ficado preso a um leito por um mês; mas o detetive estava distraído, de cara amarrada para a porta de entrada.

– Teclado – murmurou ele, notando o quadrado de metal engastado com botões – e uma câmera acima da porta. Bristow não falou numa câmera. Pode ser nova.

Ele ficou ali por alguns minutos, testando teorias contra a intimidante fachada de tijolos vermelhos dessa fortaleza incrivelmente cara. Por que Lula Landry decidira morar aqui, para começo de conversa? A tranquila, tradicional e sufocante Kentigern Gardens certamente era o domínio natural de um tipo diferente de ricos: oligarcas russos e árabes; gigantes corporativos dividindo seu tempo entre a cidade e suas casas de campo; solteironas abastadas, decaindo aos poucos em meio a suas coleções de arte. Ele achava uma estranha escolha de moradia para uma garota de 23 anos que andava, segundo cada matéria que Robin tinha lido pela manhã, com uma turma moderna e criativa, cujo senso notório de estilo devia mais às ruas do que aos salões.

– Parece muito bem protegida, não? – disse Robin.

– Sim, parece. E isto sem a multidão de paparazzi que montava guarda aqui naquela noite.

Strike se recostou na grade preta do número 23, olhando o 18. As janelas da antiga residência de Landry eram mais altas do que aquelas dos andares inferiores, e sua sacada, ao contrário das outras duas, não fora decorada com topiaria. Strike tirou um maço de cigarros do bolso e ofereceu um a Robin; ela meneou a cabeça, surpresa, porque não o vira fumar no escritório. Depois de acender e puxar fundo, ele disse, olhando fixamente a porta da frente:

– Bristow pensa que alguém entrou e saiu naquela noite sem ser percebido.

Robin, que já decidira que o prédio era impenetrável, pensou que Strike estivesse prestes a zombar da teoria, mas estava enganada.

– Se conseguiram – disse Strike, ainda olhando a porta –, foi planejado, e bem planejado. Ninguém pode ter passado pelos fotógrafos, um teclado, um segurança e uma porta interna fechada e saído novamente, com sorte e sozinho. Acontece – ele coçou o queixo – que o grau de premeditação não combina com um homicídio porco.

Robin achou insensível a escolha do adjetivo.

– Empurrar alguém de uma sacada é um ato impulsivo – disse Strike, como se sentisse o tremor íntimo de Robin. – Sangue quente. Fúria cega.

Ele achava a companhia de Robin agradável e sossegada, não só porque ela se agarrava a cada palavra dele e não se dava ao trabalho de romper os silêncios, mas porque aquele pequeno anel de safira no dedo anular parecia uma elegante placa de pare: até aqui e não ultrapasse. Combinava perfeitamente com ele. Strike estava livre para exibir, de um jeito muito brando, um dos poucos prazeres que ainda lhe restavam.

– Mas e se o assassino já estivesse lá dentro?

– Isto é muito mais plausível – disse Strike, e Robin ficou satisfeita. – Se um assassino já estivesse lá dentro, teríamos de escolher entre o próprio segurança, um Bestigui ou os dois, ou um desconhecido que estivesse escondido no prédio sem o conhecimento de ninguém. Se foi um dos Bestigui ou Wilson, não haveria o problema de entrar e sair; eles apenas teriam de voltar ao lugar onde deveriam estar. Ainda haveria o risco de que ela sobrevivesse, machucada, para contar a história, mas um crime no calor do momento e sem premeditação confere muito mais sentido à hipótese de um deles ter feito isso. Uma briga e um empurrão às cegas.

Strike fumou o cigarro e continuou a examinar a frente do prédio, em particular o espaço entre as janelas no primeiro andar e aquelas no terceiro. Pensava principalmente em Freddie Bestigui, o produtor de cinema. Segundo o que Robin encontrou na internet, Bestigui estava na cama dormindo quando Lula Landry virou sobre a sacada dois andares acima. O fato de ter sido a própria mulher de Bestigui quem soou o alarme e insistiu que o assassino ainda estava nos andares superiores enquanto o marido estava a seu lado, implicava que ela pelo menos não o considerava culpado. Todavia, Freddie Bestigui era o homem mais próximo à falecida na hora de sua morte. Os leigos, segundo a experiência de Strike, eram obcecados pelo motivo do crime: a oportunidade encimava a lista dos profissionais.

Confirmando involuntariamente seu status de leiga, Robin disse:

– Mas por que alguém apareceria no meio da noite para ter uma discussão com ela? Nem saiu nada sobre ela não se entender com os vizinhos, não é? E Tansy Bestigui, sem dúvida alguma, não pode ter feito isso, pode? Por que ela desceria correndo e falaria com o segurança, se tivesse empurrado Lula da sacada?

Strike não respondeu diretamente; parecia seguir seu próprio fio de raciocínio e, depois de um ou dois minutos, replicou:

– Bristow se fixou no quarto de hora depois que a irmã entrou, depois que os fotógrafos saíram e o segurança abandonou a mesa porque passava mal. Isso quer dizer que o saguão ficou brevemente navegável... Mas como alguém de fora do prédio saberia que Wilson tinha deixado o posto? A porta da frente não é de vidro.

– Além disso – intrometeu-se Robin com inteligência –, eles precisariam saber o código para abrir a portaria.

– As pessoas relaxam. Se o pessoal da segurança não troca regularmente o código, muitos indesejáveis podem ter tomado conhecimento dele. Vamos dar uma espiada ali.

Eles andaram em silêncio até a extremidade de Kentigern Gardens, onde encontraram uma viela estreita que seguia, num ângulo ligeiramente oblíquo, pelos fundos do bloco de casas de Landry. Strike se divertiu em observar que a viela se chamava Serf's Way, O Caminho do Servo. Larga o suficiente para permitir a passagem de um carro, era bem iluminada e não tinha esconderijos, com muros longos, altos e lisos dos dois lados da passagem calçada com pedras. Eles acabaram por desembocar em duas portas de garagem largas e operadas eletronicamente, com uma enorme placa de *PRIVATIVO* afixada na parede ao lado, que guardava a entrada para as vagas subterrâneas de estacionamento dos moradores de Kentigern Gardens.

Quando julgou estar mais ou menos na altura dos fundos do número 18, Strike deu um pulo, segurou-se no alto do muro e se impeliu para olhar uma longa fila de jardins pequenos e bem cuidados. Entre cada trecho de gramado plano e aparado e a casa a que pertencia havia uma escada escura até o porão. Qualquer um que quisesse subir aos fundos da casa precisaria, na opinião de Strike, de uma escada, ou um parceiro que o amarrasse e cordas resistentes.

Ele se deixou deslizar muro abaixo, soltando um grunhido abafado de dor enquanto pousava na perna protética.

— Não é nada — disse ele, quando Robin soltou um ruído de preocupação; ela notou o vestígio de uma manqueira e se perguntou se ele tinha torcido o tornozelo.

O atrito na ponta do coto era agravado pelo andar manco sobre os paralelepípedos. Era muito mais difícil percorrer superfícies irregulares, dada a constituição rígida do tornozelo falso. Strike se perguntou melancolicamente se realmente precisava ter se içado pelo muro. Robin podia ser uma garota bonita, mas ainda não chegava aos pés da mulher que ele acabara de deixar.

3

— E você TEM CERTEZA de que ele é detetive? Porque qualquer um pode fazer isso. Qualquer pessoa pode usar o Google.

Matthew estava irritado depois de um longo dia, um cliente decepcionado e uma reunião desagradável com o novo chefe. Não apreciava o que lhe parecia uma admiração ingênua e inadequada por outro homem por parte de sua noiva.

— *Ele* não procurou ninguém no Google — disse Robin. — Fui *eu* que fiz isso, enquanto ele trabalhava em outro caso.

— Bom, não estou gostando desse arranjo. Ele dorme no escritório, Robin; não acha que tem alguma coisa meio suspeita aí?

— Já te falei, acho que ele acaba de se separar da parceira.

— Tá, aposto que se separou mesmo — disse Matthew.

Robin baixou o prato dele por cima do dela e entrou na cozinha. Estava chateada com Matthew e vagamente irritada com Strike também. Gostou de identificar as relações de Lula Landry no ciberespaço naquele dia; mas, vendo em retrospecto pelos olhos de Matthew, parecia-lhe que Strike lhe dera um trabalho inútil só para preencher o tempo.

— Olha, eu não estou *dizendo* nada — disse Matthew, da porta da cozinha. — Só acho que ele parece estranho. E o que foi esse pequeno passeio à tarde?

— Não foi um *pequeno passeio à tarde*, Matt. Fomos ver a cena do... fomos ver o lugar onde o cliente acha que aconteceu alguma coisa.

— Robin, não precisa fazer tanto mistério com isso. — Matthew riu.

— Eu assinei um acordo de confidencialidade — rebateu ela por sobre o ombro. — Não posso falar do caso com você.

— *O caso.*

Ele soltou outro risinho de escárnio.

Robin andou pela cozinha minúscula, guardando ingredientes, batendo portas do armário. Depois de um tempo, observando sua figura enquanto ela se movimentava, Matthew passou a sentir que podia ter sido insensato. Aproximou-se por trás enquanto ela raspava os restos na lixeira, envolveu-a com os braços, enterrou o rosto em sua nuca e colocou as mãos em concha em seu seio, afagando aquele que trazia os hematomas que Strike acidentalmente infligira e que macularam irrevogavelmente a opinião que Matthew tinha do homem. Sussurrou expressões conciliatórias no cabelo tingido de mel de Robin; mas ela se afastou dele ao colocar os pratos na pia.

Para Robin, parecia que seu próprio valor fora contestado. Strike demonstrou interesse pelas coisas que ela descobrira online. Strike expressou gratidão por sua eficiência e iniciativa.

– Quantas entrevistas de verdade você tem na semana que vem? – perguntou Matthew enquanto ela abria a água fria.

– Três – gritou ela para vencer o barulho do jato de água, esfregando agressivamente o prato de cima.

Ela esperou até que ele fosse para a sala antes de fechar a torneira. Havia, pelo que percebeu, um fragmento de ervilha congelada preso no engaste de seu anel de noivado.

4

STRIKE CHEGOU AO APARTAMENTO de Charlotte às 9:30 da manhã de sexta-feira. Isso deu a ela, raciocinou ele, meia hora para sair de casa antes de ele entrar, supondo-se que ela realmente pretendesse sair, em vez de mentir e esperar por ele. Os grandiosos e encantadores prédios brancos que ladeavam a rua larga; as árvores niveladas; o açougue que podia ter se fincado ali nos anos 1950; os cafés explodindo de gente da classe média alta; os restaurantes elegantes; eles sempre pareciam um tanto irreais e artificiais para Strike. Talvez ele sempre soubesse, no fundo, que não ficaria, que aquele não era o lugar dele.

Até o momento em que ele destrancou a porta, esperou que ela estivesse ali; todavia, assim que passou pela soleira, entendeu que a casa estava vazia. O silêncio tinha aquele caráter impassível que fala apenas da indiferença de salas inabitadas, e seus passos soavam estranhos e altos demais ao seguirem pelo hall.

Havia quatro caixas de papelão no meio da sala, abertas para sua vistoria. Ali estavam seus pertences baratos e aproveitáveis, amontoados, como objetos de um bazar. Ele ergueu algumas coisas para olhar os recessos mais fundos, mas nada lhe parecia estar amassado, rasgado ou coberto de tinta. Outras pessoas de sua idade tinham casas e máquinas de lavar, carros e televisores, móveis, jardins, mountain bikes e aparadores de grama: ele tinha quatro caixas de porcarias e um jogo de lembranças incomparáveis.

A sala silenciosa em que ele se postava falava de um bom gosto confiante, com seu tapete antigo e as paredes de um rosa-claro cor da pele; seus móveis sofisticados de madeira escura e suas estantes transbordantes. A única alteração que ele viu desde a noite de domingo estava na mesa de canto com tampo de vidro ao lado do sofá. Na noite de domingo, havia ali uma foto dele mesmo com Charlotte, rindo na praia de St. Mawes. Agora uma foto de estúdio em preto e branco do pai morto de Charlotte sorria benevolente para Strike do mesmo porta-retrato prateado.

Acima do consolo da lareira estava pendurado um retrato de uma Charlotte de 18 anos, a óleo. Mostrava a cara de um anjo florentino numa nuvem de cabelos longos e escuros. A família dela era do tipo que contratava pintores para imortalizar seus jovens: circunstâncias inteiramente estranhas a Strike: que ele passou a conhecer como um país estrangeiro e perigoso. Com Charlotte, ele aprendeu que o tipo de dinheiro que ele nunca conheceu podia coexistir com a infelicidade e a selvageria. A família dela, apesar de suas maneiras elegantes, sua suavidade e seu estilo, sua erudição e o ocasional exibicionismo, era ainda mais louca e mais estranha do que a dele. Este foi um forte elo entre os dois quando ele e Charlotte decidiram ficar juntos.

Um pensamento errante e estranho lhe ocorria agora, enquanto olhava aquele retrato: que este era o motivo para ter sido pintado, para que um dia aqueles olhos grandes e castanho-esverdeados o vissem partir. Será que Charlotte sabia como seria, vagar pelo apartamento vazio sob o olhar de seu impressionante ser de 18 anos? Teria ela percebido que a pintura faria um trabalho melhor do que sua presença física?

Ele se virou, entrando em outros cômodos, mas ela não deixara nada para ele fazer. Cada vestígio dele, de seu fio dental às botas do exército, fora retirado e depositado nas caixas. Ele examinou o quarto com particular atenção, e o quarto olhou para ele, com seu piso de tábua corrida escuro, cortinas brancas e penteadeira delicada, calmo e ajeitado. A cama, como o retrato, parecia uma presença viva, respirando. *Lembre-se do que aconteceu aqui e o que nunca mais pode acontecer.*

Ele carregou as quatro caixas, uma por uma, para a porta, na última viagem ficando cara a cara com o vizinho de sorriso falso que olhava de sua própria porta. Estava de camisa de rúgbi com a gola virada para cima, e sempre vociferava com um riso ofegante à menor observação mordaz de Charlotte.

– De mudança? – perguntou ele.

Strike fechou a porta de Charlotte firmemente na cara dele.

Ele tirou do chaveiro as chaves da porta diante do espelho do hall e as colocou cuidadosamente na mesa em meia-lua, ao lado do vaso de miscelânea. A cara de Strike no espelho era rachada e parecia suja; o olho direito ainda inchado; amarelo e malva. Uma voz de 17 anos antes veio a ele no silêncio:

"Como é que um cabeça de pentelho como você arrumou *isso*, Strike?" E parecia incrível que ele tivesse conseguido, enquanto ficava ali no hall que nunca mais veria na vida.

Um último momento de loucura, o espaço entre duas batidas do coração, como aquele que o fez correr atrás dela cinco dias antes: ele ficaria ali, afinal, esperando que ela voltasse; depois pegaria seu rosto perfeito nas mãos em concha e diria: "Vamos tentar de novo."

Mas eles já haviam tentado, repetidas vezes, e sempre, quando baixava a primeira onda de desejo mútuo, os destroços feios do passado se revelavam novamente, sua sombra escura sobre tudo que eles tentaram reconstruir.

Ele fechou a porta de entrada às costas pela última vez. O vizinho escandaloso tinha desaparecido. Strike levou as quatro caixas pela escada até a calçada, e esperou até parar um táxi.

5

STRIKE DISSE A ROBIN que chegaria ao escritório tarde na última manhã dela. Ele lhe dera a chave extra e lhe disse para entrar.

Ela estava ligeiramente magoada pelo uso despreocupado da palavra "última". Expressava que embora eles se entendessem bem, mesmo que de uma forma reservada e profissional; embora o escritório dele estivesse muito mais organizado e o banheiro do lado de fora da porta de vidro muito mais limpo; embora a campainha do térreo parecesse muito melhor, sem aquele pedaço de papel colado por baixo, mas com um nome elegantemente digitado num suporte de plástico transparente (ela levou meia hora, e lhe custou duas unhas quebradas, para arrancar a capa); embora ela fosse eficiente ao pegar recados, embora tivesse discutido com inteligência sobre o assassino quase certamente inexistente de Lula Landry, Strike contava os dias até poder se livrar dela.

Era patente que ele não podia pagar por uma secretária temporária. Ele só tinha dois clientes; parecia ser (como Matthew insistia em mencionar, como se dormir no escritório fosse uma terrível marca de depravação) um sem-teto; Robin via, é claro, que, do ponto de vista de Strike, não fazia sentido continuar com ela. Mas ela não ansiava pela segunda-feira. Haveria um novo e desconhecido escritório (a Temporary Solutions já telefonara com o endereço); um lugar arrumado, luminoso e movimentado, sem dúvida, cheio de mulheres fofoqueiras, como é a maioria dos escritórios, todas envolvidas em atividades que significavam menos que nada para ela. Robin podia não acreditar num homicídio; sabia que Strike tampouco acreditava; mas o processo de provar sua inexistência a fascinava.

Robin achou toda essa semana mais empolgante do que confessaria a Matthew. Toda a semana, inclusive ligar duas vezes por dia para a produtora de Freddie Bestigui, a BestFilms, e receber sucessivas recusas a suas solicitações de contato com o produtor de cinema, havia lhe conferido um senso de importância que ela raras vezes experimentara em sua vida profissional. Robin era fascinada pelo funcionamento da mente dos outros: cumprira metade de um curso de psicologia quando um incidente imprevisto encerrou sua carreira universitária.

Eram 10:30 e Strike ainda não voltara ao escritório, mas uma mulher corpulenta com um sorriso nervoso, casaco laranja e uma boina de tricô roxa *tinha* chegado. Era a sra. Hook, um nome familiar a Robin porque era a única outra cliente de Strike. Robin instalou a sra. Hook no sofá afundado ao lado de sua própria mesa e lhe preparou uma xícara de chá. (Agindo conforme a descrição canhestra de Robin do lascivo Mr. Crowdy do andar de baixo, Strike tinha comprado xícaras baratas e uma caixa de seus próprios saquinhos de chá.)

– Sei que cheguei cedo – disse a sra. Hook pela terceira vez, tomando frívolos golinhos do chá fervente. – Não a vi aqui antes, você é nova?

– Sou temporária – disse Robin.

– Como espero que tenha imaginado, é meu marido – disse a sra. Hook, sem ouvi-la. – Creio que você vê mulheres como eu o tempo todo, não? Querendo saber o pior. Hesitei por séculos e séculos. Mas é melhor saber, não acha? É melhor saber. Pensei que Cormoran estivesse aqui. Ele saiu para outro caso?

– É isso mesmo – disse Robin, que desconfiava de que Strike na verdade estivesse fazendo algo relacionado com sua misteriosa vida pessoal; havia certa cautela nele ao lhe dizer que chegaria tarde.

– Sabe quem é o pai dele? – perguntou a sra. Hook.

– Não, não sei. – Robin pensava que elas falavam do marido da pobre mulher.

– Jonny Rokeby – disse a sra. Hook, com certo prazer romântico.

– Jonny Roke...

Robin prendeu o fôlego, percebendo ao mesmo tempo que a sra. Hook falava de Strike e que a enorme compleição do detetive assomava do lado de fora da porta de vidro. Ela podia ver que ele carregava alguma coisa grande.

– Só um minuto, sra. Hook – disse ela.

– Que foi? – perguntou Strike, espiando pela beira de uma caixa de papelão, enquanto Robin disparava porta afora e a fechava.

— A sra. Hook está aqui — sussurrou ela.

— Ah, puta que pariu. Ela está uma hora adiantada.

— Eu sei. Pensei que talvez quisesse, humm, organizar seu escritório um pouco, antes de levá-la para lá.

Strike baixou a caixa de papelão no piso de metal.

— Tenho de pegar essas coisas na rua.

— Eu ajudo — ofereceu Robin.

— Não, entre e converse educadamente com ela. Ela está fazendo aulas de cerâmica e acha que o marido dorme com a contadora dele.

Strike mancou escada abaixo, deixando a caixa ao lado da porta de vidro. Jonny Rokeby; seria verdade?

— Ele está a caminho, já está vindo — disse Robin à sra. Hook animadamente, voltando a se acomodar à mesa. — O sr. Strike me falou de sua cerâmica. Eu sempre quis...

Por cinco minutos, Robin mal ouvia as proezas do curso de cerâmica e do homem docemente compreensivo que dava as aulas. Depois a porta de vidro se abriu e Strike entrou, sem a sobrecarga das caixas e sorrindo educadamente para a sra. Hook, que se levantou de um salto para cumprimentá-lo.

— Ah, Cormoran, seu olho! — disse ela. — Alguém lhe deu um soco?

— Não — disse Strike. — Se me der um minuto, sra. Hook, pegarei sua pasta.

— Sei que cheguei cedo, Cormoran, e lamento muitíssimo... Não consegui dormir a noite toda...

— Eu fico com sua xícara, sra. Hook — disse Robin, e conseguiu distrair a cliente de vislumbrar, nos segundos que Strike levou para passar pela porta de sua sala, a cama de campanha, o saco de dormir e a chaleira.

Alguns minutos depois, Strike voltou com um bafo de lima artificial, e a sra. Hook desapareceu, com um olhar apavorado a Robin, em sua sala. A porta se fechou.

Robin voltou a se sentar à sua mesa. Já abrira a correspondência da manhã. Girava de um lado a outro na cadeira; depois se aproximou do computador e casualmente puxou a Wikipedia. Em seguida, com um ar desligado, como se não estivesse consciente do que os dedos faziam, digitou dois nomes: *Rokeby Strike*.

O verbete apareceu de pronto, encabeçado por uma foto em preto e branco de um homem que podia ser reconhecido de imediato, famoso por quatro décadas. Tinha um rosto fino de arlequim e olhos desvairados, modelo fácil para uma caricatura, o esquerdo ligeiramente torto devido a um leve estrabismo divergente; sua boca estava escancarada, o suor escorria pelo rosto, o cabelo voava conforme ele berrava num microfone.

Jonathan Leonard "Jonny" Rokeby, nascido em 1º de agosto de 1948, é vocalista da banda de rock The Deadbeats, membro do Hall da Fama do Rock, vencedor de vários prêmios Grammy...

Strike não era nada parecido com ele; a única semelhança, leve, era a desigualdade dos olhos que, em Strike, era, afinal, uma condição temporária.

Robin rolou pelo verbete:

... e vários discos de platina pelo álbum Hold It Back, de 1975. Uma turnê de lançamento do disco pela América foi interrompida por uma batida de drogas em Los Angeles e a prisão do novo guitarrista David Carr, com quem...

até chegar à Vida Pessoal:

Rokeby foi casado três vezes: com a namorada da escola de artes Shirley Mullens (1969-1973), com quem teve uma filha, Maimie; com a modelo, atriz e militante dos direitos humanos Carla Astolfi (1975-1979), com quem teve duas filhas, a apresentadora de televisão Gabriella Rokeby e a designer de joias Daniella Rokeby, e (de 1981 até o presente) com a produtora de cinema Jenny Graham, com quem tem dois filhos, Edward e Al. Rokeby também tem uma filha, Prudence Donleavy, de seu relacionamento com a atriz Lindsey Fanthrope e um filho, Cormoran, com a super groupie Leda Strike dos anos 1970.

Um grito penetrante se elevou atrás de Robin, vindo da sala de Strike. Ela se levantou repentinamente, a cadeira fugindo dela sobre as rodas. O grito ficava mais alto e mais estridente. Robin correu pela sala para abrir a porta.

A sra. Hook, sem o casaco laranja e a boina roxa e usando o que parecia um avental florido de cerâmica por cima do jeans, tinha se jogado no peito de Strike e o esmurrava, o tempo todo fazendo um barulho de chaleira fervendo. O grito de uma nota só não parava, até parecer que ela recuperaria o fôlego ou se asfixiaria.

— Sra. Hook! — gritou Robin, e segurou os braços flácidos da mulher por trás, tentando aliviar Strike da responsabilidade de defender-se dela. A sra. Hook, porém, era muito mais forte do que aparentava; embora tivesse parado para respirar, continuou a esmurrar Strike até que, sem alternativa, ele agarrou seus pulsos em pleno ar.

Nisto, a sra. Hook se soltou com uma torção de seu aperto frouxo e se jogou em Robin, uivando feito um cão.

Dando tapinhas nas costas da mulher chorosa, Robin a conduziu, com toques mínimos, de volta à sala de espera.

— Está tudo bem, sra. Hook, tudo bem — disse ela num tom tranquilizador, baixando-a no sofá rangente. — Vou lhe trazer uma xícara de chá. Está tudo bem.

— Eu sinto muito, sra. Hook — disse Strike formalmente da porta de sua sala. — Nunca é fácil dar essas notícias.

— Eu p-pensei que fosse Valerie. — A sra. Hook choramingava, a cabeça desgrenhada nas mãos, balançando-se para frente e para trás no sofá. — P-pensei que fosse Valerie, e n-não minha própria... n-não minha própria *irmã*.

— Vou pegar o chá! — sussurrou Robin, horrorizada.

Quase havia saído pela porta com a chaleira quando se lembrou de que tinha deixado a história da vida de Jonny Rokeby no monitor do computador. Seria muito estranho disparar de volta para desligá-lo no meio desta crise, então ela saiu às pressas da sala, torcendo para que Strike estivesse ocupado demais com a sra. Hook para perceber.

Mais quarenta minutos se passaram até que a sra. Hook bebesse sua segunda xícara de chá e chorasse em metade do rolo de papel higiênico que Robin pegara no banheiro do patamar da escada. Por fim ela saiu, agarrada à pasta cheia de fotos incriminadoras, e o índice detalhando hora e lugar de sua criação, com o peito ofegante, ainda enxugando os olhos.

Strike esperou até que ela tivesse virado no fim da rua, depois saiu, cantarolando alegremente, para comprar sanduíches para ele e para Robin, que eles desfrutaram juntos à mesa dela. Foi o gesto mais simpático que ele teve na semana que passaram juntos, e Robin tinha certeza de que se devia ao fato de ele saber que logo estaria livre dela.

— Sabe que irei esta tarde entrevistar Derrick Wilson? — perguntou ele.

— O segurança que teve diarreia — disse Robin. — Sim.

— Você já terá ido embora quando eu voltar, então vou assinar sua folha de ponto antes de sair. E escute, obrigado por...

Strike cutucou o sofá agora vazio.

— Ah, tudo bem. Coitadinha.

— É. Ela agora tem provas contra ele, de qualquer modo. E — continuou ele — obrigado por tudo que fez esta semana.

— É o meu trabalho — disse Robin alegremente.

— Se eu pudesse pagar uma secretária... mas espero que você consiga um salário gordo como secretária de um ricaço.

Robin ficou vagamente ofendida.

— Não é o tipo de trabalho que eu quero.

Houve um silêncio um tanto tenso.

Strike passava por um pequeno conflito íntimo. A perspectiva de a mesa de Robin ficar vazia na semana seguinte era sombria; ele achava sua companhia agradavelmente complacente e sua eficiência era renovadora; mas não seria ridículo, para não dizer um esbanjamento, pagar por sua companhia, como se ele fosse um magnata vitoriano tolo e muito rico? A Temporary Solutions explorava em suas comissões; Robin era um luxo que ele não podia permitir-se. O fato de que ela não o questionou sobre seu pai (porque Strike percebeu o verbete sobre Jonny Rokeby na Wikipedia no monitor) impressionou-o ainda mais em favor dela, pelo comedimento incomum que mostrava, e era um padrão pelo qual ele costumava julgar novos conhecidos. Mas não podia fazer diferença para os aspectos práticos e frios da situação: ela precisava ir.

Entretanto, ele estava a ponto de sentir por ela o que sentiu por uma cobra-d'água que tinha conseguido pegar nas Trevaylor Woods quando tinha 11 anos, e sobre a qual ele teve uma longa discussão suplicante com a tia Joan: "*Por favor*, me deixa ficar com ela... *por favor...*"

— É melhor eu ir andando — disse ele depois de ter assinado a folha de ponto e jogado a embalagem do sanduíche e a garrafa de água vazia na lixeira embaixo da mesa. — Obrigado por tudo, Robin, boa sorte na procura de emprego.

Ele pegou o sobretudo e saiu pela porta de vidro.

No alto da escada, no local exato onde ele quase matou e depois a salvou, Strike parou repentinamente. O instinto o arranhava como um cachorro inoportuno.

A porta de vidro bateu atrás dele e ele se virou. Robin tinha a cara rosada.

– Olha – disse ela. – Podemos fazer um acordo particular. Podemos excluir a Temporary Solutions e você pode pagar diretamente a mim.

Ele hesitou.

– Elas não gostam disso, as agências de temporários. Você será expulsa do sistema.

– Não importa. Tenho três entrevistas para empregos fixos na semana que vem. Se não houver problema para você eu sair para comparecer...

– Tudo bem, não tem problema – disse ele antes que conseguisse se conter.

– Então, posso ficar mais uma ou duas semanas.

Uma pausa. A razão entrou numa escaramuça breve e violenta com o instinto e a simpatia, e foi vencida.

– Sim... tudo bem. Bom, neste caso, vai tentar Freddie Bestigui de novo?

– Claro – disse Robin, mascarando a alegria com uma exibição de calma eficiência.

– Então, vejo você na segunda-feira à tarde.

Foi o primeiro sorriso que ele se atreveu a dar a ela. Devia ter ficado irritado consigo mesmo, e, ainda assim, Strike saiu para o frio início de tarde sem arrependimento algum, mas com um curioso otimismo renovado.

6

STRIKE UMA VEZ TENTOU CONTAR o número de escolas de que foi aluno na juventude e chegou a 17, com a desconfiança de que tinha esquecido algumas. Não incluiu o breve período de suposto ensino domiciliar que ocorreu nos dois meses em que morou com a mãe e a meia-irmã num imóvel ocupado na Atlantic Road em Brixton. O namorado da mãe, na época, um músico rastafári branco que tinha se rebatizado de Shumba, achava que o sistema educacional reforçava valores patriarcais e materialistas que não deviam macular seus enteados consuetudinários. A principal lição que Strike aprendeu durante seus dois meses de educação domiciliar foi que a maconha, mesmo que administrada espiritualmente, podia deixar seu usuário ao mesmo tempo embotado e paranoico.

Ele fez um desvio desnecessário pelo Brixton Market a caminho da lanchonete onde ia encontrar Derrick Wilson. O cheiro de peixe das arcadas cobertas; as fachadas abertas e coloridas dos supermercados, abundando de frutas e legumes incomuns da África e das Antilhas; os açougueiros halal e os cabeleireiros, com grandes fotos de tranças e cachos decorados, e filas e mais filas de cabeças de poliestireno branco portando perucas nas vitrines: tudo isso levava Strike 26 anos ao passado, aos meses que passou perambulando pelas ruas de Brixton com Lucy, sua meia-irmã mais nova, enquanto a mãe e Shumba ficavam deitados e sonolentos em almofadas sujas no imóvel de que tomaram posse, discutindo vagamente os importantes conceitos espirituais que serviriam de base para a instrução das crianças.

Lucy, de 7 anos, ansiava por ter o cabelo das meninas antilhanas. No longo percurso de volta à St. Mawes que encerrou a vida deles em Brixton, ela expressou um desejo fervoroso de ter tranças com contas, no banco traseiro do Morris Minor do tio Ted e da tia Joan. Strike se lembrava da calma aquiescência da tia Joan de que o estilo era muito bonito, com uma ruga entre as sobrancelhas refletida no retrovisor. Joan tentava, com um sucesso cada vez menor ao longo dos anos, não depreciar a mãe dos dois na frente das crianças. Strike nunca descobriu como o tio Ted soube onde eles moravam; só o que sabia era que ele e Lucy entraram na casa uma tarde e encontraram o imenso irmão da mãe no meio da sala, ameaçando Shumba com um nariz ensanguentado. Dois dias depois, ele e Lucy voltavam à St. Mawes, à escola primária que frequentaram intermitentemente por anos, reatando com os antigos amigos como se não tivessem partido e rapidamente perdendo o sotaque que tinham adotado por camuflagem, a todo lado que Leda os levava.

Ele não precisava das informações que Derrick Wilson dera a Robin, porque conhecia havia muito tempo o Phoenix Café na Coldharbour Lane. De vez em quando Shumba e a mãe de Strike os levavam lá: um lugar mínimo, pintado de marrom, parecido com um galpão, onde se podia (se não fosse vegetariano, como Shumba e Leda) tomar grandes e deliciosos cafés da manhã, com pilhas altas de bacon e ovos, e canecas de chá da cor de teca. Estava quase exatamente como ele se lembrava: aconchegante, confortável e sujo, suas paredes espelhadas refletindo mesas de fórmica imitando madeira, piso de ladrilhos vermelho-escuros e brancos manchados e um teto cor de tapioca forrado de um papel de parede mofado. A garçonete de meia-idade e atarracada tinha o cabelo curto alisado e brincos de plástico laranja; deu um passo de lado para que Strike passasse pelo balcão.

Um antilhano corpulento estava sentado sozinho a uma mesa, lendo um exemplar do *Sun*, sob um relógio de plástico que trazia a legenda *Pukka Pies*.

– Derrick?

– É... você é o Strike?

Strike apertou a mão grande e seca de Wilson e se sentou. Estimava que o homem fosse quase tão alto quanto ele próprio quando de pé. Músculos e gordura enchiam as mangas da blusa de moletom do segurança; o cabelo era cortado rente, ele estava bem barbeado e tinha belos olhos amendoados. Strike pediu uma torta com purê depois de consultar o cardápio rabiscado na parede dos fundos, satisfeito ao refletir que podia arcar com as 4,75 libras das despesas.

– É, a torta com purê daqui é boa – comentou Wilson.

Uma leve cadência caribenha surgia de seu sotaque londrino. Sua voz era grave, calma e estudada. Strike pensou que ele seria uma presença tranquilizadora de uniforme de segurança.

– Obrigado por me receber, agradeço muito. John Bristow não está satisfeito com os resultados da investigação da irmã. Ele me contratou para dar outra olhada nas provas.

– Sei – disse Wilson –, eu sei.

– Quanto ele lhe deu para falar comigo? – perguntou Strike despreocupadamente.

Wilson pestanejou, depois soltou um riso gutural um tanto culpado.

– Uma mixaria. Mas se o homem se sente melhor assim, entende? Não vai mudar nada. Ela se matou. Mas pode fazer suas perguntas. Eu não ligo.

Ele fechou o *Sun*. A primeira página trazia uma foto de Gordon Brown com olhos empapuçados e parecendo exausto.

– Terá de rever tudo que disse à polícia – disse Strike, abrindo o bloco e colocando ao lado do prato –, mas seria bom ouvir em primeira mão o que aconteceu naquela noite.

– Tudo bem. E Kieran Kolovas-Jones pode vir pra cá – acrescentou Wilson.

Ele parecia esperar que Strike soubesse de quem se tratava.

– Quem? – perguntou Strike.

– Kieran Kolovas-Jones. Era o motorista de Lula. Ele também quer falar com você.

– Ah, ótimo – disse Strike. – Quando vai chegar?

– Sei lá. Ele está trabalhando. Virá se puder.

A garçonete colocou uma caneca de chá na frente de Strike, que agradeceu e estalou a ponta da caneta. Antes que pudesse perguntar alguma coisa, Wilson falou.

– Você é ex-militar, o sr. Bristow falou.

– Sou – disse Strike.

– Meu sobrinho tá no Afeganistão – disse Wilson, bebericando o chá. – Província de Helmand.

– Que regimento?

– Comunicações.

– Há quanto tempo ele está lá?

— Quatro meses. A mãe dele nem dorme – disse Wilson. – Como você saiu?

— Explodiram minha perna – disse Strike com uma franqueza que não era habitual.

Era só parte da verdade, mas a parte mais fácil de comunicar a um estranho. Ele podia ter ficado; mas a perda da panturrilha e do pé apenas precipitou uma decisão que sentira se infiltrar nele nos dois anos anteriores. Sabia que sua gota d'água pessoal se aproximava; aquele momento em que, se não saísse, descobriria que seria oneroso demais se readaptar a uma vida de civil. O exército modelava você, quase imperceptivelmente, com o passar dos anos; esgotava-o com uma conformidade superficial que tornava mais fácil ser varrido pela força da maré da vida militar. Strike nunca submergiu inteiramente, e preferiu partir antes que isto acontecesse. Mesmo assim, ele se lembrava da SIB com uma ternura que não era afetada pela perda de metade de uma perna. Teria ficado feliz por se lembrar de Charlotte com o mesmo afeto descomplicado.

Wilson reconheceu a explicação de Strike com um leve gesto de cabeça.

— Dureza – disse ele em sua voz grave.

— Foi leve, se comparado com alguns.

— É. Um cara do pelotão do meu sobrinho foi estourado duas semanas atrás.

Wilson bebeu o chá.

— Como você se dava com Lula Landry? – perguntou Strike, com a caneta posicionada. – Você a via muito?

— Só passando pela mesa, entrando e saindo. Ela sempre dizia um oi, por favor e obrigada, mais do que muitos desses merdinhas ricos conseguem fazer – disse Wilson laconicamente. – A conversa mais comprida que tivemos foi sobre a Jamaica. Ela pensava em fazer um trabalho por lá; me perguntou onde ficar, como era. E eu peguei um autógrafo dela pro meu sobrinho, Jason, de aniversário pra ele. Pedi pra ela assinar um cartão, mandei para o Afeganistão. Três semanas depois ela morreu. Ela perguntava de Jason pelo nome sempre que eu a via depois disso, e eu gostava da garota, entendeu? Já ando pelo ramo de segurança tem muito tempo. Tem gente que espera que você leve uma bala por eles, e nem se dão ao trabalho de lembrar seu nome. É, ela era legal.

Chegou a torta com purê de Strike, fumegando de quente. Os dois concordaram com um instante de silêncio respeitoso ao contemplarem o prato alto. Salivando, Strike pegou garfo e faca e disse:

– Pode me falar sobre o que aconteceu na noite em que Lula morreu? Ela saiu, a que horas?

O segurança coçou pensativamente o braço, puxando a manga do moletom para cima; Strike viu tatuagens ali, cruzes e iniciais.

– Deve ter sido logo depois das sete da noite. Ela estava com a amiga Ciara Porter. Eu lembro, quando elas saíam pela porta, o sr. Bestigui entrou. Lembro disso porque ele disse alguma coisa a Lula. Não ouvi o que foi. Mas ela não gostou. Eu vi, pela cara dela.

– Cara de quê?

– Ofendida – disse Wilson, a resposta pronta. – Depois eu vi as duas no monitor, Lula e Porter, entrando no carro delas. Temos câmera no alto da porta, entendeu? É ligada a um monitor na mesa, então a gente pode ver quem está tocando a campainha.

– A imagem é gravada? Posso ver a gravação?

Wilson meneou a cabeça.

– O sr. Bestigui não quis nada assim na portaria. Não tem dispositivo para gravação. Ele foi o primeiro a comprar um apartamento, antes que estivesse tudo pronto, então se meteu nos arranjos.

– A câmera então é só um olho mágico high tech?

Wilson assentiu. Havia uma cicatriz fina correndo pouco abaixo do seu olho esquerdo até o meio da maçã do rosto.

– É. Então vi as meninas entrando no carro. Kieran, o cara que vem encontrar a gente aqui, não estava dirigindo para ela naquela noite. Ele devia estar pegando o Deeby Macc.

– Quem era o motorista dela naquela noite?

– Um cara chamado Mick, da Execars. Ela já tinha andado com ele. Eu vi todos os fotógrafos se espremendo em volta do carro enquanto ele arrancava. Eles ficaram farejando a semana toda, porque sabiam que ela ia voltar com Evan Duffield.

– O que Bestigui fez, depois que Lula e Ciara saíram?

– Pegou a correspondência dele comigo e subiu a escada para casa.

Strike baixava o garfo a cada porção, para tomar notas.

– Alguém entrou e saiu depois disso?

– Foi o pessoal do bufê... eles subiram até a casa dos Bestigui porque tinham convidados naquela noite. Um casal americano chegou logo depois das oito e subiu ao Apartamento Um, e ninguém entrou nem saiu até que eles foram embora, perto da meia-noite. Não vi ninguém mais até Lula voltar, lá pela uma e meia.

"Ouvi os paparazzi gritando o nome dela lá fora. Nessa hora, era muita gente. Um bando deles a seguiu desde a boate e tinha um monte que já esperava ali, procurando Deeby Macc. Ele devia chegar lá pela meia-noite e meia. Lula apertou a campainha e eu liberei a porta pra ela."

– Ela não entrou com o código no teclado?

– Não com todos eles em volta; ela queria entrar rápido. Eles gritavam, pressionavam a garota.

– Ela não podia ter entrado pela garagem para evitá-los?

– Podia, às vezes fazia isso, quando Kieran estava com ela, porque ela deu a ele o controle das portas da garagem. Mas Mick não tinha um, então ela teve de entrar pela frente.

"Eu dei bom-dia e perguntei sobre a neve, porque tinha um pouco no cabelo dela; ela tremia, estava com um vestido fininho. Disse que estava bem abaixo do congelamento, algo assim. Depois disse: 'Queria que eles se fodessem. Eles vão ficar ali a noite toda?' Sobre os paparazzi. Eu disse a ela que eles continuavam esperando por Deeby Macc; ele estava atrasado. Ela parecia chateada. Depois ela pegou o elevador e subiu."

– Ela parecia chateada?

– É, bem chateada.

– Chateada suicida?

– Não – disse Wilson. – Chateada de raiva.

– E o que houve depois?

– Depois – disse Wilson –, eu tive de ir até a sala dos fundos. Minhas tripas começavam a ficar muito mal. Precisava ir ao banheiro. Urgente, entendeu? Peguei o mesmo troço do Robson. Ele ficou com dor de barriga. Eu fiquei fora por uns 15 minutos. Não tinha jeito. Nunca tive uma merda dessas.

"Eu ainda estava na privada quando começou a gritaria. Não", corrigiu-se, "o que ouvi primeiro foi um estrondo. Um baque grande de longe. Percebi, depois, que devia ser o corpo... Lula, quer dizer... caindo.

"*Depois* a gritaria começou, ficava mais alta, vinha do térreo. Então puxei as calças pra cima e fui correndo pro saguão, e ali estava a sra. Bestigui, tremendo, gritando e parecendo uma puta doida de calcinha e sutiã. Disse que Lula tinha morrido, que tinha sido empurrada da sacada por um homem no apartamento dela.

"Eu disse a ela pra ficar onde estava e saí correndo pela portaria. E ela estava ali. Deitada no meio da rua, de cara pra neve."

Wilson bebeu o chá e continuou a aninhar a caneca na mão grande para falar.

– Metade da cabeça dela estava afundada. Sangue na neve. Eu sabia que o pescoço tinha quebrado. E tinha... é.

O cheiro doce e inconfundível de miolos humanos encheu as narinas de Strike. Ele havia sentido esse cheiro muitas vezes. Era inesquecível.

– Corri de volta pra dentro – voltou Wilson. – Os dois Bestigui estavam no saguão; ele tentava levar a mulher pra cima, botar umas roupas, e ela ainda gritava. Eu disse a eles pra chamar a polícia e ficar de olho no elevador, para o caso do cara tentar descer por ali.

"Peguei a chave mestra na sala dos fundos e corri lá pra cima. Não tinha ninguém na escada. Destranquei a porta do apartamento de Lula..."

– Não pensou em levar alguma coisa para se defender? – Strike o interrompeu. – Se achou que tinha alguém lá? Alguém que tinha acabado de matar uma mulher?

Houve uma longa pausa, a mais longa até então.

– Achei que não precisava de nada – disse Wilson. – Pensei que podia pegar o cara, sem problema nenhum.

– Pegar quem?

– Duffield – disse Wilson em voz baixa. – Pensei que Duffield estivesse lá em cima.

– Por quê?

– Achei que ele devia ter entrado quando eu estava no banheiro. Ele sabe o código. Achei que tinha subido e ela abriu a porta pra ele. Eu ouvi os dois brigando antes. Já ouvi o cara com raiva. É. Achei que ele tinha empurrado Lula.

"Mas quando subi ao apartamento, estava vazio. Olhei em cada cômodo e não tinha ninguém ali. Abri os armários, até, mas nada.

"As janelas da sala de estar estavam escancaradas. Naquela noite, estava abaixo de zero. Não fechei, não toquei em nada. Saí e apertei o botão do elevador. As portas se abriram de cara; ainda estava no andar dela. Vazio.

"Voltei correndo pra baixo. Os Bestigui estavam na casa deles quando passei pela porta; ouvi os dois; ela ainda berrava e ele ainda gritava com ela. Não sei se eles já tinham chamado a polícia. Peguei meu celular na mesa da segurança e fui para a porta da frente, voltando a Lula, porque... bom, não queria deixar que ela ficasse deitada sozinha ali. Eu ia chamar a polícia na rua, pra ter certeza de que eles vinham. Mas ouvi a sirene antes de apertar o primeiro número. Eles foram rápidos."

– Um dos Bestigui chamou, então?

– É. Ele chamou. Dois policiais uniformizados num carro-patrulha.

– Tudo bem – disse Strike. – Quero que esclareça um ponto: você acreditou na sra. Bestigui quando ela disse que ouviu um homem no apartamento lá de cima?

– Ah, sim – disse Wilson.

– Por quê?

Wilson franziu um pouco o cenho, pensando, os olhos na rua por cima do ombro direito de Strike.

– Ela não deu detalhe nenhum a essa altura, deu? – perguntou Strike. – Nada sobre o que ela estava fazendo quando ouviu o homem? Nada que explicasse por que ela estava acordada às 2 horas da manhã?

– Não – disse Wilson. – Ela nunca me deu uma explicação dessas. Foi assim que ela agiu, entendeu? Histérica. Sacudindo-se como um cachorro molhado. Ela ficava dizendo, "tem um homem lá em cima, ele a jogou". Ela estava muito assustada.

"Mas não tinha ninguém lá; posso te jurar pela vida dos meus filhos. O apartamento estava vazio, o elevador estava vazio, a escada estava vazia. Se ele estava lá, para onde foi?"

– A polícia chegou – disse Strike, voltando mentalmente à rua escura e nevada e ao cadáver alquebrado. – O que aconteceu então?

– Quando a sra. Bestigui viu o carro da polícia pela janela, voltou correndo de robe, com o marido correndo atrás dela; ela foi para a rua, na neve, e começou a berrar pra eles que tinha um assassino no prédio.

"Agora tinha luz acesa pra todo lado. Caras nas janelas. Metade da rua tinha acordado. As pessoas iam para a calçada.

"Um dos policiais ficou com o corpo, pedindo reforços pelo rádio, enquanto o outro voltou com a gente... eu e os Bestigui... pra dentro. Ele disse aos dois pra voltar ao apartamento e esperar, depois o policial me pediu pra mostrar o prédio. Fomos de novo até o último andar; abri a porta de Lula, mostrei o apartamento a ele, a janela aberta. Ele deu uma busca no lugar. Mostrei o elevador, ainda no andar dela. Descemos pela escada. Ele perguntou do apartamento do meio, então abri com a chave mestra.

"Estava escuro e o alarme disparou assim que entramos. Antes que eu achasse o interruptor da luz ou o teclado do alarme, o policial esbarrou direto na mesa do meio do hall e derrubou um vaso de rosas enorme. Ele se quebrou e caiu pra todo lado, vidro, água e flores no chão todo. Isso depois causou um problemão...

"Olhamos o lugar. Vazio, todos os armários, cada cômodo. As janelas estavam fechadas e trancadas com ferrolho. Voltamos para o saguão.

"A essa hora, tinham chegado uns policiais à paisana. Eles queriam a chave da academia no porão, da piscina e da garagem. Um deles foi pegar uma declaração da sra. Bestigui, outro ficou na frente, pedindo mais reforços, porque tinha mais vizinhos indo pra rua e metade deles falava ao telefone enquanto estava parada ali, e outros tiravam fotos. Os policiais uniformizados tentavam fazer com que voltassem pra casa. Estava nevando, uma neve bem forte...

"Armaram uma tenda sobre o corpo quando chegou a perícia. A imprensa chegou mais ou menos na mesma hora. A polícia isolou a rua, bloqueou com as viaturas."

Strike tinha limpado o prato. Empurrou-o de lado, pediu novas canecas de chá para os dois e pegou a caneta de novo.

– Quantas pessoas trabalham no número 18?

– Tem três seguranças... Eu, Colin McLeod e Ian Robson. Trabalhamos em turnos, alguém sempre está de serviço, 24 horas por dia. Eu devia estar de folga naquela noite, mas Robson me ligou lá pelas quatro da tarde, disse que tinha um treco na barriga, estava passando muito mal. Então eu disse que ia ficar, que faria o turno seguinte. Ele trocou comigo num mês anterior, então era meio um negócio de família. Eu devia uma a ele.

"Então, eu nem devia estar lá", disse Wilson e por um momento ficou em silêncio, refletindo sobre como as coisas deviam ter acontecido.

– Os outros seguranças se entendiam bem com Lula?

– É, eles iam dizer o mesmo que eu. Garota legal.

– Mais alguém trabalha lá?

– Tem umas faxineiras polonesas. Elas falam inglês muito mal. Não vai arrancar muita coisa delas.

O testemunho de Wilson, pensou Strike enquanto escrevia em um dos blocos da SIB que tinha afanado em uma de suas últimas visitas a Aldershot, era de uma qualidade anormalmente alta; conciso, preciso e observador. Muito pouca gente respondia às perguntas que lhe faziam; menos ainda sabia como organizar os pensamentos para que não fossem necessárias perguntas adicionais que lhe arrancassem informações. Strike estava acostumado a bancar o arqueólogo em meio às ruínas das lembranças traumatizadas das pessoas; ele fez de si confidente de bandidos; tinha atormentado os apavorados, molestado os perigosos e lançado armadilhas aos espertos. Nenhuma dessas habilidades era necessária com Wilson, que parecia quase levado numa rede de arrasto insensata pela paranoia de John Bristow.

Entretanto, Strike tinha o hábito incurável da meticulosidade. Não passava pela cabeça dele encerrar a entrevista e passar o dia deitado de cueca na cama de campanha, fumando. Por inclinação e treinamento, porque ele devia respeito a si mesmo tanto quanto ao cliente, continuou a ser meticuloso pelo que, no exército, ele era ao mesmo tempo festejado e detestado.

– Podemos voltar brevemente ao dia anterior à morte dela? A que horas você chegou ao trabalho?

– Às nove, como sempre. Rendi o Colin.

– Você mantém um diário de quem entra e sai do prédio?

– Sim, anotamos todo mundo que entra e sai, menos os moradores. Tem um livro na portaria.

– Lembra quem entrou e saiu naquele dia?

Wilson hesitou.

– John Bristow foi ver a irmã de manhã cedo, não foi? – Strike o instigou. – Mas ela disse a você para não deixar que ele subisse?

– Ele já te contou isso, né? – perguntou Wilson, demonstrando certo alívio. – É, ela pediu. Mas eu tive pena do sujeito, entendeu? Ele tinha um contrato pra entregar a ela; estava preocupado com isso, então deixei subir.

— Mais alguém que você conheça entrou no prédio?

— Teve, Lechsinka já estava lá. É uma das faxineiras. Ela sempre chega às sete; estava limpando a escada quando eu entrei. Ninguém mais chegou até o cara da empresa de segurança, para a manutenção dos alarmes. Fazemos isso de seis em seis meses. Ele deve ter aparecido às nove; uma coisa assim.

— Era alguém que você conhecia, o sujeito da empresa de segurança?

— Não, era um cara novo. Muito jovem. Eles sempre mandam alguém diferente. A dona Bestigui e Lula ainda estavam em casa, então deixei ele ir ao apartamento do meio, mostrei onde ficava o painel de controle e ele começou. Lula saiu enquanto eu ainda estava lá, mostrando ao cara a caixa de fusíveis e os botões de pânico.

— Você a viu sair?

— Vi, ela passou pela porta aberta.

— Ela o cumprimentou?

— Não.

— Você não disse que ela costumava fazer isso?

— Acho que ela não me viu. Parecia estar com pressa. Ia ver a mãe doente.

— Como sabia disso, se ela não falou com você?

— Inquérito – disse Wilson sucintamente. — Depois de mostrar ao cara da segurança onde ficava tudo, voltei lá pra baixo e, depois que a dona Bestigui saiu, eu abri a porta do apartamento dela pra ele ver o sistema dali também. Ele não precisava que eu ficasse lá; as caixas de fusíveis e os botões de pânico ficam no mesmo lugar em todos os apartamentos.

— Onde estava o sr. Bestigui?

— Tinha saído pra trabalhar. Sai às oito, todo dia.

Três homens de capacete e casacos amarelos fluorescentes entraram na lanchonete e se sentaram a uma mesa próxima, com jornais debaixo do braço, as botas de trabalho entupidas de sujeira.

— Quanto tempo você disse que ficou fora da portaria sempre que saiu com o cara da segurança?

— Uns cinco minutos no apartamento do meio – disse Wilson. — Um minuto para cada um dos outros.

— Quando o cara da segurança foi embora?

— No final da manhã. Não lembro exatamente.

— Mas tem certeza de que ele foi embora?

— Ah, tenho.

— Mais alguém de visita?

— Teve algumas entregas, mas foi tranquilo se comparado com o resto da semana.

— O início da semana foi mais movimentado?

— Foi, tivemos muita gente entrando e saindo, porque Deeby Macc ia chegar de Los Angeles. O pessoal da produtora entrava e saía do Apartamento Dois, vendo se o lugar estava pronto pra ele, enchendo a geladeira, essas coisas.

— Lembra quais foram as entregas naquele dia?

— Encomendas para Macc e Lula. E rosas... Ajudei o cara com elas, porque eram muitas. — Wilson separou as mãos grandes para mostrar o tamanho. — Um vaso *enorme*, e colocamos numa mesa no hall do Apartamento Dois. Foram as rosas do vaso quebrado.

— Você disse que isso criou problemas; o que quis dizer?

— O sr. Bestigui tinha mandado pro Deeby Macc e, quando soube que ficaram estragadas, ficou irritado. Gritou feito um doido.

— Quando foi isso?

— Enquanto a polícia ainda estava lá. Quando tentavam interrogar a mulher dele.

— Uma mulher tinha acabado de cair e morrer passando pela janela dele, e ele ficou zangado que alguém tivesse estragado as flores?

— É – disse Wilson, com um leve dar de ombros. — Ele é assim mesmo.

— Ele conhece Deeby Macc?

Wilson deu de ombros de novo.

— Esse rapper foi ao apartamento?

Wilson meneou a cabeça.

— Depois de termos todo esse problema, ele foi para um hotel.

— Quanto tempo você ficou fora da portaria quando ajudou a colocar as rosas no Apartamento Dois?

— Uns cinco minutos, no máximo dez. Depois, fiquei na portaria o dia todo.

— Você falou em encomendas para Macc e Lula.

— É, de um estilista, mas entreguei a Lechsinka para colocar nos apartamentos. Eram roupas pra ele e bolsas pra ela.

— E, pelo que você sabe, todo mundo que entrou naquele dia também saiu?

— Ah, sim. Todos registrados no livro da portaria.

— Com que frequência o código do teclado externo foi trocado?

— Foi trocado desde que ela morreu, porque metade da polícia sabia depois que terminaram – disse Wilson. – Mas não foi trocado pelos três meses que Lula morou lá.

— Pode me dizer qual era?

— Mil novecentos e sessenta e seis – respondeu Wilson.

— O ano da Copa? "Eles pensam que o jogo acabou"?

— É. McLeod sempre reclamava disso, queria mudar.

— Quantas pessoas você acha que sabiam do código da porta antes de Lula morrer?

— Não era muita gente.

— Entregadores? Carteiros? O pessoal que lê os medidores de gás?

— Gente assim sempre toca a campainha pra gente abrir da mesa. Os moradores normalmente não usam o teclado, porque podemos ver todos eles da câmera, e abrimos a porta pra eles. O teclado só está ali para o caso de não haver ninguém na portaria; às vezes estamos na sala dos fundos, ou ajudando a levar alguma coisa pra cima.

— E os apartamentos têm seus próprios teclados?

— Têm, e sistemas de alarme individuais.

— O de Lula estava ligado?

— Não.

— E a piscina e a academia? Também têm alarme?

— Só chave. Todo mundo que mora no prédio recebe as chaves da piscina e da academia com as chaves do apartamento. E uma chave da porta que leva à garagem no subsolo. Essa porta tem alarme.

— Estava ligado?

— Sei lá, eu não estava lá quando verificaram esse. Devia estar. O cara da empresa de segurança viu todos os alarmes naquela manhã.

— Todas essas portas estavam trancadas naquela noite?

Wilson hesitou.

— Nem todas. A porta da piscina estava aberta.

— Alguém a usou naquele dia, sabe dizer?

— Não me lembro de ninguém ter usado.
— Então, quanto tempo ficou aberta?
— Sei lá. Colin estava na noite anterior. Ele deve ter visto.
— Tudo bem – disse Strike. – Você disse que achava que o homem que a sra. Bestigui ouviu era Duffield, porque já havia ouvido os dois brigarem antes. Quando foi isso?
— Pouco antes de eles se separarem, uns dois meses antes de ela morrer. Ela expulsou o cara do apartamento e ele ficou batendo na porta e chutando, tentando arrombar, xingando a garota. Eu subi pra tirar ele de lá.
— Você usou de força?
— Nem precisei. Quando ele me viu, catou as coisas dele... ela jogou o casaco e os sapatos dele pra fora... e foi embora. Tava doidão – disse Wilson. – Olho vidrado, entendeu? Suava. Camiseta suja, cheia de porcaria. Nunca entendi que merda ela via nele.

"Kieran chegou", acrescentou ele, com o tom mais leve. "O motorista de Lula."

7

UM HOMEM EM MEADOS dos 20 anos avançava lentamente na pequena lanchonete. Era baixo, magro e de uma beleza extravagante.

– E aí, Derrick – disse ele, e motorista e segurança cumprimentaram-se segurando a mão um do outro e batendo os punhos, antes que Kolovas-Jones se sentasse ao lado de Wilson.

Uma obra-prima gerada por um coquetel indecifrável de raças, a pele de Kolovas-Jones era de um bronze azeitonado, as maçãs do rosto cinzeladas, o nariz ligeiramente aquilino, os olhos de cílios negros de um castanho-escuro, o cabelo liso puxado para trás. Sua aparência impressionante era acentuada pela camisa conservadora e a gravata que usava, e seu sorriso era conscientemente modesto, como se procurasse desarmar os outros homens e antecipar-se a seu ressentimento.

– Cadê o carro? – perguntou Derrick.

– Electric Lane. – Kolovas-Jones apontou o polegar por cima do ombro. – Tenho uns vinte minutos. Preciso voltar ao West End às quatro. E aí? – acrescentou ele, estendendo a mão para Strike, que a apertou. – Kieran Kolovas-Jones. Você é o...?

– Cormoran Strike. Derrick disse que você...

– É, é – disse Kolovas-Jones. – Não sei se isso importa, talvez não, mas a polícia não deu a mínima. Eu só quero saber que contei a alguém, tá legal? Não estou dizendo que não foi suicídio, tá entendendo? – acrescentou ele. – Só estou dizendo que gosto de tudo direito. Café, por favor, meu bem – acrescentou ele à garçonete de meia-idade, que continuava impassível, impermeável a seu charme.

– O que o preocupa? – perguntou Strike.

– Eu sempre dirigi pra ela, tá entendendo? – Kolovas-Jones lançou-se à sua história de um jeito que dizia a Strike que havia ensaiado. – Ela sempre me requisitava.

– Lula tinha um contrato com sua empresa?

– É, bom...

– É providenciado pela portaria – esclareceu Derrick. – Um dos serviços fornecidos. Se alguém quer um carro, chamamos a Execars, a empresa de Kieran.

– É, mas ela sempre pedia que fosse eu – reiterou Kolovas-Jones com firmeza.

– Você se dava bem com ela, não?

– É, a gente se dava bem – disse Kolovas-Jones. – A gente... sabe como é... não estou dizendo que éramos próximos... bom, meio próximos, mais ou menos. Éramos amigos; a relação tinha ido além de motorista e cliente, tá entendendo?

– É? Foi além até que ponto?

– Não, nada disso – retrucou Kolovas-Jones, com um sorriso. – Nada disso.

Mas Strike viu que o motorista não ficou inteiramente insatisfeito com a ideia ter sido levantada, que ela fosse plausível.

– Eu dirigi para ela por um ano. A gente conversava muito. Tinha muito em comum. Uma história parecida, tá entendendo?

– Em que sentido?

– Mistura de raças – disse Kolovas-Jones. – E coisas que eram meio disfuncionais na minha família, né, então eu sabia de onde ela vinha. Ela não conhecia muita gente assim, não depois que ficou famosa. Não para conversar direito.

– Ser mestiça era um problema para ela, não?

– Uma negra criada numa família de brancos, o que você acha?

– E você teve uma infância parecida?

– Meu pai era meio antilhano, meio galês; minha mãe, meio inglesa de Liverpool, meio grega. Lula dizia que tinha inveja de mim. – Ele se sentou um pouco mais reto. – Ela dizia: "Você sabe de onde vem, mesmo que seja de toda parte." E no meu aniversário, tá entendendo – acrescentou ele, como se não tivesse impressionado Strike o suficiente com algo que achava importante –, ela me deu um casaco do Guy Somé que valia tipo nove mil pratas.

Evidentemente tendo de mostrar alguma reação, Strike assentiu, perguntando-se se Kolovas-Jones tinha vindo simplesmente para dizer como era próximo de Lula Landry. Satisfeito, o motorista continuou.

— Então, no dia que ela morreu... no dia anterior, na verdade... eu a levei à casa da mãe dela de manhã, tá entendendo? E ela não estava feliz. Não gostava de ver a mãe, nunca.

— E por que não?

— Porque a mãe era muito esquisita. Uma vez, fui motorista das duas por um dia, acho que era aniversário da mãe. Ela era de arrepiar, a Lady Yvette. *Querida, minha querida* para Lula, sempre que abria a boca. Ela prendia a garota. Toda estranha, possessiva e exagerada, tá entendendo?

"Aí, naquele dia, a mãe tinha acabado de sair do hospital, então não ia ser divertido, ia? Lula não queria ver a mãe. Estava tensa como eu nunca tinha visto.

"E aí eu disse que não podia trabalhar pra ela naquela noite, porque estava agendado com o Deeby Macc, e ela também não ficou satisfeita com isso."

— Por que não?

— Porque ela gostava que eu dirigisse, né? — respondeu Kolovas-Jones como se Strike estivesse sendo obtuso. — Eu a ajudava com os paparazzi e tudo, era meio segurança dela quando entrava e saía dos lugares.

Pelo mais leve tique dos músculos faciais, Wilson conseguiu transmitir o que pensava da sugestão de que Kolovas-Jones se prestava para ser segurança.

— Não podia ter trocado com outro motorista e levado Lula em vez de Macc?

— Podia, mas não queria — confessou Kolovas-Jones. — Sou muito fã do Deeby. Queria conhecer o cara. Foi isso que irritou a Lula. Mas então — ele se apressou — eu a levei à casa da mãe e esperei, e aí vem a parte que eu queria te contar, tá entendendo?

"Ela saiu da casa da mãe e estava estranha. Não era como eu costumava ver, tá entendendo? Calada, muito quieta. Como se estivesse em choque ou coisa assim. Depois ela me pediu uma caneta e começou escrever uma coisa num papel azul. Nem falou comigo. Não disse nada. Só escreveu.

"Aí eu a levei à Vashti, porque ela ia encontrar a amiga lá para almoçar, tá entenden..."

— O que é a Vashti? Que amiga?

— Vashti... é uma loja... uma butique, como chamam. Tem uma cafeteria lá. Lugar da moda. E a amiga era... — Kolovas-Jones estalou os dedos repetidas vezes, de cenho franzido. — Ela era a amiga que ela fez quando estava no hospital por causa de problemas mentais. Qual era o nome mesmo, merda? Eu levava as duas pra todo lado. Meu Deus... Ruby? Roxy? Raquelle? Algo assim. Ela morava no albergue St. Elmo em Hammersmith. Era sem-teto.

"Mas aí Lula entrou na loja, tá entendendo, e quando estava indo pra casa da mãe me falou que ia almoçar lá, tá entendendo, mas ela só entrou e ficou tipo uns 15 minutos, depois saiu sozinha e me disse pra levá-la pra casa. Então foi muito esquisito, tá entendendo? E Raquelle, sei lá qual era o nome dela... eu vou lembrar... não estava com ela. Normalmente a gente dava uma carona a Raquelle, quando elas saíam juntas. E o papel azul tinha sumido. E Lula não disse uma palavra em todo o caminho pra casa."

— Você falou do papel azul com a polícia?

— Falei. Eles não acharam que valia alguma coisa — disse Kolovas-Jones. — Disseram que devia ser uma lista de compras.

— Lembra-se de como era?

— Só azul. Tipo papel de carta.

Ele olhou o relógio.

— Tenho dez minutos.

— Então essa foi a última vez em que viu Lula?

— É, foi.

Ele beliscou o canto de uma unha.

— O que passou pela sua cabeça primeiro, quando soube que ela estava morta?

— Sei lá — disse Kolovas-Jones, roendo a unha que tinha beliscado. — Fiquei chocado pra cacete. Não esperava isso, tá entendendo? Não quando vi a pessoa horas antes. A imprensa toda dizia que foi Duffield, porque eles brigaram na boate e coisa e tal. Pensei que podia ser ele, pra te falar a verdade. Filhodaputa.

— Então você o conhecia?

— Levei os dois algumas vezes — disse Kolovas-Jones. Uma inflada das narinas, uma tensão nas linhas da boca sugeriam um cheiro ruim.

— O que achava dele?

— Achava que ele era um babaca sem talento. — Com um virtuosismo inesperado, de repente ele assumiu uma voz monótona e arrastada: — *"Vamos precisar dele mais tarde, Lules? Seria melhor ele esperar, não?"* — disse Kolovas-Jones com raiva. — Nunca falou diretamente comigo. Um merda ignorante e aproveitador.

Derrick falou, *sotto voce*.

— Kieran é ator.

— Só papéis pequenos — disse Kolovas-Jones. — Até agora.

E ele divagou numa breve exposição de novelas de TV em que apareceu, exibindo, na estimativa de Strike, um desejo acentuado de ser considerado mais do que ele mesmo se sentia; ser dotado, na realidade, daquele caráter imprevisível, perigoso e transformador: a fama. Tê-la recebido com tanta frequência no banco traseiro de seu carro e ainda não ter sido contagiado por seus passageiros devia (pensou Strike) ser um tormento e, talvez, enfurecedor.

— Kieran fez teste para Freddie Bestigui — disse Wilson. — Não fez?

— Fiz — disse Kolovas-Jones com uma falta de entusiasmo que denunciava o resultado.

— E como conseguiu? — perguntou Strike.

— Como sempre — disse Kolovas-Jones, com certa arrogância. — Através do meu agente.

— Não deu em nada?

— Eles decidiram tomar outro rumo. Cortaram o papel.

— Tudo bem, então você pegou Deeby Macc, onde mesmo... no Heathrow? Naquela noite?

— Terminal Cinco, é — disse Kolovas-Jones, aparentemente recuperando um senso de realidade comum, olhando o relógio. — Olha, eu preciso ir.

— Tudo bem se eu for com você até o carro? — perguntou Strike.

Wilson se mostrou feliz em acompanhá-los também; Strike pagou a conta dos três e eles saíram. Na calçada, Strike ofereceu cigarro aos dois companheiros; Wilson declinou, Kolovas-Jones aceitou.

Um Mercedes prata estava estacionado a curta distância dali, perto da esquina da Electric Lane.

— Aonde você levou Deeby, quando ele chegou? — perguntou Strike a Kolovas-Jones enquanto se aproximavam do carro.

— Ele queria ir a uma boate, então o levei à Barrack.

— A que horas você o deixou lá?

— Sei lá... Umas 11:30? Quinze para a meia-noite? Ele estava ligadão. Não queria dormir, foi o que disse.

— Por que a Barrack?

— Sexta na Barrack é a melhor noite de hip-hop em Londres – disse Kolovas-Jones, num leve riso, como se fosse de conhecimento comum. – E ele deve ter gostado, porque saiu lá pelas três.

— E então você o levou a Kentigern Gardens e achou a polícia lá, ou...

— Eu já sabia o que tinha acontecido, pelo rádio do carro – disse Kolovas-Jones. – Contei a Deeby quando ele entrou no carro. O séquito do cara começou a dar telefonemas, acordando gente da gravadora, tentando fazer outros arranjos. Conseguiram um quarto pra ele no Claridges; levei ele até lá. Só cheguei em casa depois das cinco. Liguei no noticiário e vi tudo na Sky. Inacreditável, cara.

— Fiquei me perguntando quem deixou que os paparazzi, postados na frente do número 18, soubessem que Deeby não ia para lá. Alguém deu a dica; por isso eles saíram da rua antes de Lula cair.

— É? Não sei não – disse Kolovas-Jones.

Ele acelerou um pouco o passo, chegando ao carro na frente dos outros dois e destrancando-o.

— Macc tinha muita bagagem? Estava no carro com você?

— Não, foi tudo mandado dias antes pela gravadora. Ele saiu do avião só com uma bolsa de mão... e uns dez seguranças.

— Então, o seu carro não foi o único enviado a ele?

— Eram quatro carros... mas Deeby foi comigo.

— Onde você esperou por ele, enquanto ele estava na boate?

— Só estacionei o carro e esperei – disse Kolovas-Jones. – Na Glasshouse Street.

— Com os outros três carros? Ficaram todos juntos?

— Não se acha vaga uma ao lado da outra no meio de Londres, parceiro. Não sei onde os outros estacionaram.

Ainda segurando aberta a porta do motorista, ele olhou para Wilson, depois para Strike.

— Que importância tem isso? – perguntou.

– Só estou interessado – disse Strike – em como a coisa funciona, quando você está com um cliente.

– É chato pra cacete – disse Kolovas-Jones com uma súbita irritação –, é isso que é. Ser motorista é principalmente esperar.

– Ainda tem o controle da porta da garagem no subsolo que Lula deu a você? – perguntou Strike.

– O quê? – disse Kolovas-Jones, embora Strike pudesse jurar que o motorista o ouviu bem. A centelha de animosidade agora era indisfarçada e parecia se estender não só a Strike, mas também a Wilson, que ouvia sem comentar nada desde que mencionou que Kolovas-Jones era ator.

– Você ainda tem...

– Tá, ainda tenho. Ainda dirijo para o sr. Bestigui, né? Agora preciso ir. A gente se vê, Derrick.

Ele jogou o cigarro pela metade na rua e entrou no carro.

– Se você se lembrar de mais alguma coisa – disse Strike –, como o nome da amiga que Lula encontrou na Vashti, pode me telefonar?

Ele entregou um cartão a Kolovas-Jones. O motorista, já puxando o cinto de segurança, pegou sem olhar.

– Vou me atrasar.

Wilson ergueu a mão numa despedida. Kolovas-Jones bateu a porta do carro, acelerou o motor e deu a ré na vaga, carrancudo.

– Ele é meio tiete – disse Wilson, enquanto o carro arrancava. Era de certo modo um pedido de desculpas pelo mais jovem. – Adorava dirigir pra ela. Tenta ser motorista de todos os famosos. Há dois anos tem esperança de que Bestigui o escale pra alguma coisa. Ficou muito puto quando não conseguiu aquele papel.

– Era do quê?

– Traficante de drogas. Num filme.

Eles foram juntos para o metrô de Brixton, passando por uma turma de estudantes negras de saia xadrez azul de uniforme. O cabelo de tranças longas de uma menina fez Strike pensar, de novo, na irmã Lucy.

– Bestigui ainda mora no número 18, não é? – perguntou Strike.

– Ah, sim – disse Wilson.

– E os outros dois apartamentos?

— Tem um corretor de commodities ucraniano com a mulher alugando o Apartamento Dois. Um russo está interessado no Três, mas ainda não fez uma proposta.

— Há alguma possibilidade — perguntou Strike, enquanto eles eram momentaneamente impedidos por um baixinho barbudo de capuz que parecia um profeta do Antigo Testamento, que parou na frente deles e lentamente mostrou a língua — de um dia desses eu dar uma olhada lá dentro?

— Há, sim — disse Wilson depois de uma pausa em que seu olhar passou furtivamente pelas pernas de Strike. — Me dá uma ligada. Mas tem que ser quando Bestigui sair, entendeu? Ele é um sujeito brigão, e eu preciso do meu emprego.

8

SABER QUE SÓ DIVIDIRIA o escritório novamente na segunda-feira deu tempero à solidão de fim de semana de Strike, tornou-a menos tediosa, mais valiosa. A cama de campanha podia aparecer; a porta entre as duas salas podia ficar aberta; ele podia atender a suas necessidades físicas sem medo de ofender. Enjoado do cheiro de lima artificial, conseguiu abrir à força a janela lacrada pela pintura atrás de sua mesa, o que permitiu que uma brisa limpa e fria varresse os cantos fedorentos das duas salinhas. Evitando qualquer CD, uma faixa sequer que o transportasse de volta àqueles períodos torturantes e revigorantes partilhados com Charlotte, ele escolheu Tom Waits para tocar alto no pequeno aparelho que pensou que nunca mais veria, encontrado no fundo de uma das caixas que trouxe da casa de Charlotte. Ocupou-se em instalar o televisor portátil, com sua antena interna barata; colocou as roupas usadas num saco de lixo preto e foi à lavanderia a uns oitocentos metros dali; voltando ao escritório, pendurou as camisas e a roupa de baixo numa corda que estendeu de um lado de sua sala, depois viu o jogo das três horas entre Arsenal e Spurs.

Enquanto tomava todas essas providências comuns, ele sentia como se estivesse acompanhado pelo espectro que o assombrou em seus meses no hospital. Espreitava nos cantos de seu escritório dilapidado; ele podia ouvir seus sussurros sempre que enfraquecia a atenção que tinha numa tarefa. Instava-o a considerar o quanto ele decaíra; sua idade; sua penúria; sua vida amorosa aos frangalhos; sua condição de sem-teto. *Trinta e cinco anos,* sussurrava, *e nada para mostrar por todos os anos de labuta a não ser umas caixas de papelão e uma dívida descomunal.* O espectro voltava os olhos dele para as latas de cerveja no supermercado onde ele comprou mais macarrão instantâneo; zombava dele quando passava as camisas no chão. À medida que o dia se esgotava, escarneceu dele por seu hábito autoimposto de fumar na rua, como se ele ainda estivesse no exército, como se esta autodisciplina insignificante pudesse impor forma e ordem ao presente amorfo e desastroso. Ele começou a fumar à sua mesa, acumulando as guimbas num cinzeiro de latão barato que roubara, muito tempo atrás, de um bar na Alemanha.

Mas ele tinha trabalho, lembrava a si mesmo constantemente; um trabalho pago. O Arsenal venceu o Spurs, e Strike ficou animado; desligou a televisão e, desafiando o espectro, foi à mesa e voltou a trabalhar.

Livre agora para coletar e conferir evidências como lhe aprouvesse, Strike ainda agia de conformidade com o protocolo da Lei de Investigação e Processo Criminais. O fato de que acreditava estar perseguindo uma ficção da imaginação perturbada de John Bristow não fazia diferença para a meticulosidade e a precisão com que agora registrava as anotações que tinha feito durante suas entrevistas com Bristow, Wilson e Kolovas-Jones.

Lucy telefonou às seis da tarde, enquanto ele trabalhava com afinco. Embora a irmã fosse dois anos mais nova do que Strike, parecia se sentir mais velha. Oprimida, ainda jovem, por uma hipoteca, um marido apático, três filhos e um emprego oneroso, Lucy parecia necessitar de responsabilidade, como se não tivesse âncoras suficientes. Strike sempre desconfiou de que ela quisesse provar a si mesma e ao mundo que não era nada parecida com a mãe irresponsável, que arrastara os dois por todo o país, de uma escola a outra, de uma casa a um acampamento, em busca do entusiasmo ou do homem seguinte. Lucy era a única de seus oito meios-irmãos com quem Strike tinha partilhado uma infância; era mais afeiçoado a ela do que a quase qualquer outra pessoa na vida, e suas interações ainda costumavam ser insatisfatórias, carregadas de angústias e discussões familiares. Lucy não conseguia disfarçar o fato de que o irmão a preocupava e decepcionava. Como resultado disso, Strike era menos inclinado a ser franco com ela sobre sua atual situação do que teria sido com muitos amigos.

– É, vai tudo ótimo – disse-lhe ele, fumando na janela aberta, vendo as pessoas entrando e saindo das lojas abaixo. – Os negócios dobraram ultimamente.

– Onde você está? Estou ouvindo trânsito.

– No escritório. Tenho de cuidar de uma papelada.

– Num sábado? O que Charlotte acha disso?

– Ela saiu; foi visitar a mãe.

– Como estão as coisas entre vocês?

– Ótimas – disse ele.

– Tem certeza?

– Tenho, tenho certeza. Como está o Greg?

Ela lhe deu um breve resumo da carga de trabalho do marido, depois voltou ao ataque.

– Gillespie ainda pega no seu pé com o empréstimo?

– Não.

– Porque, você sabe, Stick – o apelido de infância caiu mal; ela tentava abrandá-lo –, eu estive pesquisando e você pode pedir à Legião Britânica um...

– Mas que droga, Lucy – disse ele, antes de conseguir se conter.

– Que foi?

A mágoa e a indignação na voz dela eram familiares demais: ele fechou os olhos.

– Não preciso de ajuda da Legião Britânica, Luce, está bem?

– Não precisa ser tão *orgulhoso*...

– Como estão os meninos?

– Ótimos. Olha, Stick, eu só acho um ultraje que Rokeby use o advogado dele para incomodar você, quando ele nunca lhe deu nem um centavo na vida. Ele devia lhe dar tudo de presente, vendo o que você passou e o quanto ele...

– Os negócios vão bem. Vou pagar o empréstimo – disse Strike. Um casal de adolescentes na esquina tinha uma discussão.

– Tem *certeza* de que está tudo bem entre você e Charlotte? Por que ela foi visitar a mãe? Pensei que as duas se odiassem.

– Elas estão se entendendo melhor ultimamente – disse ele enquanto a adolescente gesticulava como louca, batia o pé e se afastava.

– Já comprou a aliança dela? – perguntou Lucy.

– Pensei que você quisesse que Gillespie largasse do meu pé.

– Ela não se importa de não ter aliança?

– Para ela, está tudo bem. Diz que não quer; quer que eu invista todo o dinheiro nos negócios.

— É mesmo? – disse Lucy. Ela sempre parecia pensar que conseguia dissimular bem a profunda antipatia que tinha por Charlotte. – Você vem para a festa de aniversário de Jack?

— Quando vai ser?

— Mandei um convite pra você há uma semana, Stick!

Ele se perguntou se Charlotte o teria colocado numa das caixas que ele deixou intactas no patamar, sem espaço no escritório para todos os seus pertences.

— Tá, eu vou – disse ele; pouca coisa lhe dava menos vontade de fazer.

A chamada se encerrou, ele voltou ao computador e continuou a trabalhar. Suas anotações das entrevistas de Wilson e Kolovas-Jones logo foram concluídas, mas persistia certa frustração. Este era o primeiro caso que ele pegava desde que saíra do exército que exigia mais do que trabalho de vigilância, e podia ter sido projetado para lembrar diariamente que ele perdera todo poder e autoridade. O produtor de cinema Freddie Bestigui, o homem mais próximo de Lula Landry no momento de sua morte, continuava inatingível atrás de seus assecras sem rosto e, apesar da declaração confiante de John Bristow de ser capaz de convencê-la a falar com Strike, ainda não havia uma entrevista marcada com Tansy Bestigui.

Com uma leve impotência e quase com o mesmo desdém que sentia o noivo de Robin pela ocupação, Strike combateu a sombria melancolia recorrendo a mais pesquisas na internet relacionadas com o caso. Encontrou Kieran Kolovas-Jones online: o motorista falou a verdade sobre o episódio de *The Bill* em que teve duas falas (*Membro da gangue dois... Kieran Kolovas-Jones*). Ele também tinha um agente teatral, cujo website mostrava uma pequena foto de Kieran, e uma curta lista de créditos, inclusive figurações em *East Enders* e *Casualty*. A foto de Kieran na home page da Execars era muito maior. Ali, ele se postava sozinho de quepe e uniforme, parecendo um astro do cinema, evidentemente o motorista mais bonito de seus quadros.

A tarde escurecia na noite do outro lado das janelas; enquanto Tom Waits grunhia e gemia no CD player portátil no canto, Strike perseguia a sombra de Lula Landry pelo ciberespaço, de vez em quando acrescentando anotações às que já tomara da conversa com Bristow, Wilson e Kolovas-Jones.

Não achou página de Landry no Facebook, e ela também não parecia ter conta no Twitter. Sua recusa em alimentar o voraz apetite dos fãs por informações pessoais parece ter inspirado os outros a preencher o vazio. Havia incontáveis sites dedicados à reprodução de suas fotos e a um comentário obsessivo sobre sua vida. Se metade das informações ali fossem factuais, Bristow dera a Strike uma versão parcial mais higienizada do impulso da irmã para a autodestruição, uma tendência que parecia ter se revelado no início da adolescência, quando o pai adotivo, Sir Alec Bristow, um barbudo de aparência cordial que fundou sua própria empresa de eletrônica, a Albis, caiu morto de ataque cardíaco. Lula subsequentemente fugiu de duas escolas e foi expulsa de uma terceira, todos estabelecimentos particulares caros. Cortou os pulsos e foi encontrada numa poça de sangue por uma colega de alojamento; viveu ao relento e foi localizada pela polícia num imóvel ocupado. Um site de fã chamado LulaMyInspirationForeva.com, de alguém de sexo desconhecido, afirmava que a modelo se sustentou por um breve período, nesta época, como prostituta.

E então foi colocada sob a Lei de Saúde Mental, na ala de segurança para jovens com doenças graves e um diagnóstico de distúrbio bipolar. Cerca de um ano depois, enquanto fazia compras em uma loja de roupas na Oxford Street com a mãe, teria havido a abordagem de conto de fadas de um olheiro de agência de modelos.

As primeiras fotos de Landry mostravam uma menina de 16 anos com a cara de Nefertiti, que conseguia projetar à lente uma combinação extraordinária de sofisticação mundana e vulnerabilidade, com suas pernas finas e longas de girafa e uma cicatriz irregular correndo pela face interna do braço esquerdo que os editores de moda pareciam considerar um acessório interessante ao rosto espetacular, porque às vezes tinha destaque nas fotografias. A extrema beleza de Lula beirava o absurdo, e o charme pelo qual era celebrada (nos obituários dos jornais e nos blogs históricos) andava lado a lado com sua reputação de explosões repentinas de mau humor e pavio perigosamente curto. Imprensa e público pareciam ao mesmo tempo amá-la e adorar odiá-la. Uma jornalista a achava "estranhamente doce, dona de uma ingenuidade inesperada", outro, "no fundo, uma diva um tanto calculista, astuta e espinhosa".

Às 9 horas Strike foi a Chinatown e comprou uma refeição; depois voltou ao escritório, trocou Tom Waits por Elbow e procurou online relatos de

Evan Duffield, o homem que, por consenso, até de Bristow, não matou a namorada.

Até Kieran Kolovas-Jones demonstrar seu zelo profissional, Strike não tinha como saber que Duffield era famoso. Agora descobria que Duffield tinha sido alçado da obscuridade por participar de um filme independente aclamado pela crítica, em que ele teve o papel de um personagem indistinguível dele mesmo: um músico viciado em heroína que roubava para sustentar o vício.

A banda de Duffield lançou um disco, com bom espaço nas críticas, nas costas da fama recém-encontrada de seu vocalista, e se separou com considerável acrimônia mais ou menos na época em que ele conheceu Lula. Como a namorada, Duffield era extraordinariamente fotogênico, até nas fotos sem retoques de teleobjetivas dele andando torto e de roupas sujas pela rua, até naquelas imagens (e eram várias) onde ele investia furioso para os fotógrafos. A conjunção destas duas pessoas feridas e bonitas parece ter exagerado o fascínio pelos dois; cada um deles refletia mais interesse pelo outro, o que reforçava seu vínculo; era uma espécie de moto-perpétuo.

A morte da namorada fixou Duffield ainda mais do que nunca naquele firmamento dos idolatrados, caluniados e deificados. Certa escuridão, um fatalismo, pendia em volta dele; tanto os admiradores como os detratores mais fervorosos pareciam ter prazer na ideia de que ele já estava com um pé na cova; que havia uma inevitabilidade em sua queda ao desespero e ao esquecimento. Ele parecia fazer um verdadeiro desfile de suas fragilidades, e Strike se demorou mais alguns minutos em outros daqueles vídeos convulsivos e curtos do YouTube, em que Duffield, patentemente drogado, falava sem parar, na voz que Kolovas-Jones parodiou com tanta exatidão, sobre a morte não passar de uma saída da festa, defendendo confusamente a tese de haver pouca necessidade de chorar se você tiver de ir embora cedo.

Na noite da morte de Lula, segundo uma multiplicidade de fontes, Duffield saiu da boate pouco depois da namorada, usando – e Strike teve dificuldade de ver isso como algo além de exibicionismo deliberado – uma máscara de lobo. O relato dele de que ficou acordado o resto da noite pode não ter deixado satisfeitos os teóricos online da conspiração, mas a polícia parece ter se convencido de que ele nada teve a ver com os eventos subsequentes em Kentigern Gardens.

Strike seguiu o fio especulativo de seu raciocínio por um terreno acidentado de sites de notícias e blogs. Aqui e ali, dava com bolsões de especulação febril, de teorias sobre a morte de Landry que falavam de pistas que a polícia não seguira e que pareciam ter alimentado a convicção de Bristow de que fora homicídio. LulaMyInspirationForeva tinha uma longa lista de Perguntas sem Resposta que incluía, na número 5: "Quem chamou os paparazzi antes de ela cair?"; na número 9: "Por que os homens de cara coberta que fugiram de seu apartamento às 2 horas da manhã nunca apareceram? Onde estão e quem são?"; e a número 13: "Por que Lula estava com uma roupa diferente daquela com que chegou em casa quando caiu da sacada?"

A meia-noite encontrou Strike bebendo uma lata de cerveja lager e relendo a controvérsia póstuma que Bristow mencionara, da qual ele tomara conhecimento vagamente, enquanto se desenrolava, sem ficar muito interessado. Seguiu-se um furor, uma semana depois de o inquérito concluir pelo suicídio, em torno da foto de publicidade dos produtos do estilista Guy Somé. Mostrava duas modelos posando num beco sujo, nuas, apenas com bolsas de mão estrategicamente colocadas, cachecóis e joias. Landry estava empoleirada numa lixeira; Ciara Porter esparramada no chão. As duas tinham imensas asas dobradas de anjo; a de Porter era branca como um cisne; a de Landry, um preto-esverdeado que esmaecia a um bronze reluzente.

Strike passou minutos olhando a foto, tentando analisar precisamente por que o rosto da garota morta atraía tão irresistivelmente o olhar, como conseguia dominar a foto. De algum modo, ela tornava crível a incongruência, a encenação da imagem; de fato parecia ter sido jogada do céu porque era venal demais, porque também cobiçava os acessórios a que se agarrava. Ciara Porter, com sua beleza de alabastro, nada fazia além de um contraponto; em sua palidez e passividade, ela parecia uma estátua.

O estilista, Guy Somé, angariou muitas críticas, algumas cruéis, por escolher o uso desta imagem. Muita gente achava que ele tirava proveito da morte recente de Landry, e ridicularizava as declarações de profundo afeto pela modelo que o porta-voz de Somé fez em seu nome. LulaMyInspirationForeva, porém, afirmava que Lula teria querido que a foto fosse usada; que ela e Guy Somé eram amigos do peito: *Lula amava o cara como um irmão e ia querer que ele prestasse um último tributo a seu trabalho e sua beleza. Esta é uma foto icônica que viverá para sempre e continuará a manter Lula viva nas lembranças de quem a amava.*

Strike bebeu o que restava da cerveja e contemplou as últimas quatro palavras desta frase. Ele nunca conseguiu entender o pressuposto de intimidade que os fãs sentiam por aqueles que nunca conheceram. As pessoas às vezes se referiam ao pai dele como "o velho Jonny", radiantes, na presença de Strike, como se falassem de um amigo mútuo, repetindo surradas histórias da imprensa e anedotas como se tivessem se envolvido pessoalmente nelas. Um homem num pub em Trescothick uma vez disse a Strike: "Cara, eu conheço seu velho melhor do que você!", porque ele era capaz de citar nominalmente o músico de estúdio que tocou no maior disco dos Deadbeats, cujos dentes Rokeby notoriamente quebrou quando bateu a ponta de seu saxofone, de raiva.

Era 1 hora da manhã. Strike estava quase surdo ao constante barulho abafado do baixo dois andares abaixo e aos ocasionais rangidos e silvos do apartamento do sótão, onde o gerente do bar desfrutava de luxos como chuveiro e comida caseira. Cansado, mas sem estar pronto ainda para entrar no saco de dormir, ele descobriu o endereço de Guy Somé ao pesquisar mais na internet, e notou a proximidade da Charles Street com Kentigern Gardens. Depois digitou o endereço na web www.arrse.co.uk, como um homem voltando automaticamente para casa depois de um longo turno de trabalho.

Não visitava o site do Army Rumour Service desde que Charlotte o encontrou, meses antes, navegando por ele no computador, e reagiu como qualquer outra mulher faria ao descobrir o parceiro vendo pornografia online. Houve uma briga, gerada pelo que ela tomou como o desejo dele por sua antiga vida e sua insatisfação com a nova.

Aqui estava a mentalidade do exército em cada particularidade, escrita na linguagem que ele podia falar com fluência. Aqui estavam os acrônimos que conhecia de cor; as piadas impenetráveis a quem era de fora; cada interesse da vida de serviço, do pai cujo filho era atormentado na escola em Chipre, ao insulto do desempenho do primeiro-ministro no Inquérito Chilcott. Strike vagou de um post a outro, de vez em quando bufando de diversão, entretanto ciente o tempo todo de que baixava sua resistência ao espectro que podia sentir, agora, respirando em seu cangote.

Este foi o mundo dele e ele foi feliz ali. Apesar de todas as inconveniências e dificuldades da vida militar, apesar de ter saído do exército sem metade da perna, ele não se arrependeu nem por um dia do tempo que passou em serviço. Todavia, não tinha sido dessas pessoas, mesmo estando entre elas. Tinha sido um macaco, depois um terno, na mesma medida temido e antipatizado pelo soldado mediano.

Se um dia a SIB falar com você, deve dizer: "Sem comentários, quero um advogado." Ou bastará um simples: "Obrigado por notar que eu existo."

Strike soltou um último grunhido de riso, depois abruptamente fechou o site e desligou o computador. Estava tão cansado que a remoção de sua prótese consumiu o dobro do tempo normal.

9

NA AGRADÁVEL MANHÃ DE DOMINGO, Strike voltou à ULU para tomar um banho. Outra vez, conscientemente avolumando-se ainda mais e deixando que suas feições resvalassem, como faziam naturalmente, em uma carranca, ele se fez suficientemente intimidante para repelir contestações ao andar a passos duros e olhos baixos pela recepção. Zanzou pelos vestiários, esperando por um momento de sossego para não ter de tomar banho à plena vista de qualquer dos alunos que trocavam de roupa, pois a visão de sua perna postiça era uma característica distinta que ele não queria imprimir na memória de ninguém.

Limpo e barbeado, ele pegou o metrô para a Hammersmith Broadway, desfrutando do sol hesitante que brilhava pela área de compras envidraçada através da qual foi para a rua. As lojas distantes da King Street fervilhavam de gente; podia ser sábado. Este era um centro comercial agitado e essencialmente sem alma, e ainda assim Strike sabia que bastava uma caminhada de meros dez minutos para chegar ao trecho sonolento e campesino da margem do Tâmisa.

Enquanto andava, com o trânsito roncando por ele, Strike se lembrou dos domingos na Cornualha de sua infância, quando tudo fechava, menos a igreja e a praia. Os domingos tinham um sabor particular naquele tempo; uma tranquilidade ecoante e sussurrante, o leve tilintar da porcelana e o cheiro de molho de carne, a TV tão maçante quanto a rua principal vazia e a precipitação incessante das ondas na praia quando ele e Lucy desciam correndo aos seixos, compelidos de volta a recursos primitivos.

A mãe uma vez disse a ele: "Se Joan tem razão e vou acabar no inferno, será um domingo eterno na maldita St. Mawes."

Strike, que saía do centro comercial para o Tâmisa, telefonou para o cliente enquanto andava.

— John Bristow.

— Sim, desculpe incomodá-lo no fim de semana, John...

— Cormoran? – disse Bristow, simpático de imediato. – Não tem problema, não tem problema nenhum! Como foi com Wilson?

— Muito bem, muito útil, obrigado. Queria saber se você pode me ajudar a encontrar uma amiga de Lula. É uma garota que ela conheceu na terapia. O nome de batismo dela começa com R... algo como Rachel ou Raquelle... e ela morava no albergue St. Elmo em Hammersmith quando Lula morreu. Isso o lembra de alguma coisa?

Houve um momento de silêncio. Quando Bristow voltou a falar, a decepção em sua voz beirava a irritação.

— O que você tem a falar com *ela*? Tansy deixou muito claro que a voz que ouviu de cima era de homem.

— Não estou interessado nesta garota como suspeita, mas como testemunha. Lula tinha marcado de encontrá-la numa loja, a Vashti, logo depois de ver você na casa de sua mãe.

— É, eu sei; isso apareceu no inquérito. Quer dizer... bom, claro, você conhece seu trabalho, mas... não vejo como essa garota saberia do que aconteceu naquela noite. Escute... espere um momento, Cormoran... estou na casa de minha mãe e tem outras pessoas aqui... preciso encontrar um lugar mais tranquilo...

Strike ouviu movimento, um "com licença" aos murmúrios, e Bristow voltou à linha.

— Desculpe, eu não queria dizer isso na frente da enfermeira. Na realidade, pensei, quando você ligou, que podia ser outra pessoa me telefonando para falar de Duffield. Todo mundo que conheço ligou para me contar.

— Contar o quê?

— Você evidentemente não lê o *News of the World*. Esta tudo lá, com fotos e tudo: Duffield apareceu para visitar minha mãe ontem, do nada. Os fotógrafos na frente da casa; foi um inconveniente muito grande e incomodou os vizinhos. Eu tinha saído com Alison, ou nunca o teria deixado entrar.

— O que ele queria?

— Boa pergunta. Tony, meu tio, acha que era dinheiro... mas Tony sempre acha que as pessoas estão atrás de dinheiro; de qualquer modo, eu tenho poder de advogado, então não havia nada a fazer ali. Só Deus sabe por que ele veio. O único detalhe misericordioso é que parece que mamãe não percebeu quem ele era. Ela toma analgésicos muito fortes.

— Como a imprensa descobriu que ele iria aí?

— Esta – disse Bristow – é uma excelente pergunta. Tony acha que ele mesmo avisou.

— Como está sua mãe?

— Mal, muito mal. Dizem que ela pode durar semanas ou... ou pode acontecer a qualquer momento.

— Lamento saber disso – disse Strike. Ele elevou a voz enquanto passava por baixo de um viaduto de trânsito barulhento. – Bom, se por acaso se lembrar do nome da amiga de Lula, da Vashti...

— Receio não entender ainda por que está tão interessado nela.

— Lula fez essa garota ter o trabalho de ir de Hammersmith a Notting Hill, passou 15 minutos com ela e depois saiu. Por que ela não ficou? Por que encontrar-se com alguém para ficar tão pouco tempo? Elas brigaram? Qualquer coisa fora do comum que tenha acontecido perto da hora de sua morte pode ser relevante.

— Entendo. – Bristow hesitava. – Mas... bom, esse tipo de comportamento não era incomum em Lula. Eu lhe disse que ela podia ser meio... meio egoísta. Agradaria a ela pensar que um simples aparecimento deixaria a garota feliz. Ela em geral tinha esses entusiasmos breves pelas pessoas, sabe, depois as abandonava.

Sua decepção com a linha de investigação escolhida por Strike era tão evidente que o detetive sentia que seria boa política usar uma justificativa um tanto dissimulada para os honorários imensos que o cliente pagava.

— O outro motivo para eu te ligar era para informar que amanhã à noite me encontrarei com um dos agentes do Departamento de Investigação Criminal que cuidou do caso. Eric Wardle. Espero conseguir o arquivo da polícia.

— Incrível! – Bristow parecia impressionado. – Que trabalho rápido!

— É, bom, tenho meus contatos na Metropolitana.

— Então você conseguirá algumas respostas sobre o Corredor! Já leu minhas anotações?

— Sim, muito úteis – disse Strike.

– E estou tentando marcar um almoço com Tansy Bestigui para esta semana, assim pode conhecê-la e ouvir seu testemunho em primeira mão. Ligarei para sua secretária, sim?

– Ótimo.

Tinha lá suas vantagens ter uma secretária com pouco o que fazer e que ele nem podia pagar, pensou Strike, depois de desligar; causava a impressão de profissionalismo.

O Albergue St. Elmo para os Moradores de Rua por acaso situava-se bem atrás do barulhento viaduto de concreto. Um primo simples, de boas proporções e contemporâneo da casa de Lula em Mayfair, tijolos aparentes com fachada branca encardida e mais humilde; sem escada, nem jardim, nem vizinhos elegantes, mas com uma porta lascada que se abria diretamente para a rua, tinta descascada nos caixilhos das janelas e um ar de abandono. O mundo utilitarista moderno invadira até se ajeitar, amontoado e miserável, fora de sincronia com seu ambiente, o viaduto apenas a vinte metros de distância, de modo que as janelas de cima davam diretamente para as barreiras de concreto e os carros que passavam interminavelmente. Um sabor institucional inconfundível era conferido pela grande campainha prateada e o intercomunicador ao lado da porta, e pela câmera preta e descaradamente feia, com seus fios pendentes, pendurada na verga em uma gaiola de ferro.

Uma jovem emaciada com uma ferida no canto da boca fumava junto à porta da frente, vestida num blusão sujo de homem que a engolia. Recostava-se na parede, olhando vagamente o centro comercial a cinco minutos de caminhada e, quando Strike apertou a campainha da recepção do albergue, ela lhe lançou um olhar escrutinador, aparentemente avaliando o potencial dele.

Um saguão pequeno e sufocante com piso sujo e revestimento de madeira dilapidado nas paredes o recebeu pouco além da porta. Havia duas portas de vidro trancadas à direita e à esquerda, permitindo-lhe vislumbres de um corredor despojado e uma sala lateral de aparência depressiva com uma mesa cheia de folhetos, um velho alvo de dardos e uma parede generosamente cravejada de buracos. Bem à frente ficava uma mesa de recepção do tipo quiosque, protegida por outra grade de metal.

Uma mulher mascava chiclete atrás da mesa e lia jornal. Parecia desconfiada e indisposta quando Strike lhe perguntou se podia falar com uma garota cujo nome era algo parecido com Rachel, e que era amiga de Lula Landry.

– Você é jornalista?
– Não, não sou; sou amigo de um amigo.
– Devia saber o nome dela, então, não acha?
– Rachel? Raquelle? Algo assim.

Um careca entrou no quiosque atrás da mulher desconfiada.

– Sou detetive particular – disse Strike, elevando a voz, e o careca olhou, interessado. – Aqui está meu cartão. Fui contratado pelo irmão de Lula Landry e preciso falar com...

– Ah, está procurando Rochelle? – perguntou o careca, aproximando-se da grade. – Ela não está aqui, amigo. Foi embora.

A colega dele, manifestando certa irritação com a boa vontade com que ele falava com Strike, cedeu seu lugar no balcão e sumiu de vista.

– Quando isso aconteceu?
– Já faz semanas. Alguns meses, até.
– Alguma ideia de para onde ela foi?
– Nenhuma, amigo. Provavelmente dorme na rua de novo. Ela entrou e saiu várias vezes. É uma figura complicada. Problemas mentais. Carrianne pode saber alguma coisa, espere aí. Carrianne! Ei! Carrianne!

A jovem indiferente de lábio ferido saiu de olhos semicerrados do sol.

– Quê?
– Rochelle, você a viu?
– Por que eu ia querer ver aquela piranha?
– Então, você não a viu? – perguntou o careca.
– Não. Tem cigarro?

Strike lhe deu um; ela colocou atrás da orelha.

– Ela tá por aí em algum lugar. A Janine falou que viu – disse Carrianne. – A Rochelle deve ter descolado um apê ou coisa assim. A piranha mentirosa. E a Lula Landry deixou tudo pra ela. *Não*. Cê quer o quê com a Rochelle? – perguntou ela a Strike, e ficou claro que ela se perguntava se tinha dinheiro na história, se ganharia algum.

– Só fazer umas perguntas.
– Do que que é?
– Lula Landry.
– Ah. – Os olhos calculistas de Carrianne cintilaram. – Elas não eram tão amigas assim, cara. Num pode acreditar em tudo o que a Rochelle diz, a piranha mentirosa.

– Sobre o que ela mentiu? – perguntou Strike.

– Tudo, porra. Acho que ela roubou metade das coisas que fingiu que Landry comprou pra ela.

– O que é isso, Carrianne? – disse o careca com gentileza. – Elas *eram* amigas – disse ele a Strike. – Landry costumava vir buscá-la de carro. Isso provocava – ele lançou um olhar fugaz a Carrianne – certa tensão.

– Não de mim, porra – rebateu Carrianne. – Eu achava a Landry uma vaca metida a besta. E ela nem era tão bonita assim.

– Rochelle me disse que tinha uma tia em Kilburn – disse o careca.

– Mas não se dá com ela – retrucou a garota.

– Tem o nome ou o endereço da tia? – perguntou Strike, mas os dois menearam a cabeça. – Qual é o sobrenome de Rochelle?

– Não sei; você sabe, Carrianne? Em geral conhecemos as pessoas só pelo nome de batismo – disse ele a Strike.

Havia pouco mais a ser colhido deles. Rochelle tinha ficado no albergue, da última vez, por dois meses. O careca sabia que ela frequentara uma clínica ambulatorial de St. Thomas por um tempo, mas não sabia se ainda ia lá.

– Ela tem episódios psicóticos. Toma muitos remédios.

– Ela nem ligou quando a Lula morreu – comentou Carrianne, de repente. – Não deu a menor bola.

Os dois homens a olharam. Ela deu de ombros, como alguém que simplesmente expressava uma verdade intragável.

– Olha, se a Rochelle aparecer de novo, pode dar meu número a ela e pedir que me ligue?

Strike entregou a ambos seu cartão, que eles examinaram com interesse. Enquanto a atenção dos dois estava assim envolvida, ele habilidosamente puxou o *News of the World* da mulher do chiclete pela pequena abertura inferior da grade e o meteu debaixo do braço. Depois se despediu animadamente e saiu.

Era uma tarde cálida de primavera. Strike foi para a ponte Hammersmith, sua pintura verde-sálvia clara e detalhes dourados cintilando pitorescos ao sol. Um único cisne se balançava no Tâmisa junto da outra margem. Os escritórios e lojas pareciam estar a cem quilômetros de distância. Entrando à direita, ele foi para a passarela junto da mureta do rio e de uma fila de casas geminadas, algumas com varanda, ou cobertas de glicínias.

Strike comprou uma cerveja no Blue Anchor e se sentou num banco de madeira ao ar livre, de frente para a água e de costas para a fachada branca e azul-rei. Acendendo um cigarro, abriu na página quatro do jornal, onde uma foto em cores de Evan Duffield (cabisbaixo, com um grande buquê de flores brancas na mão, o sobretudo preto voando a suas costas) era encimada pela manchete: VISITA DE DUFFIELD AO LEITO DE MORTE DA MÃE DE LULA.

A matéria era anódina, na realidade não passava de uma legenda ampliada para a foto. O delineador e o sobretudo esvoaçando, a expressão meio assombrada e desligada lembravam a aparência de Duffield quando ia para o funeral da namorada falecida. Ele era descrito, nas poucas linhas abaixo, como "o ator-músico problemático Evan Duffield".

O celular de Strike vibrou no bolso e ele o pegou. Recebia uma mensagem de texto de um número desconhecido.

Página quatro *News of the World* **Evan Duffield. Robin.**

Ele sorriu para a telinha antes de recolocar o telefone no bolso. O sol aquecia sua cabeça e os ombros. Gaivotas gritavam, rodando no alto, e Strike, com a consciência feliz de que não precisava ir a lugar algum e não era esperado por ninguém, acomodou-se para ler o jornal de ponta a ponta no banco ensolarado.

10

Robin se balançava de pé com os demais passageiros espremidos num vagão do metrô de Bakerllo que ia para o norte, todos com aquela expressão tensa e deprimida, adequada a uma manhã de segunda-feira. Ela sentiu zumbir o celular no bolso do casaco e o retirou com dificuldade, o cotovelo apertando desagradavelmente alguma parte mole e inespecífica de um homem de terno e com péssimo hálito ao lado dela. Quando viu que a mensagem era de Strike, ficou momentaneamente animada, quase tanto quanto ao ver Duffield no jornal na véspera. Depois rolou a tela e leu:

Saí. Chave atrás da descarga do banheiro. Strike.

Ela não forçou o telefone de volta ao bolso, continuou agarrada a ele enquanto o trem chocalhava por túneis escuros e ela tentava não respirar a halitose do molenga. Estava decepcionada. No dia anterior, ela e Matthew almoçaram juntos, na companhia de dois amigos universitários do noivo, em seu pub gourmet preferido, o Windmill on the Common. Quando viu a foto de Evan Duffield num exemplar aberto do *News of the World* numa mesa vizinha, Robin pediu licença, sem fôlego, bem no meio de uma das histórias de Matthew, e correu para mandar um torpedo a Strike.

Matthew disse, mais tarde, que ela não demonstrara boas maneiras, e que pareceram ainda piores por não ter explicado o que estava aprontando, preferindo manter aquele ar de mistério ridículo.

Robin segurava a alça do metrô com força e, enquanto o trem reduzia e o pesado vizinho se curvava para ela, sentiu-se ao mesmo tempo tola e ressentida com os dois homens, mais particularmente com o detetive, que evidentemente não estava interessado nos movimentos incomuns do ex-namorado de Lula Landry.

Depois de andar pelo caos e o entulho habituais para a Denmark Street, pegar a chave de trás da caixa de descarga, como ele instruiu, e ser desprezada mais uma vez por uma garota de tom arrogante do escritório de Freddie Bestigui, Robin estava num mau humor profundo.

Embora não soubesse, Strike, naquele exato momento, passava pela cena dos momentos mais românticos da vida de Robin. A escada abaixo da estátua de Eros enxameava de adolescentes italianos esta manhã, enquanto Strike ia para o lado de St. James, na direção da Glasshouse Street.

A entrada da Barrack, a boate que agradou tanto a Deeby Macc que o fez ficar horas por lá, recém-saído de um avião de Los Angeles, ficava apenas a uma curta caminhada de Piccadilly Circus. A fachada dava a impressão de ser de concreto industrial, e o nome se destacava em letras pretas e reluzentes, colocado verticalmente. A boate se estendia por quatro andares. Como Strike esperava, sua porta era cercada de câmeras de circuito interno cuja abrangência, pensou ele, cobriria a maior parte da rua. Ele contornou o prédio, notando as saídas de incêndio e fazendo consigo mesmo um esboço rudimentar da área.

Depois de uma longa segunda sessão na internet na noite anterior, Strike sentia que tinha uma apreensão completa do interesse publicamente declarado de Deeby Macc por Lula Landry. O rapper mencionou a modelo nas letras de três faixas, em dois discos diferentes; também tinha falado nela em entrevistas como a sua mulher ideal e alma gêmea. Era difícil estimar a seriedade com que Macc pretendia ser considerado quando fazia esses comentários; era preciso descontar, em todas as entrevistas publicadas que Strike leu, primeiramente o senso de humor do rapper, que era seco e irônico, depois o pasmo maculado de medo que cada entrevistador parecia sentir quando o confrontava.

Ex-membro de gangue que foi preso por porte de arma e tráfico em sua Los Angeles natal, Macc agora era multimilionário, tinha vários negócios lucrativos além de sua carreira nos discos. Não havia dúvida de que a imprensa ficara "animada", para usar a palavra de Robin, quando vazou a notícia de que a gravadora de Macc tinha alugado o apartamento abaixo do de Lula. Houve muita especulação fanática do que podia acontecer quando Deeby Macc se visse a um andar de sua suposta mulher dos sonhos, e como este novo e incendiário elemento afetaria a relação volátil entre Landry e Duffield. Essas não histórias eram todas pontilhadas de comentários indubitavelmente espúrios de amigos dos dois – "Ele já ligou para ela e a convidou para jantar", "Ela está preparando uma festinha para ele em seu apartamento quando ele chegar a Londres". Tais especulações quase eclipsaram o alvoroço de comentários ultrajados de variados colunistas que estranharam como o duas vezes condenado Macc, cuja música (diziam eles) glorificava o passado no crime, podia ter entrado no país.

Quando concluiu que as ruas que cercavam a Barrack nada mais tinham a lhe dizer, Strike continuou a pé, registrando por escrito as faixas amarelas da vizinhança, as restrições de estacionamento nas sextas à noite, e aqueles estabelecimentos próximos que também tinham suas próprias câmeras de segurança. Com as anotações completas, ele achou que merecia uma xícara de chá e um rolinho de bacon como despesa de representação, e desfrutou dos dois numa pequena cafeteria enquanto lia um exemplar abandonado do *Daily Mail*.

Seu celular tocou quando ele começava a segunda xícara de chá, na metade de uma matéria cômica sobre a gafe do primeiro-ministro ao chamar uma eleitora idosa de "fanática", sem perceber que o microfone ainda estava ligado.

Uma semana antes, Strike deixava que as chamadas indesejadas da secretária temporária caíssem na caixa postal. Hoje, ele atendeu.

– Oi, Robin, como vai?

– Bem. Estou ligando para passar seus recados.

– Manda – disse Strike, pegando uma caneta.

– Alison Cresswell acaba de ligar... a secretária de John Bristow... para dizer que ele reservou uma mesa no Cipriani à uma da tarde de amanhã, para apresentá-lo a Tansy Bestigui.

– Ótimo.

– Tentei a produtora de Freddie Bestigui de novo. Eles estão ficando irritados. Disseram que ele está em Los Angeles. Deixei outro pedido para que ligassem para você.

– Bom.

– E Peter Gillespie telefonou de novo.

– Epa – disse Strike.

– Disse que é urgente, e se você pode fazer a gentileza de retornar a ele assim que for possível.

Strike pensou em pedir a ela que ligasse para Gillespie e lhe dissesse para ir tomar no cu.

– Tá, vou ligar. Escute, pode me mandar por torpedo o endereço da boate Uzi?

– Claro.

– E procurar o número de um cara chamado Guy Somé? Ele é estilista.

– Pronuncia-se "gui" – disse Robin.

– O quê?

– O nome dele. A pronúncia é francesa: "gui".

– Ah, sim. Bom, pode procurar o número de contato dele?

– Claro – disse Robin.

– E pergunte a ele se pode conversar comigo. Deixe um recado dizendo quem sou e quem me contratou.

– Tudo bem.

Ocorreu a Strike que o tom de Robin era gélido. Depois de um ou dois segundos, ele pensou saber o porquê.

– A propósito, obrigado pelo torpedo que mandou ontem – disse ele. – Desculpe por não ter retornado a você; teria sido estranho se eu começasse a digitar um SMS onde eu estava. Mas se puder ligar para Nigel Clements, agente de Duffield, e marcar uma hora, isso também seria ótimo.

A animosidade dela se desmanchou num átimo, como ele pretendia; sua voz se aquecera vários graus quando ela voltou a falar; à beira, na realidade, da empolgação.

– Mas Duffield não pode ter nada a ver com isso, pode? Ele tem um álibi forte!

– É, bom, vamos ver isso – disse Strike, deliberadamente sinistro. – E escute, Robin, se chegar outra ameaça de morte... em geral chegam às segundas-feiras...

– Sim? – disse ela com ansiedade.

– Arquive – disse Strike.

Ele não podia ter certeza – parecia improvável; ela lhe parecia tão santinha – mas ele pensou tê-la ouvido resmungar, ao desligar o telefone: "Então vai se danar."

Strike passou o resto do dia envolvido num trabalho preparatório tedioso, mas necessário. Quando Robin mandou o torpedo com o endereço, ele foi à sua segunda boate no dia, desta vez em South Kensington. O contraste com a Barrack era radical; a entrada discreta da Uzi podia ser de uma pequena casa particular. Havia câmeras de segurança acima das portas também. Strike em seguida pegou um ônibus para a Charles Street, onde tinha certeza de que Guy Somé morava, e andou pelo que imaginou ser a rota mais curta entre o endereço do estilista e a casa onde Landry tinha morrido.

Sua perna voltou a doer muito no fim da tarde, e ele parou para descansar e comer mais sanduíches antes de partir para o Feathers, perto da Scotland Yard, e sua reunião com Eric Wardle.

Era outro pub vitoriano, desta vez com janelas enormes, quase do chão ao teto, dando para uma construção grandiosa dos anos 1920 decorada com estátuas de Jacob Epstein. A mais próxima destas ficava acima das portas e olhava as janelas do pub; uma deidade feroz e sentada era abraçada pelo filho bebê, cujo corpo estava estranhamente retorcido para trás, mostrando a genitália. O tempo erodiu todo o seu valor de choque.

Dentro do Feathers, máquinas tilintavam, tiniam e faiscavam luzes em cores primárias; as TVs de plasma instaladas nas paredes, cercadas por couro acolchoado, mostravam West Bromwich Albion contra o Chelsea sem som, enquanto Amy Winehouse choramingava e gemia em alto-falantes ocultos. Os nomes das cervejas eram pintados na parede creme acima do balcão comprido, que dava para uma escada de madeira escura e larga com degraus curvos e corrimão de bronze reluzente, levando ao primeiro andar.

Strike teve de esperar para ser servido, ganhando tempo para olhar em volta. O lugar estava cheio de homens, a maioria com cabelo no estilo militar; mas um trio de mulheres com um bronzeado tangerina cercava uma mesa alta, jogando para trás seus cabelos oxigenados e muito lisos, deslocando o peso dos corpos desnecessariamente em seus vestidos mínimos, apertados e brilhantes, sobre os saltos vacilantes. Fingiam não saber que o único bebedor solitário, um homem bonito e jovial de jaqueta de couro, sentado em uma banqueta no balcão ao lado da janela mais próxima, examinava-as, ponto por ponto, com um olho experiente. Strike pegou um *pint* de Doom Bar e se aproximou do apreciador das meninas.

– Cormoran Strike – disse ele, chegando à mesa de Wardle. Wardle tinha o tipo de cabelo que Strike invejava nos homens; ninguém jamais chamaria Wardle de "Cabeça de Pentelho".

— Sei, achei mesmo que fosse você – disse o policial, trocando um aperto de mãos. – Anstis disse que você era grandalhão.

Strike pegou uma banqueta e Wardle disse, sem preâmbulos:

— E então, o que tem para mim?

— Houve um esfaqueamento fatal perto da Ealing Broadway no mês passado. Um cara chamado Liam Yates, lembra? Informante da polícia, não era?

— Era, levou uma facada no pescoço. Mas sabemos quem fez – disse Wardle com um riso condescendente. – Metade dos picaretas de Londres sabe. Se é esta sua informação...

— Mas não sabe onde ele está, sabe?

Com um rápido olhar para as meninas determinadamente desligadas, Wardle tirou um bloco do bolso.

— Fala.

— Tem uma garota que trabalha no Betbusters da Hackney Road chamada Shona Holland. Ela mora num apartamento alugado a duas ruas do agenciador. No momento tem um hóspede indesejado chamado Brett Fearney, que costumava espancar a irmã dela. Pelo visto, ele não é o tipo de cara a quem se recusa um favor.

— Tem o endereço completo? – perguntou Wardle, que escrevia intensamente.

— Acabo de te dar o nome da inquilina e a metade do código postal. Que tal fazer algum trabalho de detetive?

— E onde mesmo você disse que conseguiu essa? – perguntou Wardle, ainda escrevendo rapidamente com o bloco equilibrado no joelho, embaixo da mesa.

— Eu não disse – respondeu Strike no mesmo tom, bebendo a cerveja.

— Tem uns amigos interessantes, não?

— Muito. Agora, no espírito da troca justa...

Wardle, recolocando o bloco no bolso, riu.

— O que você acaba de me dar é um monte de merda.

— Não é. Jogue limpo, Wardle.

O policial olhou Strike por um momento, aparentemente dividido entre a diversão e a desconfiança.

— O que você quer, então?

– Eu lhe falei por telefone; alguma informação interna sobre Lula Landry.
– Não lê os jornais?
– Eu disse informação interna. Meu cliente acha que houve crime.

A expressão de Wardle endureceu.

– Estamos ligados a um tabloide?
– Não – disse Strike. – O irmão dela.
– John Bristow?

Wardle tomou um longo gole da cerveja, os olhos nas coxas da garota mais próxima, sua aliança de casamento refletindo as luzes vermelhas da máquina de pinball.

– Ele ainda está fixado nas gravações de circuito interno?
– Ele falou nisso – admitiu Strike.
– Nós tentamos identificar aqueles dois negros. Fizemos um apelo. Nenhum dos dois apareceu. Não é nenhuma surpresa... um alarme de carro disparou mais ou menos na hora que eles estariam passando... ou tentando entrar nele. Um Maserati. De muito bom gosto.
– Então acha que eles roubavam carros?
– Não estou dizendo que eles foram lá especificamente para roubar carros; podem ter enxergado uma oportunidade, vendo o carro estacionado ali... Que idiota deixa um Maserati estacionado na rua? Mas eram quase 2 horas da manhã, a temperatura estava abaixo de zero, e não consigo pensar em muitos motivos inocentes para que dois homens tenham decidido se encontrar naquela hora, numa rua de Mayfair onde nenhum deles, até onde sabemos, morava.
– Não tem ideia de onde eles vieram ou para onde foram depois?
– Tenho certeza de que aquele que é a obsessão de Bristow, o cara que andava para o apartamento dela pouco antes de ela cair, pegou o ônibus 38 na Wilton Street às 11:15. Não há como saber o que ele fez antes de passar pela câmera na ponta da Bellamy Road uma hora e meia depois. Ele voltou a passar ali uns dez minutos depois de Landry pular, correu para a Bellamy Road e mais provavelmente entrou à direita na Weldon Street. Tem uma gravação de um sujeito mais ou menos com a descrição dele... alto, negro, de capuz, o cachecol cobrindo a cara... apanhado na Theobold Road uns vinte minutos depois.

— Ele foi bem rápido se chegou à Theobold Road em vinte minutos — comentou Strike. — Fica para os lados de Clerkenwell, não é? Deve ficar a três quilômetros, três e meio. E o calçamento estava congelado.

— É, bom, pode nem ter sido ele. A gravação estava uma merda. Bristow achou que era muito suspeito que ele tivesse a cara coberta, mas fazia menos dez naquela noite, e eu mesmo usei uma balaclava para trabalhar. De qualquer modo, se ele esteve na Theobold Road ou não, não apareceu ninguém dizendo que o reconhecia.

— E o outro?

— Correu pela Halliwell Street a quase duzentos metros dali; não sei para onde foi depois disso.

— Nem quando entrou na área?

— Pode ter vindo de qualquer lugar. Não temos muitas gravações dele.

— Não devia haver umas dez mil câmeras de vigilância em Londres?

— Ainda não instalaram todas. As câmeras não são a resposta a nossos problemas, a não ser que sejam preservadas e monitoradas. Aquela da Garriman Street estava desligada, e não havia nenhuma na Meadowfield Road nem na Hartley Street. Você é como todo mundo, Strike; quer suas liberdades civis quando diz à patroa que está no trabalho e, na verdade, está numa boate de strip, mas quer vigilância 24 horas em sua casa quando alguém tenta forçar a entrada pela janela aberta do seu banheiro. Não pode ter as duas coisas.

— Não quero nenhuma das duas — retrucou Strike. — Só estou perguntando o que vocês sabem do Corredor Dois.

— Coberto até os olhos, como o parceiro; só dá para ver as mãos dele. Se eu fosse ele, e tivesse a consciência culpada pelo Maserati, teria me entocado num bar e saído com um monte de gente; tem um lugar chamado Bojo's perto da Halliwell Street aonde ele pode ter ido e se misturado com os apostadores. Nós verificamos — disse Wardle, antecipando a pergunta de Strike. — Ninguém o reconheceu pela gravação.

Eles beberam em silêncio por um momento.

— Mesmo que nós encontremos os dois — disse Wardle, baixando o copo —, o máximo que podemos conseguir deles é um testemunho ocular da queda da garota. Não havia nenhum DNA inexplicável em seu apartamento. Ninguém que não deveria estar ali pôs os pés naquela casa.

— Não é só a gravação de câmeras de vigilância que está dando ideias a Bristow — disse Strike. — Ele anda vendo a Tansy Bestigui.

— Não me fale dessa merda de Tansy Bestigui — disse Wardle com irritação.

— Terei de falar nela, porque meu cliente acha que ela está dizendo a verdade.

— Ela ainda está nessa? Ainda não desistiu? Vou te falar da sra. Bestigui, tá bem?

— Fale — disse Strike, com a mão envolvendo a cerveja em seu peito.

— Carver e eu chegamos à cena uns 20 ou 25 minutos depois de Landry cair na rua. A patrulha já estava lá. Tansy Bestigui ainda estava muito histérica quando nós a vimos, tagarelando, tremendo e gritando que tinha um assassino no prédio.

"A história dela era de que ela levantou da cama lá pelas 2 horas e foi fazer xixi no banheiro; ela ouviu gritos de dois apartamentos acima e viu o corpo de Landry passar pela janela.

"Agora, as janelas daqueles apartamentos têm vidraças triplas ou coisa assim. São projetadas para preservar o aquecimento e o ar-condicionado dentro de casa, e o barulho da ralé do lado de fora. Quando estávamos interrogando a mulher, a rua abaixo estava cheia de viaturas e vizinhos, mas não dava para saber disso lá de cima, a não ser pelas luzes azuis intermitentes. A gente podia estar dentro de uma merda de pirâmide, a julgar pelo barulho que entrava naquele lugar.

"Então eu disse a ela: 'Tem certeza de ter ouvido gritos, sra. Bestigui? Porque este apartamento parece bem à prova de som.'

"Ela não voltou atrás. Jurou que tinha ouvido cada palavra. Segundo a mulher, Landry gritava algo como: 'Chegou tarde demais', e uma voz de homem dizia: 'Você é uma mentirosa de merda.' Alucinações auditivas, é como chamam", disse Wardle. "Você começa a ouvir coisas quando cheira tanto pó que seu cérebro escorre pelo nariz."

Ele tomou outro longo gole da cerveja.

— De qualquer modo, provamos sem sombra de dúvida que ela não podia ter ouvido nada. Os Bestigui foram para a casa de um amigo no dia seguinte para fugir da imprensa, então colocamos uns caras no apartamento deles e um sujeito na sacada de Landry, gritando a plenos pulmões. O grupo do primeiro andar não ouviu uma palavra do que ele dizia, e eles estavam totalmente sóbrios, e ainda se esforçavam para escutar.

"Mas enquanto estávamos provando que ela falava besteira, a sra. Bestigui telefonava para metade de Londres para dizer que era a única testemunha do assassinato de Lula Landry. A imprensa já estava em cima, porque uns vizinhos tinham ouvido a gritaria sobre um invasor. Os jornais julgaram e condenaram Evan Duffield antes mesmo de chegar à sra. Bestigui.

"Dissemos a ela que provamos que não podia ter ouvido o que disse que ouviu. Bom, ela não estava disposta a admitir que era tudo coisa da cabeça dela. Tinha ido longe demais, com a imprensa enxameando sua porta da frente como se ela fosse a reencarnação de Lula Landry. Então ela me veio com 'Ah, eu não falei? Eu abri as janelas. É, eu abri para entrar ar fresco'."

Wardle deu uma gargalhada mordaz.

– E do lado de fora abaixo de zero, nevando.

– E ela de calcinha e sutiã, não?

– Parecendo um ancinho com duas tangerinas de plástico presas nele – disse Wardle, e o sorriso saiu com tanta facilidade que Strike teve certeza de não ser o primeiro a ouvir isso. – Fomos em frente e verificamos a história nova; procuramos digitais, e pode ter certeza de que ela não abriu as janelas. Nenhuma impressão nos fechos nem em lugar nenhum; a faxineira tinha limpado na manhã da morte de Landry, e não foram tocadas desde então. Como as janelas estavam trancadas quando chegamos, só se podia chegar a uma conclusão, não é? A sra. Tansy Bestigui é uma tremenda mentirosa.

Wardle terminou o copo.

– Vamos tomar mais uma – sugeriu Strike, e foi ao bar sem esperar por uma resposta.

Ele notou o olhar curioso de Wardle percorrendo suas pernas ao voltar à mesa. Em circunstâncias diferentes, ele podia ter batido a prótese dura na perna da mesa e dito: "É essa aqui." Em vez disso, baixou os dois copos e uma porção de torresmo, que, para sua irritação, era servida num pequeno ramequim branco, e continuou de onde tinham parado.

– Mas Tansy Bestigui definitivamente testemunhou a queda de Landry pela janela, não foi? Porque Wilson pensa ter ouvido o corpo cair pouco antes de a sra. Bestigui começar a gritaria.

— Talvez tenha visto, mas não estava fazendo xixi. Estava cheirando umas carreiras no banheiro. Nós achamos lá, o pó já batido e pronto para ela.

— Ela deixou algum, é?

— Deixou. Talvez a queda do corpo pela janela a tenha interrompido.

— A janela pode ser vista do banheiro?

— Pode. Bom, mais ou menos.

— Vocês chegaram lá bem rápido, não foi?

— A patrulha chegou lá em oito minutos, e Carver e eu chegamos em uns vinte. — Wardle levantou o copo, como se quisesse brindar à eficiência da polícia.

— Conversei com Wilson, o segurança — disse Strike.

— Ah, é? Ele não agiu mal — disse Wardle, com certa condescendência. — Não foi culpa dele ter piriri. Mas ele não tocou em nada e deu uma boa busca logo depois que ela pulou. É, ele agiu bem.

— Ele e os colegas eram meio indolentes com os códigos da portaria.

— As pessoas sempre são. Muitos números e senhas para lembrar. Sabe como é.

— Bristow está interessado nas possibilidades do quarto de hora em que Wilson foi ao banheiro.

— Nós também ficamos, por uns cinco minutos, antes de entendermos que a sra. Bestigui era uma cheira-cheira doida por publicidade.

— Wilson falou que a piscina estava destrancada.

— Ele pode explicar como um assassino entrou na área da piscina, ou saiu por ela, sem passar por ele? Uma merda de *piscina* — disse Wardle — do tamanho da que tem na minha academia e só para o uso daqueles babacas. Uma *academia* no térreo ao lado da portaria. Uma merda de garagem subterrânea. Apartamentos feitos de mármore e trecos assim... parece um hotel cinco estrelas.

O policial meneou a cabeça muito lentamente para a distribuição desigual de riqueza.

— Outro mundo — disse ele.

— Estou interessado no apartamento do meio — disse Strike.

— O de Deeby Macc? — disse Wardle, e Strike ficou surpreso ao ver um sorriso genuinamente caloroso se espalhar pela cara do policial. — O que tem ele?

— Você entrou lá?

— Dei uma olhada, mas Bryant já havia revistado. Vazio. Janelas trancadas, alarme armado e funcionando direito.

— Bryant é aquele que esbarrou na mesa e derrubou um arranjo floral? Wardle bufou.

— Soube disso, é? O sr. Bestigui não ficou muito contente. Ah, sim. Duzentas rosas brancas num vaso de cristal do tamanho de uma caçamba de lixo. Ao que parece, ele leu que Macc pediu rosas brancas numa cláusula do contrato dele. Numa *cláusula* — disse Wardle, como se o silêncio de Strike implicasse uma ignorância do que significava o termo. — As coisas que eles pedem nos camarins. Pensei que *você* soubesse dessas coisas.

Strike ignorou a insinuação. Tinha esperado mais de Anstis.

— Já descobriu por que Bestigui queria que Macc recebesse as rosas?

— Só fofoca, né? Provavelmente queria colocar Macc num filme. Ele ficou puto da vida quando soube que Bryant tinha estragado tudo. Quase demoliu o lugar de tanto gritar quando descobriu.

— Alguém achou estranho que ele ficasse aborrecido com um monte de flores, quando a vizinha jazia na rua com a cabeça esmagada?

— Ele é um escroto irritante, o Bestigui — disse Wardle, com sentimento. — Acostumado a ver as pessoas prestando total atenção quando ele fala. Tentou tratar a todos nós como empregados dele, até que percebeu que não era inteligente fazer isso.

"Mas a gritaria não foi por causa das flores. Ele tentava gritar mais do que a mulher para dar a ela a chance de se recompor. Um grande sujeito, esse Freddie."

— Com o que ele estava preocupado?

— Quanto mais ela berrasse e se sacudisse como um cão de caça congelado, mais evidente ficaria que estava cheia de pó. Ele devia saber que as carreiras estavam em algum lugar no apartamento. Não devia ser um prazer para ele ver a polícia entrando de roldão. Então ele tentou distrair a todos com um ataque pelo arranjo de quinhentas pratas.

"Li em algum lugar que ele está se divorciando dela. Não me admira. Está acostumado a ver a imprensa pisando em ovos perto dele, porque é um filhodaputa litigioso; não pode ter gostado de toda a atenção que teve depois que Tansy abriu a matraca. A imprensa aproveita toda oportunidade que surge.

Requentaram antigas histórias sobre ele atirando pratos em subalternos. Socos em reuniões. Dizem que ele pagou um dinheirão à última mulher para que ela parasse de falar da vida sexual dos dois nos tribunais. Ele é famoso por ser babaca."

– Não o considera suspeito?

– Ah, muito suspeito; ele estava no local e tem histórico de violência. Mas nunca pareceu provável. Se a mulher dele soubesse o que ele fez, ou que ele saiu do apartamento no momento em que Landry caiu, aposto que ela também teria nos dito: ela estava descontrolada quando chegamos lá. Mas ela disse que ele estava na cama, e a roupa de cama estava desarrumada e parecia ter sido usada.

"Além disso, se ele conseguiu escapulir do apartamento sem que ela percebesse e subiu à casa de Landry, ainda nos restaria o problema de como passou por Wilson. Ele não podia ter tomado o elevador, então tinha que ter passado por Wilson na escada, ao descer."

– Quer dizer que a cronologia isenta o sujeito?

Wardle hesitou.

– Bom, é provável. Provável, supondo-se que Bestigui consiga se mexer mais rápido do que a maioria dos homens da sua idade e peso, e que ele tenha disparado a correr no momento em que a empurrou. Mas ainda temos o fato de que não encontramos seu DNA em lugar nenhum no apartamento, a questão de como ele saiu de lá sem que a mulher soubesse que ele foi e a questão menor de por que Landry teria deixado ele entrar. Todos os amigos dela concordaram que ela não gostava dele. De qualquer forma – Wardle terminou a cerveja –, Bestigui é o tipo de homem que contrataria um assassino, se quisesse se livrar de alguém. Não sujaria as próprias mãos.

– Mais uma?

Wardle olhou o relógio.

– Por minha conta – disse ele, e foi ao bar. As três jovens paradas em volta da mesa alta se calaram, olhando-o com ganância. Wardle lhes abriu um sorriso malicioso ao voltar com as bebidas, e elas o olharam de cima a baixo quando ele voltou à banqueta ao lado de Strike.

– Acha que Wilson daria um possível assassino? – perguntou Strike ao policial.

— Dificilmente. Ele não podia ter saído e voltado a tempo de encontrar Tansy Bestigui no térreo. Veja só, o currículo dele é um monte de bosta. Ele conseguiu o emprego alegando ser ex-policial, mas nunca fez parte da Força.

— Interessante. De onde ele era?

— Ele roda pelo mundo da segurança há anos. Admitiu que mentiu para conseguir o primeiro emprego, uns dez anos atrás, e simplesmente deixou isso no currículo.

— Ele parecia gostar de Landry.

— É. Ele é mais velho do que parece – disse Wardle, sem lógica nenhuma. – Já é avô. Eles não aparentam a idade como nós, não é, os afro-caribenhos? Eu não diria que ele é nem um ano mais velho do que você. – Strike se perguntou que idade Wardle pensava que ele tinha.

— Mandou a perícia ver o apartamento dela?

— Ah, sim – disse Wardle –, mas simplesmente porque os maiorais queriam que não ficasse nenhuma dúvida razoável. Soubemos em 24 horas que foi suicídio. Mas tomamos precauções a mais, com o mundo inteiro vendo.

Ele falava com um orgulho mal disfarçado.

— A faxineira tinha limpado o lugar todo de manhã... uma polonesa gostosa, com um inglês de merda, mas uma fera com o espanador... então as impressões do dia apareceram boas e nítidas. Nada de incomum.

— As impressões de Wilson estavam lá, presumivelmente, porque ele deu uma busca no apartamento depois que ela caiu?

— É, mas não em lugares suspeitos.

— Pelo que você sabe, eles eram as únicas três pessoas em todo o prédio quando ela caiu. Deeby Macc devia estar lá, mas...

— ... foi direto do aeroporto para uma boate, é isso mesmo – disse Wardle. De novo, um sorriso largo e aparentemente involuntário iluminou seu rosto. – Tomei o depoimento de Deeby no Claridges um dia depois da morte dela. Um cara enorme. Como você – disse ele, com um olhar para o tronco volumoso de Strike –, só que ele está em forma. – Strike aceitou o golpe sem protestar. – Ex-gângster. Foi preso várias vezes em Los Angeles. Quase não consegue visto para entrar no Reino Unido.

"Tinha uma comitiva com ele", disse Wardle. "Todos zanzando pela sala, cheios de anéis nos dedos, tatuagens no pescoço. Mas ele era o maior. Um cara de dar medo, o Deeby, se você o encontrasse numa rua escura. Muito mais educado do que Bestigui. Me perguntou como é que eu conseguia fazer meu trabalho sem uma arma."

O policial estava radiante. Strike não pôde deixar de chegar à conclusão de que Eric Wardle, investigador criminal da polícia, era, neste caso, um tietê como Kieran Kolovas-Jones.

– Não foi um depoimento muito longo, considerando que ele tinha acabado de sair de um avião e nunca posto os pés em Kentigern Gardens. Rotina. Pedi a ele para autografar o último CD dele para mim – acrescentou Wardle, como se não conseguisse se conter. – Isso pôs a casa abaixo, ele adorou. A patroa queria colocar no eBay, mas estou guardando...

Wardle parou de falar com um ar de ter deixado passar mais do que pretendia. Achando graça, Strike se serviu de uns torresmos.

– E Evan Duffield?

– Esse cara... – disse Wardle. O encanto que cintilou quando o policial falou de Deeby Macc passou; agora estava carrancudo. – Um viciadinho de merda. Ele nos irritou do início ao fim. Foi direto para a reabilitação, um dia depois da morte dela.

– Eu vi. Onde?

– Priory, onde mais? A porra da cura pelo repouso.

– Então, quando foi que o interrogou?

– No dia seguinte, mas primeiro tivemos de achar o cara; o pessoal dele pôs os maiores obstáculos que podia. A mesma história do Bestigui, entendeu? Eles não queriam que a gente soubesse o que ele andou fazendo. Minha patroa – disse Wardle, com uma carranca ainda maior – acha o cara sexy. Você é casado?

– Não – disse Strike.

– Anstis me disse que você saiu do exército e se casou com uma mulher que parece uma supermodelo.

– Qual foi a história de Duffield, depois de falar com ele?

– Eles armaram um barraco na boate, a Uzi. Muitas testemunhas disso. Ela foi embora, e ele conta a história de que foi atrás dela, uns cinco minutos depois, com uma máscara de lobo. Cobria a cabeça toda. Uma coisa peluda, parecia real. Ele nos disse que tinha conseguido numas fotos de moda.

A expressão de Wardle era eloquente de desdém.

– Ele gostava de colocar essa coisa para entrar e sair dos lugares, para irritar os paparazzi. Então, depois que Landry saiu da Uzi, ele entrou no carro dele... tinha um motorista lá fora, esperando... e foi para Kentigern Gardens. O motorista confirmou tudo. É, tá legal – Wardle se corrigiu, com impaciência –, ele confirmou que levou a Kentigern Gardens um homem de cabeça de lobo, que supôs ser Duffield pois tinha a altura e o corpo de Duffield, usava o que pareciam as roupas de Duffield e falava com a voz de Duffield.

– Mas ele não tirou a cabeça de lobo dentro do carro?

– São só uns 15 minutos da Uzi ao apartamento dela. Não, ele não tirou. Ele é um mimadinho infantil.

"Então, segundo disse Duffield, ele viu os paparazzi na frente do prédio e decidiu não entrar. Disse ao motorista para levá-lo ao Soho, onde ele o deixou. Duffield deu a volta pela esquina até a casa do traficante dele na Arblay Street, onde ele se injetou."

– Ainda com a cabeça de lobo?

– Não, tirou lá – disse Wardle. – O traficante, chamado Whycliff, é um ex-aluno de escola pública com um vício pior do que o de Duffield. Deu uma declaração completa confirmando que Duffield tinha aparecido lá pelas 2:30. Só estavam os dois lá, e sim, eu sabia que Whycliff mentiria por Duffield, mas uma mulher do térreo ouviu a campainha tocar e disse que viu Duffield na escada.

"De qualquer modo, Duffield saiu da casa de Whycliff lá pelas quatro horas, com a maldita cabeça de lobo de novo, e andou às tontas para o lugar onde pensava que ficaram esperando o carro e o motorista; só que o motorista tinha sumido. Ele alegou um mal-entendido. Achava Duffield um babaca; deixou claro quando tomamos o depoimento dele. Duffield não pagava a ele; o carro estava na conta de Landry.

"Então Duffield, que não tinha dinheiro nenhum, andou até a casa de Ciara Porter, em Notting Hill. Encontramos algumas pessoas que viram um homem com cabeça de lobo vagando pelas ruas principais, e tem uma gravação dele mendigando uma caixa de fósforos de uma mulher em um estacionamento noturno."

– Você viu o rosto dele?

– Não, porque ele colocou a cabeça de lobo para falar com ela, e só se pode ver o focinho dele. Mas ela disse que era Duffield.

"Ele chegou à casa de Porter por volta das 4:30. Ela o deixou dormir no sofá, uma hora depois teve a notícia de que Landry estava morta e o acordou para contar. Corta para o histrionismo e a reabilitação."

– Você procurou um bilhete de suicida? – perguntou Strike.

– Procurei. Não tinha nada no apartamento, nada no laptop dela, mas não foi uma surpresa. Ela fez aquilo por impulso, não foi? Ela era bipolar, tinha brigado com aquele idiota e isso a derrubou... bom, você sabe o que quero dizer.

Wardle olhou o relógio e bebeu o que restava da cerveja.

– Tenho de ir. Minha mulher vai ficar zangada, eu disse a ela que só ficaria meia hora.

As meninas superbronzeadas tinham saído sem que os dois homens percebessem. Na calçada, os dois acenderam cigarros.

– Odeio essa merda de lei antifumo – disse Wardle, fechando a jaqueta de couro até o pescoço.

– Então, temos um acordo? – perguntou Strike.

De cigarro entre os lábios, Wardle calçou um par de luvas.

– Não sei nada disso.

– Sem essa, Wardle. – Strike entregou um cartão ao policial, que Wardle aceitou como se fosse de brincadeira. – Eu te dei Brett Fearney.

Wardle riu com vontade.

– Não, ainda não deu.

Ele colocou o cartão de Strike no bolso, tragou, deu umas baforadas para o céu, depois lançou ao homem maior um olhar misto de curiosidade e apreciação.

– É, tá certo. Se pegarmos o Fearney, você pode ter o arquivo.

11

— O AGENTE DE EVAN DUFFIELD disse que o cliente dele não atende mais a telefonemas, nem dá entrevistas sobre Lula Landry — disse Robin na manhã seguinte. — Deixei claro que você não é jornalista, mas ele não cedeu. E o pessoal do escritório de Guy Somé foi mais grosseiro do que do Freddie Bestigui. Parecia até que eu tentava ter uma audiência com o papa.

— Tudo bem — disse Strike. — Vou ver se consigo alguma coisa por intermédio de Bristow.

Era a primeira vez que Robin via Strike de terno. Ela pensou que ele parecia um jogador de rúgbi a caminho de um torneio internacional: grande, elegante de um jeito convencional, com seu paletó escuro e gravata discreta. Ele estava de joelhos, vasculhando uma das caixas de papelão que tinha trazido do apartamento de Charlotte. Robin desviava o olhar de seus pertences encaixotados. Os dois ainda evitavam qualquer menção ao fato de que Strike morava no escritório.

— Arrá — disse ele, finalmente localizando, em uma pilha de sua correspondência, um envelope azul berrante: o convite para a festa do sobrinho. — Droga — acrescentou, abrindo.

— O que foi?

— Não diz quantos anos ele faz — disse Strike. — Meu sobrinho.

Robin tinha curiosidade pelas relações familiares de Strike. Como nunca fora oficialmente informada, porém, de que ele tinha numerosos meios-irmãos e meias-irmãs, um pai famoso e uma mãe meio infame, ela engolia todas as perguntas e continuava a abrir a correspondência medíocre do dia.

Strike se levantou do chão, recolocou a caixa de papelão num canto de sua sala e voltou a Robin.

— O que é isso? — perguntou ele, vendo uma folha de jornal fotocopiado na mesa.

— Guardei para você – disse ela timidamente. – Você disse que gostou de ver aquela matéria sobre Evan Duffield... pensei que estaria interessado nesta, se já não leu.

Era um artigo bem recortado sobre o produtor de cinema Freddie Bestigui, tirado do *Evening Standard* da véspera.

— Excelente; vou ler no caminho para o almoço com a mulher dele.

— Logo será ex – comentou Robin. – Está tudo no artigo. Ele não tem muita sorte no amor, o sr. Bestigui.

— Pelo que Wardle me contou, ele não é um homem muito amável.

— Como conseguiu que esse policial conversasse com você? – A essa altura, Robin foi incapaz de reprimir a curiosidade. Estava desesperada para saber mais do processo e do progresso da investigação.

— Temos um amigo em comum. Um cara que eu conheci no Afeganistão; policial da Metropolitana no TA.

— Você esteve no Afeganistão?

— Estive. – Strike vestia o sobretudo, o artigo dobrado sobre Freddie Bestigui e o convite para a festa de Jack entre os dentes.

— O que fazia no Afeganistão?

— Investigava os Mortos em Ação. Polícia militar.

— Ah.

A polícia militar não correspondia à impressão de um charlatão ou vagabundo que tinha Matthew.

— Por que saiu?

— Ferido – disse Strike.

Ele tinha descrito esse ferimento a Wilson em termos mais detalhados, mas acautelava-se de ser igualmente franco com Robin. Podia imaginar sua expressão de choque, e não precisava da solidariedade dela.

— Não se esqueça de ligar para Peter Gillespie. – Robin lembrou quando ele ia para a porta.

Strike leu o artigo fotocopiado ao andar para o metrô da Bond Street. Freddie Bestigui herdara sua primeira fortuna de um pai que ganhou muito dinheiro com frete; fez a segunda produzindo filmes altamente comerciais que os críticos sérios tratavam com desdém. O produtor já fora aos tribunais para refutar as alegações, de dois jornais, de que se comportara com grosseria com uma jovem funcionária, cujo silêncio ele subsequentemente comprou. As acusações, cuidadosamente cercadas com muitos "alegados" e "supostos", incluíam avanços sexuais agressivos e certa intimidação física. Foram feitas "por uma fonte próxima da suposta vítima", a própria garota tendo se recusado a dar queixa ou falar com a imprensa. O fato de que Freddie agora se divorciava de sua última esposa, Tansy, era mencionado no último parágrafo, que terminava com um lembrete de que o casal infeliz estava no prédio na noite em que Lula tirou a própria vida. O leitor ficava com a estranha impressão de que a infelicidade mútua dos Bestigui poderia ter influenciado Landry em sua decisão de pular.

Strike nunca andou pelos círculos que jantavam no Cipriani. Foi só quando caminhava pela Davis Street, com o sol quente nas costas e conferindo um brilho avermelhado ao prédio de tijolos aparentes à frente, que ele pensou em como seria estranho, mas não improvável, se encontrasse um dos meios-irmãos ali. Restaurantes como o Cipriani faziam parte da vida dos filhos legítimos do pai de Strike. Ele teve notícias dos três pela última vez quando estava no Selly Oak Hospital, passando por fisioterapia. Gabi e Danni se uniram para lhe mandar flores; Al o visitou uma vez, rindo alto demais e receoso de olhar a outra ponta da cama. Depois disso, Charlotte imitava Al bradando e estremecendo. Ela imitava bem. Ninguém teria esperado que uma garota tão bonita fosse engraçada, mas ela era.

O interior do restaurante tinha um clima art déco, o balcão e as cadeiras de madeira suave e polida, com toalhas de um amarelo-claro nas mesas redondas e garçons e garçonetes de gravata-borboleta e casaca. De imediato, Strike viu seu cliente em meio aos comensais tagarelas e barulhentos, sentado a uma mesa posta para quatro e falando, para surpresa de Strike, com duas mulheres em vez de uma, ambas de cabelo castanho comprido e brilhante. A cara de coelho de Bristow refletia um intenso desejo de agradar, ou talvez apaziguar; ele falava de um jeito acelerado e nervoso.

O advogado deu um salto para receber Strike quando o viu, e o apresentou a Tansy Bestigui, que estendeu a mão fina e fria, mas não sorriu, e sua irmã, Ursula May, que nem estendeu a mão. Enquanto eram cumpridas as preliminares dos pedidos de bebidas e entrega de cardápios, Bristow, nervoso e falante demais, as irmãs submeteram Strike ao tipo de olhar abertamente crítico que só as pessoas de certa classe se sentem no direito de lançar.

As duas eram imaculadas e refinadas como bonecas em tamanho natural recém-retiradas de suas caixas de celofane; riquinhas magras, quase sem quadris nos jeans apertados, com rostos bronzeados que tinham um brilho ceroso especialmente perceptível na testa, a cabeleira comprida e reluzente dividida ao meio, as pontas aparadas com uma exatidão sobrenatural.

Quando Strike finalmente escolheu o que pedir, Tansy disse sem preâmbulos:

– Você é realmente (ela pronunciou "ralmente") filho de Jonny Rokeby?

– Foi o que disse o teste de DNA – respondeu ele.

Ela pareceu não saber se ele estava sendo engraçado ou rude. Seus olhos escuros eram ligeiramente próximos demais, e o Botox e o preenchimento não atenuavam a petulância de sua expressão.

– Escute, eu estava agora mesmo dizendo ao John – disse ela rispidamente. – Não quero declarações públicas de novo, está bem? Posso muito bem lhe dizer o que ouvi, porque adoraria que provasse que estou certa, mas você não deve contar a ninguém o que lhe contei.

A gola desabotoada de sua blusa de seda fina revelava um trecho de pele caramelada sobre o esterno ossudo, criando um efeito encaroçado nada atraente; mas dois seios firmes e cheios se projetavam de sua caixa torácica estreita, como se tivessem sido emprestados por um dia por uma amiga de corpo mais recheado.

– Podíamos ter nos encontrado num lugar mais discreto – comentou Strike.

– Não, está bem aqui, porque ninguém saberá quem você é. Você não é nada parecido com seu pai, não? Eu o conheci no Elton no verão passado. Freddie sabe disso. Você vê muito o Jonny?

– Eu me encontrei com ele duas vezes – disse Strike.

– Oh – disse Tansy.

O monossílabo continha partes iguais de surpresa e desprezo.

Charlotte tinha amigas assim; de cabelos lisos, dispendiosamente educadas e vestidas, todas horrorizadas com seu estranho desejo pelo enorme e maltratado Strike. Ele se rebelou contra elas por anos, por telefone e pessoalmente, com suas vogais comidas e seus maridos corretores de ações, e com a frágil obstinação que Charlotte nunca foi capaz de disfarçar.

– Não acho que ela deveria falar com você – disse Ursula abruptamente. Seu tom e a expressão teriam sido adequados se Strike fosse um garçom que tivesse arrancado o avental e se juntado a eles, sem convite, à mesa. – Acho que está cometendo um grande erro, Tanz.

Bristow, que quase se contorcia de ansiedade, disse:

– Ursula, Tansy simplesmente...

– Quem decide sou eu – rebateu Tansy à irmã, como se Bristow nem tivesse falado, como se a cadeira dele estivesse vazia. – Só vou dizer o que ouvi, é só isso. É tudo extraoficial; John concordou com isso.

Evidentemente ela também via Strike como um criado. Ele ficou irritado com seu tom, mas também com o fato de que Bristow dava garantias às testemunhas sem ter esse direito. Como o testemunho de Tansy, que não podia vir de ninguém além dela, podia permanecer extraoficial?

Por alguns minutos, os quatro, em silêncio, passaram os olhos pelas opções culinárias, e Ursula foi a primeira a baixar o cardápio. Já terminara uma taça de vinho. Serviu-se de outra e olhou indócil o restaurante, os olhos se demorando por um segundo em uma jovem loura e régia, antes de se virar.

– Antigamente este lugar ficava cheio de gente fabulosa, até na hora do almoço. O Cyprian só quer ir ao maldito Wiltons, com todos os outros caretas de terno...

– Cyprian é seu marido, sra. May? – perguntou Strike.

Ele imaginou que precisaria dela, se cruzasse o que ela evidentemente via como uma linha invisível entre eles; ela não achava que se sentar a uma mesa com ele lhe dava o direito de conversar. Fechou a carranca e Bristow se apressou a preencher o silêncio desagradável.

– Sim, Ursula é casada com Cyprian May, um de nossos sócios seniores.

– Então, tenho desconto para familiares no meu divórcio – disse Tansy, com um sorriso um tanto amargo.

– E seu ex ficará totalmente enfurecido se ela começar a levar a imprensa de volta à vida deles – disse Ursula, com os olhos escuros cravados em Strike. – Eles estão discutindo um acordo. Se isso vazar de novo, pode prejudicar seriamente sua pensão. Por isso, é melhor que você seja discreto.

Com um sorriso cordial, Strike se virou para Tansy.

– Então tinha uma ligação com Lula Landry, sra. Bestigui? Seu cunhado trabalha com o John?

— Isto nunca esteve em discussão — disse ela com um ar entediado.

O garçom voltou com os pedidos. Quando saiu, Strike pegou o bloco e a caneta.

— O que está fazendo com isso? — Tansy exigiu saber num pânico repentino. — Não quero nada anotado! John? — Ela apelou a Bristow, que se virou para Strike com uma expressão aturdida e apologética.

— Acha que pode simplesmente ouvir, Cormoran, e, humm, deixar de tomar notas?

— Tudo bem — disse Strike tranquilamente, tirando o celular do bolso e guardando bloco e caneta. — Sra. Bestigui...

— Pode me chamar de Tansy — disse ela, como se esta concessão compensasse as objeções ao bloco.

— Muito obrigado — disse Strike, com um leve traço de ironia. — O quanto conhecia Lula?

— Ah, mal conhecia. Ela só estava ali havia três meses. Era só "oi" e "bom-dia". Ela não estava interessada em nós, não éramos da moda o bastante para ela. Era uma chateação, para ser franca, tê-la ali. Paparazzi na frente do prédio o tempo todo. Eu tinha de me maquiar até para ir à academia.

— Não tem academia no prédio? — perguntou Strike.

— Eu faço Pilates com Lindsey Parr — disse Tansy, irritada. — Você parece o Freddie; ele sempre reclamava de que eu não usava as instalações do prédio.

— E Freddie conhecia bem Lula?

— Mal conhecia, mas não foi por não ter tentado. Ele queria atraí-la ao trabalho de atriz; tentava convidá-la a descer lá em casa. Mas ela nunca foi. E ele a seguiu até a casa de Dickie Carbury, no fim de semana antes de ela morrer, enquanto eu estava viajando com Ursula.

— Não sabia disso — disse Bristow, sobressaltado.

Strike notou o rápido sorriso de Ursula à irmã. Teve a impressão de que ela ansiava por uma troca de olhares de cumplicidade, mas Tansy não cedeu.

— Só soube disso depois — disse Tansy a Bristow. — É, o Freddie esmolou um convite de Dickie; o grupo todo deles estava lá: Lula, Evan Duffield, Ciara Porter, toda a gangue dos tabloides, os drogados da moda. Freddie deve ter se destacado feito um dedo machucado. Sei que ele não é muito mais velho do que Dickie, mas parece um ancião — acrescentou ela com desprezo.

— O que seu marido lhe contou sobre o fim de semana?

— Nada. Só descobri que ele tinha ido semanas depois, porque Dickie deixou escapar. Mas sei que Freddie queria tentar se entender com Lula.

— Quer dizer — perguntou Strike — que ele estava sexualmente interessado em Lula ou...

— Ah, é, sei que estava; ele sempre gostou mais das negras do que das louras. O que ele realmente adora, porém, é meter um pouco de celebridades nos filmes. Ele deixa os diretores malucos, tentando tirar proveito das celebridades para ter mais divulgação. Aposto que ele esperava que ela assinasse para um filme, e eu não ficaria nada surpresa — acrescentou Tansy, com uma astúcia inesperada — se tivesse alguma coisa planejada para ela e Deeby Macc. Imagine a imprensa, com o estardalhaço que já havia em torno dos dois. Freddie é um gênio para essas coisas. Ele adora a publicidade para seus filmes quase tanto quanto odeia para si mesmo.

— Ele conhece Deeby Macc?

— Não, a não ser que tenham se conhecido depois que nos separamos. Ele não encontrou Macc antes de Lula morrer. Meu Deus, ele ficou emocionado que Macc estivesse vindo para ficar no prédio; começou a falar em contratá-lo no momento em que soube da notícia.

— Contratá-lo como o quê?

— Não sei — disse ela com irritação. — Qualquer coisa. Macc tem uma multidão de fãs; Freddie não ia deixar passar essa chance. Provavelmente tinha um papel já escrito especialmente para ele, se ficasse interessado. Ah, ele ia se derreter para cima do homem. Ia contar sobre sua suposta avó negra. — A voz de Tansy era desdenhosa. — É o que ele sempre faz quando conhece negros famosos: diz a eles que é um quarto malaio. Então *tá*, Freddie.

— Ele é mesmo um quarto malaio? — perguntou Strike.

Ela soltou uma risadinha sarcástica.

— Não sei; nunca conheci os avós de Freddie, não é? Ele tem uns 100 anos. Sei que ele dirá qualquer coisa se pensar que tem dinheiro envolvido.

— Pelo que você sabe, saiu alguma coisa desses planos de juntar Lula e Macc nos filmes dele?

— Bom, sei que Lula ficou lisonjeada com o convite; a maioria das modelos morre de vontade de provar que pode fazer alguma coisa além de olhar uma câmera, mas ela nunca assinou nada, assinou, John?

— Não que eu saiba — respondeu Bristow. — Mas... mas havia algo diferente — murmurou ele, tomado de novo pelas manchas rosadas. Ele hesitou e, respondendo ao olhar indagativo de Strike, disse:

— O sr. Bestigui visitou minha mãe algumas semanas atrás, de repente. Ela está excepcionalmente mal... bom, eu não queria...

Seu olhar a Tansy era constrangido.

— Diga o que quiser, eu não ligo — disse ela com o que parecia uma indiferença autêntica.

Bristow fez um estranho movimento de projeção e sucção que por algum tempo escondeu os dentes de hamster.

— Bom, ele queria falar com a minha mãe sobre um filme da vida de Lula. Ele, ah, armou a visita como algo atencioso e sensível. Pedindo a bênção da família, uma sanção oficial, sabe como. Lula morreu não faz sequer três meses... Minha mãe ficou extremamente aflita. Infelizmente, eu não estava lá quando ele apareceu — disse Bristow, e seu tom sugeria que ele costumava ser encontrado montando guarda da mãe. — De certo modo, eu queria ter estado. Queria tê-lo ouvido dizer se ele colocou pesquisadores trabalhando na história da vida de Lula. Por mais que eu deteste a ideia, ele pode saber de alguma coisa, não pode?

— Que tipo de coisa? — perguntou Strike.

— Não sei. Algo sobre a vida anterior dela, talvez? Antes de ela vir para nós.

O garçom chegou para colocar as entradas na frente de todos. Strike esperou até que ele saísse, e perguntou a Bristow:

— Você tentou falar pessoalmente com o sr. Bestigui e descobrir se ele sabia de algo sobre Lula que a família não soubesse?

— É aí que está a dificuldade — disse Bristow. — Quando Tony... meu tio... soube do que aconteceu, entrou em contato com o sr. Bestigui para reclamar por ele ter cansado minha mãe e, pelo que eu ouvi, houve uma discussão acalorada. Não acho que o sr. Bestigui vá receber bem qualquer outro contato da família. É claro que a situação se complicou ainda mais pelo fato de Tansy estar usando nossa firma em seu divórcio. Quero dizer, não há nada de mais nisso... somos uma das maiores firmas de direito de família e, com Ursula casada com Cyprian, naturalmente ela nos procuraria... mas sei que isso não teria deixado o sr. Bestigui mais gentil conosco.

Embora mantivesse o olhar no advogado o tempo todo em que Bristow estava falando, a visão periférica de Strike era excelente. Ursula tinha lançado outro sorriso irônico à irmã. Ele se perguntou o que a divertia. Sem dúvida, a melhora de seu humor não era impedida pelo fato de que ela agora estava na quarta taça de vinho.

Strike terminou a entrada e se virou para Tansy, que empurrava a comida praticamente intocada pelo prato.

– Há quanto tempo você e seu marido moravam no número 18 quando Lula se mudou para lá?

– Cerca de um ano.

– Havia alguém no apartamento do meio quando ela chegou?

– Sim – disse Tansy. – Tinha um casal de americanos ali com o garotinho de 6 meses, mas eles voltaram para a América logo depois de ela ter chegado. Depois disso, a empresa proprietária não conseguiu mais ninguém interessado. A recessão, sabe? Custam uma fortuna aqueles apartamentos. Então ficou vazio até a gravadora alugar para Deeby Macc.

Ela e Ursula ficaram distraídas ao ver uma mulher passando pela mesa no que, para Strike, parecia um casaco de crochê de desenho pavoroso.

– Esse é um casaco Daumier-Cross – disse Ursula, com os olhos um tanto semicerrados por cima da taça de vinho. – Tem uma lista de espera de uns seis meses...

– É a Pansy Marks-Dillon – disse Tansy. – É fácil estar na lista das mais bem-vestidas quando o marido tem umas cinquenta fábricas. Freddie é o rico mais pão-duro do mundo. Tenho de esconder coisas novas dele ou fingir que são falsas. Ele às vezes é um chato.

– Você está sempre maravilhosa – disse Bristow, de cara rosada.

– Você é um amor – respondeu Tansy Bestigui numa voz entediada.

O garçom chegou para tirar os pratos.

– O que estava dizendo mesmo? – perguntou ela a Strike. – Ah, sim, os apartamentos. Deeby Macc vinha... só que não veio. Freddie ficou furioso por ele não ter ido, porque colocou rosas no apartamento dele. Freddie é um cretino mesquinho.

– Como você se dava com Derrick Wilson? – perguntou Strike.

Ela pestanejou.

– Bom... ele é o segurança; não o conheço, não é? Ele parecia ser boa gente. Freddie sempre disse que era o melhor do bando.

– É mesmo? Por que isso?

Ela deu de ombros.

– Não sei, tem de perguntar ao Freddie. E boa sorte nessa – acrescentou ela com um leve riso. – Freddie só vai falar com você quando o inferno congelar.

– Tansy – disse Bristow, curvando-se um pouco –, por que não conta a Cormoran o que realmente ouviu naquela noite?

Strike teria preferido que Bristow não interferisse.

– Bom – disse Tansy. – Era lá pelas duas da madrugada e eu queria um copo de água.

Sua voz era monótona e inexpressiva. Strike percebeu que, mesmo neste pequeno começo, ela já havia alterado a história que contara à polícia.

– Então, fui ao banheiro para pegar e estava voltando pela sala, indo para o quarto, eu ouvi gritos. Ela... Lula... dizia: "É tarde demais, eu já fiz", depois um homem disse: "Você é uma vaca mentirosa", e depois... depois ele a jogou. Eu vi a garota caindo.

E Tansy fez um gesto mínimo com as mãos que Strike compreendeu que indicava a queda.

Bristow baixou a taça, parecendo nauseado. O prato principal chegou. Ursula bebeu mais vinho. Nem Tansy nem Bristow tocaram na comida. Strike pegou o garfo e começou a comer, tentando não dar a impressão de estar gostando da *puntarelle* com anchovas.

– Eu gritei – sussurrou Tansy. – Não conseguia parar de gritar. Saí correndo do apartamento, passei por Freddie e desci a escada. Só queria contar ao segurança que tinha um homem lá em cima, para que o pegassem.

"Wilson veio correndo da sala atrás da portaria. Contei a ele o que tinha acontecido e ele foi direto para a rua, para vê-la, em vez de subir correndo. Idiota. Se tivesse subido primeiro, talvez o apanhasse! Depois Freddie desceu atrás de mim e tentou me fazer voltar para dentro, porque eu não estava vestida.

"E então Wilson voltou e nos disse que ela estava morta, disse a Freddie para chamar a polícia. Freddie praticamente me arrastou escada acima... eu estava totalmente histérica... e ligou para a emergência de nossa sala de estar. Depois a polícia chegou. E ninguém acreditou numa só palavra do que eu disse."

Ela bebeu o vinho novamente, baixou a taça e disse em voz baixa:

– Se Freddie souber que estou falando com você, vai ficar fulo.

– Mas você tem certeza, não tem, Tansy – interveio Bristow –, de que ouviu um homem lá em cima?

– É claro que tenho – afirmou Tansy. – Foi o que eu disse, não foi? Sem dúvida nenhuma tinha alguém lá.

O celular de Bristow tocou.

– Com licença – murmurou ele, parecendo ansioso. – Alison... sim? – disse ele, atendendo.

Strike podia ouvir a voz grave da secretária, sem conseguir distinguir o que dizia.

– Com licença por um momento. – Bristow parecia atormentado ao sair da mesa.

Um olhar de diversão maliciosa apareceu nas caras lisas e refinadas das irmãs. Elas se olharam novamente; depois, para surpresa de Strike, Ursula lhe falou.

– Conheceu a Alison?

– Brevemente.

– Sabia que eles estão juntos?

– Sim.

– Na verdade, é meio ridículo – disse Tansy. – Ela está com John, mas na verdade é obcecada por Tony. Conheceu o Tony?

– Não – disse Strike.

– É um dos sócios majoritários dele. O tio de John, sabe?

– Sei.

– Muito atraente. Ele não daria bola para Alison nem em um milhão de anos. Acho que ela se conformou com John como prêmio de consolação.

A ideia de Alison apaixonada parecia dar muita satisfação às irmãs.

– Isso tudo é fofoca de escritório, não? – perguntou Strike.

– Ah, é – disse Ursula, com prazer. – Cyprian disse que ela é totalmente constrangedora. Parece um cachorrinho em volta de Tony.

A antipatia dela para com Strike parecia ter evaporado. Ele não estava surpreso; conheceu esse fenômeno muitas vezes. As pessoas gostavam de falar; havia muito poucas exceções; a questão era como conseguir que falassem. Algumas, e Ursula evidentemente era uma delas, eram influenciadas pelo álcool; outras gostavam dos refletores; e havia também aquelas que meramente precisavam da proximidade de outro ser humano consciente. Uma subdivisão da humanidade fica loquaz apenas com seu tema preferido: pode ser sua própria inocência ou a culpa de outro; pode ser sua coleção de latas de biscoito pré-guerra; ou, como no caso de Ursula May, a paixão impossível de uma simples secretária.

Ursula olhava Bristow pela janela; ele estava na calçada, falando firmemente ao celular e andando de um lado a outro. Com a língua agora adequadamente solta, ela disse:

— Aposto que sei do que se trata. Os executores de Conway Oates estão fazendo estardalhaço com o modo com que a firma cuidou de seus assuntos. Ele era o financista americano, sabe? Cyprian e Tony estão muito incomodados com isso, fazendo John andar por aí tentando acalmar as coisas. John sempre fica com a pior parte.

Seu tom era mais destrutivo do que solidário.

Bristow voltou à mesa, aturdido.

— Desculpem, desculpem, Alison só queria me passar uns recados.

O garçom veio recolher os pratos. Strike foi o único que limpou o dele. Quando o garçom se afastou, Strike disse:

— Tansy, a polícia desconsiderou seu testemunho porque não achou que você podia ter ouvido o que alegou ouvir.

— Bom, eles estavam errados, não acha? — rebateu ela, seu bom humor sumindo num piscar de olhos. — Eu ouvi.

— Por uma janela fechada?

— Estava aberta — disse ela, sem olhar nos olhos de ninguém. — Estava abafado, abri uma das janelas quando fui pegar a água.

Strike tinha certeza de que pressioná-la a certa altura só levaria à sua recusa de responder a qualquer outra pergunta.

— Eles também alegam que você tinha cheirado cocaína.

Tansy soltou um ruído de impaciência, um "hã" suave.

— Olha — disse ela —, eu cheirei mais cedo, durante o jantar, é verdade, e eles acharam no banheiro quando olharam o apartamento. A *chatice* dos Dunne. Qualquer um teria batido umas carreiras para aturar as histórias de Benjy Dunne. Mas eu não imaginei a voz lá em cima. Tinha um homem lá, e ele a matou. *Ele a matou* — repetiu Tansy, olhando duro para Strike.

— E aonde acha que ele foi depois disso?

— Como vou saber? É por isso que John está pagando a você. Ele escapuliu de algum jeito. Talvez tenha saído pela janela de trás. Talvez tenha se escondido no elevador. Talvez tenha passado pela garagem do subsolo. Não sei por onde saiu, ora essa, só que ele esteve lá.

— Nós acreditamos em você — interferiu Bristow ansiosamente. — Acreditamos em você, Tansy. Cormoran precisa fazer essas perguntas para... ter um quadro claro de como tudo aconteceu.

— A polícia fez de tudo para me desacreditar — disse Tansy, desconsiderando Bristow e dirigindo-se a Strike. — Chegaram tarde demais e ele já havia ido embora, então é claro que eles encobriram tudo. Ninguém que não tenha passado pelo que passei com a imprensa pode entender como foi. Foi um inferno completo. Fui para a clínica só para me livrar deles todos. Nem acredito que não seja contra a lei o que a imprensa pode fazer neste país; e só por dizer a verdade, só pode ser brincadeira. Eu devia ficar de boca fechada, não? Teria ficado, se soubesse o que vinha pela frente.

Ela torceu o anel de diamante no dedo.

— Freddie estava dormindo na cama quando Lula caiu, não? — perguntou Strike a Tansy.

— É, é isso mesmo — confirmou ela.

A mão dela deslizou pelo rosto e ela tirou mechas inexistentes de cabelo da testa. O garçom voltou de novo com os cardápios, e Strike foi obrigado a segurar as perguntas até que tivessem feito os pedidos. Ele foi o único que pediu pudim; os demais pediram café.

— Quando Freddie saiu da cama? — perguntou ele a Tansy, quando o garçom saiu.

— O que quer dizer?

— Você disse que ele estava na cama quando Lula caiu; quando ele se levantou?

— Quando me ouviu gritando — disse ela, como se fosse óbvio. — Eu o acordei, não foi?

— Ele deve ser um sujeito muito rápido.

— Por quê?

— Você disse: "Saí correndo do apartamento, passei por Freddie e desci." Então, ele já estava na sala antes de você correr para contar a Derrick o que tinha acontecido?

Um segundo.

— É isso mesmo — disse ela, tirando o cabelo na testa, escondendo por um momento o rosto.

— Ele dormia profundamente, então acordou e estava na sala, em segundos? Porque você começou a gritar e correr de imediato, não foi o que disse?

Outra pausa infinitesimal.

— Foi. Bom... não sei. Acho que gritei... gritei enquanto estava petrificada... por um momento talvez... eu estava tão chocada... e Freddie veio correndo do quarto, depois passei por ele.

— Você parou para contar a ele o que viu?

— Não me lembro.

Bristow parecia prestes a encenar de novo uma de suas intervenções inoportunas. Strike ergueu a mão para impedi-lo; mas Tansy partiu para outro ataque, ansiosa, imaginou ele, para deixar de lado o assunto do marido.

— Eu pensei muito em como o assassino entrou, e tenho certeza de que ele deve ter entrado atrás quando ela chegou de madrugada, porque Derrick Wilson saiu de sua mesa e foi ao banheiro. Acho que Wilson devia ter sido demitido. Se quer minha opinião, ele estava tirando um cochilo na sala dos fundos. Não sei como o assassino saberia o código, mas tenho certeza de que foi assim que ele entrou.

— Acha que será capaz de reconhecer a voz do homem novamente? Aquela que ouviu gritar?

— Duvido. Era só uma voz de homem. Podia ser de qualquer um. Não tinha nada de incomum nela. Quer dizer, depois eu pensei, *será que foi o Duffield*? — disse ela, olhando-o atentamente. — Porque eu soube que Duffield gritou lá em cima, uma vez, do patamar da escada. Wilson o expulsou de lá; Duffield tentava arrombar a porta de Lula. Nunca entendi o que uma garota com a beleza dela fazia com um sujeito como Duffield — acrescentou ela como parêntese.

— Algumas mulheres o acham sexy — concordou Ursula, esvaziando a garrafa de vinho na taça —, mas não vejo nenhum apelo. Ele é simplesmente repugnante e horrível.

— E ele — disse Tansy, girando de novo o anel de diamante — nem tem dinheiro.

— Mas você acha que foi a voz dele que ouviu naquela noite?

— Bom, como eu disse, pode ter sido – disse ela com impaciência e com um leve dar dos ombros finos. – Mas ele tem álibi, não? Muita gente disse que ele não estava perto de Kentigern Gardens na noite em que Lula foi morta. Passou parte da noite na casa de Ciara Porter, não foi? Cretina – acrescentou Tansy, com um sorriso tenso. – Dormindo com o namorado da melhor amiga.

— Eles dormiam juntos? – perguntou Strike.

— Ah, o que *você* acha? – Ursula riu, como se a pergunta fosse ingênua demais para ser respondida. – Eu conheço a Ciara Porter, ela foi modelo de um desfile de caridade que organizei. É uma cabeça de vento e uma puta.

Os cafés chegaram, junto com o toffee de caramelo pegajoso de Strike.

— Desculpe, John, mas Lula não tinha bom gosto para amigos – disse Tansy, bebendo seu expresso. – Tinha a Ciara e depois Bryony Radford. Não era bem amiga dela, mas eu não confiaria nela, pelo que sei da garota.

— Quem é Bryony? – perguntou Strike falsamente, porque se lembrava de quem era.

— Maquiadora. Cobra uma fortuna e é uma vaca – disse Ursula. – Eu a usei uma vez, antes de um dos bailes da Fundação Gorbatchov, depois ela contou a tod...

Ursula parou abruptamente, baixou a taça e pegou o café. Strike, que, apesar da clara irrelevância da questão, ficou muito interessado no que Bryony tinha contado a todos, começou a falar, mas Tansy falou mais alto do que ele.

— Ah, e teve também aquela garota medonha que Lula costumava levar ao apartamento, John, lembra?

Ela apelou novamente a Bristow, mas ele estava inexpressivo.

— Sabe quem, aquela horripilante... a garota com uma cor horrorosa e rara que ela às vezes arrastava. Uma espécie de sem-teto. Quer dizer... o cheiro era literalmente esse. Quando ela estava no elevador... dava para sentir. E ela também a levou à piscina. Eu não pensava que os negros soubessem nadar.

Bristow piscava rapidamente, com a cara cor-de-rosa.

— Só Deus sabe o que Lula fazia com ela – disse Tansy. – Ah, deve se lembrar, John. Ela era gorda. Imunda. Parecia meio anormal.

— Eu não... – murmurou Bristow.

— Está falando de Rochelle? – perguntou Strike.

– Isso, acho que era esse o nome dela. Mas ela estava no enterro – disse Tansy. – Eu notei. Estava sentada bem atrás.

"Ora, vai lembrar, não?", ela voltou toda a força de seus olhos escuros para Strike, "que tudo isso é extraoficial. Quer dizer, Freddie não pode descobrir que estou falando com você. Não vou passar por toda aquela merda com a imprensa de novo. A conta, por favor", gritou ela para o garçom.

Quando chegou, ela a passou sem comentar a Bristow.

Enquanto as irmãs se preparavam para ir embora, sacudindo o cabelo castanho e brilhante sobre os ombros e vestindo os casacos caros, a porta do restaurante se abriu e um homem de uns 60 anos, alto, de terno, entrou, olhou em volta e foi diretamente à mesa deles. De cabelo grisalho e aparência distinta, vestido impecavelmente, havia certa frieza em seus olhos azul-claros. Seu andar era ágil e decidido.

– Mas que surpresa – disse ele suavemente, parando no espaço entre as cadeiras das duas.

Nenhum dos outros três tinha visto o homem entrar, e todos, exceto Strike, exibiram iguais cotas de choque e algo mais parecido com o desprazer ao vê-lo. Por uma fração de segundo, Tansy e Ursula ficaram petrificadas, Ursula no ato de pegar os óculos escuros na bolsa.

Tansy se recuperou primeiro.

– Cyprian. – Ela ofereceu a face para um beijo. – Sim, que ótima surpresa!

– Pensei que iam fazer compras, Ursula, meu amor? – disse ele, com os olhos na esposa enquanto dava uma bicota convencional em cada face de Tansy.

– Paramos para almoçar, Cyps – respondeu ela, mas sua cor tinha aumentado, e Strike sentiu uma sordidez indefinida no ar.

Os olhos claros do homem mais velho passaram deliberadamente por Strike e caíram em Bristow.

– Pensei que Tony estivesse cuidando de seu divórcio, Tansy – disse ele.

– Ele está – disse Tansy. – Este não é um almoço de negócios, Cyps. Puramente social.

Ele abriu um sorriso gélido.

– Eu as acompanho até lá fora então, minhas queridas.

Com uma despedida superficial a John e sem uma palavra que fosse a Strike, as duas irmãs deixaram-se ser levadas para fora do restaurante pelo marido de Ursula. Quando a porta se fechou atrás do trio, Strike perguntou a Bristow:

– O que foi isso?

– Este era Cyprian – disse Bristow. Ele parecia agitado ao se atrapalhar com o cartão de crédito e a conta. – Cyprian May. Marido de Ursula. Sócio sênior da firma. Ele não quer que Tansy fale com você. Será que sabia onde estávamos? Provavelmente pegou a informação com Alison.

– Por que ele não quer que ela fale comigo?

– Tansy é cunhada dele – disse Bristow, colocando o sobretudo. – Ele não quer que ela faça papel de boba... é assim que ele vê... mais uma vez. Provavelmente vou me aborrecer por tê-la convencido a se encontrar com você. Ele deve estar telefonando para meu tio agora mesmo, para se queixar de mim.

As mãos de Bristow, Strike percebeu, tremiam.

O advogado saiu num táxi pedido pelo maître. Strike saiu do Cipriani a pé, afrouxando a gravata ao caminhar e tão perdido em pensamentos que só foi arrancado de seus devaneios por uma buzina alta de um carro que ele não viu acelerando em sua direção ao atravessar a Grosvenor Street.

Com este lembrete salutar de que sua segurança podia estar em risco, Strike foi para um trecho de muro claro pertencente ao Elizabeth Arden Red Door Spa, recostou-se nele fora do fluxo de pedestres, acendeu um cigarro e pegou o celular. Depois de ouvir um pouco e avançar, ele conseguiu localizar aquela parte do testemunho de Tansy que mencionava os momentos que precederam imediatamente a queda de Lula Landry pela janela.

... para o quarto, eu ouvi gritos. Ela... Lula... dizia: "É tarde demais, eu já fiz", depois um homem disse: "Você é uma vaca mentirosa", e depois... depois ele a jogou. Eu vi a garota caindo.

Ele distinguiu o leve tilintar da taça de Bristow batendo na mesa. Strike voltou a gravação e ouviu.

... dizia: "É tarde demais, eu já fiz", depois um homem disse: "Você é uma vaca mentirosa", e depois... depois ele a jogou. Eu vi a garota caindo.

Ele se lembrou da imitação feita por Tansy dos braços de Landry se debatendo e do horror de seu rosto paralisado quando fez isso. Recolocando o celular no bolso, pegou o bloco e começou a tomar notas.

Strike conheceu incontáveis mentirosos; reconhecia-os pelo cheiro; sabia perfeitamente que Tansy pertencia a esse grupo. Ela não podia ter ouvido o que alegou ouvir do apartamento dela; a polícia, portanto, concluiu que ela não podia ter ouvido nada. Contrariando as expectativas de Strike, porém, apesar do fato de que cada evidência de que tomara conhecimento até agora sugeria que Lula Landry tinha cometido suicídio, ele se viu convencido de que Tansy Bestigui realmente acreditava ter ouvido uma discussão antes da queda de Lula. Esta era a única parte de sua história que denotava autenticidade, uma autenticidade que lançava uma luz chamativa na falsidade com que ela a enfeitou.

Strike se afastou do muro e partiu para o leste pela Grosvenor Street, prestando um pouco mais de atenção no trânsito, mas lembrando-se intimamente da expressão de Tansy, seu tom, os maneirismos, enquanto falava nos últimos momentos de Lula Landry.

Por que ela contaria a verdade sobre a questão essencial, mas cercando-a com falsidades que podiam ser facilmente desmascaradas? Por que mentiria sobre o que estava fazendo quando ouviu gritos do apartamento de Landry? Strike se lembrou de Adler: "Uma mentira só teria sentido se a verdade parecesse igualmente perigosa." Tansy apareceu hoje para fazer uma última tentativa de encontrar alguém que acreditasse nela e, no entanto, engolisse as mentiras em que ela insistia em envolver seu testemunho.

Ele andava a passos céleres, mal tendo consciência das pontadas no joelho direito. Por fim notou que caminhava pela Maddox Street e saía na Regent Street. Os toldos vermelhos da Hamleys Toy Shop bruxulearam um pouco ao longe, e Strike se lembrou de que pretendia comprar um presente de aniversário para o sobrinho a caminho do escritório.

O turbilhão multicolorido, ruidoso e espalhafatoso em que ele entrou só foi registrado vagamente por ele. Às cegas, ele foi de um andar a outro, sem se deixar perturbar pelos gritos, o zumbido de helicópteros de brinquedo, os grunhidos de porcos mecânicos atravessando seu caminho distraído. Enfim, depois de mais ou menos vinte minutos, ele parou perto dos bonecos HM Forces. Ali ficou, imóvel, olhando as filas de fuzileiros e paraquedistas em miniatura, mas mal os via; surdo aos cochichos de pais que tentavam afastar seus filhos dele, intimidados demais para pedir que o homem desconhecido, imenso e de olhos fixos saísse de seu caminho.

PARTE TRÊS

Forsan et haec olim meminisse iuvabit.

Um dia, quiçá, regozijar-se-ão ao recordar tais coisas.

Virgílio, *Eneida,* Livro 1

1

NA QUARTA-FEIRA COMEÇOU A CHOVER. O clima de Londres, úmido e cinzento, razão por que a velha cidade apresentava uma fachada fleumática: rostos pálidos sob guarda-chuvas pretos, o eterno cheiro de roupa úmida, o tamborilar constante na janela do escritório de Strike à noite.

A chuva na Cornualha tinha um caráter diferente, quando chegava: Strike se lembrava de cair como vergastadas nas vidraças do quarto de hóspedes de tia Joan e tio Ted, durante aqueles meses na linda casinha que tinha cheiro de flores e assados, enquanto ele ia à escola de St. Mawes, do vilarejo. Tais lembranças giravam à testa de sua mente sempre que estava prestes a ver Lucy.

As gotas de chuva ainda dançavam exuberantes do lado de fora dos peitoris na tarde de sexta-feira, enquanto nas duas pontas da mesa Robin embrulhava o novo boneco paraquedista de Jack, e Strike preenchia para ela um cheque com o valor de uma semana de trabalho, descontada a comissão da Temporary Solutions. Robin estava prestes a comparecer à terceira daquelas entrevistas "de verdade" da semana, elegante e bem arrumada num conjunto preto, o cabelo dourado e brilhante preso num coque.

– Pronto. – Os dois falaram ao mesmo tempo, enquanto Robin empurrava pela mesa um embrulho perfeito com pequenas naves espaciais, e Strike lhe estendia o cheque.

– Viva – disse Strike, pegando o presente. – Não posso desembrulhar.

– Espero que ele goste – respondeu ela, metendo o cheque na bolsa preta.

– É. E boa sorte na entrevista. Quer o emprego?

– Ora, é um dos bons. Recursos humanos numa consultoria de mídia no West End – disse ela, sem parecer entusiasmada. – Aproveite a festa. Vejo você na segunda.

O martírio autoimposto de ir a pé pela Denmark Street para fumar tornou-se ainda mais cansativo na chuva incessante. Strike parou, minimamente protegido sob a marquise da entrada de seu prédio, e perguntou a si mesmo quando ia largar o vício e restaurar a boa forma que lhe havia escapulido junto com sua solvência e o conforto doméstico. Seu celular tocou enquanto ele estava ali.

— Pensei que você ia gostar de saber que sua dica rendeu dividendos — disse Eric Wardle, que parecia triunfante. Strike ouvia o barulho do motor e vozes masculinas ao fundo.

— Trabalho rápido — comentou Strike.

— É, bom, nós não embromamos.

— Isso quer dizer que terei o que procuro?

— Foi por isso que telefonei. Hoje já está meio tarde, mas vou entregar na segunda.

— O quanto antes é melhor para mim. Posso ficar aguardando aqui, no escritório.

Wardle riu, um tanto ofensivo.

— Você é pago por hora, não? Pensei que fosse melhor para você esticar um pouco a coisa.

— Seria melhor esta noite. Se puder trazer aqui esta noite, vou cuidar para que seja o primeiro a saber se meu velho amigo me passar mais alguma dica.

Na curta pausa que se seguiu, Strike ouviu um dos homens no carro com Wardle dizer: "... *O merda do Fearney*..."

— Tá, tudo bem — concordou Wardle. — Passo por aí mais tarde. Mas não antes das sete. Vai ficar por aí?

— Pode ter certeza de que vou.

O arquivo chegou três horas depois, enquanto ele comia peixe com fritas de uma pequena bandeja de poliestireno no colo e via o noticiário local da noite em sua televisão portátil. O mensageiro tocou a campainha da portaria e Strike assinou o recebimento de um pacote volumoso mandado pela Scotland Yard. Depois de abri-lo, revelou-se uma pasta cinza e grossa cheia de material fotocopiado. Strike a levou para a mesa de Robin e começou o longo processo de digerir o conteúdo.

Havia os depoimentos dos que viram Lula Landry durante a última noite de sua vida; um relatório de provas de DNA colhidas do apartamento; páginas fotocopiadas do livro de visitas compiladas pela segurança do Kentigern Gardens, 18; detalhes dos remédios que Lula tomava para controlar o transtorno bipolar; o relatório da autópsia; prontuários médicos do ano anterior; registros do celular e da linha fixa; e um resumo das descobertas no laptop da modelo. Também havia um DVD, em que Wardle escreveu *Corredores Câmera 2*.

O drive de DVD no computador de segunda mão de Strike não funcionava desde que ele o adquiriu; portanto, ele colocou o disco no bolso do sobretudo pendurado na porta de vidro e voltou a contemplar o material impresso contido no fichário, com o bloco aberto ao lado.

A noite descia fora do escritório e uma poça de luz dourada caía da luminária de mesa em cada página enquanto Strike lia metodicamente os documentos que levaram à conclusão de suicídio. Ali, em meio a declarações sem a superfluidade, com os horários detalhadamente registrados, às cópias dos rótulos dos frascos de remédios encontrados no armário do banheiro de Landry, Strike rastreou a verdade que tinha percebido por trás das mentiras de Tansy Bestigui.

A autópsia indicava que Lula morrera no impacto com a rua e que fora vítima de fratura no pescoço e hemorragia interna. Havia certa quantidade de hematomas nos braços. Ela caiu com apenas um sapato. As fotos do cadáver confirmaram a insistência de LulaMyInspirationForeva de que Landry tinha trocado de roupa ao chegar da boate. Em vez do vestido com o qual foi fotografada entrando no prédio, o cadáver usava um top de lantejoulas e calças.

Strike passou às declarações inconstantes que Tansy dera à polícia; a primeira simplesmente alegando uma ida ao banheiro, saindo do quarto; a segunda acrescentando a abertura da janela da sala de estar. Freddie, segundo disse Tansy, ficara no quarto o tempo todo. A polícia encontrou meia carreira de cocaína na borda de mármore da banheira e um saquinho plástico da droga escondido dentro de uma caixa de Tampax no armário acima da pia.

O depoimento de Freddie confirmou que ele estava dormindo quando Landry caiu, e que foi acordado pelos gritos da esposa; disse que correu para a sala a tempo de ver Tansy passar por ele de calcinha e sutiã. O vaso de rosas que ele mandou a Macc, e que um policial desajeitado quebrou, pretendia ser, confessou ele, um gesto de boas-vindas e apresentação; sim, ele teria ficado feliz em iniciar uma amizade com o rapper e sim, passou pela cabeça dele que Macc podia ser perfeito para um thriller que agora estava em pré-produção. Seu choque com a morte de Landry sem dúvida o fez exagerar diante da destruição de seu presente floral. A princípio, acreditou na esposa quando ela disse que ouviu uma discussão num andar de cima; mais tarde, com relutância, passou a aceitar a opinião da polícia de que o relato de Tansy indicava consumo de cocaína. Seu vício em drogas representava uma forte tensão no casamento, e ele admitiu à polícia que estava ciente de que a esposa usava habitualmente o estimulante, embora não soubesse que ela teria um estoque dele em casa naquela noite.

Bestigui depois declarou que ele e Landry nunca se visitaram, e que a estada simultânea deles na casa de Dickie Carbury (de que a polícia parece ter tomado conhecimento depois, porque colheram outro depoimento de Freddie após sua declaração inicial) em nada contribuiu para sua amizade. "Ela interagiu principalmente com os hóspedes mais novos, enquanto eu passei a maior parte do fim de semana com Dickie, que é contemporâneo meu." O depoimento de Bestigui apresentava a fachada inatacável de uma face rochosa sem grampos de escalada.

Depois de ler o relato policial dos acontecimentos no apartamento de Bestigui, Strike acrescentou várias frases a suas anotações. Ficou interessado na metade de uma carreira de cocaína ao lado da banheira, e ainda mais interessado nos poucos segundos após Tansy ter visto a figura em queda de Lula Landry passar pela janela. Muita coisa dependeria, é claro, do layout do apartamento dos Bestigui (não havia mapa nem a planta dele na pasta), mas Strike estava incomodado com um aspecto consistente das histórias cambiantes de Tansy: ela insistia que o marido estava na cama, dormindo, quando Landry caiu. Ele se lembrava de como Tansy protegeu o rosto, fingindo empurrar o cabelo para trás, quando ele a pressionou nesta questão, no Cipriani. No todo, e apesar da opinião da polícia, Strike considerava longe de ser provada a localização precisa do casal Bestigui no momento em que Lula Landry caía da sacada.

Ele voltou a seu exame sistemático do arquivo. O depoimento de Evan Duffield, na maioria dos aspectos, estava em conformidade com o relato de Wardle. Ele admitiu ter tentado impedir que a namorada saísse da Uzi, pegando-a pelos braços. Ela se soltou e foi embora; ele a seguiu por algum tempo. Havia a menção de uma frase à máscara de lobo, formulada no linguajar frio do policial que o interrogou: "Estou acostumado a usar uma máscara de cabeça de lobo quando quero evitar a atenção dos fotógrafos." Uma breve declaração do motorista que levou Duffield da Uzi confirmava o relato de Duffield de ter ido a Kentigern Gardens e depois à Artblay Street, onde este mesmo motorista deixou seu passageiro e foi embora. A antipatia que Wardle supôs ter o motorista por Duffield não era transmitida no relato factual e cru preparado pela polícia para ser assinado por ele.

Havia algumas outras declarações que corroboravam a de Duffield; de uma mulher que alegou tê-lo visto subindo a escada para a casa do traficante, outra do próprio traficante, Whycliff. Strike se lembrou da opinião expressa por Wardle de que Whycliff mentiria por Duffield. A mulher do térreo podia ter recebido algum pagamento. As demais testemunhas que alegaram ter visto Duffield andando pelas ruas de Londres só podiam dizer com sinceridade que viram um homem com uma máscara de lobo.

Strike acendeu um cigarro e releu todo o depoimento de Duffield. Era um homem com um gênio violento, que admitiu ter tentado forçar Lula a continuar na boate. Os hematomas nos braços do cadáver quase certamente foram obra dele. Se, porém, ele tivesse usado heroína com Whycliff, Strike sabia que as chances de ele estar em condições de se infiltrar no número 18 de Kentigern Gardens, ou entrar numa fúria homicida, eram desprezíveis. Strike estava familiarizado com o comportamento de viciados em heroína; conhecera muitos no último imóvel que a mãe ocupou, onde eles moravam. A droga deixava seus escravos passivos e dóceis; a antítese absoluta de alcoólatras violentos e ruidosos, ou usuários de cocaína paranoicos e inquietos. Strike conhecera cada tipo de viciado, tanto dentro como fora do exército. A glorificação do vício de Duffield pela mídia o enojava. Não havia glamour na heroína. A mãe de Strike morreu num colchão sujo no canto do quarto, e ninguém percebeu que estava morta havia seis horas.

Ele se levantou, atravessou a sala e abriu à força a janela escura e molhada de chuva, e assim o estrondo do baixo do 12 Bar Café ficou mais alto do que nunca. Ainda fumando, olhou a Charing Cross Road, cintilando dos faróis de carros e luzes de rua, onde baladeiros de sexta à noite avançavam a passos largos e se desviavam da Denmark Street, com os guarda-chuvas balançando, os risos se elevando sobre o trânsito. Quando, perguntou-se Strike, ele desfrutaria de uma cerveja numa sexta com os amigos? A ideia parecia pertencer a outro universo, a uma vida que deixara para trás. O estranho limbo em que vivia, cujo único contato verdadeiramente humano era Robin, não podia durar, mas ele ainda não estava pronto para voltar a uma vida social decente. Tinha perdido o exército, Charlotte e meia perna; sentia a necessidade de se acostumar inteiramente ao homem que se tornara, antes de estar preparado para se expor à surpresa e à piedade dos outros. A guimba de cigarro laranja voou na rua escura e se extinguiu na sarjeta molhada; Strike fechou a janela, voltou à mesa e puxou o arquivo firmemente para si.

O depoimento de Derrick Wilson não lhe disse nada que ele já não soubesse. Não havia menção no arquivo a Kieran Kolovas-Jones ou ao misterioso papel azul de que ele falou. Strike avançou, com certo interesse, aos depoimentos das duas mulheres com quem Lula passara a última tarde, Ciara Porter e Bryony Radford.

A maquiadora lembrava-se de Lula como animada e empolgada com a chegada iminente de Deeby Macc. Porter, porém, declarou que Landry "não parecia ela mesma", que parecia "deprimida e ansiosa" e se recusara a discutir o que a aborrecia. O depoimento de Porter acrescentava um detalhe intrigante que ninguém havia contado a Strike. A modelo afirmou que Landry tinha falado especificamente, naquela tarde, sobre a intenção de deixar "tudo" para o irmão. Não deram nenhum contexto; mas a impressão que ficou era de uma garota com um estado de espírito claramente mórbido.

Strike se perguntou por que o cliente não mencionara que a irmã tinha declarado sua intenção de deixar tudo para ele. É claro que Bristow já possuía dinheiro herdado em aplicações. Talvez a possível aquisição de uma vasta soma a mais não lhe parecesse digna de nota como seria a Strike, que nunca herdara um centavo na vida.

Bocejando, Strike acendeu outro cigarro para ficar acordado, e começou a ler o depoimento da mãe de Lula. Segundo o relato da própria Lady Ivette Bristow, ela estava sonolenta e indisposta depois da cirurgia por que passara; mas insistiu que a filha estava "perfeitamente feliz" quando foi visitá-la naquela manhã e que não demonstrou nada além de preocupação com o estado da mãe e suas perspectivas de recuperação. Talvez a culpa fosse da prosa embotada e sem nuances do policial, mas Strike teve a impressão, pelas recordações de Lady Bristow, de uma negação muito firme. Só ela sugeriu que a morte de Lula tinha sido um acidente, que de algum modo ela escorregara por sobre a sacada sem pretender; fora, disse Lady Bristow, uma noite gelada.

Strike leu rapidamente o depoimento de Bristow, que batia em todos os aspectos com o relato que ele lhe dera pessoalmente, e passou ao de Tony Landry, tio de John e Lula. Ele visitou Yvette Bristow na mesma hora de Lula na véspera da morte desta última, e afirmou que a sobrinha parecia "normal". Landry depois foi de carro a Oxford, onde compareceu a uma conferência sobre desenvolvimento internacional no direito de família, passando a noite no Malmaison Hotel. O que contou do próprio paradeiro foi acompanhado de uns comentários incompreensíveis sobre telefonemas. Strike, procurando esclarecimento, passou às cópias anotadas dos registros telefônicos.

Lula mal usou sua linha fixa na semana anterior à sua morte e nem uma vez na véspera da queda. Do celular, porém, ela fez não menos de 66 chamadas no último dia de vida. A primeira, às 9:15 da manhã, foi para Evan Duffield; a segunda, às 9:35, para Ciara Porter. Seguiu-se um hiato de horas, em que ela não falou com ninguém pelo celular, e então, às 13:21, ela começou um autêntico frenesi de telefonemas a dois números, quase alternadamente. Um deles era de Duffield; o outro pertencia, segundo os rabiscos ao lado da primeira ocorrência do número, a Tony Landry. Repetidas vezes ela telefonou a estes dois homens. Aqui e ali, havia hiatos de mais ou menos vinte minutos, durante os quais ela não fez quaisquer ligações; depois recomeçou a fazê-las, sem dúvida usando a rediscagem do aparelho. Todas as chamadas frenéticas, deduziu Strike, devem ter acontecido depois de ela voltar a seu apartamento com Bryony Radford e Ciara Porter, embora nenhuma das duas tenha falado, em seus depoimentos, de repetidos telefonemas.

Strike voltou ao depoimento de Tony Landry, que não lançava luz alguma sobre o motivo para a sobrinha entrar em contato com ele com tal ansiedade. Ele desligou o toque do celular quando estava na conferência, declarou, e só percebeu muito depois que a sobrinha ligara repetidamente naquela tarde. Não sabia por que ela fizera aquilo e não retornou suas ligações, alegando como justificativa que, quando percebeu suas diversas tentativas para falar com ele, ela já havia parado de telefonar, e ele imaginou, por acaso corretamente, que devia estar em alguma boate.

Strike agora bocejava a cada poucos minutos; pensou em preparar um café, mas não tinha energia para tanto. Ávido por sua cama, mas impelido por hábito a concluir o trabalho em andamento, passou às cópias do diário da segurança que mostrava as entradas e saídas de visitantes no número 18, no dia anterior à morte de Lula Landry. Uma leitura atenta das assinaturas e iniciais revelou que Wilson não fora tão meticuloso em seu registro como seus empregadores teriam esperado. Como o próprio segurança já havia dito a Strike, a movimentação dos moradores do prédio não era registrada no livro; assim, as idas e vindas de Landry e dos Bestigui não apareciam ali. O primeiro apontamento feito por Wilson foi da entrada do carteiro, às 9:10; em seguida, às 9:22, vinha *Entrega de flores Apartamento Dois*; por fim, às 9:50, *Securibell*. Sem o horário de partida do técnico do alarme.

Tirando isso, fora (como Wilson disse) um dia tranquilo. Ciara Porter chegou às 12:50; Bryony Radford às 13:20. Enquanto a partida de Radford foi registrada com sua própria assinatura às 16:40, Wilson acrescentou a entrada do bufê para os Bestigui às 19 horas, a saída de Ciara com Lula às 19:17 e a partida do bufê às 21:15.

Frustrava Strike que a única página fotocopiada pela polícia fosse a da véspera da morte de Landry, porque ele esperava encontrar o sobrenome da esquiva Rochelle em algum lugar nas páginas do diário da portaria.

Era quase meia-noite quando Strike voltou sua atenção ao relatório policial sobre o conteúdo do laptop de Landry. Pareciam ter procurado, principalmente, e-mails indicando humor ou intenção suicida, e neste aspecto não tiveram sucesso. Strike passou os olhos pelos e-mails que Landry mandou e recebeu nas duas últimas semanas de vida.

Era estranho, embora verdadeiro, que as incontáveis fotografias da extraordinária beleza de Landry não tenham facilitado – na verdade, dificultavam – a convicção de Strike de que Landry realmente existiu. A ubiquidade de suas feições fazia com que parecesse abstrata, genérica, mesmo que o rosto em si fosse singularmente belo.

Agora, porém, dessas marcas pretas e secas no papel, das mensagens erraticamente registradas e pontilhadas de piadas e apelidos, o espectro da morta surgia diante dele na sala escura. Seus e-mails lhe deram o que a multiplicidade de fotos não conseguiu: uma percepção nas entranhas, e não no cérebro, de um ser humano real, vivo, que ria e chorava, morrendo esmagado naquela rua nevada de Londres. Ele tinha esperanças de localizar a sombra vacilante de um assassino ao virar as páginas do arquivo, mas, em vez disso, era o fantasma da própria Lula que surgia, olhava-o, como vítimas de crimes violentos às vezes faziam, do que restava de sua vida interrompida.

Ele agora via por que John Bristow insistia que a irmã não tinha pensado em morrer. A garota que digitara aquelas palavras revelava-se como uma amiga calorosa, sociável, impulsiva, ocupada e feliz por ser assim; entusiasmada com o trabalho, animada, como afirmara Bristow, com a perspectiva de uma viagem ao Marrocos.

A maioria dos e-mails fora enviada ao estilista Guy Somé. Não traziam nada de interesse senão um tom de animada confidencialidade e, uma vez, menção à sua amizade mais incongruente:

> Geegee, por favooooor, faça alguma coisa para Rochelle no aniversário dela, por favor por favor? Vou pagar. Alguma coisa bonita (não seja horrível), para 21 de fevereiro? Por favor por favor. Te amo. Cuco.

Strike se lembrava da declaração do LulaMyInspirationForeva de que Lula amava Guy Somé "como um irmão". O depoimento dele à polícia era o mais curto do arquivo. Ele esteve no Japão por uma semana e tinha voltado na noite em que ela morrera. Strike sabia que Somé morava a uma tranquila distância a pé de Kentigern Gardens, mas a polícia parecia ter ficado satisfeita com a alegação dele de que, depois de chegar em casa, simplesmente foi para a cama. Strike já notara o fato de que qualquer um que viesse da Charles Street teria se aproximado de Kentigern Gardens pela direção contrária à câmera de vigilância da Alderbrook Road.

Strike, enfim, fechou o arquivo. Ao se deslocar com dificuldade pelo escritório, despindo-se, retirando a prótese e abrindo a cama de campanha, ele não pensava em nada além da própria exaustão. Caiu no sono rapidamente, embalado pelo zumbido do trânsito, o tamborilar da chuva e o hálito imorredouro da cidade.

2

Havia uma grande magnólia no jardim da casa de Lucy, em Bromley. Na primavera, cobriria o gramado com o que pareciam lenços de papel amassados; agora, em abril, era uma nuvem espumosa de branco, suas pétalas cerosas como raspas de coco. Strike só foi a este lugar algumas vezes, porque preferia se encontrar com Lucy longe da casa dela, onde sempre parecia mais atormentada, e para evitar encontros com o cunhado, por quem seus sentimentos ficavam do lado mais frio do tépido.

Balões de hélio balançavam-se na leve brisa, amarrados ao portão. Ao descer a calçada íngreme até a porta, levando embaixo do braço o embrulho feito por Robin, Strike disse a si mesmo que aquilo logo acabaria.

– Onde está Charlotte? – perguntou Lucy, baixa, loura e de cara redonda, imediatamente aparecendo para abrir a porta.

Outros balões grandes e dourados, desta vez no formato do número sete, enchiam o hall atrás dela. Gritos que podiam denotar excitação ou dor eram emitidos de alguma região invisível da casa, perturbando a paz do subúrbio.

– Ela teve de voltar a Ayr no fim de semana – mentiu Strike.

– Por quê? – perguntou Lucy, dando um passo para trás para que ele entrasse.

– Outra crise com a irmã. Onde está o Jack?

– Estão todos por ali. Graças a Deus parou de chover, ou teríamos de colocar todo mundo para dentro – disse Lucy, levando-o para o quintal.

Encontraram os três sobrinhos de Strike rompendo o gramado dos fundos com vinte meninos e meninas em roupas de festa, aos gritos com algum jogo que envolvia correr a vários postes de críquete em que foram coladas imagens de frutas. Os pais que ajudavam estavam por ali no sol fraco, bebendo vinho em copos de plástico, enquanto o marido de Lucy, Greg, tripulava um iPod num sistema de som numa mesa de armar. Lucy entregou uma lager a Strike, depois quase imediatamente se afastou às pressas para pegar o filho caçula, que tinha caído feio e berrava com vontade.

Strike jamais quis ter filhos; era uma das coisas em que ele e Charlotte sempre concordaram, e fora um dos motivos para que outras relações fossem a pique com o passar dos anos. Lucy lamentava a atitude do irmão e suas justificativas para ela; sempre se enervava quando Strike declarava que tinha objetivos na vida diferentes dos dela, como se estivesse atacando as decisões que ela tomara.

— Tudo bem aí, Corm? — Greg tinha passado o controle da música a outro pai. O cunhado de Strike era analista de custos e nunca parecia ter certeza de que tom usar com Strike, em geral conformando-se com uma combinação de animação e agressividade que Strike achava irritante. — Onde está a linda Charlotte? Não se separou de novo, né? Ha ha ha. Não consigo acompanhar você.

Uma das garotinhas tinha sido empurrada; Greg correu para ajudar outra mãe a lidar com mais lágrimas e sujeira de grama. A brincadeira ribombava no caos. Por fim, declarou-se um vencedor; houve mais lágrimas da segunda colocada, apaziguadas com o prêmio de consolação retirado de um saco preto colocado ao lado das hortênsias; anunciou-se uma segunda rodada do mesmo jogo.

— Oi! — disse uma senhora de meia-idade, aproximando-se de mansinho de Strike. — Você deve ser o irmão de Lucy!

— Sou — disse ele.

— Soube de sua pobre perna. — Ela olhou os sapatos dele. — Lucy manteve todos nós informados. Meu Deus, nem dá para saber, não? Não notei você mancando quando chegou. Não é incrível o que podem fazer hoje em dia? Espero que possa correr mais rápido agora do que antes!

Talvez ela tenha imaginado que ele tivesse uma prótese de fibra de carbono por baixo das calças, como um atleta paraolímpico. Ele bebeu a cerveja e abriu um sorriso forçado e sem vontade.

— É verdade? — perguntou ela, provocando-o, a fisionomia de repente transbordante de curiosidade. — Você é mesmo filho de Jonny Rokeby?

O fio de paciência, que Strike nem percebeu estar esticado ao ponto de ruptura, quebrou-se.

– O cacete que eu sei – disse ele. – Por que não liga para ele e pergunta?

Ela ficou chocada. Depois de alguns segundos, afastou-se em silêncio. Ele viu que ela falava com outra mulher, que olhava de lado para Strike. Outra criança caiu, batendo a cabeça no poste decorado com um morango gigante, emitindo um guincho de furar os tímpanos. Aproveitando que toda a atenção se voltava para a baixa recente, Strike escapuliu para dentro de casa.

A sala da frente era suavemente confortável, com um conjunto estofado bege, uma pintura impressionista sobre o consolo da lareira e fotos em porta-retratos dos três sobrinhos com o uniforme escolar verde-garrafa exibidas nas prateleiras. Strike fechou a porta com cuidado para o barulho do quintal, pegou no bolso o DVD que Wardle lhe mandara, colocou no aparelho e ligou a TV.

Havia uma foto no alto do televisor, tirada na festa de 30 anos de Lucy. O pai de Lucy, Rick, estava ali com a segunda esposa. Strike aparecia atrás, onde sempre era colocado nas fotos de grupo desde que tinha 5 anos. Na época estava de posse das duas pernas. Tracey, agente da polícia militar real, colega dele e a garota com quem Lucy esperava ver o irmão casado, estava ao lado dele. Tracey mais tarde casou-se com um dos amigos em comum dos dois, e recentemente dera à luz uma menina. Strike pretendia mandar flores, mas nunca se convenceu disso.

Ele baixou os olhos à tela e apertou "play".

A gravação granulosa em preto e branco começou de pronto. Uma rua branca, manchas grossas de neve passando pelo olho da câmera. A visão de 180 graus mostrava o cruzamento da Bellamy com a Alderbrook Road.

Um homem andava, sozinho, vindo do lado direito da tela; alto, com as mãos fundas nos bolsos, envolto em camadas de roupas, um capuz cobrindo a cabeça. Seu rosto parecia estranho na gravação; enganava os olhos; Strike pensou estar olhando uma cara inteiramente branca na parte inferior e uma venda escura, antes de a razão lhe dizer que, na verdade, via a parte escura superior do rosto e um cachecol branco cobrindo o nariz, a boca e o queixo. Havia uma espécie de marca, talvez um logo borrado, no casaco; tirando isso, era impossível identificar a roupa.

À medida que se aproximava da câmera, o caminhante baixou a cabeça e pareceu consultar algo que tirou do bolso. Segundos depois, entrou na Bellamy Road e sumiu do alcance da câmera. O relógio digital no canto inferior direito da tela registrava 01:39.

O filme deu um salto. Mais uma vez era a visão borrada do mesmo cruzamento, aparentemente deserto, os mesmos flocos de neve pesados obscurecendo a vista, mas agora o relógio no canto inferior indicava 02:12.

Os dois corredores apareceram. O da frente podia ser reconhecido como o homem que saíra de alcance com o cachecol cobrindo a boca; pernas compridas e fortes, ele corria, com os braços bombeando, diretamente pela Alderbrook Road. O segundo era mais baixo, mais magro, de capuz e gorro; Strike notou os pulsos escuros, cerrados enquanto ele disparava atrás do primeiro, perdendo terreno para o homem mais alto. Sob um poste de rua, um desenho nas costas do casaco foi iluminado brevemente; na metade da Alderbrook Road, ele deu uma guinada repentina à esquerda e subiu uma transversal.

Strike passou novamente os poucos segundos de gravação, e mais uma vez. Não viu sinais de comunicação entre os dois corredores; nenhuma indicação de que eles se falaram, ou mesmo se olharam, ao dispararem para longe da câmera. Parecia ser cada um por si.

Ele viu a gravação uma quarta vez e a congelou, depois de várias tentativas, no segundo em que foi iluminado o desenho nas costas do moletom do homem mais lento. Semicerrando os olhos para a tela, ele se aproximou mais da imagem borrada. Depois de um minuto de observação prolongada, quase tinha certeza de que a primeira palavra terminava em "ck", mas a segunda, que ele pensou começar com "J", era indecifrável.

Ele apertou "play" e deixou o filme correr, tentando distinguir que rua o segundo homem havia tomado. Por três vezes, Strike o viu se afastar correndo de seu companheiro e, embora o nome estivesse indecifrável na tela, ele sabia, pelo que Wardle dissera, que devia ser a Halliwell Street.

A polícia pensou que o fato de o primeiro homem ter se dirigido a um amigo longe das câmeras diminuía a plausibilidade de ser um assassino. Isto supondo-se que os dois fossem de fato amigos. Strike tinha de admitir que o fato de eles terem sido filmados juntos, num clima como aquele, naquela hora, agindo de uma forma quase idêntica, sugeria cumplicidade.

Deixando a gravação correr, ele a viu ser cortada, de forma surpreendente, ao interior de um ônibus. Uma garota entrou; filmado de uma posição acima do motorista, seu rosto ficava reduzido e muito sombreado, embora o rabo de cavalo louro estivesse nítido. O homem que entrou no ônibus depois dela trazia, pelo que era possível ver, uma forte semelhança com aquele que mais tarde andou pela Bellamy Street na direção de Kentigern Gardens. Era alto e de capuz, com um cachecol branco cobrindo o rosto, a parte superior do rosto na sombra. Só o que estava claro era o logo no peito, um GS estilizado.

A gravação passou a mostrar a Theobold Road. Se o indivíduo que andava a passos rápidos era o mesmo que pegou o ônibus, tinha retirado o cachecol branco, embora seu corpo e o andar tivessem uma forte semelhança. Desta vez, Strike pensou que o homem se esforçava para ficar de cabeça baixa.

A gravação terminou numa tela preta. Strike ficou sentado olhando para ela, imerso em pensamentos. Quando se lembrou do ambiente onde estava, foi uma leve surpresa descobrir que era multicolorido e iluminado pelo sol.

Pegou o celular no bolso e ligou para John Bristow, mas caiu na caixa postal. Deixou um recado dizendo a seu cliente que vira as gravações das câmeras de segurança e lera o arquivo da polícia; havia mais algumas perguntas que queria fazer, se seria possível encontrá-lo em alguma hora na semana seguinte.

Depois telefonou para Derrick Wilson, cujo telefone também caiu na caixa postal, a quem ele reiterou seu pedido de ver o interior do Kentigern Gardens, 18.

Strike tinha acabado de desligar quando a porta da sala se abriu e seu sobrinho do meio, Jack, entrou. Estava corado e agitado.

— Ouvi você falando — disse Jack. Ele fechou a porta com o mesmo cuidado que teve o tio.

— Não devia estar no jardim, Jack?

— Fui fazer xixi — disse o sobrinho. — Tio Cormoran, você trouxe um presente pra mim?

Strike, que não abrira mão do pacote embrulhado desde que chegou, entregou-o e viu como o cuidadoso trabalho manual de Robin foi destruído por dedos pequenos e ávidos.

— *Legal* — disse Jack, feliz. — Um *soldado*.

— É isso mesmo — disse Strike.

— Ele tem arma e *tudo*.

— É, tem mesmo.

— Você tinha arma quando era soldado? — perguntou Jack, virando a caixa para ver a imagem de seu conteúdo.

— Tinha duas — disse Strike.

— Ainda tem?

— Não, tive de devolver.

— Que pena — disse Jack sem rodeios.

— Não devia estar brincando? — perguntou Strike, enquanto gritos renovados explodiam do jardim.

— Eu não quero — disse Jack. — Posso tirar da caixa?

— Pode, tudo bem — disse Strike.

Enquanto Jack rasgava febrilmente a caixa, Strike tirava o DVD de Wardle do aparelho e o embolsava. Depois ajudou Jack a soltar o paraquedista de plástico das amarras que o prendiam ao fundo de papelão e a colocar a arma em sua mão.

Lucy encontrou os dois sentados ali dez minutos depois. Jack fazia o soldado disparar de trás do sofá e Strike fingia ter levado uma bala na barriga.

— Pelo amor de Deus, Corm, é a festa dele, ele devia estar brincando com os outros! Jack, eu te *disse* que ainda não podia abrir os presentes... pegue isso... não, vai ficar aqui mesmo... não, Jack, pode brincar com ele mais tarde... já está quase na hora do chá mesmo...

Atrapalhada e irritadiça, Lucy conduziu o filho relutante para fora da sala com uma olhada séria para o irmão. Quando os lábios de Lucy se franziam, ela assumia uma forte semelhança com a tia Joan, que não era parente de sangue de nenhum dos dois.

A semelhança fugaz engendrou em Strike um espírito de cooperação pouco característico. Pelo resto da festa ele se comportou, nos termos de Lucy, muito bem, dedicando-se principalmente a acalmar brigas que se formavam entre várias crianças agitadas demais, depois se protegendo na barricada de uma mesa de armar coberta de gelatina e sorvete, em seguida evitando o interesse invasivo das mães à espreita.

3

STRIKE FOI ACORDADO CEDO na manhã de domingo pelo toque do celular, que estava recarregando no chão ao lado da cama de campanha. O interlocutor era Bristow. Ele parecia tenso.

– Recebi seu recado ontem, mas minha mãe está muito mal e não conseguimos uma enfermeira para esta tarde. Alison virá aqui me fazer companhia. Posso me encontrar com você amanhã, em minha hora de almoço, se estiver livre. Houve alguma evolução? – acrescentou ele, esperançoso.

– Alguma – disse Strike com cautela. – Escute, onde está o laptop de sua irmã?

– Aqui, na casa de minha mãe. Por quê?

– Se importaria se eu desse uma olhada nele?

– Está bem – disse Bristow. – Devo levar amanhã?

Strike concordou que era uma boa ideia. Quando Bristow lhe deu o nome e o endereço de seu restaurante preferido perto da firma e desligou, Strike pegou os cigarros e ficou deitado um tempo fumando e contemplando o desenho formado no teto pelo sol, que passava pelas frestas da persiana, saboreando o silêncio e a solidão, a ausência de crianças gritonas, das tentativas de Lucy de interrogá-lo em meio aos gritos estridentes dos filhos. Sentindo-se quase afetuoso para com seu escritório tranquilo, ele apagou o cigarro, levantou-se e preparou-se para tomar o banho habitual na ULU.

Enfim conseguiu falar com Derrick Wilson, depois de várias outras tentativas, no final da tarde de domingo.

– Não pode vir esta semana – disse Wilson. – No momento, o sr. Bestigui anda por aqui. Tenho de pensar no meu emprego, você entende. Vou ligar quando houver uma boa hora, está bem?

Strike ouviu uma campainha distante.

– Está no trabalho agora? – quis saber Strike, antes que Wilson desligasse.

Ele ouviu o segurança dizer, longe do fone:

– (Só assine aqui, amigo.) O quê? – acrescentou ele em voz alta para Strike.

– Se está no trabalho agora, pode procurar no diário o nome de uma amiga que às vezes visitava Lula?

– Que amiga? – perguntou Wilson. – (Tá, tchau.)

– A garota de que Kieran falou; a amiga da clínica de reabilitação. Rochelle. Quero o sobrenome dela.

– Ah, ela, sei. Tá, vou dar uma olhada e te lig...

– Pode dar uma olhada rápida agora?

Ele ouviu Wilson suspirar.

– Tá, tudo bem. Espere aí.

Sons indistintos de movimento, tinidos e arranhões, depois o folhear de páginas. Enquanto esperava, Strike analisava os vários itens de roupa desenhados por Guy Somé, dispostos na tela de seu computador.

– É, ela está aqui – disse a voz de Wilson em seu ouvido. – O nome é Rochelle... não consigo entender... parece Onifade.

– Pode soletrar?

Wilson aquiesceu e Strike tomou nota.

– Quando foi a última vez que ela esteve aí, Derrick?

– No início de novembro – disse Wilson. – (Tá, boa-noite.) Agora eu preciso ir.

Ele desligou durante o agradecimento de Strike, e o detetive voltou a sua lata de Tennents e a sua contemplação do vestuário moderno, imaginado por Guy Somé, em particular um casaco de capuz e zíper com um GS estilizado em dourado no lado superior esquerdo. O logo estava muito em evidência nas roupas pronta-entrega da seção masculina do site do estilista. Strike não entendia inteiramente a definição de pronta-entrega; parecia uma declaração do óbvio, embora a qualquer outro a expressão pudesse conotar "mais barato". A segunda seção do site, intitulada simplesmente "Guy Somé", apresentava roupas que normalmente custam milhares de libras.

Apesar do empenho de Robin, o estilista daqueles ternos marrons, daquelas gravatas estreitas de tricô, daqueles minivestidos bordados com cacos de espelho, daqueles chapéus fedora, continuava a fazer ouvidos corporativos moucos a todas as solicitações de entrevista relacionadas com a morte de sua modelo preferida.

4

Você acha que não vou te ferrar mas tá errado seu babaca eu vou te pegar eu confiei em você seu escroto e você fez isso comigo. Vou arrancar seu pau e enfiar por sua goela abaixo. Vão te achar sufocando no próprio pau. Quando eu acabar com você nem a sua mãe vai te querer eu vou te matar Strike seu merda

— Está um lindo dia lá fora.
— Quer fazer a gentileza de ler isto aqui? Por favor?
Era manhã de segunda, e Strike acabara de voltar de um cigarro na rua ensolarada e de um papo com a garota da loja de discos do outro lado. O cabelo de Robin estava solto de novo; ela evidentemente não tinha mais entrevistas hoje. Esta dedução se combinou com os efeitos do sol depois da chuva, elevando o estado de espírito de Strike. Robin, porém, parecia tensa, de pé atrás de sua mesa, estendendo uma folha de papel rosa decorada com os gatinhos de sempre.
— Ele ainda está nessa?
Strike pegou a carta e leu toda, sorrindo.
— Não entendo por que você não procura a polícia – disse Robin. – As coisas que ele diz que quer fazer com você...
— Só arquive – disse Strike com desdém, jogando a carta na mesa e folheando o resto da pilha magra de correspondência.
— Sim, bom, não é só isso – disse Robin, claramente irritada com a atitude dele. – A Temporary Solutions acaba de telefonar.
— É? E o que eles queriam?
— Perguntaram por mim – disse Robin. – Obviamente desconfiam de que eu ainda esteja aqui.

– E o que você disse?

– Fingi que era outra pessoa.

– Pensou rápido. Quem?

– Eu disse que meu nome era Annabel.

– Quando precisam inventar um nome falso na lata, em geral as pessoas escolhem um que comece com "A", sabia disso?

– Mas e se mandarem alguém verificar?

– E daí?

– É de você que vão tentar arrancar dinheiro, e não de mim! Vão querer que você pague uma taxa de recrutamento!

Ele sorriu para a angústia genuína de Robin por ele ter de pagar o que não podia. Pretendia pedir a ela para telefonar para o escritório de Freddie Bestigui de novo e começar uma pesquisa na lista telefônica online pela tia de Kilburn de Rochelle Onifade. Em vez disso, ele disse:

– Tudo bem, vamos evacuar as instalações. Vou ver um lugar chamado Vashti esta manhã, antes de me encontrar com Bristow. Talvez seja mais natural se nós dois formos.

– A Vashti? A butique? – disse Robin, de pronto.

– É. Sabe qual é, não?

Foi a vez de Robin sorrir. Tinha lido sobre ela nas revistas: era a epítome do glamour de Londres para ela; um lugar onde editores de moda encontravam peças de vestuário fabulosas para mostrar aos leitores, artigos que custariam seis meses de salário de Robin.

– Conheço, sim – disse ela.

Ele pegou o casaco de Robin e lhe passou.

– Vamos fingir que você é minha irmã, Annabel. Pode me ajudar a escolher um presente para a minha esposa.

– Qual é o problema do homem da ameaça de morte? – perguntou Robin, sentando-se ao lado dele no metrô. – Quem é ele?

Ela reprimira a curiosidade sobre Jonny Rokeby, sobre a beleza morena que saíra às pressas do prédio de Strike em seu primeiro dia de trabalho e sobre a cama de campanha de que eles nunca falavam; mas tinha todo o direito de fazer perguntas sobre as ameaças de morte. Afinal, era ela que até agora abrira três envelopes cor-de-rosa e lera os desabafos violentos escritos em meio a gatinhos saltitantes. Strike nunca sequer olhava para as cartas.

— Seu nome é Brian Mathers — disse Strike. — Ele me procurou em junho passado porque pensava que a mulher estava pulando a cerca. Queria segui-la, então a coloquei sob vigilância por um mês. Uma mulher muito comum: simples, desalinhada, com um permanente malfeito; trabalhava no departamento de contabilidade de um grande depósito de tapetes; passava os dias úteis num escritório apertado com outras três colegas, ia ao bingo toda quinta-feira, fazia as compras da semana às sextas na Tesco e aos sábados ia ao Rotary Club do bairro com o marido.

— Quando ele achava que ela pulava a cerca? — perguntou Robin.

O reflexo pálido dos dois oscilava no vidro escuro e opaco; sem cor sob a luz severa do alto, Robin parecia mais velha, entretanto etérea, e Strike mais bruto e mais feio.

— Nas noites de quinta.

— E ela pulava mesmo?

— Não, na verdade ia ao bingo com a amiga Maggie, mas em todas as quintas-feiras em que a vigiei, ela chegou em casa deliberadamente tarde. Rodava um pouco de carro depois de deixar Maggie. Numa noite, foi a um pub e tomou um suco de tomate sozinha, sentada num canto, tímida. Outra noite, esperou 45 minutos dentro do carro no final da rua antes de virar a esquina.

— Por quê? — perguntou Robin, enquanto o trem chocalhava ruidosamente por um túnel extenso.

— Ora, essa é a questão, não? Para provar alguma coisa? Para deixar o marido agitado? Provocá-lo? Puni-lo? Dar uma injeção de ânimo num casamento maçante? Toda quinta, só um tempinho inexplicável.

"Ele é um sujeito nervosinho, e engolia a isca o tempo todo. Isso o deixava louco. Ele tinha certeza de que ela encontrava um amante uma vez por semana e que a amiga Maggie lhe dava cobertura. Tentou segui-la ele mesmo, mas estava convencido de que ela ia ao bingo nessas ocasiões porque sabia que ele estava vigiando."

— Você contou a verdade a ele?

— Contei. Ele não acreditou em mim. Ficou muito nervoso e gritava sem parar que todos estavam numa conspiração contra ele. Recusou-se a pagar minha conta.

"Tive medo de que ele acabasse machucando a mulher, e foi aí que cometi meu grande erro. Telefonei para ela e contei que ele havia me pagado para vigiá-la, que eu sabia o que ela fazia e que o marido estava a ponto de estourar. Para o próprio bem, ela precisava ter cuidado e não pressioná-lo demais. Ela não disse uma palavra, só desligou na minha cara.

"Bom, ele costumava olhar o celular dela. Viu meu número e tirou a conclusão óbvia."

– Que você contou a ela que ele mandou vigiar?

– Não, que eu tinha sido seduzido pelos encantos dela e era seu novo amante.

Robin bateu a mão na boca. Strike riu.

– Os seus clientes são sempre meio malucos? – perguntou Robin, quando soltou a boca de novo.

– Este é, mas em geral eles são só estressados.

– Eu estava pensando em John Bristow – disse Robin, hesitante. – A namorada dele acha que ele se ilude, e você achou o homem meio... sabe como é... não achou? – perguntou ela. – Nós ouvimos – acrescentou ela, com certo pudor – pela porta. A parte de "psicólogo de bar".

– É verdade – disse Strike. – Bom... talvez eu tenha mudado de ideia.

– Como assim? – Os olhos azul-acinzentados e claros de Robin se arregalaram. O trem parava num solavanco; figuras passavam faiscando pela janela, tornando-se menos borradas a cada segundo. – Você... está dizendo que ele não é... que ele pode ter razão... que houve realmente um...?

– Esta é a nossa parada.

A butique pintada de branco que eles procuravam ficava em uma das áreas mais caras de Londres, a Conduit Street, perto do cruzamento com a New Bond Street. Para Strike, suas vitrines coloridas exibiam uma mixórdia numerosa de supérfluos. Ali estavam almofadas de contas e velas aromatizadas em potes de prata; tiras de chiffon franzidas artisticamente; kaftans berrantes usados por manequins sem rosto; bolsas imensas de uma feiura ostensiva; tudo espalhado contra um fundo pop-art, em uma celebração gritante do consumismo que ele achava irritante para a retina e o espírito. Podia imaginar Tansy Bestigui e Ursula May ali, examinando etiquetas de preço com olhos habilidosos, escolhendo bolsas de pele de crocodilo de quatro dígitos, com a determinação prazerosa de fazer valer em dinheiro seus casamentos sem amor.

Ao lado dele, Robin também olhava a vitrine, mas só registrava levemente o que via. Recebera uma oferta de emprego esta manhã, por telefone, enquanto Strike fumava na rua, pouco antes do telefonema da Temporary Solutions. Sempre que pensava na oferta, que teria de aceitar ou recusar em dois dias, ela sentia uma pontada de intensa emoção no estômago que tentava se convencer vir do prazer, mas cada vez mais suspeitava ser do medo.

Ela devia aceitar. Havia muito a favor daquele emprego. Pagava exatamente o que ela e Matthew concordaram que ela devia almejar. Os escritórios eram elegantes e bem situados para o West End. Ela e Matthew poderiam almoçar juntos. O mercado de trabalho estava fraco. Ela devia ficar encantada.

– Como foi a entrevista da sexta? – perguntou Strike, semicerrando os olhos para um casaco de lantejoulas que achou obsceno de tão pouco atraente.

– Muito bem, acho – respondeu Robin vagamente.

Ela se lembrou da empolgação que sentiu minutos antes, quando Strike sugeriu que afinal podia ter havido um homicídio. Ele falava sério? Robin notou que ele agora olhava firmemente a extraordinária coleção de bugigangas como se aquilo pudesse lhe dizer algo importante, e isto certamente (por um momento ela enxergou com os olhos de Matthew e pensou na voz de Matthew) era uma pose adotada para causar efeito ou para se exibir. Matthew ainda sugeria que Strike era uma farsa. Ele parecia sentir que ser detetive particular era um trabalho improvável, como astronauta ou domador de leões; que gente de verdade não fazia coisas assim.

Robin refletiu que, se aceitasse o emprego de recursos humanos, podia jamais saber (a não ser que visse um dia, nos noticiários) no que deu a investigação. Provar, resolver, atrair, proteger: estas eram coisas dignas de se fazer; importantes e fascinantes. Robin sabia que Matthew a considerava um tanto infantil e ingênua por pensar assim, mas ela não podia evitar.

Strike tinha dado as costas à Vashti e olhava algo na New Bond Street. Seu olhar, pelo que Robin viu, estava fixo numa caixa de correio vermelha na frente da Russell and Bromley, a boca retangular olhando-os de esguelha do outro lado da rua.

– Muito bem, vamos – disse Strike, virando-se para ela. – Não se esqueça, você é minha irmã e estamos fazendo compras para minha mulher.

– Mas o que estamos tentando descobrir?

– O que Lula Landry e a amiga Rochelle Onifade vieram fazer aqui, na véspera da morte de Landry. Elas se encontraram aqui, por 15 minutos, depois se separaram. Não tenho esperanças; já faz três meses, e podem não ter notado nada. Mas vale a pena tentar.

O andar térreo da Vashti era destinado às roupas; uma placa apontava a escada de madeira, indicando que a parte superior abrigava uma cafeteria e "estilo de vida". Algumas mulheres olhavam as araras de aço com roupas; todas magras e bronzeadas, com cabelos compridos, limpos e recém-escovados por um secador. As vendedoras compunham uma turma eclética; suas roupas excêntricas, os penteados extravagantes. Uma delas usava um tutu e meia arrastão; arrumava uma vitrine de chapéus.

Para surpresa de Strike, Robin andou ousadamente até esta garota.

– Oi – disse ela com animação. – Tem um casaco de lantejoulas fabuloso na vitrine do meio. Será que posso experimentar?

A vendedora tinha uma massa de cabelo branco e fofo da textura de algodão-doce, olhos exageradamente pintados e nenhuma sobrancelha.

– Pode, não tem problema – disse ela.

Por acaso, porém, ela mentira: tirar o casaco da vitrine foi nitidamente problemático. Precisou ser retirado da manequim que o vestia e desvencilhado de sua etiqueta eletrônica; dez minutos depois, a peça ainda não surgira, e a vendedora original chamou duas colegas para ajudar. Robin, enquanto isso, vagava pela loja sem falar com Strike, pegando um sortimento de vestidos e cintos. Quando o casaco de lantejoulas foi finalmente levado da vitrine, todas as vendedoras envolvidas em sua retirada pareciam de alguma forma investidas em seu futuro, e as três acompanharam Robin aos provadores, uma delas se oferecendo para ajudar a carregar a pilha de peças extras que ela escolhera, as outras duas segurando o casaco.

Os provadores acortinados consistiam em molduras de ferro cobertas por seda creme e grossa, como tendas. Ao se posicionar perto o suficiente para ouvir o que acontecia lá dentro, Strike sentiu que só agora começava a apreciar o amplo leque dos talentos de sua secretária temporária.

Robin tinha levado mais de dez mil libras em artigos para o provador, dos quais só o casaco de lantejoulas custava a metade. Nunca teria coragem de fazer isso em circunstâncias normais, mas fora acometida por algo esta manhã: imprudência e ousadia; provava alguma coisa a si mesma, a Matthew, até a Strike. As três vendedoras se agitavam em volta dela, erguendo vestidos e alisando as pesadas dobras do casaco, e Robin não tinha vergonha de não poder pagar nem o mais barato dos cintos, agora pendurado em um dos braços tatuados da vendedora ruiva, mesmo sabendo que nenhuma das mulheres receberia a comissão pela qual sem dúvida competiam. Ela até deixou que a vendedora de cabelo rosa fosse procurar um casaco dourado que garantiu a Robin combinar com ela admiravelmente, e que cairia maravilhosamente bem com o vestido verde que ela escolhera.

Robin era mais alta do que qualquer das garotas da loja e, quando trocou o próprio casaco pelo de lantejoulas, elas arrulharam e ofegaram.

– Preciso mostrar a meu irmão – disse-lhes ela, depois de avaliar seu reflexo com um olhar crítico. – Não é para mim, entendam, é para a mulher dele.

E ela voltou pelas cortinas do provador com as três vendedoras adejando a suas costas. As mulheres ricas perto da arara de roupas se viraram todas para fitar Robin pelos olhos semicerrados enquanto ela perguntava com atrevimento:

– O que você acha?

Strike tinha de admitir que o casaco que julgou tão horrível ficava melhor em Robin do que no manequim. Ela girou para ele, e a coisa cintilou como uma pele de lagarto.

– Está bom – disse ele com uma cautela masculina, e as vendedoras sorriram com indulgência. – É, é bem bonito. Quanto custa?

– Não muito, para os seus padrões – respondeu Robin, com um olhar astuto a suas serviçais. – Mas a Sandra ia adorar – disse ela firmemente a Strike que, pego de guarda baixa, sorriu. – E ela *faz* 40 anos.

– Ela pode usar com qualquer coisa – garantiu a garota do algodão-doce a Strike com ansiedade. – Muito versátil.

– Tudo bem, vou experimentar aquele vestido Cavalli – disse Robin alegremente, virando-se para o provador.

– Sandra me pediu para vir com ele – disse ela às três vendedoras, que a ajudavam a tirar o casaco e abrir o zíper do vestido que ela apontara. – Para garantir que ele não cometa outro erro idiota. Ele comprou os brincos mais feios do mundo no aniversário de 30 anos dela; custaram uma fortuna, e ela nunca os tirou do cofre.

Robin não sabia de onde vinha aquela invencionice; sentia-se inspirada. Saindo do blusão e da saia, começou a se contorcer num vestido verde-veneno justo. Sandra tornava-se real à medida que ela falava: meio mimada, um tanto entediada, confidenciando-se com a cunhada, auxiliada pelo vinho, que o irmão dela (um banqueiro, pensou Robin, embora Strike não correspondesse à ideia que ela fazia de um banqueiro) não tinha gosto nenhum.

— Então ela me disse, leve-o à Vashti e faça com que abra a carteira. Ah, sim, este é bonito.

Era mais do que bonito. Robin olhou o próprio reflexo; nunca vestira nada tão lindo na vida. O vestido verde era magicamente produzido para reduzir sua cintura a nada, entalhar o corpo em curvas fluidas, alongar o pescoço claro. Ela era uma deusa sinuosa em pigmento verde cintilante, e todas as vendedoras murmuravam e ofegavam sua apreciação.

— Quanto? — perguntou Robin à ruiva.

— Dois mil, oitocentos e noventa e nove — respondeu a garota.

— Não é nada para ele — disse Robin alegremente, passando pelas cortinas para mostrar a Strike, que encontraram examinando uma pilha de luvas numa mesa redonda.

O único comentário que ele fez do vestido verde foi "É". Mal olhou para ela.

— Bom, talvez não seja a cor de Sandra — disse Robin com um súbito constrangimento; Strike, afinal, não era seu irmão nem namorado; ela talvez tivesse levado longe demais aquela invenção, desfilando na frente dele num vestido apertado. Ela bateu em retirada para o provador.

De novo de sutiã e calcinha, ela disse:

— Da última vez que Sandra esteve aqui, Lula Landry estava em sua cafeteria. Sandra disse que ela era linda pessoalmente. Ainda melhor do que nas fotos.

— Ah, sim, ela era — concordou a garota de cabelo rosa, que agarrava no peito o casaco dourado que apanhara. — Vinha aqui o tempo todo, a gente a via toda semana. Quer experimentar esse?

— Ela veio aqui um dia antes de morrer — disse a garota de cabelo de algodão-doce, ajudando Robin a se contorcer dentro do casaco dourado. — Neste provador, exatamente neste aqui.

— É mesmo? — disse Robin.

— Não vai cobrir bem o busto, mas fica ótimo aberto — disse a ruiva.

— Não, não está bom, Sandra é um pouco maior do que eu, na verdade — disse Robin, sacrificando impiedosamente o corpo de sua cunhada fictícia. — Vou experimentar o preto. Você viu mesmo a Lula Landry aqui um dia antes de ela morrer?

— Ah, sim — disse a garota de cabelo rosa. — Estava tão triste, tão triste mesmo. Você a ouviu, não foi, Mel?

A ruiva tatuada, que erguia um vestido preto com acessórios de renda, fez um ruído indefinido. Vendo-a pelo espelho, Robin não percebeu nela a avidez de contar o que entreouvira, fosse proposital ou acidentalmente.

— Ela estava falando com Duffield, não era, Mel? — A garota de cabelo rosa a provocou.

Robin viu Mel franzir a testa. Apesar das tatuagens, Robin teve a impressão de que Mel podia ser mais velha que as outras duas. Parecia sentir que a discrição sobre o que acontecia naquelas tendas de seda creme fazia parte de seu trabalho, enquanto as outras duas fervilhavam de vontade de fofocar, sobretudo com uma mulher que parecia tão ávida a gastar o dinheiro do irmão rico.

— Deve ser impossível não ouvir o que acontece nessas... nessas tendas — comentou Robin, um tanto sem fôlego, enquanto entrava aos poucos no vestido preto com renda, graças ao esforço combinado das três vendedoras.

Mel relaxou um pouco.

— Sim, é mesmo. E as pessoas simplesmente entram aqui e começam a falar do que bem entendem. Não se pode deixar de ouvir através disto — disse ela, apontando a cortina grossa de seda crua.

Agora espremida numa camisa de força de couro e renda, Robin disse, arquejante:

— É de se pensar que Lula Landry seria mais cuidadosa, com a imprensa seguindo-a aonde quer que ela fosse.

— É — disse a ruiva. — É mesmo. Quer dizer, eu nunca passei adiante nada do que ouvi, mas algumas pessoas fazem isso.

Desconsiderando o fato de que ela evidentemente contara às colegas o que ouvira, Robin expressou sua apreciação pelo raro senso de decência.

— Mas imagino que teve de contar à polícia, não? — disse ela, puxando o vestido e preparando-se para a subida do zíper.

— A polícia nunca veio aqui — disse a garota do cabelo de algodão-doce, com pesar na voz. — Eu disse a Mel que devíamos ir contar a eles o que ela ouviu, mas ela não quis.

— Não foi nada — disse Mel apressadamente. — Não teria feito nenhuma diferença. Quer dizer, ele nem estava lá, estava? Isso foi provado.

Strike tinha se aproximado o máximo que se atreveu da cortina de seda, sem suscitar olhares desconfiados das clientes e vendedoras restantes.

Dentro do cubículo do provador, a garota de cabelo rosa puxava o zíper. Aos poucos, a caixa torácica de Robin era comprimida por um corpete de barbatana oculto. O Strike que ouvia ficou desconcertado quando a pergunta seguinte saiu quase num gemido.

— Quer dizer que Evan Duffield não estava na casa dela quando ela morreu?

— Isso mesmo — disse Mel. — Então, não importa o que ela disse a ele antes, né? Ele nem estava lá.

As quatro mulheres olharam o reflexo de Robin por um momento.

— Eu acho — disse Robin, observando como dois terços de seus peitos estavam achatados pelo tecido esticado, enquanto os aclives superiores transbordavam pelo decote — que Sandra não vai caber nisto. Mas você não acha — disse ela, respirando mais livremente enquanto a garota de cabelo de algodão-doce abria o zíper — que devia ter contado à polícia o que ela falou e deixado que eles concluíssem se era importante ou não?

— Eu te falei, não foi, Mel? — A garota de cabelo rosa exultou. — Eu disse isso a ela.

Mel logo ficou na defensiva.

— Mas ele não estava lá! Nem foi ao apartamento dela! Ele devia estar falando que tinha de fazer alguma coisa e que não queria vê-la, porque ela ficou toda: "Vai depois, então, eu vou esperar, não tem problema. Não vou chegar em casa antes da uma hora mesmo. Por favor, vá, por favor." Tipo implorando a ele. De qualquer modo, ela estava com a amiga no trocador. A amiga ouviu tudo; ela teria contado à polícia, não?

Robin vestia de novo o casaco reluzente, para ter o que fazer. Como se pensasse melhor, ela perguntou, ao se virar da frente do espelho:

— E era mesmo com Evan Duffield que ela estava falando?

– Claro que era – afirmou Mel, como se Robin tivesse insultado sua inteligência. – A quem mais ela pediria para ir à casa dela de madrugada? Ela parecia desesperada para vê-lo.

– Meu Deus, os olhos dele – disse a garota do algodão-doce. – Ele é tão lindo. É o carisma em pessoa. Ele veio aqui com ela uma vez. Nossa, ele é sexy pra caramba.

Dez minutos depois, Robin tinha experimentado mais duas roupas para Strike, que concordou com ela na frente das vendedoras que o casaco de lantejoulas era a melhor de todas. Eles decidiram (com a aquiescência das vendedoras) que ela traria Sandra para ver no dia seguinte, antes que se comprometessem com ele. Strike reservou o casaco de cinco mil libras no nome de Andrew Atkinson, deu um número de celular inventado e saiu da butique com Robin sob uma chuva de simpáticas despedidas, como se já tivessem gastado o dinheiro.

Eles andaram uns cinquenta metros em silêncio, e Strike acendeu um cigarro antes de falar.

– Muito, mas muito impressionante.

Robin ardeu de orgulho.

5

STRIKE E ROBIN SEPARARAM-SE na estação da New Bond Street. Robin pegou o metrô de volta ao escritório para telefonar para a BestFilms, procurar pela tia de Rochelle Onifade nas listas telefônicas online e se esquivar da Temporary Solutions. ("Mantenha a porta trancada", recomendou Strike.)

Strike comprou o jornal, pegou o metrô para Knightsbridge e seguiu a pé, por ter muito tempo de sobra, até o Serpentine Bar and Kitchen, que Bristow escolhera como local do almoço dos dois.

O percurso o fez atravessar o Hyde Park, por calçadas cobertas de folhas e pela pista para cavalos de Rotten Row. Tinha anotado no metrô o essencial do testemunho da garota chamada Mel, e agora, sob a folhagem colorida de sol, sua mente vagava, demorando-se na lembrança de Robin naquele vestido verde e apertado.

Ele a deixou desconcertada com a reação dele, sabia disso; mas houve uma estranha intimidade no momento, e era exatamente a intimidade o que ele menos queria no momento, mais especificamente com Robin, por mais inteligente, profissional e atenciosa que ela fosse. Gostava de sua companhia e apreciava o fato de ela respeitar sua privacidade, controlando a curiosidade. Deus era testemunha, pensou Strike, deslocando-se para evitar um ciclista, de que ele raras vezes deparara na vida com aquele caráter em particular, sobretudo nas mulheres. Entretanto, o fato de que logo estaria livre de Robin era uma parte inextrincável do prazer que sentia com sua presença; o fato de que ela sairia impunha, como seu anel de noivado, uma fronteira afortunada. Ele gostava de Robin; estava agradecido a ela; até (depois desta manhã) impressionado com a garota; mas, dotado de visão normal e de uma libido intacta, ocorria-lhe também, sempre que ela se curvava sobre o computador, que era uma mulher muito sensual. Não era bonita; nada parecida com Charlotte; atraente, porém. Este fato nunca lhe foi tão rudemente apresentado como ao vê-la saindo do provador naquele vestido verde e justo, e assim ele literalmente evitou os olhos dela. Ele a absolvia de qualquer provocação deliberada, mas era realista, o tempo todo, com o equilíbrio precário que devia ser mantido para sua própria sanidade mental. Ela era a única humana com que mantinha contato constante, e ele não subestimava a própria suscetibilidade atual; também entendia, por certas evasões e hesitações, que o noivo reprovava o fato de ela ter deixado a agência temporária em troca deste acordo *ad hoc*. Era muito mais seguro evitar que a nascente amizade ficasse quente demais; melhor não admirar abertamente a visão de sua figura vestida de jérsei.

Strike nunca tinha ido ao Serpentine Bar and Kitchen. Ficava num lago para barcos, uma construção impressionante que mais parecia um pagode futurista do que qualquer coisa que ele já vira na vida. O teto branco e grosso, parecendo um livro gigante que fora virado de páginas abertas, era escorado por vidro sanfonado. Um imenso salgueiro-chorão acariciava a lateral do restaurante e roçava a superfície da água.

Embora o dia estivesse frio e ventoso, a vista do lago era esplêndida ao sol. Strike escolheu uma mesa ao ar livre, junto da água, pediu um *pint* de Doom Bar e leu seu jornal.

Bristow já estava dez minutos atrasado quando um homem alto, de terno caro e bem cortado com uma cor acastanhada, parou ao lado da mesa de Strike.

– Sr. Strike?

Estava no final dos 50 anos, tinha cabelos bastos, um queixo firme, maçãs do rosto pronunciadas e parecia um ator quase famoso contratado para representar um executivo rico numa minissérie. Strike, cuja memória visual era altamente treinada, reconheceu-o de imediato, pelas fotografias que Robin encontrara online, como o homem alto que parecia detestar o que o cercava no funeral de Lula Landry.

– Tony Landry. Tio de John e Lula. Posso me sentar?

Seu sorriso talvez fosse o exemplo mais perfeito de um esgar social insincero que Strike já testemunhara; um mero arreganhar de dentes brancos e regulares. Landry tirou o sobretudo, colocou-o nas costas da cadeira e se sentou de frente para Strike.

— John se atrasou no escritório – disse ele. A brisa farfalhou seu cabelo, mostrando o quanto recuava nas têmporas. – Ele pediu a Alison para ligar para você e informar. Por acaso, eu estava passando pela mesa dela nessa hora, então pensei em vir dar o recado pessoalmente. Assim, aproveito a oportunidade para ter uma palavrinha em particular com você. Esperava que entrasse em contato comigo; sei que está tendo dificuldades para saber de todos os contatos de minha sobrinha.

Ele tirou do bolso da lapela uns óculos de aro de aço, colocou-os e por um momento olhou o cardápio. Strike bebeu a cerveja e esperou.

— Soube que esteve falando com a sra. Bestigui – disse Landry, baixando o cardápio, tirando os óculos e recolocando-os no bolso.

— É verdade – disse Strike.

— Ora, Tansy sem dúvida é bem-intencionada, mas ela não faz nenhum favor a si mesma ao repetir uma história que a polícia já provou, conclusivamente, que não pode ser verdade. Não se ajuda em nada – reiterou Landry solenemente. – E é o que digo a John. O primeiro dever dele é para com a cliente da firma e o que for melhor para ela.

"Vou querer a terrina de presunto no vinho", acrescentou ele a uma garçonete que passava, "e uma água sem gás. Na garrafa. Bem", continuou ele, "talvez seja melhor ir direto ao assunto, sr. Strike.

"Por muitos motivos, e todos são bons, não sou favorável a remexer as circunstâncias da morte de Lula. Não espero que concorde comigo. Você ganha dinheiro desencavando as circunstâncias desagradáveis de tragédias familiares."

Ele abriu de novo o sorriso agressivo e sem humor.

— Não sou inteiramente contrário a isto. Todos temos de ganhar a vida e, sem dúvida, existe muita gente que diria que minha profissão é tão parasitária quanto a sua. Pode ser útil para nós dois, porém, se eu lhe colocar certos fatos com clareza, fatos que duvido que John tenha decidido revelar.

— Antes de entrarmos nisso – disse Strike –, o que exatamente está prendendo John no escritório? Se ele não pode vir, marcarei outro horário com ele; tenho de ver outras pessoas esta tarde. Ele ainda está tentando resolver os assuntos de Conway Oates?

Ele só sabia do que Ursula lhe dissera, que Conway Oates era um financista americano, mas esta menção ao cliente morto da firma teve o efeito desejado. A pompa de Landry, seu desejo de controlar o encontro, seu ar confortável de superioridade desapareceram inteiramente, deixando-o travestido com nada além de mau humor e choque.

— O John não... mas será possível que ele foi tão...? Este assunto é estritamente confidencial!

— Não foi o John — disse Strike. — A sra. Ursula mencionou que havia alguns problemas em torno dos bens do sr. Oates.

Claramente desconcertado, Landry balbuciou:

— Estou muito surpreso... não esperava isso de Ursula... da sra. May...

— E então, John vai demorar muito? Ou você lhe deu algo que o manterá ocupado por todo o almoço?

Ele gostou de ver Landry reprimir o mau gênio, tentando recuperar o controle de si e do encontro.

— John chegará em breve — respondeu ele por fim. — Eu esperava, como disse, esclarecer certos fatos com você, em particular.

— Muito bem, então, neste caso, precisarei disto — disse Strike, retirando do bolso um bloco e a caneta.

Landry ficou tão irritado quanto Tansy com a presença daqueles objetos.

— Não há necessidade de tomar notas. O que estou prestes a dizer não tem relação... ou pelo menos não tem relação direta... com a morte de Lula. Isto é — acrescentou ele, pedante —, não acrescentará nada a nenhuma teoria além daquela de suicídio.

— Mesmo assim — disse Strike. — Prefiro ter meus lembretes.

Landry parecia ter vontade de protestar, mas pensou melhor.

— Muito bem, então. Primeiramente, deve saber que meu sobrinho John foi profundamente afetado pela morte da irmã adotiva.

— É compreensível — comentou Strike, virando o bloco para que o advogado não pudesse ler, e escrevendo as palavras *profundamente afetado*, apenas para irritar Landry.

— Sim, naturalmente. E embora eu nunca vá chegar ao ponto de sugerir que um detetive particular recuse um cliente com base na tensão ou depressão que ele sofre... como lhe disse, todos temos de ganhar a vida... neste caso...

— Acha que é tudo imaginação dele?

– Eu não me expressaria assim, mas sinceramente acho. John já sofreu mais perdas pessoais súbitas do que a maioria das pessoas numa vida inteira. Você provavelmente não deve estar ciente de que ele já perdeu um irmão...

– Sim, eu sei disso. Charlie era um antigo colega meu de escola. Por isso John me contratou.

Landry contemplou Strike com o que parecia surpresa e desagrado.

– Você estudou na Blakeyfield Prep?

– Por pouco tempo. Antes de minha mãe entender que não podia pagar as mensalidades.

– Entendo. Não sabia disso. Mesmo assim, talvez você não esteja plenamente ciente... John sempre foi... vou usar a expressão de minha irmã para isso... muito nervoso. Os pais dele o levaram a psicólogos depois da morte de Charlie, entenda. Não alego ser especialista em problemas mentais, mas me parece que o falecimento de Lula, enfim, o deixou fora de controle...

– Uma escolha infeliz de palavras, mas entendo o que quer dizer – disse Strike, escrevendo *Bristow louco*. – Como exatamente John perdeu o controle?

– Bom, muitos diriam que instigar essa nova investigação é irracional e insensato – disse Landry.

Strike mantinha a caneta posicionada sobre o bloco. Por um momento, os maxilares de Landry se mexeram como se ele mastigasse; depois ele falou vigorosamente.

– Lula era uma maníaco-depressiva que pulou da janela depois de uma briga com o namorado viciado. Não há mistério nenhum nisso. Foi horroroso para todos nós, especialmente para sua pobre mãe, mas estes são os fatos desagradáveis. Sou forçado à conclusão de que John está sofrendo uma espécie de colapso e, se não se importa que eu fale com franqueza...

– À vontade.

– ... Sua conivência perpetua a recusa doentia dele em aceitar a verdade.

– De que Lula se matou?

– Uma opinião que também têm a polícia, o legista e o patologista. John, por motivos que me são obscuros, está decidido a provar assassinato. Como ele pensa que isso fará com que qualquer um de nós se sinta melhor, não sei lhe dizer.

– Bem – disse Strike –, as pessoas próximas de suicidas em geral se sentem culpadas. Elas pensam, mesmo sem razão nenhuma, que podiam ter feito mais para ajudar. Um veredicto de assassinato eximiria a família de qualquer culpa, não acha?

— Nenhum de nós tem motivos para se sentir culpado. — O tom de Landry era severo. — Lula recebeu o melhor tratamento médico desde o início da adolescência, e cada privilégio material que a família adotiva podia lhe dar. "Estragada de mimos" pode ser a expressão mais adequada para descrever minha sobrinha adotiva, sr. Strike. A mãe literalmente teria morrido por ela, e veja que recompensa terrível ela recebeu.

— Então acha que Lula era uma ingrata?

— Não há necessidade de escrever isso, ora essa. Ou essas anotações se destinam a algum tabloide vagabundo?

Interessava a Strike como Landry tinha alijado inteiramente a amabilidade que trouxera à mesa. A garçonete chegou com a comida de Landry. Ele não agradeceu, mas fuzilou Strike com os olhos até ela sair. Depois disse:

— Está metendo o nariz onde só pode causar problemas. Fiquei assombrado, francamente, quando descobri o que John estava aprontando. Assombrado.

— Ele não expressou a você as dúvidas que tinha em relação à teoria de suicídio?

— Expressou choque, naturalmente, como todos nós, mas certamente não me recordo de nenhuma sugestão de assassinato.

— É próximo de seu sobrinho, sr. Landry?

— Que relação isso tem com a questão?

— Pode explicar por que ele não lhe contou o que pensava.

— John e eu temos uma relação profissional perfeitamente amigável.

— "Relação profissional?"

— Sim, sr. Strike: nós trabalhamos juntos. Se somos próximos fora do trabalho? Não. Mas nós dois estamos envolvidos nos cuidados a minha irmã... Lady Bristow, a mãe de John, que agora é um caso terminal. Nossas conversas fora do trabalho em geral giram em torno de Yvette.

— O John me parece um filho zeloso.

— Agora Yvette é tudo que lhe resta, e o fato de que ela está morrendo também não contribui para a saúde mental dele.

— Ela não é tudo que resta a John. Não tem também a Alison?

— Não me consta que seja um relacionamento sério.

— Quem sabe um dos motivos de John, para me contratar, não seja o desejo de dar à mãe a verdade antes de ela morrer?

— A verdade não ajudará Yvette. Ninguém gosta de aceitar ter colhido o que plantou.

Strike ficou calado. Como esperava, o advogado não resistiu à tentação de esclarecer e, depois de um momento, continuou.

— Yvette sempre foi morbidamente maternal. Ela adora bebês. — Ele falava como se isto fosse um tanto repulsivo, uma espécie de perversão. — Ela teria sido uma daquelas mulheres constrangedoras que têm vinte filhos, se tivesse achado um homem com virilidade suficiente. Graças a Deus, Alec era estéril... ou John não falou nisso?

— Ele me disse que Sir Alec Bristow não era seu pai biológico, se é o que quer dizer.

Se ficou decepcionado por não ser o primeiro com a informação, Landry refez-se de pronto.

— Yvette e Alec adotaram os dois meninos, mas ela não sabia lidar com eles. Simplesmente, é uma péssima mãe. Sem controle, sem disciplina; uma completa complacência exagerada e uma recusa cabal de enxergar o que está bem debaixo de seu nariz. Eu não diria que tudo se deve aos pais que ela teve... Quem sabe que influências genéticas foram... Mas John era choramingas, teatral e pegajoso, e Charlie era um completo delinquente, e o result...

Landry parou de falar de repente, manchas de cor aparecendo no rosto.

— E o resultado foi que ele se jogou de bicicleta pela beira de uma pedreira? — sugeriu Strike.

Ele disse isso para observar a reação de Landry, e não ficou decepcionado. Teve a impressão de um túnel se contraindo, uma porta distante se fechando: um bloqueio.

— Para falar com franqueza, sim. E então era meio tarde para Yvette começar a gritar e arranhar Alec, e cair dura e desmaiada no chão. Se ela tivesse um mínimo de controle que fosse, o menino não a teria desafiado tão expressamente. Eu estava lá — disse Landry, num tom desagradável. — Passava o fim de semana. Domingo de Páscoa. Fui dar uma caminhada pelo vilarejo e, quando voltei, encontrei todos procurando por ele. Fui diretamente à pedreira. Eu sabia, entenda. Era o lugar que o proibiram de ir... então ele estava lá.

— Foi você que encontrou o corpo?

— Sim, fui eu.

— Deve ter sido muito angustiante.

— Sim — disse Landry, os lábios mal se mexendo. — Foi.

— E foi depois da morte de Charlie, não, que sua irmã e Sir Alec adotaram Lula?

— O que deve ter sido a coisa mais idiota que Alec Bristow concordou em fazer — disse Landry. — Yvette já provara ser uma mãe desastrosa; seria provável ter mais sucesso naquela tristeza desamparada? É claro que ela sempre quis uma menina, um bebê para vestir de rosa, e Alec pensou que isso a faria feliz. Ele sempre deu a Yvette tudo que ela queria. Ele ficou enlouquecido por ela no momento em que ela começou a trabalhar como datilógrafa dele, e Alec era um simples nativo do East End. Yvette sempre teve predileção por certa rudeza.

Strike perguntou-se qual poderia ser a verdadeira origem da raiva de Landry.

— Não se dava bem com sua irmã, sr. Landry? — perguntou Strike.

— Nós nos entendemos muito bem; eu simplesmente não sou cego ao que Yvette é, sr. Strike, nem ao quanto ela é responsável pela própria infelicidade.

— Foi difícil para o casal conseguir aprovação para adotar outra criança depois da morte de Charlie? — perguntou Strike.

— Eu diria que teria sido, se Alec não fosse multimilionário. — Landry bufou. — Sei que as autoridades ficaram preocupadas com a saúde mental de Yvette, e os dois já estavam meio velhos. É uma pena que não tenham sido rejeitados. Mas Alec era um homem de recursos infinitos e tinha toda sorte de contatos estranhos de seus tempos de vendedor de rua. Não sei dos detalhes, mas aposto que o dinheiro trocou de mãos em algum momento. Mesmo assim, ele não podia conseguir uma caucasiana. Trouxe à família outra criança de proveniência inteiramente desconhecida, para ser criada por uma mulher deprimida e histérica, sem nenhum senso crítico. Não me admira em nada que o resultado tenha sido catastrófico. Lula era tão instável quanto John e tão rebelde quanto Charlie, e Yvette não tinha a menor ideia de como cuidar dela.

Enquanto rabiscava qualquer coisa só para impressionar Landry, Strike se perguntou se sua crença na predeterminação genética esclarecia a preocupação de Bristow com os parentes negros de Lula. Sem dúvida, Bristow conhecera o ponto de vista do tio ao longo dos anos; as crianças absorviam as opiniões dos parentes num nível visceral e profundo. Ele, Strike, pressentira, muito antes que qualquer palavra tivesse sido dita na frente dele, que a mãe não era como as outras mães, e que havia (se ele acreditasse no código tácito partilhado pelos adultos à sua volta) algo de vergonhoso sobre ela.

– Você viu Lula no dia em que ela morreu, segundo creio? – perguntou Strike.

Os cílios de Landry eram tão claros que pareciam prateados.

– Como?

– Sim... – Strike folheou o bloco ostensivamente, parando em uma página em branco. – ... Você a encontrou no apartamento de sua irmã, não? Quando Lula apareceu para ver Lady Bristow?

– Quem lhe disse isso? John?

– Está no arquivo da polícia. Não é verdade?

– Sim, é a pura verdade, mas não entendo que relevância isso pode ter para o que estamos discutindo.

– Desculpe; quando você chegou, disse que esperava um contato meu. Tive a impressão de que estava disposto a responder a minhas perguntas.

Landry tinha o ar de um homem que se via inesperadamente derrotado.

– Não tenho nada a acrescentar ao depoimento que dei à polícia – disse ele por fim.

– Que foi – disse Strike, voltando pelas páginas em branco – de que passou para visitar sua irmã naquela manhã, onde encontrou sua sobrinha, depois foi de carro a Oxford, a uma conferência sobre desenvolvimentos internacionais no direito de família?

Landry roía o ar de novo.

– É isso mesmo.

– A que horas diria que chegou ao apartamento de sua irmã?

– Deve ter sido lá pelas 10 horas – respondeu Landry, depois de uma curta pausa.

– E ficou quanto tempo lá?

– Meia hora, talvez. Talvez mais. Não me lembro bem.

– E foi dali diretamente à conferência em Oxford?

Por sobre o ombro de Landry, Strike viu John Bristow interrogando uma garçonete; estava esbaforido e um tanto desgrenhado, como se chegasse correndo. Uma pasta de couro retangular pendia de sua mão. Ele olhou em volta, ofegando um pouco e, quando viu a nuca de Landry, Strike pensou que ele pareceu assustado.

6

– John – disse Strike, enquanto seu cliente se aproximava.

– Olá, Cormoran.

Landry não olhou o sobrinho, mas pegou o garfo e deu uma primeira dentada na terrina. Strike se deslocou pela mesa para dar espaço a Bristow, que se sentou de frente para o tio.

– Falou com Reuben? – perguntou friamente Landry a Bristow, depois de terminada a primeira porção da terrina.

– Sim. Disse que irei lá esta tarde e o informarei sobre todos os depósitos e retiradas.

– Eu estava perguntando a seu tio sobre a manhã antes da morte de Lula, John. Sobre quando ele foi ao apartamento de sua mãe – disse Strike.

Bristow olhou de lado para Landry.

– Estou interessado no que foi dito e feito lá – continuou Strike –, porque, segundo o motorista que a levou do apartamento da mãe, Lula parecia aflita.

– É claro que ela estava aflita – vociferou Landry. – A mãe tem câncer.

– A cirurgia que ela sofreu não devia curá-la?

– Yvette fez apenas uma histerectomia. Ela sentia dor. Não duvido de que Lula tenha ficado perturbada ao ver a mãe naquele estado.

– Você conversou muito com Lula, quando a viu?

Uma hesitação mínima.

– Só um papo rápido.

– E vocês dois, se falaram?

Bristow e Landry não se olharam. Uma pausa mais longa de alguns segundos, antes de Bristow se manifestar.

– Eu estava trabalhando em casa. Ouvi Tony entrar, ouvi-o falar com mamãe e Lula.

— Não apareceu para cumprimentar? — perguntou Strike a Landry.

Landry o fitou com olhos que pareciam um tanto ebulientes, pálidos por entre os cílios claros.

— Veja bem, ninguém aqui é obrigado a responder a suas perguntas, sr. Strike — disse Landry.

— Claro que não — concordou Strike, e fez uma anotação pequena e incompreensível no bloco. Bristow olhava o tio. Landry pareceu reconsiderar.

— Pela porta aberta do escritório, vi que John estava concentrado no trabalho e não quis incomodá-lo. Sentei-me com Yvette em seu quarto por um tempo, mas ela estava grogue dos analgésicos, então deixei-a com Lula. Eu sabia — disse Landry, com uma leve insinuação de rancor — que não havia ninguém que Yvette preferisse a Lula.

— Os registros telefônicos de Lula mostram que ela ligou para seu celular repetidas vezes depois de sair do apartamento de Lady Bristow, sr. Landry.

Landry ruborizou.

— Falou com ela por telefone?

— Não. Meu celular estava no silencioso; eu estava atrasado para a conferência.

— Mas ele vibrava, não?

Ele se perguntou o que faria Landry ir embora agora. Tinha certeza de que o advogado estava prestes a fazê-lo.

— Olhei o telefone, vi que era Lula e concluí que podia esperar — disse ele rispidamente.

— Não retornou a ligação?

— Não.

— Ela não deixou nenhum recado, para lhe dizer do que queria falar?

— Não.

— Isso não é estranho? Você acabara de vê-la na casa da mãe dela, e disse que não se passou nada de importante entre vocês dois; ainda assim, ela tentou falar com você por grande parte da tarde. Não parece que ela podia ter algo urgente a dizer? Ou que ela quisesse continuar uma conversa que tiveram no apartamento?

— Lula era o tipo de garota que podia ligar para alguém trinta vezes seguidas, com qualquer pretexto. Ela era mimada; esperava que as pessoas se colocassem de prontidão só de ver seu nome.

Strike olhou Bristow de lado.

– Às vezes... ela era... um pouco assim – murmurou o irmão.

– Não acha que sua irmã estava aborrecida simplesmente porque a mãe estava fraca da cirurgia, John? – perguntou Strike a Bristow. – O motorista dela, Kieran Kolovas-Jones, foi enfático ao dizer que ela saiu do apartamento num estado de espírito drasticamente alterado.

Antes que Bristow pudesse responder, Landry, abandonando a comida, levantou-se e começou a vestir o sobretudo.

– Esse Kolovas-Jones é aquele rapaz de cor com um jeito estranho? – perguntou ele, olhando Strike e Bristow de cima. – Aquele que queria que Lula lhe arrumasse trabalho de modelo e ator?

– Ele é ator, sim – disse Strike.

– Isso mesmo. No aniversário de Yvette, o último antes de ela adoecer, eu tive problemas com meu carro. Lula e esse homem me deram uma carona até o jantar de aniversário. Kolovas-Jones passou a maior parte do percurso importunando Lula para usar sua influência com Freddie Bestigui e lhe conseguir um teste. Um homem muito *abusado*. De maneiras muito íntimas. É claro – acrescentou ele – que quanto menos eu soubesse da vida amorosa de minha sobrinha adotiva, melhor, no que me diz respeito.

Landry jogou uma nota de dez libras na mesa.

– Espero que volte ao escritório logo, John.

Ele esperou claramente por uma resposta, mas Bristow não prestou atenção. Fitava, de olhos arregalados, a foto na matéria que Strike estivera lendo quando Landry chegou; mostrava um jovem soldado negro de farda do 2º Batalhão do Regimento Real de Fuzileiros.

– O quê? Está bem. Voltarei logo – disse ele distraidamente ao tio, que o olhava com frieza. – Desculpe – acrescentou Bristow a Strike, enquanto Landry se afastava. – É só que Wilson... Derrick Wilson, você o conhece, o segurança... tem um sobrinho no Afeganistão. Por um momento, Deus me livre... mas não é ele. Nome errado. Pavorosa, esta guerra, não? E vale a perda de vidas?

Strike deslocou o peso de sua prótese – a travessia do parque não ajudara em nada a atenuar a dor na perna – e soltou um ruído indiferente.

– Vamos voltar a pé – sugeriu Bristow, quando eles terminaram de comer. – Gostaria de um pouco de ar fresco.

Bristow escolheu a rota mais direta, que envolvia atravessar trechos gramados que Strike não teria escolhido para andar, se estivesse sozinho, porque exigia muito mais energia do que o asfalto. Ao passarem por uma fonte memorial a Diana, princesa de Gales, sussurrando, tinindo e esguichando por seu longo canal de granito da Cornualha, Bristow de repente anunciou, como se Strike tivesse perguntado:

— Tony jamais gostou muito de mim. Ele preferia o Charlie. As pessoas diziam que Charlie era parecido com Tony quando menino.

— Não posso afirmar que ele tenha falado em Charlie com muito carinho antes de você chegar, e ele não parecia ter muito sentimento por Lula, tampouco.

— Ele lhe deu suas opiniões sobre a hereditariedade?

— Insinuou.

— Pois é, em geral ele não se acanha com elas. Acabou forjando um laço maior entre mim e Lula o fato de que o tio Tony nos considerava uma dupla de pouca valia. Foi pior para Lula; pelo menos meus pais biológicos devem ter sido brancos. Tony não é o que se pode chamar de homem sem preconceitos. Tivemos uma estagiária paquistanesa no ano passado; uma das melhores, mas Tony a dispensou.

— O que o faz trabalhar com ele?

— Fizeram-me uma boa oferta. É a firma da família; meu avô a fundou, mas não foi isso que me persuadiu. Ninguém quer ser acusado de nepotismo. Mas é uma das mais importantes firmas de direito familiar de Londres, e minha mãe ficou feliz ao saber que eu seguiria os passos do pai dela. Ele disse alguma coisa sobre meu pai?

— Na verdade, não. Sugeriu que Sir Alec pode ter molhado algumas mãos para conseguir Lula.

— Sério? — Bristow parecia surpreso. — Não creio que seja verdade. Lula estava num orfanato. Tenho certeza de que seguiram os procedimentos de costume.

Fez-se um curto silêncio, depois do que Bristow disse, meio timidamente:

— Você, humm, não se parece muito com o *seu* pai.

Era a primeira vez que ele reconhecia abertamente que podia ter se desviado para a Wikipedia quando pesquisava detetives particulares.

— Não — concordou Strike. — Sou meu tio Ted cuspido e escarrado.

— Imagino que você e seu pai não fossem... humm... quer dizer, você não usa o nome dele?

Strike não se ressentia da curiosidade de um homem cuja formação familiar era quase tão anticonvencional e tomada de baixas como a dele.

— Nunca usei — disse ele. — Sou o acidente extraconjugal que custou a Jonny uma esposa e vários milhões de libras em pensão. Não somos próximos.

— Eu o admiro — disse Bristow — por seguir sua vida sozinho. Por não depender dele. — E, como Strike não respondeu, ele acrescentou, ansioso: — Espero que não se importe de eu ter contado a Tansy quem é seu pai. Isso... foi útil para convencê-la a falar com você. Ela se impressiona com gente famosa.

— Vale tudo para garantir uma declaração de testemunhas — disse Strike. — Você disse que Lula não gostava de Tony, entretanto ela adotou o nome dele profissionalmente.

— Ah, não, ela escolheu Landry porque era o nome de solteira de mamãe; não tem nada a ver com Tony. Mamãe ficou emocionada. Acho que havia outra modelo de nome Bristow. Lula queria se destacar.

Eles costuravam por ciclistas, piqueniques em bancos, passeadores de cães e patinadores, Strike tentando disfarçar a desigualdade no andar.

— Não acho que Tony realmente tenha amado alguém na vida, sabe? — disse Bristow de repente, enquanto eles davam um passo de lado para deixar passar uma criança de capacete, vacilando num skate. — Já minha mãe é uma pessoa amorosa. Ela amava muito os três filhos, e às vezes acho que Tony não gostava disso. Não sei por quê. É algo em sua natureza.

"Ele se distanciou de meus pais quando Charlie morreu. Eu não devia saber do que foi dito, mas ouvi o suficiente. Ele disse a minha mãe que o acidente de Charlie foi culpa dela, que meu irmão estava descontrolado. Meu pai expulsou Tony de casa. Mamãe e Tony só se reconciliaram depois que papai morreu."

Para alívio de Strike, eles chegaram à Exhibition Road e sua manqueira tornou-se menos perceptível.

— Acha que havia mesmo alguma coisa entre Lula e Kieran Kolovas-Jones? — perguntou ele ao atravessarem a rua.

— Não, este é só Tony saltando à conclusão mais impalatável em que ele pôde pensar. Ele sempre pensava o pior quando se tratava de Lula. Ah, sei que Kieran teria ficado ávido demais, mas Lula estava apaixonada por Duffield... uma lástima.

Eles andaram pela Kesington Road, com o parque verdejante à sua esquerda, e entraram no território de estuque branco das casas de embaixadores e colégios reais.

— Por que acha que seu tio não foi cumprimentá-lo, quando visitou sua mãe no dia em que ela saiu do hospital?

Bristow ficou intensamente desconfortável.

— Houve alguma desavença entre vocês?

— Não... não exatamente — retrucou Bristow. — Estávamos em um período estressante no trabalho. Eu... não posso falar nisso. Confidencialidade com o cliente.

— Tinha a ver com os bens de Conway Oates?

— Como sabe? — perguntou Bristow incisivamente. — Ursula lhe contou?

— Ela falou em alguma coisa.

— Deus do céu. Nenhuma discrição. *Nenhuma.*

— Seu tio teve dificuldade de acreditar que a sra. May possa ter sido indiscreta.

— Aposto que sim — disse Bristow, com um riso desdenhoso. — É... bom, sei que posso confiar em você. É o tipo de coisa que deixa suscetível uma firma como a nossa, porque, com a clientela que atraímos... de alta renda líquida... qualquer sugestão de impropriedade financeira é fatal. Conway Oates tinha uma conta considerável conosco. Todo o dinheiro existe e é correto; mas seus herdeiros são um bando ganancioso que alega que é mal administrado. Considerando como o mercado tem estado volátil e a incoerência que assumiram as instruções de Conway perto do fim, eles deviam agradecer por sobrar alguma coisa. Tony está irritado com toda a história e... bom, ele é um homem que gosta de jogar a culpa nos outros. Fez algumas cenas. Eu aceitei minha parcela das críticas. Em geral aceito, com Tony.

Strike sabia, pelo peso quase palpável que parecia cair sobre Bristow enquanto ele caminhava, que se aproximavam de seus escritórios.

— Estou tendo dificuldade de falar com duas testemunhas úteis, John. Há alguma chance de você me colocar em contato com Guy Somé? O pessoal dele não parece deixar que ninguém se aproxime do homem.

— Posso tentar. Ligarei para ele esta tarde. Ele adorava Lula; deve querer ajudar.

— E a mãe biológica de Lula também.

— Ah, sim — suspirou Bristow. — Tenho as informações dela em algum lugar. É uma mulher pavorosa.

— Você a conheceu?

— Não, baseio-me no que Lula me contou e em tudo que apareceu nos jornais. Lula estava decidida a descobrir de onde vinha, e acho que Duffield a encorajava... desconfio fortemente que ele vazou a história para a imprensa, mas ela sempre negou isso... De qualquer modo, ela conseguiu localizar esta Higson, que disse a ela que o pai era um estudante africano. Não sei se é verdade ou não. Certamente era o que Lula queria ouvir. Sua imaginação correu solta: acho que tinha visões de si mesma sendo a filha há muito desaparecida de uma alta autoridade política, ou uma princesa tribal.

— Mas ela nunca conseguiu encontrar o pai?

— Não sei, mas — disse Bristow, exibindo seu entusiasmo habitual por qualquer linha de investigação que explicasse o negro apanhado na gravação perto do apartamento da irmã — eu teria sido a última pessoa a quem ela contaria isso.

— Por quê?

— Porque tivemos umas brigas bem feias sobre o assunto. Minha mãe tinha acabado de receber o diagnóstico de câncer no útero quando Lula começou a procurar por Marlene Higson. Eu disse a Lula que ela não podia ter escolhido um momento mais insensível para identificar suas origens, mas ela... bom, francamente, Lula tinha uma visão estreita quando se tratava de seus caprichos. Nós nos amávamos — disse Bristow, passando a mão cansada no rosto —, mas a diferença de idade atrapalhava. Sei que ela tentou localizar o pai, porém, porque era o que ela mais queria na vida: descobrir suas raízes negras, encontrar um senso de identidade.

— Ela ainda mantinha contato com Marlene Higson quando morreu?

— De vez em quando. Eu tinha a sensação de que Lula tentava romper essa ligação. Higson é uma pessoa horripilante; uma mercenária descarada. Vendeu sua história a qualquer um que quisesse pagar, o que, infelizmente, representava muita gente. Minha mãe ficou arrasada com a história toda.

— Tem mais algumas coisas que eu queria te perguntar.

O advogado reduziu o passo.

– Quando você foi à casa de Lula naquela manhã, para devolver o contrato com Somé, por acaso viu alguém que parecesse ser de uma empresa de segurança? Que foi ali para ver os alarmes?

– Um técnico?

– Ou eletricista. Talvez de macacão?

Quando Bristow franziu o cenho em suas reflexões, seu dente de coelho se projetou ainda mais para fora.

– Não me lembro... deixe-me ver... Quando passei pelo apartamento do segundo andar, sim... tinha um homem mexendo em alguma coisa na parede... Teria sido este?

– Provavelmente. Como ele era?

– Bom, estava de costas para mim. Não consegui ver.

– Wilson estava com ele?

Bristow parou na calçada, parecendo meio pasmo. Três homens de terno e uma mulher de terninho passaram às pressas, alguns carregando pastas.

– Acho – disse ele com hesitação –, acho que os dois estavam lá, de costas para mim, quando passei descendo a escada. Por que pergunta? Que importância tem isso?

– Pode não ter nenhuma – disse Strike. – Mas lembra de alguma coisa? Cor do cabelo ou da pele, talvez?

Ainda mais perplexo, Bristow disse:

– Acho que não registrei realmente. Imagino... – Ele franziu a cara, concentrando-se. – Lembro que ele vestia azul. Quer dizer, se pressionado, eu diria que era branco. Mas não posso jurar.

– Duvido que tenha de fazer isso – disse Strike –, ainda assim, ajuda.

Ele pegou o bloco para se lembrar das perguntas que queria fazer a Bristow.

– Ah, sim. Segundo depoimento como testemunha à polícia, Ciara Porter disse que Lula lhe contou que queria legar tudo a você.

– Ah – disse Bristow sem entusiasmo nenhum. – Isso.

Ele recomeçou a andar e Strike o acompanhou.

– Um dos detetives encarregados do caso me falou que Ciara disse isso. O inspetor-detetive Carver. Ele estava convencido desde o início de que fora suicídio, e parecia pensar que esta suposta conversa com Ciara demonstrava a intenção de Lula de tirar a própria vida. A mim, pareceu-me uma estranha linha de raciocínio. Os suicidas se dão ao trabalho de fazer testamentos?

– Então acha que Ciara Porter estava inventando?

– Inventando, não – retrucou Bristow. – Talvez exagerando. Acho que é muito mais provável que Lula tenha dito alguma coisa gentil a meu respeito, porque tínhamos acabado de fazer as pazes, e Ciara, em retrospecto, supondo que Lula já pensava em se matar, transformou o que quer que fosse numa herança. Ela é uma garota meio... frívola.

– Foi feita uma busca pelo testamento, não?

– Ah, sim, a polícia deu uma busca completa. Nós... a família... não pensávamos que Lula tivesse feito algum; os advogados dela não sabiam de um testamento, mas naturalmente foi dada uma busca. Não encontraram nada, e olharam em todo canto.

– Mas supondo por um momento que Ciara Porter não esteja se lembrando mal do que disse sua irmã...

– Mas Lula nunca teria deixado tudo só para mim. Nunca.

– E por que não?

– Porque isso teria excluído explicitamente nossa mãe, o que a magoaria imensamente – disse Bristow sem rodeios. – Não pelo dinheiro... papai deixou minha mãe muito bem... seria mais uma mensagem que Lula estaria mandando, excluindo-a desse jeito. Os testamentos podem causar todo tipo de mágoa. Já vi isso acontecer vezes sem conta.

– Sua mãe fez testamento? – perguntou Strike.

Bristow tomou um susto.

– Eu... sim, creio que sim.

– Posso perguntar quem são os herdeiros?

– Não vi ainda – disse Bristow, meio seco. – Mas como isso é...?

– Tudo é relevante, John. Dez milhões de libras são dinheiro pra caramba.

Bristow parecia tentar decidir se Strike estava sendo insensível ou não, ou se era ofensivo. Por fim, disse:

– Uma vez que não existe outra família, imagino que Tony e eu sejamos os principais beneficiários. Possivelmente uma ou duas instituições de caridade serão lembradas; minha mãe sempre foi generosa com a caridade. Porém, como tenho certeza de que entenderá – manchas rosadas surgem novamente no pescoço fino de Bristow –, não tenho pressa de descobrir quais são os últimos desejos de minha mãe, dado o que deve acontecer antes que eles sejam postos em prática.

– Claro que não – disse Strike.

Eles chegaram ao escritório de Bristow, um prédio austero de oito andares com entrada por uma arcada escura. Bristow parou junto da entrada e se pôs de frente para Strike.

– Ainda acha que estou me iludindo? – perguntou ele, enquanto duas mulheres de terninho escuro passavam pelos dois.

– Não – respondeu Strike, com sinceridade suficiente. – Não acho.

O semblante insignificante de Bristow se iluminou um pouco.

– Entrarei em contato sobre Somé e Marlene Higson. Ah... quase me esqueci. O laptop de Lula. Eu carreguei para você, mas é protegido por senha. A polícia descobriu a senha e disseram a minha mãe, mas ela não lembra qual é, e eu nunca soube. Quem sabe não está no arquivo da polícia? – acresceu ele, com esperanças.

– Não que me lembre, mas isso não deve ser problema. Onde estava o laptop desde a morte de Lula?

– Sob custódia da polícia e, desde então, na casa de minha mãe. Quase todas as coisas de Lula ficaram com minha mãe. Ela ainda não teve forças para decidir o que fazer com elas.

Bristow entregou a pasta a Strike e acenou uma despedida; depois, com um leve movimento revigorante dos ombros, subiu a escada e desapareceu pelas portas da firma da família.

7

O ATRITO ENTRE A PONTA DA PERNA amputada de Strike e a prótese era cada vez mais doloroso a cada passo que ele dava para Kensington Gore. Transpirando um pouco no sobretudo pesado, com um sol fraco fazendo o parque tremeluzir ao longe, Strike se perguntou se a estranha desconfiança que o assaltara era algo mais do que uma sombra se movendo nas profundezas de uma poça enlameada: um truque da luz, um efeito ilusório da superfície agitada pelo vento. Será que essas mínimas lufadas de fuligem preta levaram um piparote de um rabo viscoso, ou não passavam de rajadas de gás criado pelas algas? Poderia haver algo à espreita, disfarçado, enterrado na lama, pelo qual outras redes se arrastaram em vão?

Indo para o metrô de Kensington, ele passou o Queen's Gate para o Hyde Park; decorado, vermelho-ferrugem e adornado com o brasão real. Observador incurável, ele notou a escultura da corça e do cervo numa pilastra e o veado na outra. As pessoas costumavam supor simetria e igualdade onde nada disso existia. Iguais, mas profundamente diferentes... O laptop de Lula Landry batia com uma força cada vez maior em sua perna, com o agravamento de sua claudicação.

Em seu estado dolorido e frustrado, Strike sentiu uma inevitabilidade desanimada na notícia de Robin, quando ele finalmente chegou ao escritório às 16:55, de que ela ainda não conseguira passar pela recepcionista da produtora de Freddie Bestigui; e que não tivera sucesso na busca do nome Onifade com um número da British Telecom na área de Kilburn.

– É claro que, se ela for tia de Rochelle, pode ter um sobrenome diferente, não pode? – observou Robin, abotoando o casaco e se preparando para ir embora.

Strike concordou com ela, cansado. Tinha se jogado no sofá arriado no momento em que passou pela porta, algo que Robin nunca o vira fazer. O rosto dele estava contraído.

– Você está bem?

– Ótimo. Algum sinal da Temporary Solutions esta tarde?

– Não. – Robin apertou o cinto. – Talvez eles tenham acreditado em mim quando eu disse que era Annabel. Eu tentei parecer australiana.

Ele sorriu. Robin fechou o relatório preliminar que estivera lendo enquanto esperava por Strike, colocou-o de volta na prateleira, deu boa-noite a Strike e o deixou sentado ali, com o laptop ao lado, nas almofadas puídas.

Quando os passos de Robin não eram mais audíveis, Strike esticou o braço bem de lado para trancar a porta de vidro; depois infringiu a própria proibição de fumar no escritório em dias úteis. Prendendo o cigarro aceso entre os dentes, puxou a perna da calça para cima e soltou a alça que prendia a prótese à coxa. Depois desenrolou o forro de gel do coto da perna e examinou a ponta da tíbia amputada.

Devia procurar irritações na pele todo dia. Agora via que o tecido cicatrizado estava inflamado e quente demais. Havia vários cremes e pós no armário do banheiro de Charlotte destinados a cuidar deste pedaço de pele, sujeito como era ultimamente a forças para as quais não fora projetado. Talvez ela tivesse jogado o amido de milho e a loção Oilatum em uma das caixas que ele ainda não desfizera. Mas ele não conseguia criar coragem para procurar, nem queria recolocar agora a prótese; então ficou sentado ali, fumando no sofá, com a perna da calça pendurada e vazia no chão, perdido em pensamentos.

Sua mente vagava. Ele pensou nas famílias, nos nomes, em como sua própria infância e a de John Bristow, aparentemente tão diferentes, eram parecidas. Também havia gente desaparecida na história da família de Strike; o primeiro marido de sua mãe, por exemplo, de quem ela raras vezes falava, exceto para dizer que odiou estar casada com ele desde o início. A tia Joan, cuja memória sempre era mais afiada onde a de Leda era mais vaga, dizia que a Leda de 18 anos tinha fugido do marido depois de apenas duas semanas; que as únicas motivações para o casamento com Strike Senior (que, segundo a tia Joan, chegou a St. Mawes com o parque de diversões) foram um vestido novo e a mudança do nome. Certamente, Leda foi mais fiel a seu nome de casada incomum do que a qualquer homem. Ela o passou ao filho, que nunca conheceu seu dono original, muito antes de seu nascimento disparatado.

Strike fumou, perdido em pensamentos, até que a luz do dia em seu escritório começou a se abrandar e escurecer. Por fim, esforçou-se para se levantar numa perna só, usando a maçaneta e a moldura na parede ao lado da porta de vidro para se equilibrar, e foi aos pulos examinar as caixas ainda empilhadas no patamar, fora de seu escritório. No fundo de uma delas, encontrou os tais produtos dermatológicos para atenuar a ardência e a coceira na ponta do coto, e passou a tentar reparar os danos inicialmente causados pela longa caminhada por Londres com a bolsa no ombro.

Agora estava mais claro às oito horas do que duas semanas antes; ainda havia luz do dia quando Strike se sentou, pela segunda vez em dez dias, no Wonk Kei, o restaurante chinês de fachada alta e branca cuja janela dava para um centro de videogame de nome Play to Win. Foi extremamente doloroso recolocar a prótese, e mais ainda andar pela Charing Cross Road, mas ele desdenhou do uso das bengalas de metal cinza que também encontrou na caixa, relíquias de sua alta do Selly Oak Hospital.

Strike comia macarrão Cingapura com uma só mão enquanto examinava o laptop de Lula Landry, aberto na mesa, ao lado da cerveja. O gabinete rosa-escuro do computador tinha desenhos de flores de cerejeira. Não lhe ocorreu que ali recurvado, grande e peludo, sobre um equipamento decorado, cor-de-rosa e patentemente feminino, ele fosse uma aparição imprópria para o mundo, mas a visão atraiu sorrisos irônicos de dois dos garçons de camiseta preta.

– E aí, Federico? – perguntou um jovem pálido e descabelado às 8:30. O recém-chegado, que arriou numa cadeira na frente de Strike, vestia jeans, uma camiseta psicodélica, e usava tênis All Star e uma bolsa de couro atravessada no peito.

– Já estive pior – grunhiu Strike. – Como vai? Quer beber alguma coisa?

– Quero, vou tomar uma lager.

Strike pediu a bebida de seu convidado, a quem se acostumara, por motivos há muito esquecidos, chamar de Spanner. Spanner tinha diploma em ciência da computação e era muito mais bem pago do que sugeriam suas roupas.

– Não estou com tanta forme, comi um hambúrguer depois do trabalho – disse Spanner, olhando o cardápio. – Vou tomar uma sopa. Uma sopa de wonton, por favor – pediu ele ao garçom. – Laptop interessante você escolheu, Fed.

– Não é meu – disse Strike.

– É o trabalho, é?

– É.

Strike deslizou o computador de frente para Spanner, que examinou o dispositivo com um misto de interesse e menosprezo característico daqueles para quem a tecnologia não era um mal necessário, mas a matéria essencial da vida.

– Lixo – disse Spanner alegremente. – Onde esteve se escondendo, Fed? O pessoal ficou preocupado.

– Que gentileza a deles – disse Strike, comendo uma porção de macarrão. – Mas não precisava.

– Estive com Nick e Ilsa algumas noites atrás, e você foi o principal assunto da conversa. Eles disseram que você agora está na clandestinidade. Ah, que bom – disse ele, quando sua sopa chegou. – É, eles ligaram para sua casa e só caía na secretária eletrônica. Ilsa acha que é problema com mulher.

Ocorreu a Strike que a melhor maneira de informar os amigos sobre seu relacionamento rompido podia ser por meio do indiferente Spanner. Irmão mais novo de um dos velhos amigos de Strike, Spanner ignorava a longa e atormentada história de Strike e Charlotte, e não se interessava minimamente por ela. Dado que Strike queria evitar manifestações de solidariedade cara a cara e ainda por cima póstumas, e que não pretendia fingir para sempre que ele e Charlotte não haviam se separado, admitiu que Ilsa adivinhara corretamente seu principal problema, e que seria melhor se dali em diante os amigos evitassem ligar para a casa de Charlotte.

– Que droga. – Spanner, com sua característica falta de curiosidade pelo sofrimento humano versus seu interesse pelos desafios tecnológicos, apontou um dedo de ponta espatulada para o Dell e perguntou: – O que quer fazer com isso, então?

– A polícia já viu. – Strike baixou a voz, embora ele e Spanner fossem as únicas pessoas por perto que não falavam cantonês –, mas quero uma segunda opinião.

– A polícia tem uns peritos bons. Duvido que eu vá achar alguma coisa que eles não encontraram.

– Eles podem não ter procurado pela coisa certa, e talvez não entendessem o significado, mesmo se encontrassem. Parecem mais interessados nos últimos e-mails dela, e estes eu já vi.

– Então, o que vou procurar?

– Toda a atividade até o dia 8 de janeiro. As mais recentes buscas na internet, coisas assim. Não tenho a senha, e prefiro não voltar à polícia e perguntar, a não ser que precise.

– Não deve ser problema – disse Spanner. Ele não escrevia as instruções, digitava-as no celular; Spanner era dez anos mais novo do que Strike, e raras vezes portava uma caneta por opção própria. – De quem é, aliás?

Quando Strike respondeu, Spanner disse:

– A modelo? Nossa.

Mas o interesse de Spanner pelos seres humanos, mesmo quando mortos e famosos, ainda era secundário à sua ternura por gibis raros, inovação tecnológica e bandas de que Strike nunca ouvira falar. Depois de tomar várias colheradas da sopa, Spanner rompeu o silêncio para perguntar animadamente quanto Strike pretendia pagar a ele pelo trabalho.

Quando Spanner saiu com o laptop rosa debaixo do braço, Strike mancou até o escritório. Naquela noite, lavou a ponta da perna direita cuidadosamente e passou creme no tecido irritado e inflamado da cicatriz. Pela primeira vez em muitos meses, tomou analgésicos antes de se meter no saco de dormir. Deitado ali, esperando que a dor cedesse, ele se perguntou se devia marcar hora para ver o médico da reabilitação sob cujos cuidados deveria estar. Os sintomas de uma síndrome inflamatória, a nêmese dos amputados, lhe foram descritos repetidamente: pele supurando-se e inchada. Ele se perguntava se estaria mostrando os primeiros sinais, mas tinha medo da perspectiva de voltar aos corredores que recendiam a desinfetante; a médicos com interesse isolado nesta pequena parte mutilada de seu corpo; a outros ajustes mínimos na prótese que exigiriam mais visitas ainda àquele mundo confinado de jaleco branco que ele esperava ter deixado para sempre. Temia o conselho de repousar a perna, desistir da perambulação normal; uma volta forçada às muletas, aos olhares de quem passava por sua perna de calça com presilha e às perguntas estridentes de crianças pequenas.

Seu celular, carregando como sempre no chão, ao lado da cama de campanha, soltou o zumbido que anunciava a chegada de uma mensagem de texto. Feliz por qualquer mínima distração de sua perna latejante, Strike tateou o escuro e pegou o telefone.

Por favor pode me dar uma ligada rápida quando for possível? Charlotte

Strike não acreditava em clarividência, nem em capacidade paranormal, entretanto seu pensamento imediato e irracional era de que Charlotte de algum jeito sentiu o que ele acabara de contar a Spanner; que ele torcera a corda tesa e invisível que ainda os unia, ao oficializar seu rompimento.

Ele olhou a mensagem como se fosse o rosto de Charlotte, como se pudesse interpretar sua expressão na minúscula tela cinza.

Por favor. (Sei que não precisa fazer isso: estou pedindo com gentileza.) *Uma ligada rápida.* (Tenho um motivo legítimo para querer falar com você, então podemos fazer isso com rapidez e tranquilidade; sem brigas.) *Quando for possível.* (Eu lhe faço a cortesia de supor que tem uma vida ocupada sem mim.)

Ou, talvez: *Por favor.* (Recusar é ser um cretino, Strike, e você já me magoou bastante.) *Uma ligada rápida.* (Sei que está esperando uma cena; bom, não se preocupe, que a última, quando você estava numa merda inacreditável, acabou tudo entre nós dois para sempre.) *Quando for possível.* (Porque, vamos ser francos, eu sempre tive de mendigar tempo do exército e de cada outra porcaria que viesse primeiro.)

Seria conveniente agora?, perguntou-se ele, deitado e cheio de dor, para a qual os analgésicos ainda não tinham surtido efeito. Ele olhou a hora: 11:10. Claramente ela ainda estava acordada.

Ele tornou a pôr o celular no chão a seu lado, onde ficou carregando em silêncio, e cobriu os olhos com o braço cabeludo e grande, apagando até as tiras de luz no teto, lançadas pelos postes de rua através das frestas da janela. A contragosto, viu Charlotte do jeito que tinha posto os olhos nela pela primeira vez na vida, sentada sozinha num peitoril de uma janela em festa de estudantes em Oxford. Ele nunca vira nada tão lindo, nem – a julgar pelos olhares de banda de incontáveis homens, dos risos e vozes exageradamente altos, do movimento de gestos extravagantes para sua figura silenciosa – qualquer outro deles vira.

Olhando do outro lado da sala, o Strike de 19 anos foi tomado exatamente do mesmo impulso que lhe vinha quando criança, sempre que a neve caía durante a noite no jardim de tia Joan e tio Ted. Ele queria que seus passos fossem os primeiros a criar marcas fundas e escuras naquela superfície tentadoramente lisa: ele queria perturbar e rompê-la.

— Você está bêbado – avisou o amigo, quando Strike anunciou sua intenção de ir falar com ela.

Strike concordou, secou o que restava da sétima cerveja e andou decidido para a janela onde ela se sentava. Tinha uma vaga consciência das pessoas por perto olhando, preparadas, talvez, para rir, porque ele era imenso, parecia um Beethoven pugilista e tinha molho de curry por toda a camiseta.

Ela levantou a cabeça para ele quando Strike a alcançou, com os olhos grandes, o cabelo preto e comprido, o colo claro e macio revelado pela blusa aberta.

A estranha e nômade infância de Strike, com seus desarraigamentos e enxertos constantes em grupos variados de crianças e adolescentes, forjara nele um conjunto avançado de habilidades sociais; ele sabia se encaixar, fazer as pessoas rirem, tornar-se aceitável quase a qualquer um. Naquela noite, sua língua ficara entorpecida e emborrachada. Ele parecia se lembrar de se balançar um pouco.

– Quer alguma coisa? – perguntou ela.

– Quero – disse ele. E ele puxou a camiseta pelo tronco e mostrou o molho de curry. – Qual você acha que é a melhor maneira de tirar isso?

Contra a própria vontade (ele notou que ela tentava reprimir), ela riu.

Algum tempo depois, um Adônis chamado Ilustre Jago Ross, conhecido de vista e fama por Strike, entrou na sala na companhia de amigos igualmente bem-nascidos e encontrou Strike e Charlotte sentados lado a lado no peitoril, imersos numa conversa.

– Está na merda da sala errada, Char, meu bem – dissera Ross, demarcando seus direitos pela arrogância carinhosa de seu tom. – A festa de Ritchie é lá em cima.

– Eu não vou – disse ela, virando a cara sorridente para ele. – Tenho de ajudar Cormoran a lavar a camiseta dele.

Assim ela trocou publicamente o namorado da Harrow School por Cormoran Strike. Foi o momento mais glorioso dos 19 anos de Strike: ele carregou publicamente Helena de Troia bem debaixo do nariz de Páris e, em seu choque e prazer, não questionou o milagre, simplesmente o aceitou.

Só mais tarde ele percebeu que o que parecera o acaso, ou o destino, fora inteiramente engendrado por ela. Charlotte lhe confessou meses depois: que ela, para castigar Ross por alguma transgressão, deliberadamente entrou na sala errada e esperou que um homem, qualquer homem, se aproximasse; que Strike foi um mero instrumento para torturar Ross; que ela dormiu com ele nas primeiras horas da manhã seguinte num espírito de vingança e fúria que ele confundiu com paixão.

Ali, naquela primeira noite, estivera tudo o que mais tarde os separou e os reuniu: a autodestruição dela, sua imprudência, sua determinação em magoar; a atração relutante, mas genuína por Strike, e seu lugar seguro de fuga do mundo enclausurado em que fora criada, cujos valores ela ao mesmo tempo desprezava e esposava. Assim começou a relação que resultou em Strike deitado ali na cama de campanha 15 anos depois, atormentado por mais do que a dor física, desejando poder se livrar das lembranças que tinha dela.

8

QUANDO CHEGOU NA MANHÃ SEGUINTE, Robin deu pela segunda vez com a porta de vidro trancada. Entrou com a chave extra que Strike agora confiava a ela, aproximou-se da porta da sala dele e ficou em silêncio, escutando. Depois de alguns segundos, ouviu o som meio abafado, mas inconfundível, do ronco de alguém a sono solto.

Isto representava para ela um problema delicado, devido a seu acordo tácito de não falar da cama de campanha de Strike, ou de nenhum dos outros sinais de habitação que se espalhavam pelo lugar. Por outro lado, Robin tinha algo de natureza urgente a comunicar ao chefe temporário. Ela hesitou, refletindo sobre as opções. O caminho mais fácil seria tentar acordar Strike fazendo barulho na sala de espera, dando a ele, assim, tempo para se organizar e arrumar sua sala, mas isso poderia demorar demais: suas notícias não aguentariam. Robin, portanto, respirou fundo e bateu na porta.

Strike acordou de imediato. Por um momento de desorientação ficou ali, registrando a repreensiva luz do dia despejada pela janela. Depois se lembrou de baixar o celular após ler a mensagem de Charlotte, e sabia que tinha se esquecido de ajustar o despertador.

– Não entre! – berrou ele.

– Quer uma xícara de chá? – gritou Robin do outro lado da porta.

– Quero... sim, seria ótimo. Vou sair para tomar – acrescentou Strike em voz alta, querendo, pela primeira vez, ter instalado uma tranca na porta. Seu pé postiço com a panturrilha estava encostado na parede, e ele só estava de short.

Robin correu para encher a chaleira, e Strike lutou para sair do saco de dormir. Vestiu-se às pressas, atrapalhando-se ao colocar a prótese, dobrando a cama de campanha em seu canto, empurrando a mesa de volta ao lugar. Dez minutos depois que ela bateu na porta, ele saiu mancando, cheirando fortemente a desodorante, e lá estava Robin, à sua mesa, parecendo muito animada com alguma coisa.

– Seu chá – disse ela, indicando uma xícara fumegante.

– Ótimo, obrigado. Só me dê um minuto – disse ele, e saiu para urinar no banheiro do patamar. Ao abrir o zíper da calça, ele se viu no espelho, amarfanhado e com a barba por fazer. Não era a primeira vez que se consolava por seu cabelo ter sempre a mesma aparência, escovado ou não.

– Tenho novidades – disse Robin quando ele voltou à sala, passando pela porta de vidro e, com agradecimentos reiterados, pegou a xícara de chá.

– Sim?

– Encontrei Rochelle Onifade.

Ele baixou a caneca.

– Está brincando. Mas como...?

– Vi no arquivo que ela devia comparecer a uma clínica ambulatorial no St. Thomas – disse Robin, animada, vermelha e falando acelerado –, então telefonei para o hospital ontem à noite, fingindo ser ela, disse que tinha esquecido a hora marcada, e eles me disseram que era às 10:30 da manhã de quinta-feira. Você tem – ela olhou o monitor do computador – 45 minutos.

Por que ele não havia pensado em dizer a ela para fazer isso?

– Você é um gênio, um verdadeiro gênio...

Ele derramou chá quente na mão e baixou a caneca na mesa.

– Sabe exatamente...?

– Fica na unidade de psiquiatria, contornando os fundos do prédio principal – disse Robin, em júbilo. – Olha, pegue a Grantley Road, tem um segundo estacionamento...

Ela virou o monitor para ele, mostrando o mapa do St. Thomas. Ele olhou o pulso, mas o relógio ainda estava em sua sala.

– Dá tempo, se sair agora – insistiu Robin.

– É... vou pegar minhas coisas.

Strike correu para pegar a carteira, o relógio, cigarros e o telefone. Estava quase passando pela porta de vidro, espremendo a carteira no bolso de trás, quando Robin falou.

– Er... Cormoran...

Ela nunca o chamara pelo nome. Strike supôs que isso fosse a causa de seu leve ar de embaraço; depois percebeu que ela apontava sugestivamente para o umbigo dele. Olhando para baixo, ele notou que tinha abotoado a camisa errado, e que expunha uma parte da barriga tão peluda que parecia um capacho de sisal preto.

– Ah... sim... caramba...

Robin voltou a atenção educadamente para o monitor, enquanto ele abria e fechava os botões.

– Tchau.

– É, tchau – disse ela, sorrindo quando ele partia às pressas; mas segundos depois ele voltava, ofegando um pouco.

– Robin, preciso que veja uma coisa.

Ela já esperava com a caneta na mão.

– Teve uma conferência de direito em Oxford no dia 7 de janeiro. O tio de Lula Landry, Tony, compareceu. Direito internacional de família. Veja o que pode descobrir. Especificamente sobre a presença dele por lá.

– Tudo bem – disse Robin, escrevendo.

– Que bom. Você é um gênio.

E ele se foi, a passos desiguais, descendo a escada de metal.

Embora cantarolasse sozinha ao se sentar à mesa, um pouco do ânimo de Robin se esvaiu ao beber o chá. De certo modo, esperava que Strike a convidasse para ir junto com ele se encontrar com Rochelle Onifade, cuja sombra ela perseguia havia duas semanas.

A hora do rush tinha passado, as multidões no metrô minguavam. Strike ficou satisfeito – porque a ponta do coto ainda doía – de encontrar um lugar vago com facilidade. Tinha comprado um pacote de Extra Strong Mints no quiosque da estação antes de embarcar no trem, e agora chupava quatro pastilhas ao mesmo tempo, tentando esconder o fato de que não tivera tempo para escovar os dentes. Sua escova e a pasta estavam na bolsa de viagem, embora fosse muito mais conveniente deixá-las na pia lascada do banheiro. Vendo a si mesmo na janela escura do trem, com a barba por fazer e a aparência geral desgrenhada, ele se perguntou por que, quando era evidente que Robin sabia que ele dormia ali, fantasiava que tinha outra casa.

A memória de Strike e o mapa mental eram mais do que adequados à tarefa de localizar a entrada da unidade de psiquiatria do St. Thomas, e ele prosseguiu sem errar, chegando pouco depois das dez. Passou cinco minutos verificando se as portas automáticas eram a única entrada da Grantley

Road, e se posicionou em um muro de pedra no estacionamento, a cerca de vinte metros da entrada, que lhe dava uma visão clara de todos que entravam e saíam.

Sabendo apenas que a garota que procurava devia ser uma sem-teto e certamente negra, ele pensou, no metrô, em sua estratégia para identificá-la, e concluiu que só tinha uma opção. Às 10:20, portanto, quando viu uma negra alta e magra andando animadamente para a entrada, ele chamou (embora ela parecesse bem-cuidada demais, com uma roupa elegante demais):

– Rochelle!

Ela levantou a cabeça para ver quem gritava, mas continuou andando sem nenhum sinal de que o nome tivesse uma aplicação pessoal, e desapareceu no prédio. Em seguida surgiu um casal, os dois brancos; depois um grupo de pessoas de idades e raças variadas que Strike imaginou trabalharem no hospital; mas resolveu se arriscar a gritar de novo:

– Rochelle!

Algumas viraram-se para ele, mas voltaram imediatamente a suas conversas. Consolando-se que os frequentadores desta entrada deviam estar acostumados a certa excentricidade daqueles que se reuniam em suas proximidades, Strike acendeu um cigarro e esperou.

Já passava das 10:30, e nenhuma negra entrou pelas portas. Ou ela perdera a hora, ou usara uma entrada diferente. Uma leve brisa fez cócegas em seu pescoço enquanto ele fumava, sentado, observando, esperando. O prédio do hospital era enorme, uma vasta caixa de concreto com janelas retangulares; certamente havia numerosas entradas de cada lado.

Strike endireitou a perna ferida, que ainda doía, e pensou, mais uma vez, na possibilidade de ter de voltar a ver seu médico. Achava qualquer proximidade com um hospital ligeiramente deprimente. Seu estômago roncava. Tinha passado por um McDonald's a caminho dali. Se não a encontrasse até meio-dia, iria comer lá.

Por mais duas vezes ele gritou "Rochelle!" a duas negras que entraram e saíram do prédio, e nas duas ocasiões elas olharam para trás, meramente para ver quem gritava, em um dos casos lançando-lhe um olhar de desdém.

E então, pouco depois das 11, uma negra baixa e atarracada saiu do hospital com um andar um tanto desajeitado, oscilando de lado. Ele sabia muito bem que não deixara passar despercebida sua entrada, não apenas devido a seu andar esquisito, mas porque ela estava com um casaco magenta visivelmente curto, de pele falsa, que não melhorava nem sua altura, nem a largura.

— Rochelle!

A garota parou, virou-se e olhou em volta, de semblante fechado, procurando por quem tinha gritado seu nome. Strike mancou até lá, e ela o olhou feio, com compreensível desconfiança.

— Rochelle? Rochelle Onifade? Oi. Meu nome é Cormoran Strike. Podemos conversar?

— Eu sempre entro pela Redbourne Street — disse ela após cinco minutos, depois de ele lhe dar um relato fictício e atrapalhado de como a encontrara. — Saí por aqui porque quero ir ao McDonald's.

Então para lá eles foram. Strike comprou dois cafés e dois cookies grandes e os carregou para a mesa da janela onde Rochelle esperava, curiosa e desconfiada.

Ela era implacavelmente comum. Sua pele gordurosa, da cor de terra queimada, era coberta das pústulas e cavidades da acne; os olhos pequenos eram fundos e os dentes, tortos e bem amarelados. O cabelo quimicamente alisado mostrava 10 centímetros de raízes pretas, por cima de 15 centímetros de um vermelho-acobreado e duro. Os jeans apertados e curtos demais, a bolsa cinza brilhante e os tênis brancos e reluzentes pareciam baratos. Porém, o casaco de pele falsa amassado, embora Strike tenha achado espalhafatoso e desfavorável, era de natureza inteiramente diferente; todo forrado, como ele viu quando ela o tirou, de seda estampada, e não trazia a etiqueta (como ele esperava, lembrando-se do e-mail de Lula Landry ao estilista) de Guy Somé, mas de um italiano de quem Strike nunca ouvira falar.

— Você não é jornalista mermo? — perguntou ela, com sua voz grave e rouca.

Strike já passara muito tempo na frente do hospital tentando provar sua autenticidade em relação a isto.

— Não, não sou jornalista. Como eu disse, conheço o irmão de Lula.

— É amigo dele?

— Sou. Bom, não exatamente um amigo. Ele me contratou. Sou detetive particular.

De imediato, o medo se estampou na cara da garota.

— E tu quéfaláoquê comigo?

— Não há por que se preocupar...

— Mas por que tuquéfalá comigo?

— Não é nada ruim. John não tem certeza se Lula cometeu suicídio, é só isso.

Ele imaginou que só o que a mantinha sentada era o pavor da interpretação que ele poderia dar à fuga instantânea. O medo de Rochelle era desproporcional às maneiras e às palavras dele.

— Não há nada com que se preocupar – garantiu-lhe ele novamente. – John quer que eu dê outra olhada nas circunstâncias que...

— E ele disse que eu tenho alguma coisa com a morte dela?

— Não, claro que não. Só espero que possa me falar mais de seu estado de espírito, o que pode tê-la levado a se matar. Você a via constantemente, não? Achei que pudesse me dizer o que estava acontecendo na vida dela.

Rochelle fez menção de falar, depois mudou de ideia e tentou beber seu café escaldante.

— E então, o quê que é... o irmão dela tá tentando saber que ela não se matô? Tipo que ela foi empurrada pela janela?

— Ele acha que é possível.

Ela parecia tentar compreender alguma coisa, decifrá-la mentalmente.

— Não tenho que te falá nada. Tu num é da polícia.

— É, é verdade. Mas não gostaria de ajudar a descobrir se...

— Ela pulou – declarou Rochelle Onifade firmemente.

— O que lhe dá tanta certeza disso? – perguntou Strike.

— Eu só sei.

— Parece ter sido um choque para quase todo mundo que ela conhecia.

— Ela era deprê. É, ela era uma coisa assim. Que nem eu. Às vezes isso acaba com a gente. É uma má função – disse ela, embora fizesse as palavras soarem como "é uma maldição".

Maldição, pensou Strike, distraído por um segundo. Ele dormira mal. *Maldição*, o que acometeu Lula Landry e acometeria todos eles, ele e Rochelle inclusive. Às vezes a má função se transformava lentamente em maldição, como acontecia com a mãe de Bristow... Às vezes a má função se erguia e o encontrava do nada, como uma estrada de concreto abrindo seu crânio.

Ele tinha certeza de que, se pegasse o bloco, ela se calaria ou iria embora. Assim, continuou a fazer perguntas com a maior informalidade que pôde, indagando-lhe que modo ela fora para a clínica, como conhecera Lula.

Imensamente desconfiada, no início ela deu respostas monossilábicas, mas aos poucos, devagar, ficou mais sociável. Sua história era lamentável. Os maus-tratos, os cuidados, a doença mental grave, os lares adotivos e surtos violentos culminaram, aos 16 anos, na condição de sem-teto. Rochelle tinha assistência garantida como resultado indireto de ter sido atropelada por um carro. Hospitalizada, um psiquiatra enfim foi chamado, quando seu comportamento bizarro quase impossibilitou o tratamento dos ferimentos físicos. Ela agora tomava medicamentos que, quando ingeria, atenuavam bastante seus sintomas. Strike achou digno de pena, e tocante, que a clínica ambulatorial onde ela conheceu Lula Landry parecesse ter sido, para Rochelle, o ponto alto de sua vida; ela falou com certo afeto do jovem psiquiatra que cuidava do grupo.

– Então, foi lá que você conheceu Lula?
– O irmão dela num contou?
– Ele foi muito vago nos detalhes.
– É, ela entrou pro nosso grupo. Alguém mandou pra lá.
– E vocês conversavam?
– É.
– Ficaram amigas?
– É.
– Você ia à casa dela? Nadava na piscina?
– Por que não ia nadar?
– Por nenhum motivo. Só estou perguntando.

Ela derreteu um pouquinho.

– Não gosto de nadar. Não gosto da água na minha cara. Eu ia pra jacuzzi. E a gente ia comprar umas coisas.
– Ela chegou a falar com você dos vizinhos, das outras pessoas do prédio?
– Aqueles Bestigui? Um pouco. Ela não gostava deles. Aquela mulher é uma vaca – disse Rochelle, com uma agressividade repentina.
– Por que diz isso?
– Já conhece ela? Ela me olha como se eu fosse lixo.
– O que Lula pensava dela?

– Ela também num gostava dela, nem do marido. Ele é de arrepiar.

– Em que sentido?

– Ele é e pronto – disse Rochelle, com impaciência; mas então, como Strike não falou nada, ela continuou. – Ele sempre tentava levar ela lá pra baixo quando a mulher tava fora.

– E Lula foi alguma vez?

– De jeito nenhum, cara – disse Rochelle.

– Você e Lula conversavam muito, imagino, não?

– É, a gente conversava, no iní... É, a gente conversava.

Ela olhou pela janela. Uma chuva repentina pegou os transeuntes desprevenidos. Elipses transparentes pontilhavam o vidro ao lado deles.

– No início? – disse Strike. – Vocês passaram a se falar menos?

– Vou ter que ir embora logo – disse Rochelle, cheia de importância. – Tenho umas coisas pra fazê.

– As pessoas como Lula – disse Strike, tateando – podem ser mimadas. Tratam mal os outros. Elas estão acostumadas a ter...

– Eu não era empregadinha dela – disse Rochelle com ferocidade.

– Quem sabe não era por isso que ela gostava de você? Talvez ela visse você como alguém mais igual... E não uma aproveitadora.

– É, é isso mermo – disse Rochelle, mais calma. – Eu não ficava impressionada com ela.

– Dá para entender por que ela queria você como amiga, alguém mais terra a terra...

– É.

– ... E vocês tinham a doença em comum, não? Então você a entendia num nível que a maioria das pessoas não conseguia.

– E eu sou negra – disse Rochelle –, e ela queria se sentir uma negra de verdade.

– Ela falava disso com você?

– É claro – disse Rochelle. – Ela queria descobrir de onde veio, qual era o lugar dela.

– Ela falou com você sobre tentar encontrar o lado negro da família?

– Claro. E ela... é.

Ela se conteve quase visivelmente.

– Ela encontrou alguém? O pai?

— Não. Nunca achou o cara. Sem chance.
— Sério?
— É, *sério*.

Ela começou a comer rápido. Strike teve medo de que partisse no momento em que terminasse.

— Lula estava deprimida quando você a encontrou na Vashti, na véspera de sua morte?

— É, tava.

— Ela lhe disse o porquê?

— Num precisa ter porquê. É a maldição.

— Mas ela te disse que se sentia mal?

— É – disse ela, depois de uma hesitação mínima.

— Vocês iam almoçar juntas, não? – perguntou ele. – Kieran me contou que levou Lula para se encontrar com você. Conhece o Kieran, não? Kieran Kolovas-Jones?

Sua expressão se abrandou; os cantos da boca se ergueram.

— É, conheço o Kieran. É, ela foi me encontrar na Vashti.

— Mas ela não ficou para almoçar?

— Não. Teve que sair correndo – disse Rochelle.

Ela baixou a cabeça para beber mais café, escondendo o rosto.

— Por que ela não telefonou para você? Você tem telefone, não tem?

— É, tenho – vociferou ela, eriçada, e tirou do casaco de pele um Nokia básico, todo cravejado de cristais cor-de-rosa berrantes.

— Então, por que você acha que ela não ligou para dizer que não poderia ir?

Rochelle o fuzilou com os olhos.

— Porque ela não gostava de usar o telefone, porque eles ouviam.

— Os jornalistas?

— É.

Ela quase tinha terminado o cookie.

— Mas os jornalistas não estariam muito interessados em ouvi-la dizer que não ia à Vashti, estariam?

— Num sei.

— Não achou estranho, na hora, que ela fosse até lá só para dizer a você que não ficaria para almoçar?

— É. Não – disse Rochelle. Depois, com uma súbita explosão de fluência: – Quando tu tem motorista, num interessa, né? Tu só vai aonde quer, não te custa nem um centavo, eles te levam e pronto, né? Ela tava passando, então entrou pra me dizer que não ia ficar porque tinha que ir pra casa ver a merda da Ciara Porter.

Rochelle parecia ter se arrependido do "merda" traidor assim que foi pronunciado, e franziu os lábios como se quisesse garantir que não lhe escapariam outros palavrões.

— E foi só o que ela fez? Ela entrou na loja, disse "não posso ficar, tenho de ir para casa ver a Ciara" e foi embora?

— É. Mais ou menos – disse Rochelle.

— Kieran disse que em geral eles te davam uma carona para casa depois de vocês se encontrarem.

— É – disse ela. – Bom. Ela tava ocupada demais naquele dia, né?

Rochelle mascarava muito mal o ressentimento.

— Me fale do que aconteceu na loja. Uma de vocês experimentou alguma coisa?

— É – disse Rochelle, depois de uma pausa. – Ela. – Outra hesitação. – Um vestido Alexander McQueen longo. Ele se matou e tudo – acrescentou ela, num tom distante.

— Entrou no provador com ela?

— Entrei.

— O que houve no provador? – incitou-a Strike.

Os olhos de Rochelle pareciam os de um touro que uma vez ele encarou quando criança: fundos, enganosamente estoicos, insondáveis.

— Ela botou o vestido – disse Rochelle.

— Não fez mais nada? Não ligou para ninguém?

— Não. Bom, é. Pode ser.

— Sabe para quem ela telefonou?

— Num lembro.

Ela bebeu, cobrindo mais uma vez o rosto com o copo de papel.

— Foi para Evan Duffield?

— Pode ser.

— Lembra o que ela disse?

— Não.

– Uma das vendedoras ouviu, enquanto ela estava ao telefone. Ela parecia estar marcando de se encontrar com alguém na casa dela mais tarde. De madrugada, foi o que a garota pensou.

– É?

– Então não parece que podia ser Duffield, parece, porque ela já tinha combinado de encontrar com ele na Uzi?

– Tu sabe muito, né?

– Todo mundo sabe que eles se encontraram na Uzi naquela noite – disse Strike. – Estava em todos os jornais.

Seria quase impossível ver a dilatação ou contração das pupilas de Rochelle porque as íris que as cercavam eram praticamente pretas.

– É, acho que sim – concordou ela.

– Era o Deeby Macc?

– Não! – Ela gritou num riso. – Ela nem tem o número dele.

– Gente famosa quase sempre consegue o número dos outros – disse Strike.

A expressão de Rochelle se toldou. Ela baixou os olhos para a tela em branco de seu celular rosa berrante.

– Acho que ela não tinha o dele – disse.

– Mas você ouviu que ela tentava marcar um encontro com alguém de madrugada?

– Não – disse Rochelle, evitando os olhos dele, rodando o que restava do café no copo de papel. – Num lembro de nada assim.

– Você entende como isto pode ser importante? – disse Strike, com o cuidado de manter o tom livre de ameaças. – Se Lula marcou de se encontrar com alguém perto da hora que morreu? A polícia nunca soube disso, não é? Você nunca contou a eles.

– Tenho que ir – disse ela, engolindo o último farelo do cookie, pegando a alça da bolsa barata e olhando feio para Strike.

– Está quase na hora do almoço. Posso lhe pagar alguma coisa?

– Não.

Mas ela não se mexeu. Ele se perguntou o quanto ela era pobre, se comia regularmente ou não. Havia algo nela, por trás do mau humor, que ele achava comovente: um orgulho intenso, uma vulnerabilidade.

– Tá, então, tudo bem – disse ela, baixando a bolsa e arriando na cadeira dura. – Vou comer um Big Mac.

Ele receou que ela fosse embora enquanto ele ia ao balcão, mas quando voltou com duas bandejas, ela ainda estava lá; até lhe agradeceu de má vontade.

Strike tentou uma abordagem diferente.

– Você conhece bem o Kieran, não? – perguntou, buscando o brilho que a iluminara ao falar naquele nome.

– É – disse ela, constrangida. – Encontrei ele muito com ela. Ele sempre levava ela de carro.

– Ele disse que Lula estava escrevendo alguma coisa no banco traseiro do carro, antes de chegar à Vashti. Ela mostrou a você, ou te deu, alguma coisa que escreveu?

– Não. – Ela enfiou as fritas na boca e disse: – Não vi nada disso. Por quê, o que era?

– Não sei.

– De repente era uma lista de compras.

– É, foi o que a polícia pensou. Tem certeza de que não a viu segurando um papel, uma carta, um envelope?

– É, tenho. Kieran sabe que você ia encontrar comigo? – perguntou Rochelle.

– Eu disse a ele que você estava na minha lista. Ele me falou que você morava em St. Elmo.

Isso pareceu agradar a ela.

– Onde está morando agora?

– E isso é da tua conta? – perguntou ela, de repente feroz.

– Não, não é. Só estou conversando educadamente.

Isso provocou um leve bufo de Rochelle.

– Agora tenho minha casa em Hammersmith.

Ela mastigou por um tempo e depois, pela primeira vez, deu uma informação não solicitada.

– A gente ouvia Deeby Macc no carro dele. Eu, Kieran e Lula.

E ela começou um rap:

Sem hidroquinona, negão papo sério
Se não vier pra do Deeby, já tá no cemitério
Dirijo minha Ferrari – dane-se o Johari – de cabeça em pé
Ninguém resiste à grana, Mister Jake, tu é mané.

Ela parecia orgulhosa, com se o tivesse colocado firmemente em seu lugar, sem réplica possível.

– Esse chama "Hidroquinona" – disse ela. – Do *Jake On My Jack*.

– O que é hidroquinona? – perguntou Strike.

– Clareia a pele. A gente cantava esse rap de janela aberta – disse Rochelle. Um sorriso caloroso e recordativo iluminou seu rosto com sinceridade.

– Lula estava ansiosa para conhecer Deeby Macc, então?

– É, tava – disse Rochelle. – Ela sabia que ele gostava dela, ficou toda feliz com isso. Kieran tava todo animado, ficava pedindo a Lula pra apresentar ele. Queria conhecer o Deeby.

Seu sorriso sumiu; ela pegou morosamente o hambúrguer, depois falou.

– E aí, é isso que tu qué sabê? Porque eu tenho que ir.

Ela começou a devorar o que restava da refeição, atulhando a boca de comida.

– Lula deve ter levado você a muitos lugares, não?

– É – disse Rochelle, com a boca cheia de hambúrguer.

– Você foi à Uzi com ela?

– Fui, uma vez.

Ela engoliu e começou falar de outros lugares que vira durante a fase inicial de sua amizade com Lula, e (apesar das tentativas decididas de Rochelle de repudiar qualquer sugestão de que ela ficara deslumbrada com o estilo de vida dos multimilionários) todos tinham o romantismo de um conto de fadas. Lula arrancava Rochelle do mundo desolado de seu albergue e da terapia de grupo e a levava, uma vez por semana, a um turbilhão de diversão cara. Strike notou o pouco que Rochelle lhe falou da pessoa Lula, em oposição à Lula dona de mágicos cartões de plástico que compravam bolsas, casacos e joias e que pagavam pelos meios necessários pelos quais Kieran aparecia regularmente, como um gênio, para arrancar Rochelle do albergue. Ela descreveu, em detalhes apaixonados, os presentes que Lula lhe comprou, as lojas aonde a levava, restaurantes e bares em que elas entravam, lugares cheios de celebridades. Nenhum deles, porém, parecia ter impressionado Rochelle em nada; pois cada nome que ela mencionava recebia uma observação depreciativa:

"Ele é um bundão." "Ela é toda de plástico." "Eles não têm nada de especial."

– Você conheceu Evan Duffield? – perguntou Strike.

– É. – O monossílabo era carregado de desdém. – É um babaca.
– É mesmo?
– É, é sim. Pergunta pro Kieran.

Ela deu a impressão de que ela e Kieran eram, juntos, observadores saudáveis e desapaixonados dos idiotas que povoavam o mundo de Lula.

– Em que sentido ele era um babaca?
– Ele tratava Lula feito lixo.
– Como assim?
– Vendia histórias – disse Rochelle, estendendo a mão para as últimas batatas fritas. – Uma vez ela testou todo mundo. Contou uma história diferente pra cada um pra ver qual ia parar no jornal. Só eu fiquei de boca fechada, todo mundo deu com a língua nos dentes.
– Quem ela testou?
– Ciara Porter. Eu, Duffield. Aquele Guy Summy (Rochelle pronunciou o nome rimando com "cai")... Mas depois ela achou que não era ele. Pediu desculpa a ele. Mas ele usava Lula como todo mundo.
– De que maneira?
– Ele não queria ela trabalhando pra mais ninguém. Queria que ela fosse só da empresa dele, queria a publicidade toda pra ele.
– Então, depois ela descobriu que podia confiar em você...
– É, e ela me deu o telefone.

Houve um segundo de silêncio.

– Assim ela podia falar comigo sempre que queria.

De repente, ela arrebanhou o celular cor-de-rosa da mesa e o meteu no fundo do bolso do casaco magenta amassado.

– Imagino que agora você tenha de pagar as contas – disse Strike.

Ele pensou que ela lhe diria para cuidar da própria vida, mas em vez disso ela disse:

– A família dela não notou que ainda está pagando.

E essa ideia parecia lhe dar um prazer um tanto maldoso.

– Lula comprou esse casaco para você? – perguntou Strike.
– Não – rebateu ela, furiosa e na defensiva. – Eu é que comprei, agora eu trabalho.
– É mesmo? Onde está trabalhando?
– O que tu tem com isso? – perguntou ela novamente.

— Estou mostrando um interesse educado.

Um sorriso mínimo e breve tocou sua boca larga, e ela cedeu de novo.

— Eu fico numa loja à tarde perto da minha casa nova.

— Está em outro albergue?

— Não — disse ela, e ele a sentiu se entrincheirar de novo, a recusa de ir além, que ele a colocasse em perigo. Ele mudou de abordagem.

— Deve ter sido um choque para você quando Lula morreu, não?

— É. Foi — disse ela, impensadamente; depois, percebendo que tinha falado, voltou atrás. — Eu sabia que ela tava deprimida, mas ninguém espera uma pessoa fazer uma coisa dessas.

— Então você não diria que ela estava suicida quando a viu naquele dia?

— Sei lá. Nunca vi a Lula por muito tempo, né?

— Onde você estava quando soube que ela morrera?

— Tava no albergue. Muita gente sabia que eu conhecia ela. Janine me acordou e me contou.

— E pensou de cara em suicídio?

— É. Agora eu tenho que ir. Tenho que ir.

Ela estava decidida, e ele via que não seria capaz de impedi-la. Depois de se contorcer ao vestir o casaco ridículo, ela pendurou a bolsa no ombro.

— Dê um alô pro Kieran por mim.

— Tá, eu dou.

— Tchau.

Ela saiu da lanchonete sem olhar para trás.

Strike a viu passar pela janela, de cabeça baixa, com as sobrancelhas unidas, até ela sair de vista. Tinha parado de chover. Indolentemente, ele puxou a bandeja de Rochelle e terminou o que restava das fritas.

Depois ele se levantou tão de repente que a garota de boné que se aproximava da mesa para limpá-la deu um salto para trás com um gritinho de surpresa. Strike saiu às pressas do McDonald's e pegou a Grantley Road.

Rochelle estava parada na esquina, claramente visível com seu casaco magenta felpudo, parte de um grupo de pessoas que esperava que o sinal abrisse no cruzamento de pedestres. Segurava o Nokia de pedras cor-de-rosa. Strike a alcançou, insinuando-se no grupo atrás dela, fazendo de seu corpanzil uma arma, para que as pessoas se deslocassem a fim de evitá-lo.

— ... queria saber com quem ela marcou encontro naquela noite... É, e...

Rochelle virou a cabeça, olhando o trânsito, e percebeu que Strike estava bem atrás dela. Tirando o celular da orelha, ela apertou uma tecla, encerrando a chamada.

— Que foi? — ela lhe perguntou com agressividade.

— Para quem estava ligando?

— Vai cuidar da tua vida! — disse ela, furiosa. Os pedestres olharam. — Tá me seguindo, é?

— É — disse Strike. — Escute.

O sinal abriu; eles foram os únicos a não atravessar a rua, e levaram esbarrões de quem passava.

— Vai me dar seu celular?

Os olhos implacáveis de touro o fitaram, indecifráveis, mansos, misteriosos.

— Pra quê?

— Kieran me pediu para pegar — mentiu ele. — Eu esqueci. Ele acha que você deixou uns óculos no carro dele.

Ele não pensou que ela tivesse se convencido, mas depois de um momento ela ditou o número, que ele anotou no verso de um de seus próprios cartões.

— É só isso? — perguntou ela agressivamente e atravessou a rua até o canteiro central, quando o sinal abriu de novo. Strike mancou atrás. Ela parecia ao mesmo tempo furiosa e perturbada com sua presença contínua.

— *Que foi?*

— Acho que sabe de alguma coisa que não está me contando, Rochelle.

Ela o olhou feio.

— Fique com isto. — Strike pegou um segundo cartão no bolso do sobretudo. — Se pensar em algo que gostaria de me contar, me ligue, está bem? Ligue para este celular.

Ela não respondeu.

— Se Lula foi assassinada — disse Strike, enquanto os carros zuniam por eles e a chuva cintilava na sarjeta a seus pés — e você sabe de alguma coisa, pode estar em perigo com o assassino também.

Isso provocou um sorriso discreto, complacente e sarcástico. Rochelle não pensava estar em perigo. Pensava estar segura.

O homenzinho verde apareceu. Rochelle jogou o cabelo seco e duro e se afastou pela rua, banal, atarracada e simples, ainda agarrada ao celular, com o cartão de Strike na outra mão. Strike ficou sozinho no canteiro central, observando-a com uma sensação de impotência e inquietação. Talvez ela nunca tenha vendido sua história aos jornais, mas ele não podia acreditar que ela tivesse comprado aquele casaco de grife, por mais feio que ele o achasse, com o salário de um emprego numa loja.

9

O CRUZAMENTO DA TOTTENHAM COURT com a Charing Cross Road ainda era uma cena de devastação, com cortes largos na rua, túneis de compensado branco e operários de capacete. Strike atravessou as passarelas estreitas contidas por cerca de metal, passou pelas escavadeiras barulhentas e cheias de entulho, trabalhadores aos berros e mais britadeiras, fumando ao caminhar.

Estava cansado e dolorido, muito consciente da dor na perna, de seu corpo sem banho, da comida gordurosa pesando no estômago. Por impulso, pegou um desvio à direita na Sutton Row, para longe do alarido e do ranger da obra na rua, e ligou para Rochelle. Caiu na caixa postal, mas foi a voz rouca da garota que atendeu: ela não lhe dera um número falso. Ele não deixou recado; já dissera tudo o que podia pensar em dizer; ainda assim, estava preocupado. De certo modo desejava tê-la seguido, disfarçadamente, para descobrir onde morava.

De volta à Charing Cross Road, mancando ao escritório pela sombra temporária do túnel de pedestres, ele se lembrou de como Robin o acordara naquela manhã: a batida educada na porta, a xícara de chá, evitando meticulosamente o assunto da cama de campanha. Ele não devia ter deixado aquilo acontecer. Havia outros caminhos para a intimidade além de admirar o corpo de uma mulher num vestido apertado. Ele não queria explicar por que dormia no trabalho; odiava perguntas pessoais. E deixara surgir uma situação em que ela o chamou de Cormoran e lhe disse para consertar os botões da camisa. Ele não devia ter dormido mais do que a cama.

Ao subir a escada de metal, passando pela porta fechada da Crowdy Graphics, Strike resolveu tratar Robin com uma autoridade um pouco mais fria pelo resto do dia, para contrabalançar aquele vislumbre da barriga peluda.

A decisão foi tomada logo depois de ele ouvir um riso agudo e duas vozes femininas falando ao mesmo tempo, vindas de seu escritório.

Strike ficou petrificado, ouvindo, em pânico. Não tinha retornado a ligação de Charlotte. Tentou distinguir seu tom e inflexão; seria como se ela aparecesse pessoalmente e dominasse Robin com charme, para fazer da aliada dele uma amiga, saturar sua própria funcionária com a versão da verdade de Charlotte. As duas vozes se mesclaram em risos novamente, e ele não sabia mais de quem eram.

– Oi, Stick – disse uma voz animada quando ele abriu a porta de vidro.

Sua irmã, Lucy, estava sentada no sofá arriado, com as mãos em volta de uma xícara de café, sacolas da Marks and Spencer e da John Lewis amontoadas em volta dela.

A primeira onda de alívio de Strike por ela não ser Charlotte foi maculada por um pavor menor de qual seria o assunto entre ela e Robin, e o quanto as duas agora sabiam de sua vida particular. Ao retribuir o abraço de Lucy, ele percebeu que Robin mais uma vez tinha fechado a porta de sua sala, escondendo a cama de campanha e a bolsa de viagem.

– Robin disse que você estava detetivando. – Lucy parecia de bom humor, como acontecia frequentemente quando estava sozinha, sem o fardo de Greg e dos meninos.

– É, às vezes, nós, os detetives, fazemos isso – disse Strike. – Fazendo compras?

– Sim, Sherlock, estou.

– Quer sair para tomar um café?

– Já tomei um, Stick – disse ela, erguendo a xícara. – Você não está muito bem hoje. Está mancando um pouco?

– Não que eu tenha notado.

– Viu o sr. Chakrabati recentemente?

– Bem recentemente – mentiu Strike.

– Se não houver problema – disse Robin, que colocava o casaco –, vou tirar meu almoço, sr. Strike. Ainda não comi nada.

A decisão de minutos antes, de tratá-la com um *froideur* profissional, agora parecia não só desnecessária, mas indelicada. Robin tinha mais tato do que qualquer mulher que ele conhecera.

– Tudo bem, Robin, pode ir – disse ele.

– Foi um prazer, Lucy – disse Robin e, com um aceno, desapareceu, fechando a porta ao passar.

— Gostei muito dela — disse Lucy com entusiasmo, enquanto os passos de Robin diminuíam. — Ela é ótima. Devia tentar contratá-la como secretária fixa.

— É, ela é boa — disse Strike. — Mas do que as duas estavam rindo tanto?

— Ah, o noivo dela... ele é meio parecido com o Greg. Robin disse que você está num caso importante. Está tudo bem. Ela foi muito discreta. Disse que é um suicídio suspeito. Não pode ser muito bom.

Ela o olhou sugestivamente, e ele preferiu não entender.

— Não é a primeira vez. Tive dois deles no exército também.

Mas ele duvidava de que Lucy estivesse ouvindo. Ela respirou fundo. Ele sabia o que vinha pela frente.

— Stick, você e Charlotte se separaram?

Era melhor acabar com isso.

— É, nos separamos.

— *Stick!*

— Está tudo bem, Luce. Eu estou ótimo.

Mas o bom humor dela foi destruído numa torrente de fúria e decepção. Strike esperou pacientemente, exausto e dolorido, enquanto Lucy se encolerizava: ela sabia o tempo todo, sabia que Charlotte faria tudo de novo; ela o seduziu e o afastou de Tracey e de sua incrível carreira militar, tornou-o o mais inseguro possível, convenceu Strike a se mudar para a casa dela, só para abandoná-lo...

— Eu é que terminei, Luce — disse ele —, e Tracey e eu tínhamos rompido antes... — Mas ele podia muito bem ter ordenado à lava que escorresse para trás: por que não percebera que Charlotte nunca mudaria, que ela só voltara para ele pelo drama da situação, atraída por seu ferimento e sua medalha? A cretina bancara o anjo de Deus e depois se entediara; era perigosa e má; media seu próprio valor no caos que causava, exaltando-se na dor que infligia...

— Eu a deixei, a decisão foi minha...

— Onde está morando? Quando isso aconteceu? Aquela maldita *vaca*... Não, sinto muito, Stick, não vou mais fingir... anos e anos da *merda* que ela fez você passar... ah, meu Deus, Stick, por que não se casou com Tracey?

— Luce, não faça isso, por favor.

Ele afastou uma das sacolas da John Lewis, cheia, percebeu, de calças e meias para os filhos, e se sentou pesadamente no sofá. Sabia que estava sujo e desgrenhado. Lucy parecia à beira das lágrimas; seu dia na cidade estava arruinado.

– Imagino que não tenha me contado porque sabia que eu faria isso – disse ela por fim, engolindo em seco.

– Devo ter considerado isso.

– Tudo bem, me desculpe – disse ela furiosamente, os olhos brilhando de lágrimas. – Mas aquela *vaca*, Stick. Ah, meu Deus, me diga que nunca mais vai voltar para ela. Por favor, me diga isso.

– Eu não vou voltar para ela.

– Onde está morando... na casa de Nick e Ilsa?

– Não. Tenho um apartamento em Hammersmith – (o primeiro lugar que ocorreu a ele, associado, agora, com os sem-teto). – Um quarto e sala.

– Ah, *Stick*... venha ficar conosco!

Ele teve uma visão fugaz do quarto de hóspedes todo azul e do sorriso forçado de Greg.

– Luce, estou feliz assim. Só quero continuar meu trabalho e ficar sozinho um pouco.

Strike precisou de mais meia hora para tirá-la de seu escritório. Ela se sentia culpada por ter perdido o controle; desculpou-se, depois tentou se justificar, o que incitou outra diatribe sobre Charlotte. Quando por fim decidiu partir, ele a ajudou a descer com as sacolas, distraindo-a com sucesso das caixas cheias de seus pertences que continuavam no patamar, e finalmente colocou-a em um táxi no final da Denmark Street.

Sua cara redonda e com a maquiagem borrada o olhou da janela traseira. Ele forçou um sorriso e um aceno antes de acender outro cigarro, refletindo que a ideia de solidariedade de Lucy se equivalia desfavoravelmente a algumas técnicas de interrogatório que usavam em Guantánamo.

10

Robin se habituara a comprar para Strike um pacote de sanduíches, junto com o seu próprio, se por acaso ele estivesse no escritório depois da hora do almoço, e pegava o reembolso na caixa de despesas.

Hoje, porém, ela não teve pressa em voltar. Notou, embora Lucy parecesse distraída, o quanto Strike ficou infeliz ao encontrar as duas conversando. A expressão dele, quando entrou na sala, era, em cada centímetro, tão desgostosa quanto a do dia em que se conheceram.

Robin torcia para não ter dito nada a Lucy que Strike não gostasse. Lucy não sondou exatamente, mas fez perguntas às quais era difícil saber responder.

– Já conheceu a Charlotte?

Robin imaginou que fosse a ex-mulher ou namorada deslumbrante cuja saída ela testemunhara em sua primeira manhã. A quase colisão, no entanto, não constituía conhecimento, então ela respondeu:

– Não, não conheci.

– Gozado. – Lucy abrira um sorrisinho insincero. – Eu teria pensado que ela quisesse te conhecer.

Por algum motivo, Robin se sentiu compelida a responder:

– Sou apenas temporária.

– Ainda assim – disse Lucy, que parecia entender a resposta melhor do que a própria Robin.

Só agora, andando de um lado a outro do corredor dos pacotes de batatas fritas sem realmente se concentrar neles, encaixavam-se as implicações do que Lucy dissera. Robin supôs que Lucy talvez a quisesse adular, só que a mera possibilidade de Strike fazer qualquer tipo de avanço a revoltava extremamente.

("Matt, sinceramente, se você o visse... ele é imenso e tem uma cara de pugilista espancado. Ele não é nem remotamente atraente, deve ter mais de 40 anos e...", ela olhou em volta, procurando outras calúnias a lançar sobre a aparência de Strike, "tem cabelo de pentelho".

Matthew só se acalmou com a permanência de Robin com Strike porque agora ela aceitara o emprego na consultoria de mídia.)

Robin escolheu ao acaso dois sacos de fritas com sal e vinagre e se encaminhou ao caixa. Ainda não contara a Strike que sairia em duas semanas e meia.

Lucy deixou de lado o assunto de Charlotte apenas para interrogar Robin sobre a quantidade de negócios que vinha entrando no escritório pequeno e dilapidado. Robin foi o mais vaga que pôde, intuindo que se Lucy não sabia como Strike estava mal de finanças, era porque ele não queria que ela soubesse. Na esperança de que ele ficasse satisfeito de a irmã pensar que os negócios iam bem, ela contou que seu mais recente cliente era rico.

– Caso de divórcio, é? – perguntou Lucy.

– Não – disse Robin –, é um... bom, eu assinei um acordo de confidencialidade... ele foi requisitado para reinvestigar um suicídio.

– Ah, Deus, isso não deve ser divertido para Cormoran – disse Lucy, com um tom um tanto estranho.

Robin ficou confusa.

– Ele não lhe contou? Imagine, em geral as pessoas sabem sem que precisemos contar. Nossa mãe era famosa... uma groupie, como chamam, não é assim? – O sorriso de Lucy ficou repentinamente forçado e seu tom, embora ela se esforçasse para aparentar distanciamento e despreocupação, tornara-se irritadiço. – Está tudo na internet. Não é assim hoje em dia? Ela morreu de overdose e disseram que foi suicídio, mas Stick sempre pensou que foi o ex-marido dela. Nunca se provou nada. Stick ficou furioso. Mas foi tudo muito sórdido e horrível. Talvez por isso o cliente tenha escolhido o Stick... o suicídio daqui foi por overdose?

Robin não respondeu, mas isso não importava; Lucy continuou sem parar para uma resposta.

– Foi aí que Strike largou a universidade e entrou para a polícia militar. A família ficou muito decepcionada. Ele é muito inteligente, sabe? Ninguém na nossa família tinha entrado para Oxford; mas ele simplesmente fez as malas e foi embora para o exército. E pareceu combinar com ele; ele se deu muito bem por lá. Acho uma pena que tenha saído, para ser franca. Ele podia ter ficado, mesmo com, sabe, a perna...

Robin não traiu, nem por uma batida da pálpebra, que não sabia disso. Lucy bebeu o café.

– E de onde em Yorkshire você é mesmo?

A conversa depois disso fluiu agradavelmente, até o momento em que Strike entrou e as pegou rindo da descrição que Robin fazia da última incursão de Matthew na bricolagem.

Mas Robin, voltando ao escritório com sanduíches e fritas, teve uma pena maior ainda de Strike. O casamento dele – ou, se eles não eram casados, sua relação de coabitação – fracassara; ele estava dormindo no escritório; tinha sido ferido na guerra e agora ela descobria que a mãe morrera em circunstâncias duvidosas e miseráveis.

Ela não fingia que esta compaixão não tinha um toque de curiosidade. Já sabia que em determinado ponto, num futuro próximo, certamente tentaria descobrir na internet as particularidades da morte de Leda Strike. Ao mesmo tempo, sentia-se culpada por ter tido outro vislumbre de uma parte de Strike que ela não devia ter visto, como o trecho de barriga peluda que ele por acidente mostrara naquela manhã. Robin sabia que ele se orgulhava de ser autossuficiente; estas eram as coisas que ela admirava e gostava nele, mesmo que a expressão dessas virtudes – a cama de campanha, os pertences encaixotados no patamar, os potes de macarrão instantâneo vazios na lixeira – estimulassem o desprezo de gente como Matthew, que supunha que qualquer um que morasse em circunstâncias desconfortáveis deveria ser depravado ou inepto.

Robin não sabia se era sua imaginação a sutil mudança no clima do escritório quando voltou. Strike estava sentado diante de seu computador, digitando, e, enquanto agradecia a ela pelos sanduíches, ele passou dez minutos sem se virar do trabalho (como costumava fazer) para conversar sobre o caso Landry.

– Preciso disto por alguns minutos; algum problema de você ficar no sofá? – indagou-lhe ele, continuando a digitar.

Robin se perguntou se Lucy teria contado a Strike sobre a conversa delas. Esperava que não. Depois se ressentiu do sentimento de culpa; afinal, ela não tinha feito nada de errado. Sua irritação fez cessar temporariamente o desejo maior de saber se ele encontrara Rochelle Onifade.

– Ah-ah! – disse Strike.

Ele descobrira, no site do estilista italiano, o casaco de pele magenta que Rochelle usava naquela manhã. Estivera disponível para compra apenas duas semanas antes, e custava quinhentas libras.

Robin esperou que Strike explicasse a exclamação, mas ele não disse nada.

– Você a encontrou? – perguntou ela, quando finalmente Strike se virou do computador para desembrulhar os sanduíches.

Ele lhe contou do encontro, mas estavam ausentes todo o entusiasmo e gratidão daquela manhã, quando a chamou de "gênio" várias vezes. O tom de Robin, ao lhe dar os resultados de suas próprias investigações telefônicas, foi, portanto, similarmente frio.

– Liguei para a Sociedade de Advocacia, querendo saber sobre a conferência em Oxford em 7 de janeiro – disse ela. – Tony Landry compareceu. Fingi ser alguém que ele conheceu lá, que perdeu seu cartão.

Ele não pareceu particularmente interessado na informação que solicitara nem a elogiou pela iniciativa. A conversa definhava na insatisfação mútua.

O confronto com Lucy exaurira Strike; ele queria ficar sozinho. Também suspeitava de que Lucy pudesse ter contado a Robin sobre Leda. A irmã deplorava o fato de que a mãe deles tivesse vivido e morrido em condições de leve notoriedade, entretanto, de certo modo, ela parecia ser tomada de um desejo paradoxal de discutir tudo, especialmente com estranhos. Talvez fosse uma espécie de válvula de segurança, devido à firme tampa com que ela cobria seu passado com os amigos do subúrbio, ou talvez ela tentasse levar a luta para o território inimigo, tão ansiosa com o que eles já podiam saber dela que procurava evitar um interesse lascivo antes que começasse. Mas ele jamais quis que Robin soubesse de sua mãe, nem de sua perna, nem de Charlotte, nem dos outros assuntos dolorosos que Lucy insistia em sondar sempre que se aproximava o suficiente.

Em seu cansaço, e no mau humor, Strike estendia a Robin, injustamente, sua irritação geral com as mulheres, que pareciam incapazes de deixar um homem em paz. Pensou em fazer suas anotações no Tottenham esta tarde, onde poderia se sentar e pensar sem interrupções, sem ser importunado a dar explicações.

Robin sentiu a atmosfera mudar intensamente. Pegando a deixa do mastigar silencioso de Strike, ela espanou os farelos do corpo, depois lhe entregou os recados da manhã num tom firme e impessoal.

– John Bristow telefonou e passou um número de celular de Marlene Higson. Também conseguiu falar com Guy Somé, que o receberá às 10 horas da manhã de quinta-feira em seu ateliê na Blunkett Street, se for possível para você. Fica em Chiswick, perto da Strand-on-the-Green.

– Ótimo. Obrigado.

Eles trocaram poucas palavras nesse dia. Strike passou a maior parte da tarde no pub, voltando apenas às dez para as cinco. O embaraço entre eles persistia, e pela primeira vez Strike ficou muito satisfeito de Robin ir embora.

PARTE QUATRO

Optimumque est, ut volgo dixere, aliena insania frui.

Conforme o dito popular, é muito bom
aproveitar-se da loucura alheia.

Plínio, o Velho, *História natural*

1

STRIKE FOI CEDO TOMAR BANHO na ULU e vestiu-se com um cuidado incomum na manhã da visita ao ateliê de Guy Somé. Ele sabia, pelo exame que fez do site do estilista, que Somé defendia a compra e o uso de artigos tais como chaparejos de couro degradado, gravatas de malha de metal e bandanas debruadas de preto que pareciam ter sido feitas do tampo de antigos chapéus-coco. Com uma leve sensação de desafio, Strike vestiu o terno azul-escuro confortável e convencional que usara para ir ao Cipriani.

O ateliê que procurava era um depósito abandonado do século XIX que assomava na margem norte do Tâmisa. O rio cintilante ofuscou seus olhos quando procurava a entrada, que não era identificada com clareza; nada do lado de fora revelava o uso a que este prédio se destinava.

Por fim, ele descobriu uma campainha discreta e sem placa, e a porta foi aberta eletronicamente por dentro. O hall singelo, mas arejado, estava um tanto frio do ar-condicionado. Um tilintar e um estrépito precederam a entrada no local de uma mulher de cabelo vermelho-tomate, vestida dos pés à cabeça de preto e usando muitas pulseiras de prata.

– Oh – disse ela, vendo Strike.

– Tenho hora marcada com o sr. Somé às 10 horas – disse-lhe ele. – Cormoran Strike.

– Oh – repetiu ela. – Tudo bem.

Ela desapareceu por onde tinha entrado. Strike aproveitou a espera para ligar para o celular de Rochelle Onifade, como fazia dez vezes por dia desde que a encontrara. Não houve resposta.

Mais um minuto se passou, e então um negro baixo de repente atravessou o hall na direção de Strike, como um felino silencioso de solado de borracha. Andava com um gingado exagerado dos quadris, a parte superior do corpo imóvel, a não ser por um leve contrabalanço dos ombros, os braços quase rígidos.

Guy Somé era quase trinta centímetros mais baixo do que Strike e talvez tivesse um centésimo de sua gordura corporal. A frente da camiseta preta do estilista era decorada com centenas de minúsculas tachas prateadas que formavam uma imagem aparentemente tridimensional da cara de Elvis, como se seu peito fosse um brinquedo Pin Art. Os olhos se confundiam ainda mais porque uma barriga musculosa e bem definida se mexia por baixo da Lycra apertada. Os jeans justos e cinza de Somé traziam um leve riscadinho escuro, e os tênis pareciam ser de camurça preta e couro genuíno.

Seu rosto formava um forte contraste com o corpo magro e definido pela abundância de traços exagerados: os olhos exoftálmicos; um leve esbugalho, de modo que pareciam de peixe, olhando para os lados da cabeça. As maçãs eram redondas e brilhantes, e a boca de lábios grossos era um oval largo: a cabeça pequena era uma esfera quase perfeita. Somé parecia ter sido entalhado em ébano macio por um mestre que se entediou da própria maestria e começou a tender ao grotesco.

Ele estendeu a mão com uma leve quebrada do pulso.

– É, estou vendo um pouco do Jonny – disse ele, olhando o rosto de Strike. Sua voz era afeminada, com sotaque ligeiramente cockney. – Mas muito mais *parrudo*.

Strike apertou sua mão. Os dedos dele tinham uma força surpreendente. A garota de cabelo vermelho voltou tilintando.

– Estarei ocupado por uma hora, Trudie, nada de telefonemas – disse-lhe Somé. – Leve um chá e biscoitos para nós, querida.

Ele executou um giro de dança, acenando para Strike segui-lo.

Depois de um corredor caiado, eles entraram por uma porta aberta, e uma oriental de meia-idade e cara achatada olhou para Strike através do filme fino de tecido dourado que jogava sobre um manequim; a sala em volta dela era iluminada como um centro cirúrgico, mas cheia de bancadas, apinhadas de rolos de tecido, as paredes uma colagem de desenhos, fotografias e anotações esvoaçantes. Uma loura baixinha, vestida no que parecia a Strike uma atadura tubular preta e gigante, abriu uma porta e atravessou o corredor na frente deles; lançou-lhe precisamente o mesmo olhar vago e frio da Trudie de cabelos vermelhos. Strike sentiu-se anormalmente imenso e peludo; um mamute tentando se misturar com macacos capuchinhos.

Ele seguiu o estilista que se pavoneava até o fim do corredor e subia uma escada em caracol de aço e borracha, em cujo topo havia um largo espaço de escritório, branco e retangular. Janelas do chão ao teto por todo o lado direito exibiam uma vista deslumbrante do Tâmisa e da margem sul. As demais paredes caiadas traziam fotografias. O que prendeu a atenção de Strike foi uma enorme ampliação de três metros e meio de altura dos famosos Anjos Caídos, na parede de frente para a mesa de Somé. Em uma análise mais atenta, ele constatou não ser aquela a foto com a qual o público estava familiarizado. Nesta versão, Lula tinha jogado a cabeça para trás ao dar uma gargalhada: o pescoço revelava-se pelo descortinar do cabelo comprido, que se desarrumara naquele momento de diversão, e assim um único mamilo escuro se destacava. Ciara Porter olhava para Lula de baixo, com os primórdios de riso no rosto, porém mais lenta para entender a piada: a atenção do espectador era atraída de imediato, como na versão mais famosa da foto, para Lula.

Ela estava representada em toda parte: em todo lugar. Ali, à esquerda, em meio a um grupo de modelos, todas com roupas transparentes e nas cores do arco-íris; mais adiante, de perfil, com uma folha dourada nos lábios e nas pálpebras. Será que aprendera a compor o rosto neste arranjo mais fotogênico, para projetar emoção com tanta beleza? Ou simplesmente ela era a superfície cristalina através da qual seus sentimentos brilhavam com naturalidade?

– Baixe o traseiro onde quiser – disse Somé, jogando-se numa cadeira atrás da mesa de madeira escura e aço coberta de desenhos; Strike puxou uma cadeira composta de uma única tira de plástico perspex torcido. Havia, na mesa, uma camiseta esticada que trazia a imagem da princesa Diana como uma Madona mexicana espalhafatosa, cintilando de vidro e contas, rematada por um coração escarlate flamejante de cetim, em que uma coroa bordada estava empoleirada de lado.

– Gosta? – disse Somé, percebendo para onde Strike olhava.

– Ah, sim – mentiu Strike.

– Vendeu em quase toda parte; cartas de mau gosto dos católicos; Joe Mancura usou uma no programa do Jools Holland. Estou pensando em fazer o príncipe William como Cristo numa manga comprida para o inverno. Ou Harry, o que acha, com uma AK47 escondendo o pau?

Strike sorriu vagamente. Somé cruzou as pernas com um floreio um pouco maior do que o estritamente necessário e disse, com impressionante arrogância:

– E então, o Contador acha que a Cuco pode ter sido morta? Eu sempre chamei Lula de Cuco – acrescentou ele, sem nenhuma necessidade.

– Acha. Mas John Bristow é advogado.

– Sei disso, mas Cuco e eu sempre o chamamos de Contador. Bom, eu chamava e Cuco às vezes aderia, quando ela estava má. Ele sempre metia o nariz nas percentagens dela e tentava arrancar cada centavo de todo mundo. Imagino que ele esteja lhe pagando o equivalente de detetive do salário mínimo.

– Na realidade, ele me paga o dobro do normal.

– Ah. Bom, ele deve estar um pouco mais generoso, agora que tem o dinheiro de Cuco para brincar.

Somé roeu uma unha e Strike lembrou-se de Kieran Kolovas-Jones; o estilista e o motorista tinham um corpo parecido, pequeno, mas de boas proporções.

– Tá legal, é cretinice minha – disse Somé, tirando a unha da boca. – Eu jamais gostei de John Bristow. Ele sempre implicava com a Cuco por alguma coisa. Não tem vida própria? Sai do *armário*. Já ouviu o entusiasmo dele falando da mãe? Conheceu a *namorada* dele? Mas aquilo é que é barba: acho que ela tem uma.

Ele tagarelou num fluxo nervoso e desdenhoso, interrompido para abrir uma gaveta oculta na mesa, da qual pegou um maço de cigarros mentolados. Strike já percebera que as unhas de Somé eram roídas até o sabugo.

– A família foi o motivo para ela ficar tão fodida. Eu costumava dizer a ela: "Larga essa gente, meu amor, mude-se daí." Mas ela não fazia isso. Esta era a Cuco, sempre malhando em ferro frio.

Ele ofereceu a Strike um dos cigarros brancos e puros, que o detetive declinou, antes de acender um com um Zippo gravado. Ao fechar a tampa do isqueiro, Somé disse:

– *Eu* queria ter pensado em chamar um detetive particular. Nunca me passou pela cabeça. Ainda bem que alguém fez isso. Simplesmente não acredito que ela cometeu suicídio. Meu terapeuta diz que é negação minha. Faço terapia duas vezes por semana, mas não faz nenhuma diferença. Eu estaria tomando Valium como a Lady Bristow se ainda conseguisse desenhar doidão, mas tentei na semana depois da morte de Cuco e fiquei feito um zumbi. Acho que me ajudou a passar pelo enterro.

O tilintar e chocalhar vindo da escada em caracol anunciou o reaparecimento de Trudie, que surgiu pelo andar aos solavancos. Ela colocou uma bandeja preta e laqueada na mesa, em que havia dois copos de prata filigranada russa para chá, em cada um deles um preparado verde-claro fumegante em que murchavam umas folhas flutuantes. Também havia um prato de biscoitos finos que pareciam ser de carvão. Strike se lembrou com nostalgia da torta com purê e do chá cor de mogno do Phoenix.

– Obrigado, Trudie. E me arrume um cinzeiro, querida.

A garota hesitou, claramente prestes a protestar.

– *Faça* – rosnou Somé. – Eu sou o chefe aqui, merda, se eu quiser, taco fogo no prédio. Tire as baterias da porra do alarme. Mas traga o cinzeiro *primeiro*.

– O alarme disparou na semana passada e ativou todos os sprinklers do térreo – explicou Somé a Strike. – Então agora os patrocinadores não querem ninguém fumando no prédio. Eles que enfiem essa no cu apertado deles.

Ele puxou fundo e soltou a fumaça pelas narinas.

– Não vai me perguntar nada? Ou só vai ficar sentado aí com cara de susto até alguém soltar uma confissão?

– Posso fazer as perguntas – disse Strike, pegando o bloco e a caneta. – Você estava no exterior quando Lula morreu, não?

– Tinha acabado de voltar, algumas horas antes. – Os dedos de Somé torciam um pouco o cigarro. – Estive em Tóquio, mal dormia havia oito dias. Pousamos no Heathrow às 10:30 com *o* jet lag mais apavorante do mundo. Não consigo dormir em aviões. Quero estar acordado se tiver um acidente.

– Como foi do aeroporto para casa?

– Táxi. Elsa ferrou a reserva do meu carro. Devia ter um motorista lá para me pegar.

– Quem é Elsa?

– A garota que demiti por ferrar a reserva do meu carro. Era a última coisa que eu queria, ter de achar um táxi naquela hora da noite.

– Você mora sozinho?

– Não. À meia-noite eu estava enfiado na cama com Viktor e Rolf. Meus gatos – acrescentou ele com um leve sorriso. – Tomei um Ambien, dormi algumas horas, depois acordei às 5 horas da manhã. Liguei a Sky News da cama e tinha um homem com um chapéu horrível de pele de ovelha, parado na neve na rua da Cuco, dizendo que ela estava morta. A legenda no pé da tela também dizia isso.

Somé puxou forte o cigarro, e a fumaça branca se enroscou para fora da boca com as palavras seguintes.

– Quase morri, porra. Pensei que ainda estivesse dormindo, ou que tinha acordado na *dimensão* errada ou coisa assim... Comecei a ligar pra todo mundo... Ciara, Bryony... todos os telefones estavam ocupados. E o tempo todo fiquei vendo a TV, pensando que eles iam mostrar alguma coisa dizendo que era um erro, que não era ela. Fiquei rezando pra ser a sem-teto. Rochelle.

Ele parou, como se esperasse algum comentário de Strike. Este, que tomava notas enquanto Somé falava, perguntou, ainda escrevendo:

– Então você conhece a Rochelle?

– Conheço. Cuco a trouxe aqui uma vez. Querendo tudo que pudesse pegar.

– Por que diz isso?

– Ela odiava a Cuco. Uma inveja do caramba, dava pra ver, mesmo que Cuco não conseguisse. Ela queria o que pudesse ter de graça, não dava a mínima se Cuco estava viva ou morta. Para sorte dela, acabou que...

"Então, quanto mais eu via os noticiários, mais entendia que não era um erro. Fiquei ar-ra-sa-do."

Seus dedos tremeram um pouco no bastonete branco que sugava.

– Disseram que uma vizinha tinha ouvido uma discussão; então é claro que pensei que fosse Duffield. Pensei que Duffield tivesse jogado a garota pela janela. Fiquei todo preparado para contar aos porcos o babaca que ele é; estava disposto a sentar no tribunal e testemunhar sobre o caráter do escroto. E se esta cinza cair do meu cigarro – continuou ele no mesmíssimo tom –, vou tacar fogo é naquela piranhazinha.

Como se o tivesse ouvido, os passos acelerados de Trudie ficavam cada vez mais altos até que ela surgiu de novo na sala, ofegante e trazendo um pesado cinzeiro de vidro.

– Muito *obrigado* – disse Somé com uma inflexão incisiva, enquanto ela colocava o cinzeiro na frente dele e corria escada abaixo.

– Por que acha que foi Duffield? – perguntou Strike, depois de julgar que Trudie estava seguramente fora de alcance.

– Quem mais Cuco deixaria entrar às 2 horas da manhã?

– Você o conhece bem?

– O suficiente, aquele merdinha. – Somé pegou o chá de menta. – Por que as mulheres fazem isso? A Cuco também... ela não era burra... na verdade, era afiadérrima... então, o que ela viu em Evan Duffield? Vou te contar – disse ele, sem parar para uma resposta. – É aquela porcaria de poeta ferido, a alma torturada, aquela besteira de gênio-torturado-demais-para-tomar-banho. Escova os dentes, filhodaputa. Você não é a porra do Byron.

Ele bateu o copo na mesa e pôs a mão esquerda em concha no cotovelo direito, equilibrando o braço e continuando a tragar fundo o cigarro.

– Nenhum homem suportaria o tipinho de Duffield. Só as mulheres. O instinto materno é distorcido, se quer minha opinião.

– Acha que ele seria capaz de matá-la?

– Claro que acho – disse Somé com desdém. – Claro que seria. Todos nós temos aqui dentro, em algum lugar, a capacidade de matar, então por que Duffield seria uma exceção? Ele tem a mentalidade de um garoto mau de 12 anos. Posso imaginar o cara numa crise de fúria, dando um ataque e então...

Com o cigarro na mão livre, ele fez um gesto violento de empurrão.

– Eu o vi gritar com ela uma vez. Na minha festa pós-passarela, no ano passado. Eu me meti entre os dois; disse a ele para gritar comigo, não com ela. Posso ser meio viado – disse Somé com a cara redonda severa –, mas me garanto contra qualquer merdinha drogado. Ele também deu piti no enterro.

– É mesmo?

– É. Cambaleando, chapado. Sem nenhum respeito. Eu mesmo estava cheio de bola, senão teria dito a ele o que achava dele. Fingindo estar arrasado, o merdinha hipócrita.

– Nunca pensou que tenha sido suicídio?

Os olhos estranhos e esbugalhados de Somé cravaram-se em Strike.

– Nunca. Duffield disse que estava com o traficante dele, disfarçado de lobo. Que merda de álibi é esse? Espero que você o investigue. Espero que não fique deslumbrado com a celebridade do imbecil, como a polícia ficou.

Strike se lembrou dos comentários de Wardle sobre Duffield.

– Acho que eles não acharam Duffield deslumbrante.

– Eles então têm mais gosto do que eu pensava.

— Por que tem tanta certeza de que não foi suicídio? Lula tinha problemas de saúde mental, não?

— Tinha, mas nós fizemos um pacto, como Marilyn Monroe e Montgomery Clift. Juramos que se um de nós pensasse seriamente em se matar, ligaria para o outro. Ela nunca me ligou.

— Quando falou com ela pela última vez?

— Ela me ligou na quarta-feira, enquanto eu ainda estava em Tóquio — disse Somé. — A cretina sempre se esquecia de que eu estava oito horas à frente; meu telefone estava no silencioso às 2 horas da manhã, então não atendi; mas ela deixou recado, e *não* estava suicida. Escuta só isso.

Ele foi à gaveta da mesa de novo, apertou várias teclas, depois estendeu o celular para Strike.

E Lula Landry falou, perto e real, ligeiramente rouca e gutural, no ouvido de Strike, num falso sotaque cockney deliberadamente afetado.

"Tudo bom, amor? Tenho uma coisa pra te contar, não sei se você vai gostar, mas é das grandes, e estou tão feliz que tenho que contar a alguém, então me liga quando puder, tá legal?, estou ansiosa, beijos beijos."

Strike devolveu o telefone.

— Você ligou para ela? Descobriu qual era a grande notícia?

— Não. — Somé apagou o cigarro e de imediato pegou outro. — Os japas me queriam numa reunião depois de outra; sempre que eu pensava em telefonar, a diferença de horário atrapalhava. Mas então... pra te falar a verdade, pensei que sabia o que ela ia dizer, e não fiquei nada satisfeito com isso. Eu achei que ela estivesse grávida.

Somé assentiu várias vezes com o novo cigarro preso entre os dentes; depois o tirou para falar.

— É, pensei que tinha se enrolado de vez e ficado grávida.

— De Duffield?

— Eu torcia para que não fosse. Na época eu não sabia que eles tinham reatado. Ela não teria a audácia de ficar com ele enquanto eu estivesse no país; não, ela esperou até que eu fosse ao Japão, a piranhazinha ardilosa. Sabia que eu o odiava, e se importava com minha opinião. Éramos como uma família, a Cuco e eu.

— Por que acha que poderia ser gravidez?

— Foi a impressão que ela deu. Você ouviu... ela estava tão animada... eu tive essa sensação. Era o tipo de coisa que Cuco teria feito, e ela teria esperado que eu ficasse tão feliz quanto ela, ferrando a carreira dela, ferrando *a mim*, que contava com ela para lançar minha nova linha de acessórios...

— Era aquele contrato de cinco milhões de libras de que o irmão dela me falou?

— Era, e aposto que o Contador a pressionou a aguentar o máximo que pudesse também – disse Somé, com outro lampejo de raiva. – Não é que a Cuco quisesse arrancar cada centavo de mim. Ela sabia que seria fabuloso e a levaria a um novo patamar, se ela tomasse a dianteira. Nem tudo era por causa do dinheiro. Todo mundo a associava com minhas coisas; ela estourou num ensaio para a *Vogue* quando usava meu vestido Jagged. Cuco adorava minhas roupas, adorava *a mim*, mas as pessoas atingem certo nível e todo mundo fica dizendo que elas valem mais, e elas se esquecem de quem as colocou lá, de repente só falam do dinheiro.

— Você deve ter pensado que ela valia, para se comprometer com um contrato de cinco milhões.

— É, bom, eu desenhei a linha *para* ela, então ela aparecer com uma merda de gravidez não teria sido nada engraçado. E só o que eu imaginava era Cuco ficando bobalhona depois disso, jogando tudo pro alto, só querendo ficar com a merda do filho. Ela fazia esse gênero; sempre procurava a quem amar, uma família substituta. Aqueles Bristow ferraram com ela pra sempre. Só a adotaram como uma bonequinha para Yvette, que é a vaca mais medonha do mundo.

— Em que sentido?

— Possessiva. Mórbida. Não queria deixar a Cuco fora de vista com medo de que ela morresse, como a criança que veio substituir. Lady Bristow costumava aparecer em todos os desfiles, se colocando sob os pés de todos, até que adoeceu. E tinha um tio que tratava Cuco como escória até que ela começou a ganhar muito dinheiro. Então, ele ficou um pouco mais respeitoso. Todos eles sabem o valor de uma grana, os Bristow.

— Não são uma família rica?

— Alec Bristow não deixou *tanto* assim, relativamente falando. Não se comparado com uma grana de verdade. Não como o *seu* velho. Aliás – disse

Somé, dando uma guinada repentina na conversa –, como é que o filho de Jonny Rokeby trabalha como detetive particular?

– Porque é esse o trabalho dele – disse Strike. – Vamos falar dos Bristow.

Somé não pareceu se ressentir de ouvir um comando; no máximo, pareceu gostar, possivelmente porque era uma experiência muito incomum.

– Eu me lembro da Cuco me dizendo que a maior parte do que Alec Bristow deixou estava em ações de sua antiga empresa, e que a Albris não valia grande coisa com a recessão. Não é nenhuma Apple. Cuco ganhou muito mais antes de fazer 20 anos do que eles tinham.

– Essa foto – disse Strike, indicando a enorme imagem dos Anjos Caídos na parede atrás dele – fazia parte da campanha de cinco milhões?

– Fazia – disse Somé. – Aquelas quatro bolsas eram o começo. Ela está segurando a "Cashile" ali; dei nomes africanos a todas, por causa dela. A Cuco tinha fixação na África. Aquela mãe biológica puta que ela desenterrou disse a ela que o pai era africano, então Cuco pirou com isso; falava em estudar lá, fazer trabalho voluntário... e que se danasse se a piranha velha tivesse dormido com uns cinquenta bandidos jamaicanos. Africano – disse Guy Somé, apagando a guimba do cigarro no cinzeiro de vidro – uma ova. A puta só disse a Cuco o que ela queria ouvir.

– E você decidiu seguir em frente e usar a foto na campanha, embora Lula tivesse acabado de...?

– Era para ser a porra de um *tributo*. – Somé falou mais alto do que ele. – Ela nunca esteve mais linda. Devia ser um tributo a ela, a *nós*. Ela era minha musa. Se os filhosdaputa não conseguem entender isso, que se fodam todos. A imprensa deste país é mais baixa do que a escória. Julgam todo mundo com base em si mesmos.

– Na véspera da morte de Lula, algumas bolsas foram enviadas a ela...

– É, eram minhas. Mandei uma de cada. – Somé apontou a foto com a ponta de um novo cigarro. – E mandei a Deeby Macc algumas roupas pelo mesmo mensageiro.

– Ele as pediu ou...?

– Presentinho, querido – disse Somé num tom arrastado. – Só bons negócios. Uns casacos de capuz customizados e uns acessórios. O endosso das celebridades nunca fez mal a ninguém.

– Ele usou as coisas?

— Não sei — disse Somé num tom mais moderado. — Eu tinha mais com o que me preocupar no dia seguinte.

— Vi um vídeo no YouTube dele usando um casaco de capuz com tachas, como esse — disse Strike, apontando o peito de Somé. — Formando um punho.

— É, era um deles. Alguém deve ter mandado as coisas para ele. Um deles tinha um punho, outro uma arma, e algumas letras dele nas costas.

— Lula falou com você sobre Deeby Macc ficar no apartamento de baixo?

— Ah, sim. Ela ficou *amarradona*. Eu disse sem parar a ela, garota, se ele compuser três faixas sobre mim, estarei esperando *pelado* na porta dele quando ele entrar. — Somé soprou a fumaça em dois longos jatos pelas narinas, olhando Strike de lado. — Gosto dos grandes e rudes — disse ele. — Mas a Cuco não. Bom, olha só com quem ela se enrolou. Eu sempre dizia a ela, é você que está fazendo todo esse estardalhaço com suas raízes; ache um cara negro e baixe a bola. Deeby teria sido perfeito, por que não?

"No desfile da última temporada, eu a coloquei na passarela com 'Butterface Girl' do Deeby. 'Vaca, tu não é isso tudo, arruma um espelho que não te adula, sai agora mesmo dessa e baixa tua bola, que tu não é nem de longe a porra da Lula.' Duffield detestou."

Somé fumou por um momento em silêncio, os olhos na parede de fotografias. Strike perguntou:

— Onde você mora? Perto daqui? — Mas sabia a resposta.

— Não, na Charles Street, em Kensington — disse Somé. — Eu me mudei para lá no ano passado. Fica longe pra caramba de Hackney, vou te contar, mas estava ficando chato e tive de ir embora. Confusão demais. Fui criado em Hackney — explicou ele — quando eu era um simples Kevin Owusu. Troquei de nome quando saí de casa. Como você.

— Eu nunca fui Rokeby — disse Strike, virando uma página do bloco. — Meus pais não eram casados.

— Todo mundo sabe disso, querido — disse Somé, com outro lampejo de malícia. — Eu vesti o seu velho para um ensaio da *Rolling Stone* no ano passado: terno skinny e chapéu-coco quebrado. Você o vê muito?

— Não — disse Strike.

— Não, bom, você o faz parecer meio velho, né? — Somé deu uma gargalhada. Ele se remexeu na cadeira, acendeu outro cigarro, meteu entre os lábios e semicerrou os olhos para Strike por entre nuvens de fumaça mentolada.

– Por que estamos falando de mim? As pessoas em geral começam a contar sua história de vida quando você saca esse bloco?

– Às vezes.

– Não quer seu chá? Até entendo. Não sei por que bebo essa merda. Meu velho teria um infarto se pedisse uma xícara de chá e recebesse isso.

– Sua família ainda mora em Hackney?

– Não verifiquei – disse Somé. – Nós não nos falamos. Eu pratico o que prego, entendeu?

– Por que acha que Lula trocou de nome?

– Porque ela odiava a porra da família, como eu. Ela não queria ser associada mais com eles.

– Por que ela escolheu o nome do tio Tony, então?

– Ele não é famoso. Dá um bom nome. Deeby não poderia ter escrito "Double L U B Mine" se ela fosse Lula Bristow, poderia?

– A Charles Street não fica longe de Kentigern Gardens, fica?

– Uns vinte minutos a pé. Eu queria que a Cuco viesse morar comigo quando ela disse que não podia mais ficar na antiga casa, mas ela não veio; preferiu aquela merda de prisão cinco estrelas, só para se livrar da imprensa. Eles a levaram àquele lugar. A responsabilidade é deles.

Strike se lembrou de Deeby Macc: *A imprensa filhadaputa a perseguiu por aquela janela.*

– Ela me levou para ver. *Mayfair*, cheio de russos e árabes e cretinos ricos como Freddie Bestigui. Eu disse a ela, meu bem, não pode morar aqui; mármore para todo lado, mármore não é chique no nosso clima... é como morar no próprio *túmulo*...

Ele se interrompeu, depois continuou.

– Ela ficou confusa por uns meses. Tinha um cara que a perseguia, deixava cartas pela porta da frente dela às 3 horas da manhã; ela era acordada pela caixa de correio. As coisas que ele dizia que queria fazer com ela davam medo. Depois ela se separou de Duffield e tinha os paparazzi na frente da casa o tempo todo. E então ela descobre que eles estão grampeando todos os telefonemas dela. E *aí* ela tinha de encontrar aquela vaca da mãe dela. Estava ficando demais. Ela queria se afastar de tudo, se sentir segura. Eu *disse* a ela para vir morar comigo, mas ela comprou aquela porra de mausoléu.

"Ela o pegou porque parecia uma fortaleza, com segurança 24 horas. Pensou que ficaria segura de todos, que ninguém poderia atingi-la.

"Mas ela odiou o lugar desde o início. Eu sabia que ia odiar. Estava isolada de tudo que gostava. Cuco adorava cor e barulho. Gostava de ficar na rua, gostava de andar, de ser livre.

"Um dos motivos para a polícia dizer que não foi assassinato foram as janelas abertas. Ela mesma as abriu; só havia as digitais dela nos fechos. Mas eu sei por que ela as abriu. Ela sempre abria as janelas, mesmo quando estava um frio de congelar, porque não suportava o silêncio. Ela queria ouvir Londres."

A voz de Somé perdera toda dissimulação e sarcasmo. Ele pigarreou e continuou.

– Ela tentava se conectar com algo real; a gente conversava sobre isso o tempo todo. Era nosso grande assunto. Foi o que a fez se envolver com a porcaria da Rochelle. Era um caso de "podia ser comigo". A Cuco achava que era o que ela seria, se não fosse bonita; se os Bristow não a pegassem como um brinquedinho para Yvette.

– Me fale desse sujeito que a perseguia.

– Doente mental. Ele pensava que os dois eram casados ou coisa assim. Levou uma ordem de restrição e tratamento psiquiátrico compulsório.

– Alguma ideia de onde ele está agora?

– Acho que foi deportado para Liverpool – disse Somé. – Mas a polícia investigou o homem; me disseram que ele estava num hospital de lá na noite em que ela morreu.

– Conhece os Bestigui?

– Só pelo que Lula me contava, que ele era um porco e ela uma boneca de cera ambulante. Não preciso conhecê-la. Conheço o tipinho. Ricas que gastam o dinheiro dos maridos feios. Elas aparecem nos meus desfiles. Querem ser minhas amigas. Para mim, não passam de prostitutas.

– Freddie Bestigui estava na mesma casa de campo no fim de semana que Lula, uma semana antes de ela morrer.

– É, eu soube. Ele ficava de pau duro por ela – disse Somé com desprezo. – Ela sabia disso também; não era exatamente uma experiência singular na vida dela. Ele nunca foi além de tentar ficar no mesmo elevador, pelo que ela me disse.

— Você não falou mais com ela depois do fim de semana deles na casa de Dickie Carbury?

— Não. Ele fez alguma coisa lá? Não está suspeitando do Bestigui, está?

Somé se sentou ereto na cadeira, olhando fixamente.

— Merda... Freddie Bestigui? Bom, ele é um merda, eu sei disso. Tem uma menina que eu conheço... bom, amiga de uma amiga... ela estava trabalhando na produtora dele, e ele tentou estuprar a garota. Não, não estou exagerando – disse Somé. – Literalmente. Estupro. Deixou a menina meio bêbada depois do trabalho e a jogou no chão; uma assistente tinha esquecido o celular e voltou para pegar, e os encontrou. Bestigui pagou para as duas calarem a boca. Todo mundo disse a ela para dar queixa, mas ela aceitou o dinheiro e fugiu. Dizem que ele costumava disciplinar a segunda esposa de um jeito bem pervertido; que foi por isso que ela saiu do casamento com três milhões; ela o ameaçou com a imprensa. Mas Cuco nunca teria deixado que Freddie Bestigui entrasse na casa dela às 2 horas da manhã. Como eu disse, ela não era burra.

— O que sabe de Derrick Wilson?

— Quem é esse?

— O segurança que estava de serviço na noite em que ela morreu.

— Nada.

— É um grandalhão com sotaque jamaicano.

— Isso pode ser um choque para você, mas nem todos os negros de Londres se conhecem.

— Eu estava me perguntando se você teria falado com ele ou se ouviu Lula falar dele.

— Não, tínhamos coisas mais interessantes para conversar do que sobre um segurança.

— O mesmo se aplica ao motorista dela, Kieran Kolovas-Jones?

— Ah, sei quem é Kolovas-Jones – disse Somé com um ligeiro sorriso malicioso. – Fazia umas poses sempre que pensava que eu estava olhando da janela. Tem um bom metro e meio a menos para ser modelo.

— Lula já falou nele?

— Não, por que falaria? — perguntou Somé com impaciência. — Era o motorista dela.

— Ele me disse que os dois eram muito próximos. Disse também que ela deu a ele um casaco que você desenhou. Que valia nove mil pratas.

— Grande coisa, porra — disse Somé, com um desdém tranquilo. — Minhas coisas sempre custam mais de três mil. Eu meto o logo em casacos de náilon e eles vendem que é uma loucura, então seria bobeira não cobrar tanto.

— É, eu ia mesmo perguntar sobre isso — disse Strike. — A sua... linha pronta-entrega, não é assim?

Somé parecia se divertir.

— É isso mesmo. São as coisas que não são feitas sob medida, entendeu? Você compra direto na loja.

— Sei. São vendidas em muitos lugares?

— Em toda parte. Desde quando você não entra numa loja de roupas? — perguntou Somé, com os olhos esbugalhados e maliciosos passando pelo paletó azul-escuro de Strike. — Aliás, o que é isso, o terno que usou quando saiu do exército?

— Quando você diz "em toda parte"...

— Lojas de departamento elegantes, butiques, online — tagarelou Somé. — Por quê?

— Um dos dois homens pegos nas gravações de segurança fugindo da área de Lula naquela noite estava usando um casaco com seu logo.

Somé torceu a cabeça ligeiramente, um gesto de repúdio e irritação.

— Ele e um milhão de outros.

— Não viu...?

— Eu não olhei merdas assim — disse Somé com ferocidade. — Toda a... toda a cobertura. Não quis ler sobre isso, não quis pensar nisso. Eu disse a eles para manter tudo longe de mim. — Ele gesticulou para a escada e seus funcionários. — Só o que sei é que ela está morta e que Duffield se comportou como alguém que tinha algo a esconder. É só o que eu sei. E isso basta.

— Tudo bem. Ainda sobre o tema das roupas, na última foto de Lula, aquela em que ela entra no prédio, ela parecia estar de vestido e casaco...

— É, ela usava Maribelle e Faye — disse Somé. — O vestido se chamava Maribelle...

— Sei, entendi – disse Strike. – Mas, quando morreu, estava com uma roupa diferente.

Isto pareceu surpreender Somé.

— Estava?

— Estava. Nas fotos que a polícia tirou do cadáver...

Mas Somé jogou o braço para o alto num gesto involuntário de refutação, de autoproteção, depois se levantou, ofegante, e foi até a parede de fotografias, onde Lula olhava de várias imagens, sorridente, tristonha ou serena. Quando o estilista voltou a Strike, os olhos estranhos e esbugalhados estavam molhados.

— Mas que merda – disse ele, em voz baixa. – Não fale dela desse jeito. "O cadáver." Merda. Você é um filhodaputa frio, não é? Não é à toa que o velho Jonny não gosta muito de você.

— Eu não queria aborrecê-lo – disse Strike calmamente. – Só queria saber se pode pensar em algum motivo para ela ter trocado de roupa quando chegou em casa. Quando ela caiu, estava de calça e um top de lantejoulas.

— Mas como é que vou saber por que ela trocou de roupa, porra? – perguntou Somé, desvairado. – Talvez estivesse com frio. Talvez ela... isso é ridículo. Como vou saber?

— Só estou perguntando – disse Strike. – Li em algum lugar que você disse à imprensa que ela morreu com um de seus vestidos.

— Não fui eu, eu nunca anunciei isso. Alguma piranha de tabloide ligou para o escritório e perguntou o nome do vestido. Uma das costureiras disse, e eles ligaram para meu porta-voz. Dando a entender que eu tentei ter publicidade com o fato, os babacas. Merda.

— Acha que pode me colocar em contato com Ciara Porter e Bryony Radford?

Somé pareceu perder o equilíbrio, confuso.

— O quê? Sim...

Mas ele começou a chorar intensamente; não como Bristow, com fortes soluços, mas em silêncio, as lágrimas deslizando pelo rosto escuro e macio e caindo na camiseta. Ele engoliu em seco e fechou os olhos, dando as costas para Strike, encostando a testa na parede e tremendo.

Strike esperou em silêncio até que Somé enxugasse o rosto várias vezes e voltasse de novo a ele. Não mencionou as lágrimas, mas voltou à sua cadeira, sentou-se e acendeu um cigarro. Depois de duas ou três tragadas, ele disse numa voz prática e sem emoção:

— Se ela trocou de roupa, foi porque esperava alguém. A Cuco sempre se vestia para a ocasião. Devia estar esperando alguém.

— Foi o que eu pensei – disse Strike –, mas não sou especialista nas mulheres e suas roupas.

— Não – disse Somé, com um fantasma de seu sorriso malicioso –, nem parece. Quer falar com Ciara e Bryony?

— Ajudaria muito.

— As duas farão uma sessão de fotos para mim na quarta-feira: Arlington Terrace, 1, em Islington. Se aparecer lá pelas cinco, elas estarão livres para falar com você.

— É muita generosidade sua, obrigado.

— Não é generosidade minha – disse Somé em voz baixa. – Quero saber o que aconteceu. Quando vai falar com Duffield?

— Assim que conseguir encontrá-lo.

— Ele acha que vai se safar dessa, o merdinha. Ela deve ter trocado de roupa porque sabia que ele ia aparecer, né? Mesmo que eles tenham brigado, ela sabia que ele iria atrás dela. Mas ele nunca vai falar com você.

— Ele vai falar comigo – disse Strike tranquilamente, enquanto guardava o bloco e olhava o relógio. – Já tomei muito de seu tempo. Mais uma vez, obrigado.

Enquanto Somé levava Strike pela escada em caracol e o corredor de paredes brancas, parte do gingado lhe voltava. Quando trocaram um aperto de mãos no saguão de piso frio, não havia mais nenhum vestígio de sua angústia.

— Emagreça um pouco – disse ele a Strike, à guisa de despedida – e vou te mandar alguma coisa GGG.

Enquanto a porta do depósito se fechava às costas de Strike, ele ouviu Somé falar com a garota de cabelo de tomate na recepção: "Sei o que está pensando, Trudie. Está imaginando o homem te pegando por trás, né? Não é, meu bem? O *soldado* grandalhão e bruto", e o guincho de Trudie soltando uma gargalhada de choque.

2

A ACEITAÇÃO DO SILÊNCIO DE STRIKE por parte de Charlotte não tinha precedentes. Não houve outros telefonemas nem torpedos; ela mantinha a ilusão de que sua última briga suja e vulcânica fizera com que mudasse irrevogavelmente, despindo-a de seu amor e purificando-a da fúria. Strike, porém, conhecia Charlotte com a intimidade de um germe que persistira em seu sangue por 15 anos; sabia que a única resposta dela à dor era ferir o agressor o mais profundamente possível, por mais que isso lhe custasse. O que aconteceria se ele lhe recusasse um encontro, insistisse na recusa? Era a única estratégia que ele nunca tentara, e a única que lhe restava.

Ocasionalmente, quando a resistência de Strike estava baixa (tarde da noite, sozinho em sua cama de campanha), a infecção estourava novamente: os remorsos e o desejo o ferroavam, e ele a via próxima, linda, nua, sussurrando palavras de amor; ou chorando baixinho, dizendo-lhe que ela sabia que era podre, acabada, impossível, mas que ele era a melhor e mais verdadeira coisa que ela já conhecera. Depois, o fato de que ele estava à distância de alguns botões do celular de falar com ela parecia uma barricada frágil demais para a tentação, e às vezes ele saía do saco de dormir e pulava no escuro até a mesa abandonada de Robin, acendia a luminária e matutava, mesmo de madrugada, sobre o relatório do caso. Por uma ou duas vezes fez chamadas de manhã cedo ao celular de Rochelle Onifade, mas ela nunca atendia.

Na manhã de quinta-feira, Strike voltou ao muro na frente do St. Thomas e esperou por três horas, torcendo para rever Rochelle, mas ela não apareceu. Ele pediu a Robin para ligar ao hospital, mas desta vez eles se recusaram a comentar sobre o não comparecimento de Rochelle e resistiram a todas as tentativas de lhe dar um endereço.

Na sexta de manhã, Strike voltava de uma ida à Starbucks e encontrou Spanner sentado não no sofá ao lado da mesa de Robin, mas na cadeira da própria. Tinha um cigarro enrolado e ainda não aceso na boca e estava recurvado sobre ela, aparentemente sendo mais divertido do que Strike já o vira, porque Robin ria do jeito ligeiramente relutante de uma mulher que era entretida, mas que desejava deixar claro que o gol tinha um bom goleiro.

– Bom-dia, Spanner – disse Strike, mas o caráter um tanto repressor de seu cumprimento nada fez para moderar nem a ardorosa linguagem corporal do especialista em computadores, nem seu largo sorriso.

– Tudo legal, Fed? Trouxe o seu Dell de volta para você.

– Ótimo. Latte descafeinado duplo – disse Strike a Robin, baixando a bebida ao lado dela. – Sem troco – acrescentou ele, enquanto ela pegava a bolsa.

Ela era comovedoramente avessa a cobrar os luxos menores da caixa de despesas. Robin não fez objeção na frente da visita, mas agradeceu a Strike e se voltou de novo ao trabalho, o que envolveu um pequeno giro de sua cadeira no sentido horário, para longe dos dois homens.

A chama de um fósforo desviou a atenção de Strike do expresso duplo para sua visita.

– Não pode fumar nesta sala, Spanner.

– Como é? Você fuma feito uma chaminé.

– Aqui, eu não fumo. Venha comigo.

Strike levou Spanner à sua própria sala e fechou bem a porta depois de passar.

– Ela é noiva – disse ele, assumindo seu lugar de costume.

– Então estou desperdiçando pólvora? Ah, bom. Me avise se o noivado for para o ralo; ela é o meu tipo.

– Acho que você não é o dela.

Spanner sorriu maliciosamente.

– E você já está na fila?

– Não – disse Strike. – Só sei que o noivo dela é contador e joga rúgbi. Um cara alinhado e de queixo quadrado de Yorkshire.

Ele formava uma imagem mental surpreendentemente clara de Matthew, mas nunca vira sequer uma foto dele.

– Nunca se sabe; ela pode se recuperar e querer alguma coisa mais excitante – disse Spanner, colocando o laptop de Lula Landry na mesa e se sentando de frente para Strike. Ele usava um blusão de moletom meio esfarrapado e sandálias nos pés sem meia; até agora, este era o dia mais quente do ano. – Dei uma boa olhada nessa porcaria. Quantos detalhes técnicos você quer?

– Nenhum; mas preciso saber o que puder explicar com clareza num tribunal.

Pela primeira vez, Spanner ficou intrigado.

– Fala sério?

– Muito. Seria capaz de provar a um advogado de defesa que você conhece seu ofício?

– Claro que sim.

– Então me dê as partes importantes.

Spanner hesitou por um momento, tentando entender a expressão de Strike. Por fim, começou.

– A senha é Agyeman, e foi trocada cinco dias antes de ela morrer.

– Pode soletrar?

Spanner obedeceu, acrescentando, para surpresa de Strike:

– É um sobrenome. Ganês. Ela colocou a página da SOAS, Escola de Estudos Orientais e Africanos, nos favoritos, e estava lá. Olha só.

Enquanto Spanner falava, seus dedos ágeis batiam nas teclas; ele entrou na página que descrevera, cercada de um verde vivo, com seções sobre a escola, notícias, equipe, alunos, biblioteca e tudo o mais.

– Mas, quando ela morreu, aparecia assim.

E com outra explosão de estalos, ele entrou em uma página quase idêntica, trazendo, como revelava o cursor que se movia rapidamente, um link ao obituário de certo J. P. Agyeman, professor emérito de política africana.

– Ela salvou esta versão da página – disse Spanner. – E o histórico da internet mostra que navegou na Amazon, procurando livros dele no mês antes de morrer. Procurava muitos livros sobre história e política africana.

– Alguma evidência de que tenha se candidatado a essa escola?

– Aqui, não.

– Mais alguma coisa de interesse?

– Bom, a única coisa que notei além disso foi um grande arquivo de fotos deletado da máquina no dia 17 de março.

– Como sabe disso?

– Tem um programa que ajuda a recuperar as coisas que as pessoas pensam que sumiram do disco rígido – disse Spanner. – Como acha que pegam todos aqueles pedófilos?

– E você recuperou as fotos?

– Sim. Coloquei aqui. – Ele entregou um cartão de memória a Strike. – Achei que não ia querer que eu restaurasse tudo.

– Não... então, as fotos eram...?

– Nada de mais. Só foram deletadas. Como eu disse, o usuário mediano não percebe que precisa de um trabalho a mais além de apertar "delete", se quiser realmente esconder alguma coisa.

– Dezessete de março – disse Strike.

– É. O Dia de São Patrício.

– Dez semanas depois de ela morrer.

– Pode ter sido a polícia – sugeriu Spanner.

– Não foi a polícia – disse Strike.

Depois que Spanner foi embora, ele correu à outra sala e deslocou Robin para ver as fotos que foram removidas do laptop. Podia sentir a expectativa de Robin enquanto lhe explicava o que Spanner tinha feito e abria o arquivo do cartão de memória.

Robin, por uma fração de segundo, enquanto a primeira foto brotava na tela, teve medo de que eles estivessem a ponto de ver algo horrível; provas de crime ou perversão. Ouvira falar em ocultação de fotos online apenas no contexto de casos pavorosos de maus-tratos. Depois de vários minutos, porém, Strike verbalizou os sentimentos dela.

– Só fotos sociais.

Ele não pareceu tão decepcionado quanto Robin, e ela ficou com certa vergonha de si mesma; queria ver alguma coisa horrível? Strike rolou a tela por imagens de grupos de meninas risonhas, colegas modelos, uma ou outra celebridade. Havia várias fotos de Lula com Evan Duffield, algumas dos dois, claramente tiradas por um ou outro do próprio casal, segurando a câmera no braço esticado, ambos aparentemente bêbados ou doidões. Somé aparecia várias vezes; Lula parecia mais formal e mais sossegada a seu lado. Havia muitas de Ciara Porter e Lula se abraçando em bares, dançando em boates e rindo num sofá do apartamento abarrotado de alguém.

– Esta é Rochelle – disse Strike de repente, apontando uma carinha emburrada, vista de relance sob a axila de Ciara em uma foto de grupo. Kieran Kolovas-Jones tinha se metido nesta foto; aparecia na ponta, radiante.

— Me faça um favor – disse Strike, quando terminou de ver todas as 212 fotos. – Repasse isto para mim e tente pelo menos identificar os famosos, para que a gente possa começar a descobrir quem podia querer as fotos do laptop dela.

— Mas não tem nada de incriminador aí – disse Robin.

— Deve ter – respondeu Strike.

Ele voltou à sua sala, onde deu uns telefonemas a John Bristow (numa reunião e não queria ser incomodado; "Por favor, peça a ele para me ligar assim que puder"), a Eric Wardle (na caixa postal; "Tenho uma pergunta sobre o laptop de Lula Landry") e a Rochelle Onifade (não atendeu; sem chances de deixar um recado: "Não há espaço disponível na caixa postal").

— Ainda não tive sorte com o sr. Bestigui – disse Robin a Strike quando ele saiu de sua sala e a encontrou fazendo pesquisas relacionadas com uma morena não identificada que posava com Lula numa praia. – Telefonei de novo esta manhã, mas ele não retornou. Tentei de tudo; fingi ser todo tipo de gente, disse que era urgente... qual é a graça?

— Só estava me perguntando por que nenhuma daquelas pessoas que a entrevistaram lhe ofereceu um emprego – disse Strike.

— Ah – disse Robin, corando um pouco. – Ofereceram. Todas elas. Eu aceitei o de recursos humanos.

— Oh. Tá bom. Você não me disse. Meus parabéns.

— Desculpe. Pensei que tivesse contado – mentiu Robin.

— Então, vai embora... quando?

— Daqui a duas semanas.

— Ah. Matthew deve estar satisfeito, não?

— Está – disse ela, um tanto espantada. – Ele está.

Era quase como se Strike soubesse quão pouco Matthew gostava de Robin trabalhar para ele; mas isso era impossível; ela teve o cuidado de não dar a menor sugestão das tensões em casa.

O telefone tocou e Robin atendeu.

— Escritório de Cormoran Strike?... Sim, quem quer falar, por favor?... É Derrick Wilson – disse-lhe ela, entregando-lhe o fone.

— Oi, Derrick.

— O sr. Bestigui viajou por uns dias – disse a voz de Wilson. – Se quiser dar uma olhada no prédio...

– Chegarei aí em meia hora – disse Strike.

Ele estava de pé, verificando se a carteira e as chaves estavam no bolso, quando percebeu o leve ar de tristeza de Robin, embora ela continuasse a examinar as fotos nada incriminadoras.

– Quer vir?

– Quero! – disse ela alegremente, pegando a bolsa e desligando o computador.

3

A PORTA DE ENTRADA PINTADA de preto do número 18 de Kentigern Gardens abria-se a um saguão de mármore. Bem de frente para a entrada havia uma bela mesa de mogno embutida, em cuja direita ficava uma escada que saía imediatamente de vista (degraus de mármore, com um corrimão de bronze e madeira); a entrada ao elevador, com suas portas douradas escovadas, e uma porta de madeira maciça numa parede branca. Em um aparato cúbico no canto entre esta porta e a entrada do prédio viam-se lírios orientais rosa-escuro em vasos altos e tubulares, seu cheiro denso no ar cálido. A parede esquerda era espelhada, duplicando o tamanho aparente do espaço, refletindo Strike e Robin, que olhavam as portas do elevador e o lustre moderno de cubos de cristal no teto, e prolongando a mesa da segurança a uma vasta tira de madeira polida.

Strike se lembrou de Wardle: "Apartamentos feitos de mármore e trecos assim... parece um hotel cinco estrelas." Ao lado dele, Robin tentava não demonstrar que estava impressionada. Então era assim que viviam os milionários. Ela e Matthew ocupavam o andar térreo de uma casa geminada em Clapham; a sala de estar era do tamanho da sala dos seguranças fora de serviço, que Wilson lhes mostrou primeiro. Só havia espaço para uma mesa e duas cadeiras; uma caixa instalada na parede continha todas as chaves mestras, e outra porta levava a um minúsculo banheiro.

Wilson estava com um uniforme preto de feitio policial, com seus botões de bronze, gravata preta e camisa branca.

— Monitores — apontou ele a Strike ao saírem da sala dos fundos e parando atrás da mesa, onde uma fila de quatro telas pequenas em preto e branco se ocultava dos visitantes. Uma delas mostrava imagens da câmera do alto da portaria, dando uma visão circunscrita da rua; outra exibia uma vista também deserta de um estacionamento no subsolo; a terceira, o quintal vazio do número 18, que compreendia gramado, algumas plantas elegantes e o muro alto onde Strike se impelira; e a quarta, o interior de um elevador parado. Além dos monitores, havia dois painéis de controle para os alarmes do condomínio e as portas da piscina e da garagem, e dois telefones, um com linha externa e outro ligado apenas aos três apartamentos.

– Isto – disse Wilson, indicando a porta de madeira sólida – dá na academia, na piscina e na garagem – e, a pedido de Strike, ele os levou até lá.

A academia era pequena, mas espelhada como o saguão, de modo que parecia duas vezes maior. Tinha uma janela dando para a rua e continha uma esteira, aparelhos de remo e step e um jogo de halteres.

Uma segunda porta de mogno levava a uma escada estreita de mármore com luminárias cúbicas de parede, conduzindo-os a um pequeno patamar inferior, onde uma simples porta se abria à garagem no subsolo. Wilson a destrancou com duas chaves, uma Chubb e uma Yale, depois ligou um interruptor. A área iluminada era quase do tamanho da rua, cheia de Ferrari, Audi, Bentley, Jaguar e BMW valendo milhões de libras. A intervalos de seis metros, pela parede do fundo, havia portas como a que eles usaram para entrar; entradas internas a cada um dos edifícios de Kentigern Gardens. As portas eletrônicas da garagem levavam ao Serf's Way perto do número 18, cercadas pela luz prateada do dia.

Robin se perguntou o que os homens silenciosos ao lado dela estariam pensando. Será que Wilson estava acostumado à vida extraordinária das pessoas que moravam ali; acostumado com garagens subterrâneas, piscinas e Ferraris? E estaria Strike pensando (como a própria Robin) que esta longa fila de portas representava possibilidades que ela não considerara nem uma vez: chances de correrias ocultas e secretas entre vizinhos, e de se esconder e partir de tantas maneiras quanto havia casas na rua? Mas ela percebeu os numerosos focinhos pretos apontando de locais regulares no alto sombreado das paredes, alimentando de imagens os incontáveis monitores. Seria possível que nenhum deles tivesse visto aquela noite?

– Tudo bem – disse Strike, e Wilson os levou pela escada de mármore, abrindo a porta da garagem.

Por outro curto lance de escada, o cheiro de cloro ficava mais forte a cada passo, até que Wilson abriu uma porta no fundo e eles foram assaltados por uma onda de ar quente, úmido e quimicamente carregado.

– Era esta porta que estava trancada naquela noite? – perguntou Strike a Wilson, que assentiu ao apertar outro interruptor, acendendo a luz.

Eles passaram pela borda de mármore larga da piscina, esta protegida por uma grossa capa de plástico. A parede do outro lado, mais uma vez, era espelhada; Robin viu os três de pé ali, inadequados com toda aquela roupa contra um mural de plantas tropicais e borboletas esvoaçantes que se estendia pelo teto. A piscina tinha cerca de 15 metros de extensão, e na ponta havia uma jacuzzi hexagonal, para além da qual ficavam três cubículos de troca, com portas com tranca.

– Não tem câmeras aqui? – perguntou Strike, olhando em volta, e Wilson meneou a cabeça.

Robin sentia o suor fazendo cócegas na nuca e sob os braços. A área da piscina era opressiva, e ela ficou feliz por subir a escada à frente dos dois homens, de volta ao saguão que, comparativamente, era agradável e arejado. Uma loura baixinha aparecera na ausência deles, com um sobretudo rosa, jeans e camiseta, carregando um balde de plástico cheio de produtos de limpeza.

– Derrick – disse ela com um inglês de forte sotaque, quando o segurança saiu da escada. – Preciso da chave do Dois.

– Esta é Lechsinka – disse Wilson. – A faxineira.

Ela abriu a Robin e Strike um sorriso amável. Wilson foi para trás da mesa de mogno e lhe deu uma chave que tirou ali de baixo, e Lechsinka subiu a escada, balançando o balde, gingando e rebolando sedutoramente o traseiro de jeans apertados. Strike, consciente do olhar de lado de Robin, desviou os olhos com relutância.

Strike e Robin seguiram Wilson até o Apartamento Um, que ele abriu com uma chave mestra. A porta para a escada, observou Strike, tinha um olho mágico antiquado.

– A casa do sr. Bestigui – anunciou Wilson, calando o alarme ao entrar com o código em um teclado à direita da porta. – Lechsinka já limpou esta manhã.

Strike sentiu o cheiro de polidor e viu as marcas de um aspirador de pó no carpete branco do hall, com suas luminárias de bronze na parede e cinco portas brancas imaculadas. Ele notou o discreto teclado do alarme na parede direita, virado para uma tela em que cabras e camponeses oníricos flutuavam sobre uma aldeia azulada. Vasos altos de orquídeas ficavam numa mesa japonesa preta abaixo do Chagall.

– Onde está o Bestigui? – perguntou Strike a Wilson.

– Los Angeles – respondeu o segurança. – Volta daqui a dois dias.

A sala clara e iluminada tinha três janelas altas, cada uma delas com uma sacada estreita de pedra; suas paredes eram azul Wedgewood e quase todo o resto era branco. Tudo era imaculado, elegante e lindamente proporcionado. Aqui também havia uma única tela soberba: macabra e surreal, com um homem portando uma lança, mascarado de melro, de braço dado com uma mulher sem cabeça e cinzenta.

Foi desta sala que Tansy Bestigui sustentou ter ouvido a briga aos gritos dois andares acima. Strike se aproximou das janelas compridas, notando os fechos modernos, a espessura da vidraça, a completa ausência de barulho da rua, embora seu ouvido estivesse a menos de três centímetros do vidro frio. A sacada depois dali era estreita, tomada de vasos de arbustos aparados em cones pontudos.

Strike foi ao quarto. Robin ficou na sala, virando-se lentamente no mesmo lugar, apreendendo o lustre de vidro veneziano, o tapete felpudo em tons de azul-claro e rosa, a enorme TV de plasma, a moderna mesa de jantar de vidro e ferro e cadeiras de ferro com estofamento de seda; os pequenos *objets d'art* de prata em mesas laterais de vidro e no consolo de mármore da lareira. Ela pensou, com certa tristeza, no sofá IKEA de que, até agora, tinha tanto orgulho; depois se lembrou, com uma pontada de vergonha, da cama de campanha de Strike no escritório. Capturando o olhar de Wilson, ela disse, ecoando inconscientemente Eric Wardle:

– É outro mundo, não?

– É – concordou ele. – Não pode ter crianças aqui.

– Não – disse Robin, que não havia pensado no lugar dessa perspectiva.

Seu empregador saiu do quarto, evidentemente absorto em estabelecer alguma questão para satisfação própria, e desapareceu no corredor.

Strike, na realidade, provava a si mesmo que a rota lógica do quarto dos Bestigui ao banheiro passava pelo corredor, desviando-se inteiramente da sala. Além disso, era crença dele que o único lugar no apartamento do qual Tansy poderia ter testemunhado a queda fatal de Lula – e percebido o que via – era a sala de estar. Apesar da afirmativa de Eric Wardle em contrário, ninguém que estivesse no banheiro podia ter mais do que uma visão parcial da janela pela qual Landry passou na queda: insuficiente, à noite, para garantir que era uma pessoa que caía, que dirá identificar quem teria sido.

Strike voltou ao quarto. Agora que estava sozinho de posse do lar conjugal, Bestigui dormia no lado mais próximo da porta e do corredor, a julgar pelo amontoado de comprimidos, copos e livros na mesa de cabeceira. Strike se perguntou se era assim quando ele coabitava com a esposa.

Um closet largo com portas espelhadas dava no quarto. Estava cheio de ternos e camisas italianos da Turnbull & Asser. Duas gavetas rasas e subdivididas destinavam-se inteiramente às abotoaduras de ouro e platina. Havia um cofre atrás de um painel falso no fundo do armário de sapatos.

– Acho que por aqui, é tudo – disse Strike a Wilson, juntando-se aos outros dois na sala.

Wilson ativou o alarme quando saíram do apartamento.

– Sabe todos os códigos dos diferentes apartamentos?

– Sei – disse Wilson. – Se precisar desligar.

Eles subiram a escada ao segundo andar. A escada virava ligeiramente para o poço do elevador, uma sucessão de cantos cegos. A porta do Apartamento Dois era idêntica à do Um, a não ser por estar entreaberta. Eles ouviam o rugido do aspirador de pó de Lechsinka ali dentro.

– Agora moram aqui o sr. e a sra. Kolchak – disse Wilson. – Ucranianos.

O hall era idêntico em formato ao número Um, com muitas características iguais, inclusive o teclado de alarme na parede à direita, voltado para a porta da frente; mas era de piso frio em vez de carpete. Um grande espelho de moldura dourada dava para a entrada no lugar de uma tela, e duas mesas de madeira frágeis e finas de cada lado traziam luminárias Tiffany.

– As rosas do Bestigui estavam numa dessas coisas? – perguntou Strike.

– Em uma igual a essa, é isso aí — disse Wilson. – Que agora voltou para a sala.

– E você colocou aqui, no meio do hall, com as rosas?

– É, o Bestigui queria que Macc visse assim que entrasse, mas tinha muito espaço para andar em volta, dá pra ver. Não precisava esbarrar. Mas ele era novo, o policial – disse Wilson com tolerância.

– Onde ficam os botões de pânico de que me falou? – perguntou Strike.

– Bem aqui – disse Wilson, levando-o do hall para o quarto. – Tem um perto da cama e outro na sala de estar.

– Todos os apartamentos têm iguais?

– Têm.

As posições relativas dos quartos, sala, cozinha e banheiro eram idênticas às do Apartamento Um. Muitos acabamentos eram parecidos, até as portas espelhadas do closet, que Strike foi verificar. Enquanto abria a porta e avaliava os milhares de libras em vestidos e casacos femininos, Lechsinka veio do quarto com um cinto, duas gravatas e vários vestidos cobertos de poliestireno, recém-saídos da lavanderia, jogados no braço.

– Oi – disse Strike.

– Olá – disse ela, passando a uma porta atrás dele e pegando um cabide de gravata. – Com licença, por favor.

Ele deu um passo de lado. Ela era baixa e muito bonita, com um jeito atrevido e juvenil, uma cara achatada, nariz pontudo e olhos eslavos. Pendurou as gravatas bem arrumadas enquanto ele a olhava.

– Sou detetive – disse ele. Depois se lembrou de que Eric Wardle descreveu o inglês dela como "de merda".

– Como um policial, sabe? – arriscou-se ele.

– Ah. Polícia.

– Você estava aqui, não estava, um dia antes de Lula Landry morrer?

Ele precisou de algumas tentativas para transmitir exatamente o que queria. Quando ela compreendeu, porém, não mostrou objeção em responder às perguntas, desde que continuasse a guardar as roupas enquanto falava.

– Eu sempre limpar escada primeiro – disse ela. – A dona Landry falar muito alto com irmão dela; ele gritar que ela dá dinheiro demais pra namorado, e ela muito má com ele.

"Eu limpar número dois, vazio. Já limpar. Rápido."

– Onde Derrick e o homem da empresa de segurança estavam quando você limpava?

– Derrick e...?

– O técnico? O homem do alarme?

– É, o homem do alarme e Derrick, é.

Strike ouvia Robin e Wilson falando no hall, onde ele os deixara.

– Você liga os alarmes de novo depois da limpeza?

– Botar alarme? Sim – disse ela. – Um nove seis seis, toda porta, Derrick disse.

– Ele lhe falou o número antes de sair com o homem do alarme?

De novo, Strike precisou de algumas tentativas para se fazer entender, e ela, quando compreendeu, pareceu ficar impaciente.

— É, eu já falar. Um nove seis seis.

— Então você ligou o alarme depois de terminar de limpar aqui?

— Botar alarme, é.

— E o homem do alarme, como ele era?

— Homem do alarme? Como era? — Ela franziu a testa de um jeito atraente, o narizinho se enrugando, e deu de ombros. — Não ver cara dele. Mas azul... tudo azul... — acrescentou ela e, com a mão que não segurava os vestidos em poliestireno, fez um gesto largo pelo corpo.

— Macacão? — sugeriu Strike, mas ela recebeu a palavra com uma incompreensão vaga. — Tudo bem, onde você limpou depois disso?

— Número um — disse Lechsinka, voltando à sua tarefa de pendurar as roupas, contornando-o para achar os lugares certos. — Limpar janelas grandes. A dona Bestigui falar ao telefone. Com raiva. Zangada. Falar que não quer mais mentir.

— Ela não queria *mentir*? — repetiu Strike.

Lechsinka assentiu, ficando na ponta dos pés para pendurar um vestido longo.

— Você a ouviu dizer — repetiu ele com clareza —, ao telefone, que ela não queria mais mentir? — Lechsinka assentiu de novo, com a expressão vaga e inocente.

— Depois ela me vê e gritar: "Sai, sai!"

— É mesmo?

Lechsinka assentiu e continuou a guardar as roupas.

— Onde estava o sr. Bestigui?

— Não lá.

— Sabe com quem ela estava falando? Ao telefone?

— Não. — Mas depois, com certa timidez, ela disse: — Mulher.

— Uma mulher? Como sabe disso?

— Grito, grito no telefone. Eu ouvir mulher.

— Era uma briga? Uma discussão? Elas estavam gritando uma com a outra? Alto, né?

Strike podia se ouvir recaindo na linguagem absurda e exagerada de alguém com problemas com o idioma. Lechsinka assentiu de novo ao abrir gavetas, em busca de um lugar para o cinto, o único item que agora continuava em seu braço. Quando por fim o enrolou e guardou, ela se endireitou e se afastou dele, entrando no quarto. Ele a seguiu.

Enquanto Lechsinka fazia a cama e arrumava as mesas de cabeceira, ele determinou que ela havia limpado primeiro o apartamento de Lula Landry naquele dia, depois que a modelo saíra para ver a mãe. Ela não havia notado nada de incomum, nem visto nenhum papel azul, em branco ou escrito. As bolsas de Guy Somé e os vários artigos para Deeby Macc foram entregues na recepção quando ela terminou, e a última coisa que fez no trabalho naquele dia foi levar os presentes do estilista aos apartamentos de Lula e Macc.

— E você ligou os alarmes depois de colocar as coisas lá?
— Botar alarme, sim.
— No de Lula?
— Sim.
— E um nove seis seis no Apartamento Dois?
— Sim.
— Lembra o que colocou no apartamento de Deeby Macc?

Ela teve de fazer a mímica de alguns itens, mas conseguiu comunicar que se lembrava de duas blusas, um cinto, um chapéu, algumas luvas e (ela fez a mímica de algo em volta dos pulsos) abotoaduras.

Depois de arrumar as coisas na área aberta de prateleiras no closet, para que Macc não deixasse de perceber, ela religou o alarme e foi para casa.

Strike agradeceu profusamente e se demorou por tempo suficiente para admirar mais uma vez seu traseiro apertado nos jeans enquanto ela ajeitava o edredom, antes de se unir a Robin e Wilson no hall.

Ao subirem o terceiro lance de escada, Strike verificou a história de Lechsinka com Wilson, que confirmou que ele instruíra o técnico a ajustar o alarme em 1966, como o da portaria.

— Escolhi um número que fosse fácil de Lechsinka lembrar, por causa da portaria. Macc podia programar alguma coisa diferente, se quisesse.
— Lembra-se de como era o técnico? Você disse que ele era novo?
— Um cara bem novo. Cabelo até aqui.

Wilson indicou a base do pescoço.

— Branco?
— É, branco. Parecia que ainda nem fazia a barba.

Eles chegaram à porta do Apartamento Três, antigo lar de Lula Landry. Robin sentiu certo frisson – medo, empolgação – enquanto Wilson abria a terceira porta pintada de branco, com seu olho mágico do tamanho de uma bala de vidro.

O último apartamento era arquitetonicamente diferente dos outros dois; menor e mais arejado. Fora decorado recentemente em tons de creme e marrom. Guy Somé disse a Strike que a famosa habitante anterior do apartamento adorava cores; mas agora era impessoal como qualquer hotel de elite. Strike foi na frente e em silêncio até a sala.

O carpete ali não era luxuoso e felpudo como o do apartamento de Bestigui, mas de juta cor de areia. Strike passou o calcanhar por ele; não deixou nenhuma marca.

– O piso era assim quando Lula morava aqui? – perguntou ele a Wilson.
– Era. Ela escolheu. Era quase novo, então deixaram assim.

Em vez das janelas longas e espaçadas dos apartamentos de baixo, cada um com três sacadas pequenas e separadas, a cobertura ostentava um único par de portas duplas dando em uma sacada larga. Strike destrancou, abriu essas portas e saiu. Robin não gostou de vê-lo fazer isso; depois de olhar a cara impassível de Wilson, ela se virou e olhou as almofadas e as gravuras em preto e branco, procurando não pensar no que acontecera ali três meses antes.

Strike olhava a rua, e Robin teria ficado surpresa ao saber que os pensamentos dele não eram tão clínicos ou desapaixonados como supunha.

Ele imaginava alguém que perdera inteiramente o controle; alguém correndo para Landry enquanto ela estava de pé, magra e linda, na roupa que vestira para receber o convidado esperado; um assassino perdido em fúria, arrastando-a e empurrando-a, e por fim, com a força bruta de um maníaco muito motivado, jogando-a dali. Os segundos que ela levou para cair pelo ar até o concreto, alisado pela camada enganosamente macia de neve, devem ter parecido uma eternidade. Ela se debatera, tentando encontrar onde se segurar no ar vazio e impiedoso; depois, sem tempo para se corrigir, para explicar, para legados ou pedidos de desculpa; sem qualquer dos luxos permitidos àqueles que têm noção de seu falecimento iminente, ela se espatifou na rua.

Os mortos só podiam falar pela boca dos que ficaram e pelos sinais que deixavam. Strike sentiu a mulher viva por trás das palavras que ela escrevera aos amigos; ouviu sua voz no telefone junto de sua orelha; mas agora, olhando a última coisa que ela vira na vida, sentia-se estranhamente próximo a ela. A verdade entrava lentamente em foco pela massa de informações desconexas. O que lhe faltavam eram provas.

Seu celular tocou quando ele estava ali. Apareceram o nome e o número de John Bristow; Strike atendeu.

– Oi, John, obrigado por me ligar.

– Não há de quê. Alguma novidade? – perguntou o advogado.

– Talvez. Pedi a um especialista para dar uma olhada no laptop de Lula, e ele descobriu um arquivo de fotos que foi deletado depois da morte dela. Sabe alguma coisa a respeito disso?

As palavras dele foram recebidas em completo silêncio. Strike só sabia que a ligação não fora interrompida porque ouvia algum ruído de fundo do lado de Bristow.

Por fim, o advogado disse, numa voz alterada:

– Elas foram apagadas *depois* da morte de Lula?

– Foi o que disse o especialista.

Strike viu um carro rodar lentamente pela rua e parar um pouco mais adiante. Saiu uma mulher, vestida de peles.

– M-me desculpe – disse Bristow, parecendo inteiramente abalado. – Só estou... chocado. Quem sabe a polícia eliminou o arquivo?

– Quando você pegou o laptop com eles?

– Ah... em algum dia de fevereiro, acho, no início de fevereiro.

– Este arquivo foi apagado em 17 de março.

– Mas... mas isso não faz sentido. Ninguém sabia a senha.

– Bom, evidentemente alguém sabia. Você disse que a polícia contou a sua mãe qual era.

– Minha mãe certamente não teria apagado...

– Não estou sugerindo que ela o fez. Há alguma possibilidade de ela ter aberto o laptop e ligado? Ou ter dado a senha a outra pessoa?

Ele pensou que Bristow devia estar no trabalho. Ouvia vozes fracas ao fundo e uma mulher rindo, distante.

– É possível – disse Bristow, lentamente. – Mas quem teria apagado as fotos? A não ser... mas, meu Deus, isso é horrível...

– O que foi?

– Não acha que uma das enfermeiras poderia ter tirado as fotos? Para vender aos jornais? Mas é uma ideia pavorosa... uma enfermeira...

– Só o que o especialista sabe é que foram deletadas; não há evidências de que foram copiadas ou roubadas. Mas, como disse, tudo é possível.

– Mas quem mais... quer dizer, naturalmente detesto pensar que poderia ser uma enfermeira, mas quem mais *poderia* ser? O laptop ficou com a minha mãe desde que a polícia o devolveu.

– John, você tem conhecimento de cada visita que sua mãe recebeu nos últimos três meses?

– Acho que sim. Quer dizer, evidentemente não posso ter certeza...

– Não. Bom, é este o problema.

– Mas por que... por que alguém faria isso?

– Posso pensar em alguns motivos. Pode ser de grande ajuda se você perguntar a sua mãe sobre isso, John. Se ela ligou o laptop em meados de março. Se alguma visita dela expressou interesse por ele.

– Eu... vou tentar. – Bristow parecia muito estressado, quase às lágrimas. – Ela agora está muito, muito fraca.

– Lamento – disse Strike, formalmente. – Entrarei em contato em breve. Tchau.

Ele saiu da sacada e fechou as portas, depois se virou para Wilson.

– Derrick, pode me mostrar como você deu a busca nesta casa? Em que ordem olhou os cômodos naquela noite?

Wilson pensou por um momento, depois disse:

– Vim para cá primeiro. Olhei em volta, vi as portas abertas. Não toquei nelas. Depois – ele indicou que os dois o seguissem –, olhei aqui...

Robin, na esteira dos dois homens, percebeu uma sutil mudança no modo como Strike falava com o segurança. Fazia perguntas simples e hábeis, concentrando-se no que Wilson sentira, tocara, vira e ouvira a cada passo dele pelo apartamento.

Por orientação de Strike, a linguagem corporal de Wilson se alterava, e ele encenava como tinha posto a mão em batentes de portas, entrado nos cômodos, lançado um rápido olhar ao redor. Quando atravessou para o único quarto, ele fez uma corrida em câmera lenta, reagindo à atenção concentrada dos refletores de Strike; ajoelhou-se para demonstrar como tinha olhado embaixo da cama e, estimulado por Strike, lembrou-se de que havia um vestido amarfanhado perto de suas pernas; ele os levou, com uma expressão concentrada, ao banheiro, mostrou como tinha girado o corpo para ver atrás da porta antes de correr (ele quase reproduziu, com os braços se movendo exageradamente ao andar) de volta à porta de entrada.

– E depois – disse Strike, abrindo-a e gesticulando para Wilson passar –, você saiu...

– Eu saí – concordou Wilson, com sua voz grave – e apertei o botão do elevador.

Ele fingiu fazer, e simulou abrir as portas em sua ansiedade para ver o que tinha dentro.

– Nada... aí, desci correndo a escada.

– O que consegue ouvir agora? – perguntou Strike, seguindo-o; nenhum deles prestava mais atenção a Robin, que fechou a porta do apartamento depois de sair.

– Muito longe... os Bestigui gritando... e eu virei por esse canto e...

Wilson estacou na escada. Strike, que parecia ter previsto algo assim, parou também; Robin, na correria, esbarrou nele, com um pedido de desculpas aturdido que ele interrompeu com a mão erguida, como se, pensou ela, Wilson estivesse em transe.

– E eu escorreguei – disse Wilson. Ele estava chocado. – Tinha me esquecido disso. Eu escorreguei. Aqui. Para trás. Caí sentado, com força. Tinha água. Aqui. Uns pingos. Aqui.

Ele apontava a escada.

– Pingos de água – repetiu Strike.

– É.

– Não neve.

– Não.

– Não pegadas molhadas.

– Gotas. Grandes. Aqui. Meus pés escorregaram e eu caí. Eu me levantei logo e continuei correndo.

– Contou à polícia sobre as gotas de água?

– Não. Esqueci. Só me lembrei agora. Esqueci.

Algo que incomodara Strike o tempo todo enfim ficava mais claro. Ele soltou um suspiro longo e satisfeito e sorriu. Os outros dois o olharam.

4

O FIM DE SEMANA SE ESTENDIA, quente e vazio, à frente de Strike. Ele se sentou de novo junto de sua janela aberta, fumando e vendo as hordas de consumidores passando pela Denmark Street, com o relatório de caso aberto no colo, o arquivo da polícia na mesa, fazendo uma lista silenciosa de pontos ainda a serem esclarecidos, peneirando o lodaçal de informações que tinha coletado.

Por um tempo, ele contemplou uma fotografia da frente do número 18 como estava na manhã da morte de Lula. Havia uma diferença, pequena, mas significativa para Strike, entre a fachada naquela ocasião e como estava agora. De vez em quando ele passava ao computador; uma vez para descobrir o agente que representava Deeby Macc; depois para procurar o preço das ações da Albris. Seu bloco ficava aberto a seu lado numa página cheia de frases truncadas e perguntas, tudo em sua letra densa e espigada. Quando o celular tocou, ele o levou ao ouvido sem ver quem estava do outro lado da linha.

– Ah, sr. Strike – disse a voz de Peter Gillespie. – Que gentileza sua atender.

– Ah, oi, Peter – disse Strike. – Agora trabalha nos fins de semana?

– Alguns não têm alternativa a não ser trabalhar nos fins de semana. Você não retornou nenhuma das minhas ligações nos dias úteis.

– Estive ocupado. Trabalhando.

– Sei. Isso quer dizer que posso esperar um pagamento logo?

– Espero que sim.

– Você *espera* que sim?

– É – disse Strike. – Devo estar em condições de lhe dar alguma coisa nas próximas semanas.

– Sr. Strike, sua atitude me assombra. Você concordou em pagar ao sr. Rokeby mensalmente, e agora está atrasado na quantia de...

— Não posso lhe pagar o que não tenho. Se esperar, talvez eu possa lhe devolver tudo. Talvez até de uma vez só.

— Receio que isto simplesmente não baste. A não ser que coloque as prestações em dia...

— Gillespie — disse Strike, os olhos no céu luminoso depois da janela —, nós dois sabemos que o velho Jonny não vai processar seu filho herói de guerra de uma perna só por prestações de um empréstimo que não pagaria nem pelos sapatos do mordomo dele. Vou devolver o dinheiro dele, com juros, nos próximos meses, e ele pode enfiar no rabo e tacar fogo, se preferir. Diga isso a ele, por mim, e agora largue do meu pé.

Strike desligou, observando que, na verdade, não perdera o controle, e ainda sentia certa alegria.

Ele trabalhou no que passou a considerar como a cadeira de Robin até tarde da noite. A última coisa que fez antes de se deitar foi sublinhar, três vezes, as palavras "Malmaison Hotel, Oxford" e circular fortemente o nome "J. P. Agyeman".

O país se arrastava para o dia das eleições. Strike acordou cedo no sábado e viu as gafes, reivindicações e promessas do dia tabuladas em sua TV portátil. Havia um ar de alegria em cada noticiário a que assistia. A dívida nacional era tão imensa que era difícil compreender. Os cortes eram iminentes, para quem quer que vencesse; cortes fundos e dolorosos; e às vezes, com suas palavras dúbias, os líderes partidários lembravam a Strike os cirurgiões que lhe disseram cautelosamente que ele podia experimentar certo desconforto; eles que jamais sentiriam pessoalmente a dor que estavam prestes a infligir.

Na manhã de segunda, Strike marcou um encontro em Canning Town, onde estava para conhecer Marlene Higson, a mãe biológica de Lula. O arranjo para esta entrevista fora repleto de dificuldades. A secretária de Bristow, Alison, telefonara para Robin com o número de Marlene Higson, para quem Strike telefonou pessoalmente. Embora claramente decepcionada porque o estranho ao telefone não era jornalista, ela no início se mostrou disposta a se encontrar com Strike. Depois ligou para o escritório duas vezes: primeiro para perguntar a Robin se o detetive pagaria suas despesas de viagem ao centro da cidade, a que foi dada uma resposta negativa; em seguida, muito indignada, para cancelar o encontro. Um segundo telefonema de Strike garantiu um acordo temporário de encontrá-la num pub do bairro dela; depois um recado irritado na caixa postal cancelou mais uma vez.

Strike então lhe telefonou pela terceira vez, e disse acreditar que sua investigação estava em fase final, depois do que as provas seriam entregues à polícia, resultando, ele não tinha dúvida, numa explosão ainda maior de publicidade. Agora que ele pensava nisso, disse, talvez fosse bom que ela não pudesse ajudar, assim se protegeria de outro dilúvio da imprensa. Marlene Higson de imediato clamou por seu direito de contar tudo que soubesse, e Strike concordou em se encontrar com ela, como a própria Marlene sugeriu, no bar do Ordnance Arms, ao ar livre, na manhã de segunda-feira.

Ele pegou o trem para a estação de Canning Town. Tinha vista para Canary Wharf, cujos prédios elegantes e futuristas se assemelhavam a uma série de blocos de metal reluzentes no horizonte; seu porte, como o da dívida nacional, impossível de avaliar a essa distância. Mas, alguns minutos de caminhada depois, ele estava o mais longe possível do brilhante mundo corporativo engravatado. Espremida entre as construções nas docas onde moravam muitos daqueles financistas, em condomínios elegantes e decorados, Canning Town exalava pobreza e privação. Strike sabia disso havia tempos, porque uma vez foi à casa de um velho amigo que lhe dera a localização de Brett Fearney. Pela Barking Road ele andou, de costas para Canary Wharf, passando por um prédio com uma placa que anunciava *Morte para a Comunidade*, ao que ele franziu a testa por um momento antes de perceber que alguém tinha escrito "Mo" no lugar do "A".

O Ordnance Arms ficava ao lado da English Pawnbroking Company Ltd. Era um pub grande, rebaixado e pintado em *off-white*. O interior era prosaico e utilitário, com uma seleção de relógios de madeira na parede terracota e um tapete vermelho e estampado como a única concessão à frivolidade da decoração. Além disto, havia duas grandes mesas de sinuca, um balcão longo e acessível e muito espaço vago para os bebedores zanzarem. Naquele momento, às 11 horas da manhã, estava vazio, tendo apenas um velho baixinho no canto e uma garçonete animada que se dirigia ao único cliente como "Joey", e que instruiu Strike a ir aos fundos.

A área ao ar livre por acaso era um quintal melancólico de concreto, contendo lixeiras e uma mesa de madeira solitária, na qual uma mulher estava sentada numa cadeira de plástico branco, com as pernas gordas cruzadas e o cigarro mantido torto junto à face. Havia uma cerca de arame farpado no alto do muro, e um saco plástico ficou preso ali, farfalhando na brisa. Depois do muro erguiam-se grandes edifícios de apartamentos, pintados de amarelo e com as evidências da pobreza salientadas nas muitas sacadas.

– Sra. Higson?

– Pode me chamar de Marlene, amor.

Ela o olhou de cima a baixo, com um sorriso frouxo e um olhar malicioso. Vestia uma camiseta de lycra pink por baixo de um agasalho de capuz cinza com zíper e leggings que terminavam centímetros acima das pernas branco-acinzentadas. Tinha chinelos sujos nos pés e muitos anéis de ouro nos dedos; o cabelo amarelado, com centímetros de raiz castanha, estava preso num imundo elástico atoalhado.

– Posso lhe pedir uma bebida?

– Vou tomar uma Carling, já que insiste.

O jeito com que seu corpo se curvou para ele, como tirou os fios de cabelo parecendo palha dos olhos inchados, até como segurava o cigarro; tudo era grotescamente coquete. Talvez ela não conhecesse outro jeito de se relacionar com homem algum. Strike a achou ao mesmo tempo digna de pena e repulsiva.

– Choque? – disse Marlene Higson, depois de Strike trazer cerveja para os dois e se juntar a ela à mesa. – Nem imagina, quando dei a menina por perdida. Quase partiu meu coração quando ela foi embora, mas eu sabia que era pra ela ter uma vida melhor. Eu não ia ter força pra fazer de outro jeito. Não tinha como eu dar a ela todas as coisas que eu nunca tive. Eu fui criada pobre, muito pobre. A gente não tinha nada. Nada.

Ela desviou os olhos dele, dando um trago firme em seu Rothman's; quando a boca fez beicinho e formou pequenas rugas em volta do cigarro, parecia um ânus de gato.

– E o Dez, meu namorado, olha só, num gostava muito... sabe comé, ela era de cor, era óbvio que não era dele. Eles vão ficando mais escuros, sabe? Quando ela nasceu, parecia branca. Mas ainda assim eu não daria ela se não visse a chance de ela ter uma vida melhor, e pensei, ela não vai sentir a minha falta, ela é nova demais. Eu tava dando a ela um começo bom e de repente, quando ficasse mais velha, ela ia voltar e me achar. E meu sonho virou realidade – acrescentou ela, com uma demonstração horripilante de *pathos*. – Ela veio me achar.

"Mas vou te contar uma coisa muito esquisita", disse ela, respirando fundo. "Um amigo disse pra mim, só uma semana depois de ela me ligar, 'Sabe com quem você se parece?' Eu falei: 'Deixa de ser bobo', mas ele falou: 'Alguma coisa na parte de cima do rosto. Aí pelos olhos e o jeito das sobrancelhas, entendeu?'"

Ela olhou esperançosa para Strike, que não se decidira a responder. Parecia impossível que o rosto de Nefertiti tivesse brotado dessa mixórdia cinzenta e roxa.

– Dá pra ver isso nas fotos de quando eu era mais nova – disse ela, mostrando-se um tanto ofendida. – O caso é que eu ia dar a ela uma vida melhor e então entregaram a garota praqueles filhosdaputa, com o perdão do linguajar. Se eu soubesse, tinha ficado com ela, e eu disse isso pra ela. Ela chorou por causa disso. Eu ia ficar com ela e nunca ia deixar que fosse embora.

"Ah, sim. Ela falou comigo. Saiu tudo. Ela se dava bem com o pai, o Sirálec. Ele parecia legal. Mas a mãe é uma vaca meio doida. Ah, é, sim. Bola. Toma bola. As vacas ricas tomam bola pros nervos de merda. Lula podia se abrir comigo, sabe? Bom, é um vínculo, isso é que é. Não dá pra romper, é o sangue.

"Ela tava com medo do que a vaca ia fazer, se descobrisse que Lula tava procurando a mãe verdadeira. Ficou bem preocupada com o que a vaca ia fazer quando a imprensa ficasse sabendo de mim, mas olha só, quando você é famoso como ela era, eles descobrem de um tudo, né? Ah, mas falam tanta mentira. Umas coisas que falaram de mim, eu ainda tô pensando em processar.

"O que eu tava dizendo mesmo? A mãe dela, é. Eu disse pra Lula: 'Por que se preocupar, amor, parece que você fica melhor sem ela mermo. Ela que fique puta, se não quer que a gente se veja.' Mas ela era uma boa menina, a Lula, ainda ia visitar a velha, por dever.

"Mas então, ela tava lá com a própria vida, livre pra fazer o que bem entendesse, né? Ela tinha o Evan, um homem só dela. Eu falei pra ela que não gostava, olha só", disse Marlene Higson, com uma pantomima de severidade. "Ah, falei, sim. As drogas, eu vi muita gente ir pras cucuias assim. Mas tenho que admitir, ele no fundo era um amor. Tenho que admitir isso. Ele não teve nada a ver com isso. Sei com certeza."

— Então o conheceu?

— Não, mas ela ligou pra ele uma vez quando tava comigo e eu ouvi os dois no telefone, e era um casal que se amava. Não, não tenho o que dizer do Evan. Ele não tem nada a ver com isso, já provaram. Não, eu não tenho o que falar dele. Se ele tá limpo, tem a minha bênção. Eu disse pra ela: "Traz ele, pra ver se eu aprovo", mas ela, nunca. Ele sempre tava ocupado. "É um garoto bonito, por baixo de todo aquele cabelo", disse Marlene. "Dá pra ver nas fotos."

— Ela falou com você sobre os vizinhos?

— Ah, aquele Fred Bestinho? Falou, ela falou tudo dele, que ofereceu a ela uns papéis nuns filmes. Eu falei pra ela, por que não? Pode ser divertido. Mesmo que ela não gostava, o que que tem demais, mais uns milhão no banco?

Seus olhos injetados se semicerraram para o nada; ela parecia momentaneamente hipnotizada, perdida na contemplação de somas tão vastas e estonteantes que estavam além de sua compreensão, como uma imagem do infinito. Bastava falar nelas para saborear o poder do dinheiro, rolar sonhos de riqueza por sua boca.

— Ela falou com você de Guy Somé?

— Ah, falou, sim. Ela gostava do Gee, ele era bom pra ela. Eu pessoalmente prefiro coisas mais clássicas. Não faz meu gênero.

A Lycra rosa-choque, apertada nos rolos de gordura que se derramavam pelo cós das leggings, ondulou quando ela se curvou para frente e bateu delicadamente o cigarro no cinzeiro.

— "Ele é como um irmão pra mim", ela falava, e eu falei, deixa pra lá esse irmão falso, por que não tenta achar meus menino? Mas ela não tava interessada.

— Seus meninos?

— Meus filho, meus outros filho. É, eu tive mais dois depois dela: um do Dez, depois tive outro. A assistência social tirou de mim, mas eu disse pra ela, com teu dinheiro a gente pode achar eles, me dá um pouco, não é muito não, sei lá, uns dois mil, e vou tentar arrumar alguém pra achar eles, deixar isso longe da imprensa, eu vou cuidar disso, eu te deixo fora dessa. Mas ela não tava interessada — repetiu Marlene.

— Sabe onde estão os seus filhos?

— Levaram eles quando era bebê, num sei onde tão agora. Eu tive uns problema. Não vou mentir pra tu, minha vida foi difícil pra cacete.

E ela contou detalhadamente sobre sua vida difícil. Era uma história sórdida cheia de homens violentos, com vícios e ignorância, negligência e pobreza, e um instinto animal pela sobrevivência que alijava os filhos em sua esteira, porque eles exigiam habilidades que Marlene nunca desenvolveu.

— Então não sabe onde estão seus dois filhos agora? – repetiu Strike, vinte minutos depois.

— Não, como é que vou saber, porra? – Marlene falava consigo mesma com amargura. – Ela não tava interessada mermo. Ela já tinha um irmão branco, né? Ela foi atrás da família preta. Era isso que ela queria de verdade.

— Ela lhe perguntou sobre o pai dela?

— Perguntou e eu falei pra ela tudo que sabia. Ele era estudante africano. Morava no andar em cima do meu, bem ali naquela rua, a Barking Road, com mais dois. Agora tem um agenciador de aposta embaixo. Um cara bem bonito. Me ajudava com as compra de vez em quando.

Ouvir Marlene Higson falar, a corte que acontecera com um respeito quase vitoriano; ela e o estudante africano mal pareciam ter passado de apertos de mão de passagem nos primeiros meses de seu relacionamento.

— E aí, porque ele me ajudava de vez em quando, um dia eu convidei ele a entrar, sabe, pra agradecer, na verdade. Não sou uma pessoa preconceituosa. Tudo mundo é a merma coisa pra mim. Quer um chá, eu falei, foi só isso. E aí – disse Marlene, com a realidade severa ressoando em meio a impressões vagas de xícaras de chá e descansos de copo – eu descubro que tô esperando.

— Contou a ele?

— Ah, contei, sim, e ele ficou todo como é, eu vou ajudar, e assumir as responsabilidade, e ver se eu tava bem. E aí teve as férias da faculdade. Ele disse que ia voltar – disse Marlene, desdenhosamente. – E deu no pé. Não é o que todos eles faz? E o que eu ia fazer, correr pra África atrás dele?

"Eu não liguei muito mermo. Não me deixou magoada; na época eu tava saindo com o Dez. Ele não ligou pro bebê. Fui morar com o Dez logo depois do Joe ir embora."

— Joe?

— Era o nome dele. Joe.

Ela disse isso com convicção, mas talvez, pensou Strike, fosse porque repetira a mentira para si mesma com tanta frequência que a história saía fácil, automaticamente.

– Qual era o sobrenome dele?

– Não me lembro, ué. Você parece ela. Isso tem uns vinte ano. Mumumba – disse Marlene Higson, sem se abalar. – Ou coisa assim.

– Pode ser Agyeman?

– Não.

– Owusu?

– Já falei – disse ela agressivamente – que era Mumumba ou coisa assim.

– Não Macdonald? Ou Wilson?

– Tá de sacanage? Macdonald? Wilson? Da África?

Strike concluiu que a relação dela com o africano nunca progredira ao ponto de eles trocarem sobrenomes.

– E ele era estudante, foi o que disse? Onde ele estudava?

– Na faculdade – disse Marlene.

– Qual, você se lembra?

– Sei lá. Posso te filar um cigarro? – acrescentou ela, num tom um pouco mais conciliatório.

– Sim, à vontade.

Ela acendeu o cigarro com o próprio isqueiro de plástico, deu uma baforada entusiasmada, depois disse, amolecida pelo tabaco de graça:

– Tinha alguma coisa com um museu. Anexado, tipo isso.

– Anexado a um museu?

– É, porque eu lembro dele falando: "Às vezes vou ao museu nas minhas hora de folga." – A imitação dela do estudante africano parecia um inglês de classe alta. Ela sorriu com maldade, com se esta opção de entretenimento lhe parecesse absurda e ridícula.

– Lembra qual era o museu que ele visitava?

– O... o Museu da Inglaterra, ou coisa assim – disse ela; depois, irritada: – Você parece ela. Como é que posso lembrar disso depois desse tempo todo?

– E você nunca mais o viu depois de ele ir para casa?

– Nadinha – disse ela. – Mas eu não esperava mermo. – Ela bebeu a cerveja. – Ele deve de tá morto – disse ela.

– Por que diz isso?

– África, né? Pode ter levado um tiro, né? Ou morreu de fome. Qualquer coisa. Tu sabe como é aquilo lá.

Strike sabia. Lembrava-se das ruas apinhadas de Nairóbi; a vista aérea da floresta de Angola, a névoa pendendo sobre as copas das árvores e a beleza súbita e impressionante, quando o helicóptero fazia a volta, de uma cascata na encosta verdejante da montanha; e as mulheres massais, com os bebês no peito, sentadas numa caixa enquanto Strike as interrogava aflitivamente sobre um suposto estupro, e Tracey empunhava a câmera de vídeo ao lado dele.

– Sabe se Lula tentou encontrar o pai?

– É, ela tentou – disse Marlene com desdém.

– Como?

– Ela procurou nos documento da faculdade – disse Marlene.

– Mas se você não lembra onde ele estudava...

– Sei lá, ela achou que tinha encontrado o lugar, mas não achou o homem, não. De repente eu não lembrei o nome dele certo, sei lá. Ela falava sem parar; o que ele fazia, como era, onde ele tava estudando. Eu falei pra ela que ele era alto e magro e que é melhor tu agradecer por ter a minha orelha, e não a dele, porque de jeito nem maneira tu ia ter carreira de modelo com aquela orelha de elefante.

– Lula alguma vez falou com você dos amigos dela?

– Ah, falou, sim. Tinha aquela piranhazinha negra, a Raquelle, sei lá como era o nome da vaca. Era uma sanguessuga da Lula, isso sim. Ah, ela se deu bem. Umas merda de roupa e joia e sei lá mais o quê. Uma vez eu falei pra Lula: "Um casaco novo ia me cair bem." Mas eu não enchia o saco, sabe? Aquela Raquelle pedia na maior cara de pau.

Ela fungou e esvaziou o copo.

– Você conheceu a Rochelle?

– É esse o nome dela, é? Eu vi uma vez. Ela veio numa porra de carro com um motorista pra pegar a Lula quando ela veio me ver. Tipo uma lady pela janela de trás, me sacaneando. Ela agora vai sentir falta disso, é o que espero. Só queria se dar bem.

"E tinha aquela Ciara Porter", continuou Marlene, com um desdém ainda maior, como se fosse possível, "dormindo com o namorado da Lula na noite da morte dela, porra. Uma puta nojenta."

– Conhece a Ciara Porter?

– Eu vi no jornal. Ele tava na casa dela, não tava, o Evan? Depois de brigar com a Lula. Foi para a Ciara. Aquela puta.

Ficou claro, à medida que Marlene falava, que Lula mantinha a mãe biológica firmemente segregada dos amigos e que, com a exceção de um breve vislumbre de Rochelle, as opiniões e deduções de Marlene sobre o ambiente social de Lula eram inteiramente baseadas nos relatos da imprensa que ela consumia avidamente.

Strike pegou mais bebidas e ouviu Marlene descrever o horror e o choque que teve ao saber (por um vizinho que correu com a notícia, de manhã cedo, no dia 8) que a filha tinha morrido numa queda da sacada. Um interrogatório cuidadoso revelou que Lula não via Marlene havia dois meses antes de morrer. Strike depois ouviu uma diatribe sobre o tratamento que ela recebeu da família adotiva de Lula, depois da morte da modelo.

– Eles não queriam eu por perto, principalmente a merda do tio. Já viu o home, né? A merda do Tony Landry? Procurei ele pra saber do enterro e só recebi ameaça. Ah, foi, sim. Umas ameaças de merda. Eu falei pra ele: "Sou a mãe dela. Tenho o direito de ir lá." E ele me falou que eu não era mãe dela, que a vaca doida era a mãe dela, a *Lady* Bristow. Que gozado, eu falei assim, porque eu lembro que empurrei ela pra fora da *minha* xota. Desculpa a grosseria, mas é isso mermo. E ele falou que eu tava causando problema, falando com a imprensa. Eles veio aqui e *me achou* – disse ela a Strike furiosamente, e apontou para o bloco de apartamentos que davam para o bar. – A imprensa veio e *me achou*. Porque eu contei meu lado da porra da história. Porque eu fiz.

"Bom, eu não ia fazer cena, não num enterro, não queria estragar nada, mas não ia ficar fora dessa. Eu fui e sentei atrás. Vi a Rochelle ali, me olhando como se eu era lixo. Mas ninguém me barrou na entrada.

"Eles conseguiro o que queria, aquela família de merda. Eu não levei nada. Nada. Não era isso que a Lula ia querer, com certeza. Ela ia querer que eu ficasse com alguma coisa. Não – disse Marlene com uma presunção de dignidade – que eu ligava pro dinheiro. Não era o dinheiro pra mim. Nada ia substituir minha filha, nem dez, nem vinte milhão.

"Olha só, ela ia ficar roxa se soubesse que não fiquei com nada", continuou ela. "Todo aquele dinheiro; as pessoa nem acredita quando eu falo que não fiquei com nada. Eu aqui na luta pra pagar o aluguel, e minha filha deixa milhões. Mas é isso mermo. É assim que os rico fica rico, né? Eles não precisa, mas eles não liga de ter mais. Não sei como aquele Landry dorme toda noite, mas as coisa são assim."

– Lula algum dia falou que ia lhe deixar tudo? Ela mencionou ter feito um testamento?

Marlene de repente ficou atenta a um fiapo de esperança.

– Ah, foi, ela disse que ia cuidar de mim, é, sim. É, ela falou que ia me deixar bem. Acha que eu devia contar isso pra alguém? Tipo mencionar?

– Não creio que faça alguma diferença, a não ser que ela tenha feito um testamento e lhe deixado alguma coisa – disse Strike.

Seu rosto voltou à expressão rabugenta.

– Eles deve ter destruído, os filhodaputa. Vai ver, fizeram isso. Eles é desse tipo de gente. Aquele tio num vale o chão que ele pisa.

5

– Lamento que ele não tenha retornado a ligação – disse Robin à interlocutora, a mais de dez quilômetros do escritório. – O sr. Strike está incrivelmente ocupado no momento. Deixe seu nome e telefone, e cuidarei para que ele ligue esta tarde.

– Ah, não há necessidade disso – disse a mulher. Tinha uma voz simpática e culta com uma leve rouquidão, como se seu riso fosse sexy e ousado. – Não preciso realmente falar com ele. Pode dar um recado por mim? Quero avisá-lo, é só isso. Meu Deus, isso é... é meio constrangedor; eu mesma não teria decidido assim.... bom, que seja. Pode, por favor, dizer a ele que Charlotte Campbell telefonou e que estou noiva de Jago Ross? Não quero que ele saiba por mais ninguém, nem leia sobre isso. Os pais de Jago vão colocar tudo no maldito *Times*. É um tormento.

– Ah. Tudo bem – disse Robin, com a mente de repente paralisada como sua caneta.

– Muito obrigada... Robin, foi o que disse? Obrigada. Tchau.

Charlotte desligou primeiro. Robin recolocou o fone no gancho em câmera lenta, sentindo-se extremamente ansiosa. Ela não queria dar essa notícia. Seria apenas a mensageira, mas sentiria como se violentasse a determinação de Strike de manter bem escondida sua vida particular, evitando com firmeza o assunto das caixas com seus pertences, a cama de campanha, o lixo de suas refeições da noite nas lixeiras toda manhã.

Robin pensou em suas opções. Podia se esquecer de dar o recado, simplesmente dizer a ele para telefonar a Charlotte e que ela própria fizesse seu trabalho sujo (como Robin entendia a questão). Mas e se Strike se recusasse a telefonar e outra pessoa lhe contasse sobre o noivado? Robin não tinha como saber se Strike e a ex (namorada? noiva? mulher?) tinham legiões de amigos mútuos. Se ela e Matthew se separassem, se ele ficasse noivo de outra (sentia um nó no peito só de pensar nisso), todos os amigos próximos e familiares dela se envolveriam e, sem dúvida alguma, viriam em bando falar com ela; portanto, iria preferir, supunha, ser alertada com a maior discrição e privacidade possível.

Quando ouviu Strike subindo a escada cerca de uma hora depois, aparentemente falando ao celular e de bom humor, Robin experimentou uma pontada aguda de pânico no estômago, como se estivesse prestes a se sentar para fazer uma prova. Quando ele abriu a porta de vidro e Robin notou que não estava conversando ao telefone, mas cantarolando um rap, ela se sentiu ainda pior.

– *Dane-se o Johari* – murmurava Strike, que trazia nos braços uma caixa com um ventilador. – Boa-tarde.

– Oi.

– Achei que precisávamos disto. Está abafado aqui.

– Sim, seria bom.

– Acabo de ouvir Deeby Macc tocando na loja – Strike informou, baixando o ventilador num canto e tirando o casaco. – "Dirijo minha Ferrari, dane-se o Johari." O que será Johari? Algum rapper com quem ele teve uma briga?

– Não – disse Robin, desejando que ele não estivesse tão alegre. – É uma expressão da psicologia. A janela de Johari. Tem a ver com o quanto conhecemos a nós mesmos e o quanto os outros nos conhecem.

Strike parou no ato de pendurar o casaco e a olhou.

– Você não tirou isso da revista *Heat*.

– Não. Eu fazia psicologia na universidade. Mas larguei.

Ela sentiu que podia de algum modo tentar igualar as condições se lhe contasse um de seus fracassos pessoais, antes de dar as más notícias.

– Você largou a universidade? – Ele parecia interessado, o que era pouco característico. – Mas que coincidência. Eu também. Então, por que "dane-se o Johari"?

– Deeby Macc fez terapia na prisão. Ele ficou interessado e leu muito sobre psicologia. Essa parte eu tirei dos jornais – acrescentou ela.

– Você é uma mina de informações úteis.

Ela experimentou outra queda de elevador no estômago.

– Teve uma ligação, quando você estava fora. De uma Charlotte Campbell.

Ele levantou a cabeça rapidamente, de cenho franzido.

– Ela me pediu para lhe dar um recado e é este – o olhar de Robin deslizou de lado, pairando momentaneamente na orelha de Strike –, que ela ficou noiva de Jago Ross.

Os olhos de Robin foram atraídos irresistivelmente ao rosto dele, e ela teve um arrepio terrível.

Uma das lembranças mais nítidas e mais precoces da infância de Robin era do dia em que o cachorro da família foi sacrificado. Ela mesma era nova demais para entender o que o pai dizia; para ela, a existência de Bruno, o amado labrador do irmão mais velho, era perpétua. Confundida pela solenidade dos pais, ela se voltou para Stephen, procurando uma dica de como reagir, e toda sua segurança se esfarelou porque ela viu, pela primeira vez em sua curta vida, que a felicidade e o conforto tinham se esvaído do rosto pequeno e feliz do irmão, cujos lábios empalideceram conforme a boca se abria. Ela ouviu o limbo bramindo no silêncio que precedeu o grito pavoroso de angústia do irmão e depois ela chorou, inconsolavelmente, não por Bruno, mas pela tristeza apavorante de Stephen.

Strike não falou de pronto. Depois disse, com uma dificuldade palpável:

– Tudo bem. Obrigado.

Ele entrou em sua sala e fechou a porta.

Robin voltou a se sentar à mesa, sentindo-se um carrasco. Não conseguia se acalmar com nada. Pensou em bater na porta dele e oferecer uma xícara de chá, mas decidiu que era melhor não fazer. Por cinco minutos reorganizou inquieta os objetos em sua mesa, olhando regularmente a porta fechada, até que ela se abriu e Robin deu um salto, fingindo estar ocupada no teclado.

– Robin, vou dar uma saída – disse ele.

– Tudo bem.

– Se eu não estiver de volta até as cinco, pode trancar tudo.

– Sim, claro.

– Até amanhã.

Ele pegou o casaco e saiu com um passo decidido que não a enganou.

As obras nas ruas se espalhavam como uma lesão; todo dia havia uma extensão do caos e das estruturas temporárias para proteger pedestres e permitir que passassem pela devastação. Strike não notou nada disso. Andou automaticamente por tábuas de madeira trêmulas até o Tottenham, o lugar que associava com a fuga e o refúgio.

Como o Ordnance Arms, estava vazio, exceto por um bebedor; um velho pouco além da porta. Strike pediu um *pint* de Doom Bar e se sentou em uma das banquetas de couro vermelho encostadas na parede, quase abaixo da donzela vitoriana sentimental que espalhava botões de rosas, doce, tola e simples. Ele bebeu como se a cerveja fosse um remédio, sem prazer, na intenção do resultado.

Jago Ross. Ela deve ter entrado em contato com ele, tê-lo visto, enquanto eles ainda moravam juntos. Nem Charlotte, com seu poder hipnótico sobre os homens, sua impressionante habilidade, poderia passar de um reencontro a um noivado em três semanas. Ela esteve se encontrando com Ross na calada, enquanto jurava amor imorredouro a Strike.

Isto impunha uma ótica bem diferente sobre a bomba que ela largara sobre ele um mês antes do fim e a recusa de lhe mostrar uma prova, os encontros adiados e a conclusão repentina de tudo.

Jago Ross já fora casado. Tinha filhos; Charlotte ouvira boatos de que bebia muito. Ela riu com Strike da sorte que teve de escapar tantos anos antes; teve pena da mulher dele.

Strike pediu uma segunda cerveja, depois uma terceira. Queria afogar os impulsos, que estalavam feito cargas elétricas, de ir procurá-la, berrar, enlouquecer, quebrar o queixo de Jago Ross.

Ele não comeu no Ordnance Arms, não comia desde então e já fazia muito tempo que consumia tanto álcool numa sentada. Precisou de pouco menos de uma hora para ficar bêbado em seu consumo constante, solitário e determinado da cerveja.

No início, quando a figura pálida e magra apareceu em sua mesa, ele disse com a voz grossa que era o homem errado na mesa errada.

– Não é, não – disse Robin com firmeza. – Só vou pegar uma bebida para mim também, tá bom?

Robin o deixou olhando nebulosamente sua bolsa, que ela colocara na banqueta. Era reconfortantemente familiar, marrom e meio surrada. Em geral ela a pendurava no gancho de casacos no escritório. Ele abriu um sorriso amistoso e bebeu.

No balcão, o barman, que era jovem e parecia tímido, disse a Robin:
— Acho que ele já bebeu o bastante.
— Isso não é minha culpa — retorquiu ela.

Ela procurou por Strike no Intrepid Fox, que ficava mais perto do escritório, no Molly Moggs, no Spice of Life e no Cambridge. O Tottenham era o último pub a que pretendia ir.

— Qualé o problema? — perguntou-lhe Strike, quando ela se sentou.
— Não tem problema nenhum — disse Robin, bebendo o meio caneco. — Só queria saber se você estava bem.
— Uistô bem — disse Strike e depois, com um esforço para falar com mais clareza: — Eu 'stô bem.
— Que bom.
— Shó comemorando o noivado da minha noiva — disse ele, levantando a décima primeira cerveja em um brinde desequilibrado. — Ela nunca devia ter me deixado. Nunca — disse ele, alto e bom som —, nunca devia. Me deixou. O Ilushtre. Jago Ross. Que é um tremenjo *babaca*.

Ele praticamente gritou a última palavra. Tinha mais gente no pub agora do que quando Strike chegou, a maioria parecia tê-lo ouvido. Eles lhe lançaram olhares preocupados mesmo antes de ele gritar. A escala de Strike, com suas pálpebras caídas e a expressão belicosa, garantira uma pequena zona proibida em volta dele; as pessoas desviavam a caminho do banheiro como se sua mesa tivesse três vezes seu tamanho.

— Vamos dar uma caminhada? — sugeriu Robin. — Pegar alguma coisa para comer?
— Shabe de uma coija? — disse ele, curvando-se com os cotovelos na mesa, quase derrubando a cerveja. — Shabe de uma coija, Robin?
— O quê? — Ela segurou firme a cerveja. De repente foi tomada de uma forte vontade de rir. Muitos companheiros bebedores observavam os dois.
— Vochê é uma garota legal — disse Strike. — É, chim. Vochê é uma boa pechoa. Eu notei — disse ele, assentindo solenemente. — É. Eu notei icho.
— Obrigada — disse ela, sorrindo, tentando não rir.

Ele voltou a se recostar, fechou os olhos e disse:
— Desculpe. Eu tô chateado.
— Sim.

— Eu não coshtumo fajer icho.
— Não.
— Nem comi nada.
— Vamos sair e pegar alguma coisa para comer, então?
— É, vamos – disse ele, de olhos ainda fechados. – Ela me diche que tava grávida.
— Oh – disse Robin, com tristeza.
— É. Ela diche. E depois diche que acabou. Não podia cher meu. Não batia.

Robin não disse nada. Não queria que ele lembrasse que ela ouvira isso. Ele abriu os olhos.

— Ela deixou ele por mim, e agora ela deixa ele... não, ela me deixa por ele...
— Lamento.
— ... me deixa porele. Não lamente. Vochê é uma pechoa legal.

Ele tirou cigarros do bolso e colocou um entre os lábios.

— Não pode fumar aqui. – Ela o lembrou com gentileza, mas o barman, que parecia esperar uma deixa, agora corria para eles, tenso.
— Precisa sair para fazer isso – disse ele a Strike em voz alta.

Strike espiou o rapaz, de olhos baços, surpreso.

— Está tudo bem – disse Robin ao barman, pegando a bolsa. – Vem, Cormoran.

Ele se levantou, imenso, desajeitado, vacilante, desembolando-se do espaço apertado atrás da mesa e olhando feio o barman, que Robin não podia culpar por dar um passo para trás.

— Não prechija – disse-lhe Strike – gritar. Não prechija. Sheu grocho de merda.
— Tudo bem, Cormoran, vamos – disse Robin, recuando para dar espaço para ele passar.
— Chó um minutinho, Robin – disse Strike, com a mão grande erguida. – Chó um minutinho.
— Ah, meu Deus – disse Robin em voz baixa.
— Vochê já lutou bócxe?
— Cormoran, vamos.

— Eu era bocxeador. No ejérchiro, parcheiro.

No balcão, algum engraçadinho murmurou: "Eu podia ser o adversário."

— Vamos, Cormoran. — Robin o pegou pelo braço e, para seu grande alívio e surpresa, ele a acompanhou mansamente. Ela se lembrou de como conduzia o enorme cavalo Clydesdale que o tio tinha na fazenda.

No ar fresco, Strike se encostou numa das janelas do Tottenham e tentou, infrutiferamente, acender o cigarro; por fim, Robin teve de segurar o isqueiro para ele.

— Você precisa comer — disse-lhe ela, enquanto ele fumava de olhos fechados, tombando um pouco, dando a Robin medo de que ele caísse. — Para ficar sóbrio.

— Não quero ficar chóbrio — murmurou Strike. Ele perdeu o equilíbrio e só foi salvo da queda por passos rápidos de lado.

— Venha. — Ela o guiou pela ponte de madeira que se abria como um golfo na rua, onde as máquinas e os operários barulhentos tinham se calado e partido para a noite.

— Robin, chabia que eu lutei bócxe?

— Não, não sabia disso — disse ela.

Ela pretendia levá-lo de volta ao escritório e lhe dar comida ali, mas ele parou na loja de kebab no final da Denmark Street e se atirou pela porta antes que ela pudesse impedi-lo. Sentados na única mesa da calçada, eles comeram kebabs e ele contou de sua carreira de pugilista no exército, de vez em quando caindo numa digressão para lembrar a Robin a boa pessoa que ela era. Ela conseguiu convencê-lo a baixar o tom. O efeito pleno de todo o álcool que ele consumiu ainda se fazia sentir e a comida parecia ajudar um pouco. Quando ele foi ao banheiro, demorou tanto que ela teve medo de que tivesse desmaiado.

Olhando o relógio, ela viu que eram 7:10. Ligou para Matthew e disse que cuidava de um problema urgente no trabalho. Ele não ficou nada satisfeito.

Strike voltou trôpego para a rua, quicando no batente da porta ao sair. Plantou-se firmemente contra a janela e tentou acender outro cigarro.

— R'bin — disse ele, erguendo a cabeça e olhando-a de cima. — R'bin, shabe o que é um mo... — Ele soluçou. — Um mo... momento *kairos*?

— Um momento *kairos* — repetiu ela, na esperança de que não fosse nada sexual, algo que ela não fosse capaz de esquecer, especialmente porque o dono da loja de kebab ouvia e sorria maliciosamente atrás deles. – Não, não sei. Vamos voltar ao escritório?

– Não shabe o que é? – perguntou ele, olhando-a de banda.

– Não.

– É grego – disse-lhe ele. – *Kairos*. Momento *kairos*. Quer dizer – e de algum lugar em seu cérebro embriagado ele escavou as palavras com surpreendente clareza – o momento marcante. O momento especial. O momento supremo.

Ah, por favor, pensou Robin, *por favor, não me diga que estamos tendo um.*

– E vochê shabe qual foi o nosho, R'bin, o meu e de Charlotte? – disse ele, olhando à meia distância, o cigarro apagado pendendo da mão. – Foi quando ela entrou na enfermaria... eu tava no hospital há muito tempo e não a vi por dois anosh... de repente... eu vi Charlotte na porta e todo mundo che virou e viu também, e ela andou pela enfermaria e não falou nada e – ele parou para tomar fôlego, soltando outro soluço – e ela me beijou depois de dois anosh, e a gente tinha voltado. Ninguém falou nada. Bonita pra caralho. A mulher mais bonita que já vi na vida. O melhor momento da merda... da merda da minha vida, deve ter shido. Deshculpe, R'bin – acrescentou ele. – Por dizer "caralho". Deshculpe por icho.

Robin sentiu-se inclinada ao mesmo tempo a rir e chorar, embora não soubesse por que sentia tanta tristeza.

– Quer que eu acenda seu cigarro?

– Vochê é uma ótima pechoa, Robin, shabia?

Perto de entrar na Denmark Street, ele estacou, ainda vacilando como uma árvore ao vento, e disse a ela, em voz alta, que Charlotte não amava Jago Ross; era tudo um jogo, um jogo para magoá-lo, Strike, o máximo que ela pudesse.

Na frente da portaria do escritório ele parou de novo, erguendo as mãos para impedir que ela subisse.

– Tem que ir pra caja agora, R'bin.

– Só quero subir e ver se você está bem.

– Não. Não. Agora eu tô bem. Tô enjoado. Tô desequilibrado. E – disse Strike – vochê não entende o trocadilho. Ou entende? Agora vochê sabe mais. Eu te falei?

– Não sei o que quer dizer.

– Deixa pra lá, R'bin. Vai pra caja. Eu vou vomitar.
– Tem certeza...?
– Me deshculpe eu ficar... xingando. Vochê é uma peshoa legal, R'bin. Agora tchau.

Ela olhou para trás quando chegou à Charing Cross Road. Ele andava com a deliberação pavorosa e desajeitada de alguém muito bêbado a caminho da entrada suja da Denmark Place, ali, sem dúvida, para vomitar na viela escura, antes de cambalear para sua cama de campanha e a chaleira.

6

Não houve um momento definido de transporte do sono para a consciência. No início ele estava deitado com o rosto enfiado numa paisagem onírica de metal quebrado, entulho e gritos, ensanguentado e incapaz de falar; depois estava de bruços, ensopado de suor, com a cara apertada na cama de campanha, a cabeça uma bola latejante de dor e a boca aberta, seca e fedorenta. O sol entrava pelas janelas sem cortina e se esfregava em suas retinas mesmo com as pálpebras fechadas: um vermelho doloroso, com capilares espalhando-se como redes pretas e finas sobre luzes mínimas, estourando provocadoras.

Ele estava inteiramente vestido, com a prótese ainda presa à perna, deitado por cima do saco de dormir como se tivesse caído ali. Lembranças agudas, como cacos de vidro por sua têmpora: convencendo o barman de que era boa ideia lhe dar outra cerveja. Robin, do outro lado da mesa, sorrindo para ele. Será que ele comeu um kebab no estado em que se encontrava? A certa altura, lembrou-se de lutar com o fecho, desesperado para urinar, mas incapaz de puxar a ponta da camisa presa no zíper. Ele passou a mão embaixo – mesmo este leve movimento lhe deu vontade de gemer ou vomitar – e descobriu, para um vago alívio, que o zíper estava fechado.

Aos poucos, como um homem equilibrando um frágil pacote nos ombros, Strike se colocou sentado e semicerrou os olhos para a sala iluminada sem ter ideia de que horas seriam, ou que dia era.

A porta entre as duas salas estava fechada e ele não ouvia movimento algum do outro lado. Talvez a temporária tivesse ido embora para sempre. Então ele viu um retângulo branco no chão, junto da porta, empurrado sob a fresta na base. Strike se colocou cautelosamente de quatro e pegou o que logo viu que era um bilhete de Robin.

Prezado Cormoran (ele agora não devia voltar a ser o "sr. Strike"),

Li sua lista de pontos a investigar na frente do arquivo. Pensei que talvez eu pudesse dar seguimento aos dois primeiros (Agyeman e o Malmaison Hotel). Estarei com o celular, se preferir que eu volte ao escritório.

Ajustei o despertador do lado de fora de sua porta para as duas da tarde, para que tenha tempo suficiente de se arrumar para o compromisso das cinco horas em Arlington Place, 1, à entrevista com Ciara Porter e Bryony Radford.

Tem água, paracetamol e Alka-Seltzer na minha mesa.

Robin

P.S.: Por favor, não se constranja por ontem à noite. Você não disse nem fez nada de que possa se arrepender.

Ele ficou sentado na cama de campanha por cinco minutos, segurando o bilhete, perguntando-se se ia vomitar, mas gostando do calor do sol nas costas.

Quatro comprimidos de paracetamol e um vidro de Alka-Seltzer, que praticamente decidiu a questão do vômito para ele, foram seguidos por 15 minutos no banheiro sujo, com resultados ofensivos tanto para o nariz como para o ouvido; mas ele era sustentado pela profunda gratidão que sentia pela ausência de Robin. Voltando à sala de espera, ele bebeu mais duas garrafas de água e desligou o despertador, que fizera seu cérebro latejante chocalhar no crânio. Depois de pensar um pouco, escolheu uma muda de roupas limpas, pegou sabonete líquido, desodorante, lâmina e creme de barbear, e toalha na bolsa de viagem, pegou calções de banho no fundo de uma das caixas de papelão no patamar, retirou as muletas de metal de outra, depois mancou pela escada de ferro com uma bolsa esportiva no ombro e as muletas na outra mão.

Comprou uma barra tamanho família de Dairy Milk a caminho da Malet Street. Bernie Coleman, um conhecido do Corpo Médico do Exército, uma vez explicou a Strike que a maioria dos sintomas associados com uma ressaca de matar se devia à desidratação e à hipoglicemia, resultados inevitáveis do vômito prolongado. Strike mastigou o chocolate no caminho, com as muletas metidas debaixo do braço e cada passo abalando sua cabeça, que ainda parecia comprimida por fios apertados.

Entretanto, o deus risonho da embriaguez ainda não o desertara. Agradavelmente desligado da realidade e de seus companheiros humanos, ele desceu a escada para a piscina da ULU com um verdadeiro senso de direito e, como sempre, ninguém o contestou, nem o único outro ocupante do vestiário que, depois de uma olhada interessada na prótese que Strike tirava, manteve os olhos educadamente desviados. Sua perna postiça foi enfiada em um armário junto com as roupas da véspera. Deixando a porta aberta por falta de trinco, Strike foi ao boxe de muletas, a barriga se derramando por cima dos calções.

Ao se ensaboar, ele notou que o chocolate e o paracetamol começavam a atenuar a náusea e a dor. Agora, pela primeira vez, foi à piscina grande. Só havia dois estudantes ali, ambos na raia rápida, de óculos de natação, distraídos de tudo, menos de sua perícia. Strike foi ao outro lado, baixou as muletas com cuidado ao lado dos degraus e deslizou para a raia lenta.

Ele estava mais inepto do que nunca na vida. Desajeitado e torto, ficou nadando na lateral da piscina, mas a água fria e limpa acalmava corpo e espírito. Ofegante, completou uma volta e parou ali, os braços grossos espalhados pela lateral, dividindo a responsabilidade por seu corpo pesado com a água carinhosa e olhando o teto alto e branco.

Ondas pequenas, mandadas pelos jovens atletas do outro lado da piscina, faziam cócegas em seu peito. A dor terrível na cabeça retirava-se para longe; uma luz vermelha e feroz vista pela névoa. O cloro era forte e clínico em suas narinas, mas não lhe dava mais vontade de vomitar. Deliberadamente, como um homem arrancando o curativo de uma ferida seca, Strike voltou a atenção ao que tentara afogar com o álcool.

Jago Ross; em cada aspecto, a antítese de Strike: bonito como um príncipe ariano, dono de um fundo de fideicomisso, nascido para ocupar um lugar preordenado na família e no mundo: um homem com toda a confiança que podem proporcionar 12 gerações de linhagem bem documentada. Ele abandonara uma sucessão de empregos ambiciosos, desenvolvera um problema persistente com a bebida e era cruel como um animal muito alimentado e mal disciplinado.

Charlotte e Ross pertenciam àquela rede estreita e interligada de sangue azul dos colégios de elite que conheciam suas famílias, ligadas por gerações de intercruzamentos e laços da velha escola. Enquanto a água batia em seu peito peludo, Strike parecia ver a si mesmo, Charlotte e Ross de muito longe, do lado errado de um telescópio, de modo que o arco de sua história tornava-se claro: espelhava o comportamento diário e inquieto de Charlotte, aquele desejo de emoção exaltada que costumava se expressar na destrutividade. Ela garantira Jago Ross como um prêmio aos 18 anos, o exemplo mais radical que podia encontrar do tipo dele e o epítome da qualificação, como viam os pais dela. Talvez tivesse sido fácil demais, e certamente esperado, porque ela depois o largou por Strike que, apesar de sua inteligência, era o anátema da família de Charlotte; um vira-lata desclassificado. O que restaria, depois de todos esses anos, a uma mulher que ansiava por tempestades emocionais, além de deixar Strike repetidas vezes até que por fim a única maneira de partir com verdadeiro triunfo era completar o círculo, voltando ao lugar onde ele a encontrou?

Strike deixou que o corpo dolorido flutuasse na água. Os estudantes que competiam ainda subiam e desciam a raia rápida.

Strike conhecia Charlotte. Ela esperava que ele a resgatasse. Era o teste definitivo e cruel.

Ele não nadou de volta pela piscina, mas saiu da água pela lateral, usando os braços para se segurar, como fazia durante a fisioterapia no hospital.

O segundo banho foi mais agradável do que o primeiro; ele deixou a água o mais quente que pôde suportar, cobriu-se de espuma, depois abriu a torneira fria para se enxaguar.

Com a prótese de novo na perna, ele se barbeou numa pia com uma toalha amarrada na cintura, vestindo-se depois com um cuidado incomum. Nunca havia usado o terno e a camisa mais caros que tinha. Foram presentes de Charlotte em seu último aniversário: a indumentária adequada para o noivo dela. Strike se lembrava de Charlotte radiante para ele enquanto ele se olhava, estranhamente bem-vestido, num espelho de corpo inteiro. O terno e a camisa ficaram pendurados em sua embalagem desde então, porque ele e Charlotte não saíram muito depois de novembro anterior; porque o aniversário dele foi o último dia verdadeiramente feliz que eles passaram juntos. Logo em seguida, a relação começou a resvalar para as antigas e familiares queixas, no mesmo lodo em que afundara antes, mas que, desta vez, eles juraram evitar.

Ele podia ter incinerado o terno. Em vez disso, num espírito de desafio, escolheu usá-lo, para eliminar dele as associações e torná-lo meros pedaços de pano. O corte do paletó o deixou mais alto e mais magro. Ele deixou a camisa branca aberta no colarinho.

No exército, Strike tinha a fama de sair do consumo excessivo de álcool com uma velocidade incomum. O homem que o olhava do espelho pequeno era pálido, com olheiras, mas no terno italiano bem cortado estava melhor do que em semanas. O olho roxo enfim tinha desaparecido e os arranhões se curaram.

Uma refeição cautelosamente leve, uma quantidade copiosa de água, outra viagem evacuatória ao banheiro do restaurante, mais analgésicos; então, às cinco horas, a chegada pontual ao número 1 da Arlington Place.

Depois de uma segunda batida, a porta foi atendida por uma estrábica de óculos de aro preto e cabelo grisalho curto. Ela o recebeu aparentando relutância, depois andou animadamente por um corredor de piso de pedra que incorporava uma escada magnífica com corrimão de ferro, chamando: "Guy! Algum Strike?"

Havia salas dos dois lados do corredor. À esquerda, um pequeno grupo de pessoas, todas vestidas de preto, olhava para uma fonte de luz intensa que Strike não conseguia ver, mas que iluminava suas caras extasiadas.

Somé apareceu, passando por essa porta no corredor. Também estava de óculos, que o deixavam mais velho; os jeans eram largos e rasgados e a camiseta branca era enfeitada por um olho que parecia chorar sangue cintilante, mas um exame mais atento revelou lantejoulas vermelhas.

– Terá de esperar – disse ele rispidamente. – Bryony está ocupada e Ciara vai demorar. Pode esperar ali, se quiser – ele apontou para a sala à direita, onde era visível a beira de uma mesa cheia de bandejas –, ou pode se sentar por aqui e assistir como esses idiotas inúteis – disse ele, de repente elevando a voz e olhando feio o grupo de homens e mulheres elegantes que olhavam a fonte de luz. Eles se dispersaram de pronto, sem protestar, alguns atravessando o corredor para a sala oposta.

– Terno melhor, aliás – acrescentou Somé, com um lampejo da antiga astúcia. Ele marchou de volta à sala de onde tinha vindo.

Strike seguiu o estilista e assumiu o lugar vago pelos espectadores rudemente despachados. A sala era longa e quase despojada, mas as cornijas decoradas, as paredes brancas e as janelas sem cortina conferiam-lhe uma atmosfera de grandeza desolada. Outro grupo de pessoas, inclusive um fotógrafo de cabelo comprido curvado sobre a câmera, estava entre Strike e a cena na extremidade da sala, que era ofuscante com a iluminação de uma série de lâmpadas a arco voltaico e telas de luz. Ali havia um arranjo habilidoso de cadeiras antigas e gastas, uma de cada lado, e três modelos.

Pertenciam a uma raça à parte, com rostos e corpos em proporções raras que caíam precisamente na categoria de estranhas e impressionantes. De ossos finos e temerariamente magras, elas foram escolhidas, Strike supunha, pelo contraste drástico em sua cor e feições. Sentada como Christine Keeler em uma cadeira virada, as pernas compridas abertas em leggings brancas tingidas, mas aparentemente nua da cintura para cima, estava uma negra de pele tão escura como o próprio Somé, com um penteado afro e olhos oblíquos e sedutores. De pé atrás dela com um colete branco decorado com correntes, que cobria apenas o púbis, estava uma beleza eurasiana com o cabelo preto e liso cortado numa franja assimétrica. De um lado, sozinha e de lado para o encosto de outra cadeira, estava Ciara Porter; pele de alabastro, o cabelo louro comprido, vestindo um macacão semitransparente branco através do qual seus mamilos claros e pontudos eram claramente visíveis.

A maquiadora, quase tão alta e magra quanto as modelos, curvava-se sobre a garota negra, apertando uma almofada ao lado do nariz dela. As três modelos esperavam em silêncio e em suas posições, imóveis como retratos, os três rostos inexpressivos e vazios, esperando ser chamadas. Todos os outros na sala (o fotógrafo parecia ter dois assistentes; Somé, agora roendo as unhas nas laterais, era acompanhado pela vesga de óculos) falavam aos sussurros, como se temessem perturbar algum equilíbrio delicado.

Enfim a maquiadora se juntou a Somé, que, sem ser ouvido, falou rapidamente com ela, gesticulando; ela recuou para a luz forte e, sem falar com a modelo, farfalhou e rearrumou o cabelo comprido de Ciara Porter; Ciara não deu sinais de que sabia ser tocada, esperando num silêncio paciente. Bryony se retirou para as sombras mais uma vez e perguntou alguma coisa a Somé; ele respondeu com uma torção dos ombros e lhe deu uma instrução inaudível que a fez olhar em volta até que seus olhos caíram em Strike.

Eles se encontraram ao pé da escada magnífica.

– Oi – sussurrou ela. – Vamos por aqui.

Ela o levou pelo corredor à sala oposta, um pouco menor do que a primeira e dominada por uma mesa grande, coberta de comida no estilo bufê. Várias araras de roupa, longas e com rodas, abarrotadas de criações com lantejoulas, babados e plumas arrumadas segundo a cor, estavam diante de uma lareira de mármore. Os espectadores deslocados, todos em seus 20 anos, se reuniam ali; falavam em voz baixa, servindo-se de um jeito erradio das travessas meio vazias de mozarela e presunto de Parma e falando ao telefone, ou brincando com ele. Vários submeteram Strike aos olhares de avaliação enquanto ele seguia Bryony a uma pequena sala dos fundos que fora convertida em estação de maquiagem improvisada.

Duas mesas com grandes espelhos portáteis estavam de frente para a única janela larga, que dava para um jardim bem cuidado. As caixas de plástico preto por ali lembraram Strike daquelas que o tio Ted levava para pescar, só que as gavetas de Bryony eram cheias de pós e tintas coloridas; tubos e pincéis enfileirados em toalhas espalhadas pelas mesas.

– Oi – disse ela, num tom normal. – *Meu Deus,* mas isso é que é uma tensão que pode ser cortada a faca, né? O Guy é sempre perfeccionista, mas esta é sua primeira sessão desde a morte de Lula, então ele está *seriamente* nervoso.

Bryony tinha o cabelo preto e picotado; sua pele era amarelada, as feições, embora largas, eram atraentes. Vestia jeans apertados nas pernas longas e ligeiramente arqueadas, uma blusa preta, várias correntes de ouro pelo pescoço, anéis nos dedos, inclusive nos polegares, e também o que pareciam sapatilhas de balé de couro preto. Esse tipo de calçado sempre tinha um efeito um tanto anafrodisíaco em Strike, porque o lembrava dos chinelos dobráveis que a tia Joan costumava carregar na bolsa, e, em consequência, de inchaços e calos.

Strike ia explicar o que queria dela, mas Bryony o interrompeu.

– O Guy me contou tudo. Quer um cigarro? Podemos fumar aqui, se abrirmos isso.

Assim dizendo, Bryony abriu a porta que levava diretamente à área pavimentada do jardim.

Ela abriu um pequeno espaço nas mesas abarrotadas de maquiagem e se empoleirou ali; Strike pegou uma das cadeiras vagas e sacou o bloco.

– Tudo bem, manda – disse ela então, sem lhe dar tempo para falar. – Eu estive pensando sem parar naquela tarde desde então. Tão, mas tão triste.

– Conhecia bem a Lula? – perguntou Strike.

– Ah, muito bem. Fiz a maquiagem dela para algumas sessões e a preparei para a Rainforest Benefit. Quando eu disse a ela que podia passar o fio nas sobrancelhas...

– Você podia o quê?

— Passar fio nas sobrancelhas. É como tirar, só que com linha, sabe?
Strike nem imaginava como isso funcionava.
— Muito bem...
— ... ela me pediu para fazer as dela em casa. Os paparazzi estavam todos por lá, *o tempo todo*. Mesmo que ela fosse ao salão. Era uma loucura. Então eu a ajudei a sair.

Bryony tinha o hábito de jogar a cabeça para trás para tirar dos olhos a franja comprida demais, de um jeito meio afobado. Agora jogou o cabelo para o lado, passou nele os dedos e olhou para Strike através da franja.

— Cheguei lá pelas três. Ela e Ciara estavam animadas com a chegada de Deeby Macc. Fofoca de garota, sabe como é. Eu *nunca* podia imaginar o que vinha pela frente. *Nunca*.

— Lula estava animada?

— Ah, nossa, estava, o que acha? Como você se sentiria se alguém tivesse composto músicas sobre... bom – disse ela, com um riso meio aspirado –, talvez seja coisa de mulher. Ele é *tão* carismático. Ciara e eu rimos muito com isso enquanto eu fazia as sobrancelhas de Lula. Depois Ciara me pediu para fazer as unhas dela. Acabei fazendo das duas, então fiquei lá, acho que por umas três horas. É, saí lá pelas seis.

— Então descreveria o estado de espírito de Lula como animado?

— É. Bom, sabe como é, ela estava meio distraída; ficava olhando o celular; ele ficou no colo dela enquanto eu fazia as sobrancelhas. Eu sabia o que significava: Evan ia avacalhar com ela de novo.

— Ela disse isso?

— Não, mas eu sabia que ela estava muito chateada com ele. Por que acha que ela contou a Ciara sobre o irmão? Sobre deixar tudo para ele?

Isto pareceu forçado a Strike.

— Você a ouviu dizer isso também?

— O quê? Não, mas eu ouvi *sobre* isso. Quer dizer, depois. Ciara contou a todo mundo. Eu estava no banheiro quando Lula falou. Mas, então, eu acredito totalmente. Totalmente.

— Por que isso?

Ela ficou confusa.

— Bom... ela amava o irmão, né? Meu Deus, isso sempre ficava óbvio. Ele devia ser a única pessoa em quem ela podia confiar. Meses antes, mais ou menos quando ela e Evan se separaram pela primeira vez, eu estava preparando a Lula para um desfile da Stella e ela contava a todo mundo que o irmão estava enchendo, falando sem parar que Evan era um parasita. E, sabe como é, o Evan estava incomodando a Lula de novo, naquela última tarde, então ela pensava que o James... não é James?... tinha razão o tempo todo. Ela sempre soube que ele só queria o bem dela, mesmo que às vezes fosse meio mandão. Esse setor é muito, mas muito explorador. Todo mundo defende seus interesses.

– Quem acha que defendia interesses com Lula?

– Ah, nossa, *todo mundo* – disse Bryony, fazendo um gesto largo com a mão que segurava o cigarro, abrangendo todas as salas vazias. – Ela era a modelo *mais quente, todo mundo* queria um pedaço dela. Quer dizer, o Guy... – Mas Bryony se interrompeu. – Bom, o Guy é um homem de negócios, mas ele a *adorava*; queria que ela fosse morar com ele depois daquela história do perseguidor. Ele ainda não se recuperou da morte dela. Soube que ele tentou entrar em contato com ela usando algum espírita. Margo Leiter me contou. Ele ainda está arrasado, mal consegue ouvir o nome dela sem chorar. *Mas então* – disse Bryony –, é só isso que eu sei. Nunca pensei que aquela tarde seria a última vez que eu a veria. Quer dizer, *meu Deus*.

– Ela falou de Duffield, enquanto você estava... er... tirando as sobrancelhas dela?

– Não – disse Bryony –, mas não falaria, né, se ele realmente a estava chateando?

– Pelo que você se lembra, ela falou principalmente de Deeby Macc?

– Bom... era mais Ciara e eu falando nele.

– Mas acha que ela estava animada, querendo conhecê-lo?

– Ué, claro que estava.

– Diga, você viu um papel azul com a letra de Lula quando esteve no apartamento dela?

Mais uma vez Bryony sacudiu a cabeça para afastar o cabelo e o penteou com os dedos.

– O quê? Não. Não, não vi nada assim. Por que, o que era?

– Não sei – disse Strike. – É o que gostaria de descobrir.

– Não, não vi. Azul, era isso? Não.

– Viu algum papel que ela tivesse escrito?

— Não, não me lembro de nenhum papel. Não. — Ela tirou o cabelo da cara. — Quer dizer, podia ter uma coisa dessas por perto, mas eu não percebi, necessariamente.

A sala estava suja. Talvez ele só tivesse imaginado que ela mudou de cor, mas ele não inventou o modo como Bryony torceu o pé direito sobre o joelho e examinou a sola da sapatilha de couro, procurando algo que não estava ali.

— O motorista de Lula, Kieran Kolovas-Jones...

— Ah, aquele cara, muito, muito gato? — disse Bryony. — A gente implicava com ela por causa do Kieran; ele era doido por ela. Acho que a Ciara às vezes o usa. — Bryony deu uma risadinha sugestiva. — Ela tem um *pouco* a fama de galinha, a Ciara. Quer dizer, não dá para deixar de gostar dela, mas...

— Kolovas-Jones disse que Lula estava escrevendo alguma coisa num papel azul na traseira do carro, quando ela foi ver a mãe naquele dia...

— Já falou com a mãe de Lula? Ela é meio esquisita.

— ... e eu gostaria de descobrir o que era.

Bryony jogou a guimba do cigarro pela porta aberta e se remexeu inquieta na mesa.

— Podia ser qualquer coisa. — Ele esperou pela sugestão inevitável e não ficou decepcionado. — Uma lista de compras ou coisa assim.

— É, pode ter sido isso; mas se, hipoteticamente, fosse um bilhete de suicida...

— Mas não era... quer dizer, isso é idiota... como podia ser? Quem escreve um bilhete de suicida bem antes, e depois faz a maquiagem e sai para dançar? Isso não faz nenhum sentido!

— Não parece fazer, concordo, mas seria bom descobrir o que era.

— Talvez não tenha nada a ver com a morte dela. Por que não podia ser uma carta ao Evan ou coisa assim, dizendo a ele como estava chateada?

— Ela não parecia chateada com ele naquele dia, mais tarde. De qualquer modo, por que ela escreveria uma carta, quando tinha o telefone dele e ia vê-lo naquela noite?

— Não sei — disse Bryony com impaciência. — Só estou dizendo que podia ser alguma coisa que não tivesse nenhuma importância.

— E tem certeza de que não viu?

– Tenho, tenho certeza absoluta – disse ela, com a cor definitivamente intensificada. – Eu estava lá para trabalhar, e não para ficar xeretando as coisas dela. Então, acabou?

– Sim, acho que é tudo que eu tinha para perguntar esta tarde – disse Strike –, mas talvez você possa me ajudar com outra coisa. Conhece a Tansy Bestigui?

– Não – disse Bryony. – Só a irmã dela, Ursula. Ela me contratou algumas vezes para umas festas grandes. Ela é um horror.

– Em que sentido?

– Só uma daquelas riquinhas mimadas... bom – disse Bryony, torcendo a boca –, ela não é *nem de longe* rica como gostaria. Aquelas irmãs Chillingham procuram velhos com sacos de dinheiro; são mísseis guiados pela grana, as duas. Ursula achava que tinha tirado a sorte grande quando se casou com Cyprian May, mas ele nem de *longe* basta para ela. Ela agora está batendo nos 40; as oportunidades não estão por aí, como antigamente. Acho que por isso ela não conseguiu aumentar o padrão.

E, evidentemente sentindo que seu tom requeria alguma explicação, ela continuou:

– Desculpe, mas ela me acusou de ouvir as porcarias dos recados da caixa postal dela. – A maquiadora cruzou os braços, olhando feio para Strike. – Quer dizer, *francamente*. Ela jogou o celular em mim e me disse para chamar um táxi, sem nem um por favor ou obrigada. Eu sou disléxica. Apertei o botão errado e só o que sei depois é que ela gritava comigo feito uma doida.

– Por que acha que ela ficou tão aborrecida?

– Porque eu ouvi um homem que não era o marido dela dizendo que estava deitado num quarto de hotel fantasiando que dormia com ela, presumi – disse Bryony com frieza.

– Então, afinal ela pode estar aumentando o padrão?

– *Isso* não é um aumento – disse Bryony; mas acrescentou apressadamente: – Quer dizer, era um recado bem brega. Mas, olha, eu tenho que voltar pra lá ou o Guy vai ficar uma fera.

Ele a deixou ir. Depois de ela sair, ele fez mais duas páginas de anotações. Bryony Radford se mostrou uma testemunha muito pouco confiável, sugestionável e mentirosa, mas lhe disse muito mais do que ela pensava.

7

A SESSÃO DE FOTOS DUROU mais três horas. Strike esperou no jardim, fumando e consumindo mais água mineral, enquanto caía o anoitecer. De vez em quando voltava ao prédio para ver o progresso, que parecia imensamente lento. Ocasionalmente tinha um vislumbre de Somé ou o ouvia, e seu humor parecia em frangalhos, berrando instruções para o fotógrafo ou para os asseclas de preto que adejavam entre as araras de roupas. Por fim, quase às nove horas, depois de Strike ter consumido algumas fatias de pizza que foram arrumadas pela carrancuda e exausta assistente do estilista, Ciara Porter desceu a escada onde estava posando com as duas colegas e se juntou a Strike na sala de maquiagem, que Bryony se ocupava de limpar.

Ciara ainda estava com o minivestido prata e duro em que tinha posado para as últimas fotos. Emaciada e angulosa, de pele clara como leite, o cabelo quase igualmente branco e olhos azuis bem separados, ela esticou as pernas intermináveis, de saltos plataforma amarrados com longas tiras prateadas nas panturrilhas, e acendeu um Marlboro Light.

— Meu Deus, nem *acredito* que você é filho do Rokers! — disse ela esbaforida, com os olhos de alexandrita e os lábios grossos e largos. — É pra lá *de esquisito!* *Eu* o conheço; ele convidou a Looly e eu ao almoço dos Greatest Hits no ano passado! E eu conheço seus irmãos, Al e Eddie! Eles me disseram que tinham um irmão mais velho no exército! Nossa. Que *doido*. Você acabou, Bryony? — acrescentou Ciara incisivamente.

A maquiadora parecia estar num trabalho laborioso de recolher os instrumentos de seu ofício. Agora acelerou perceptivelmente, enquanto Ciara fumava e a olhava em silêncio.

— É, acabei — disse Bryony animadamente por fim, colocando uma caixa de metal pesada no ombro e pegando mais embalagens em cada mão. — A gente se vê, Ciara. Tchau — acrescentou ela a Strike, e saiu.

— Ela é *tão* enxerida e *tão* fofoqueira — disse Ciara a Strike. Ela jogou para trás o cabelo branco e comprido, rearranjou as pernas de corça e perguntou: — Você vê muito Al e Eddie?

— Não — disse Strike.

— E sua *mãe* — disse ela, inabalável, soprando a fumaça pelo canto da boca. — Quer dizer, ela é tipo uma *lenda*. Sabia que Baz Carmichael fez toda uma coleção duas temporadas atrás chamada Super Groupie e que Bebe Buell e sua mãe foram tipo *toda* a inspiração? Saias maxi e blusas sem botões, com botas?

— Não — disse Strike.

— Ah, foi tipo... sabe aquela citação ótima sobre os vestidos de Ossie Clark, como os homens gostavam deles porque podiam tipo abrir com facilidade e eles comerem as garotas? É tipo a *era* da sua mãe.

Ela sacudiu o cabelo dos olhos de novo e o olhou, não com a avaliação fria e ofensiva de Tansy Bestigui, mas no que parecia um assombro franco e aberto. Era complicado para Strike decidir se ela era sincera ou se representava seu próprio personagem; a beleza de Ciara atrapalhava, como uma teia de aranha grossa através da qual era difícil vê-la com clareza.

— Então, se não se importa, gostaria de lhe perguntar sobre a Lula.

— Claro, sim. Tá. Não, eu quero mesmo ajudar. Quando soube que tinha alguém investigando, fiquei tipo *ótimo*. *Até que enfim*.

— Sério?

— Nossa, é. A história toda foi *tão* chocante. Eu simplesmente não consegui acreditar. Ela ainda está no meu telefone, olha só.

Ela vasculhou a bolsa enorme, enfim pegando um iPhone branco. Rolando pela lista de contatos, ela se curvou para ele, mostrando o nome "Looly". Seu perfume era doce e apimentado.

— Eu sempre fico esperando que ela me *ligue* — disse Ciara, por um momento vencida, deslizando o celular de volta à bolsa. — Não consigo apagar o nome dela; eu sempre *quero* fazer, mas na hora tipo *empaco*, sabe?

Ela se levantou, desassossegada, torceu uma das longas pernas por baixo do corpo, voltou a se sentar e fumou em silêncio por alguns segundos.

— Você ficou com ela na maior parte do dia, não foi? — perguntou Strike.

— *Nem* me lembre disso. — Ciara fechou os olhos. — Já pensei nisso tipo um *milhão* de vezes. Tentando entender como é que alguém pode ir de tipo completamente feliz para *morta* em tipo *horas*.

– Ela estava completamente feliz?

– Nossa, mais feliz do que eu já *vi*, naquela última semana. Nós tínhamos voltado de um trabalho em Antígua para a *Vogue*, e ela e Evan tinham reatado e eles tiveram uma cerimônia de compromisso; estava tudo *incrível* para ela, ela estava *nas nuvens*.

– Você esteve nessa cerimônia de compromisso?

– Ah, sim – disse Ciara, largando a guimba do cigarro numa lata de Coca-Cola, onde se extinguiu com um leve silvo. – Nossa, foi *pra lá* de romântico. Evan simplesmente tipo *caiu* em cima dela na casa de Dickie Carbury. Sabe o Dickie Carbury, o *restaurateur*? Ele tem uma casa *fabulosa* nas Cotswolds, e nós estávamos todos lá para passar o fim de semana, e Evan comprou para eles duas pulseiras iguais de Fergus Keane, *lindas*, de prata oxidada. Ele nos *obrigou* a ir para o lago depois do jantar, num frio de congelar e na neve, depois recitou um *poema* que escreveu para ela e pôs a pulseira no braço dela. Looly dava gargalhadas, mas ela depois tipo recitou um poema que sabia para ele. Walt Whitman. Foi – disse Ciara, com um ar de seriedade repentina –, sinceramente, foi tipo *tão* impressionante, ter o poema perfeito para dizer, tipo *assim*. As pessoas acham que as modelos são burras, sabia? – Ela jogou o cabelo para trás de novo e ofereceu a Strike um cigarro antes de pegar outro para si mesma. – É um *tédio tão grande* ter de dizer às pessoas que tive de adiar uma vaga para ensinar inglês em Cambridge.

– É mesmo? – perguntou Strike, incapaz de reprimir a surpresa na voz.

– É. – Ela soprou a fumaça lindamente. – Mas, sabe, a carreira de modelo ia tão bem, que tive de esperar outro ano. É um curso aberto, sabia?

– Então, a cerimônia de compromisso foi quando... uma semana antes de Lula morrer?

– Foi – disse Ciara –, no sábado anterior.

– E foi só uma troca de poemas e pulseiras. Não teve votos, nem alguém oficiando?

– Não, não foi uma *união civil* nem nada, só tipo um *momento* lindo e perfeito. Bom, a não ser por Freddie Bestigui, ele foi um pé no saco. Mas pelo menos – Ciara deu um trago fundo no cigarro – aquela droga de mulher dele não estava lá.

– Tansy?

— Tansy Chillingham, ela mesma. É uma vaca. *Não* é de admirar que eles estejam se divorciando; eles tinham vidas tipo *totalmente* separadas, nunca se viam os dois juntos.

"Pra te falar a verdade, Freddie não foi assim *tão* mau no fim de semana, vendo a reputação ruim que ele arrumou. Ele só foi chato, ficava puxando o saco da Looly, mas não foi tão *horroroso* como dizem que pode ser. Ouvi uma história dessas, de uma garota tipo *totalmente* ingênua a quem ele prometeu um papel num filme... bom, não sei se era verdade." Ciara semicerrou os olhos por um momento no final do cigarro. "Ela nunca denunciou, de qualquer forma."

— Você disse que Freddie estava sendo um pé no saco; em que sentido?

— Ah, nossa, ele ficava tipo *encurralando* a Looly e falando que ela ficaria ótima no telão, e tipo que *grande* sujeito o pai dela era.

— Sir Alec?

— É, o Sir Alec, claro. Ai, meu Deus — disse Ciara de olhos arregalados —, se ele conhecesse o pai *verdadeiro* dela, a Looly ia tipo pirar *completamente*! Teria sido tipo o sonho da vida dela! Não, ele só disse que conheceu Sir Alec anos e anos atrás, e que eles vieram tipo do mesmo *solar* do East End ou coisa assim, então ele devia ser considerado o padrinho dela ou coisa parecida. Acho que ele tentava ser engraçado, mas *nada*. Afinal, *todo mundo* sabia que só estava tentando arrumar um jeito de colocar a Looly num filme dele. Ele foi um imbecil na cerimônia de compromisso; ficava gritando: "Vou entregar a noiva." Ele estava de porre; bebeu feito um doido pelo jantar todo. Dickie teve de calar a boca dele. E aí, depois da cerimônia, todo mundo bebeu champanhe na casa e Freddie bebeu tipo mais duas garrafas além de todas que já havia detonado. Ficava gritando para Looly que ela daria uma grande atriz, mas ela não deu a mínima. Só o ignorou. Ela estava enroscada com Evan no sofá, tipo...

E de repente lágrimas cintilaram nos olhos pintados com kohl de Ciara, e ela as espremeu com as palmas abertas de suas mãos brancas e bonitas.

— ... loucamente *apaixonada*. Ela estava tão feliz, porra, eu nunca a vi mais feliz.

— Vocês encontraram Freddie Bestigui de novo, não foi, na noite antes da morte de Lula? As duas não passaram por ele no saguão, quando saíam?

— Foi — disse Ciara, ainda enxugando os olhos. — Como sabe disso?

— Wilson, o segurança. Ele pensou que Bestigui disse algo a Lula que ela não gostou.

— É, foi isso mesmo. Eu tinha me esquecido. Freddie disse alguma coisa sobre o Deeby Macc, sobre Looly ficar empolgada com a chegada dele, que ele queria muito filmar os dois juntos. Não lembro exatamente o que era, mas ele fez com que parecesse obsceno, sabia?

— Lula sabia que Bestigui e o pai adotivo dela foram amigos?

— Ela me falou que era a primeira vez que ouvia isso. Ela sempre ficava longe de Freddie no prédio. Não gostava da Tansy.

— Por que não?

— Ah, a Looly não estava interessada naquilo tudo, tipo que o marido tinha a maior merda de *iate* e tal, ela não queria entrar para essa turma. Ela era *muito* superior a isso. *Nada* a ver com as mulheres Chillingham.

— Tudo bem – disse Strike –, pode me falar da tarde e da noite que passou com ela?

Ciara largou a segunda guimba na lata de refrigerante, com outro silvo leve e respingado, e de imediato acendeu outro cigarro.

— Tá. Tudo bem, me deixa pensar. Bom, eu a encontrei na casa dela de tarde. Bryony apareceu para fazer as sobrancelhas dela e acabou fazendo as unhas de nós duas. Nós tivemos tipo uma tarde de mulherzinha juntas.

— Como estava a Lula?

— Ela estava... – Ciara hesitou. – Bom, ela não estava *tão* feliz como naquela semana. Mas não suicida, quer dizer, *de jeito nenhum*.

— O motorista dela, Kieran, achou que ela estava estranha quando a deixou na casa da mãe em Chelsea.

— Ah, nossa, é mesmo, como é que não estaria? A mãe dela tinha *câncer*, não tinha?

— Lula falou da mãe, quando viu você?

— Não, não mesmo. Quer dizer, disse que tinha ficado um pouco com a mãe, porque ela ficou meio mal depois da operação, mas ninguém pensou depois que Lady Bristow ia *morrer*. A operação era para *curá-la*, não era?

— Lula falou em algum outro motivo para ela ficar menos feliz do que antes?

— Não – disse Ciara, meneando lentamente a cabeça, o cabelo louro quase branco caindo no rosto. Ela o empurrou de novo e deu um trago fundo no cigarro. – Ela *estava* meio deprê, meio desligada, mas eu achei que era porque tinha acabado de ver a mãe. As duas tinham uma relação estranha. Lady Bristow era tipo *muito* superprotetora e possessiva. A Looly achava isso, sabe, meio claustrofóbico.

– Notou Lula telefonando para alguém enquanto ela estava com você?

– Não – disse Ciara, depois de uma pausa pensativa. – Lembro que ela ficava *olhando* muito o telefone, mas não falou com ninguém, pelo que me lembro. Se telefonou para alguém, fez isso na dela. Ela entrava e saía muito do quarto. Não sei.

– Bryony achou que ela parecia animada pelo Deeby Macc.

– Ah, pelo amor de Deus – disse Ciara com impaciência. – Todo mundo estava animado com o Deeby Macc... Guy e Bryony e... bom, até eu, um pouco – disse ela, com terna sinceridade. – Mas a Looly não ficou agitada. Estava apaixonada pelo Evan. Não pode acreditar em tudo o que a Bryony diz.

– Lula tinha uma folha de papel, que você possa se lembrar? Um papel azul, em que ela escreveu?

– Não – disse Ciara de novo. – Por quê? O que tem isso?

– Ainda não sei – disse Strike, e Ciara ficou subitamente atônita.

– Meu Deus... não está me dizendo que ela deixou um *bilhete*? Ai, meu *Deus*. Mas isso não seria uma loucura? Mas... não! Isso significaria que ela já tipo tinha decidido o que ia fazer.

– Talvez fosse outra coisa – disse Strike. – Você mencionou no inquérito que Lula expressou a intenção de deixar tudo para o irmão, não foi?

– Foi, é isso mesmo – disse Ciara com franqueza, assentindo. – É, o que aconteceu foi que Guy mandou para a Looly umas bolsas *demais* da nova coleção. Eu *sabia* que ele não teria me mandado nenhuma, embora *eu* também estivesse na campanha. Mas, então, eu desembrulhei a primeira, a Cashile, sabe, e era tipo *linda*; ele faz uns forros de seda destacáveis e tinha estampa customizada para ela com um tema africano incrível. Então eu disse: "Looly, vai me deixar esta de herança?", só de brincadeira. E ela disse, tipo *muito* séria: "Vou deixar tudo para meu irmão, mas sei que ele vai te dar o que você quiser."

Strike observava e escutava, procurado algum sinal de que ela estivesse mentindo ou exagerando, mas as palavras saíam com facilidade e, ao que parecia, franqueza.

– Foi uma coisa meio estranha de se dizer, não acha? – perguntou ele.

– Acho que sim. – Ciara balançou o cabelo do rosto de novo. – Mas a Looly era assim; às vezes ficava meio sombria e *dramática*. O Guy costumava dizer: "Deixa de ser doida, Cuco." Mas, então – Ciara suspirou –, ela não entendeu a dica sobre a bolsa Cashile. Eu torcia para ela me dar; quer dizer, a Looly tinha *quatro*.

– Você disse que era íntima de Lula?

– Ah, nossa, era, *super*íntima, ela me contava *tudo*.

– Algumas pessoas disseram que ela não confiava com muita facilidade. Que Lula tinha medo de que suas confidências aparecessem na imprensa. Ouvi que ela testou as pessoas para ver se podia confiar nelas.

– Ah, foi, ela ficou tipo meio *paranoica* depois que a mãe verdadeira começou a vender histórias sobre ela. Na verdade ela até me perguntou – disse Ciara, com um aceno gracioso do cigarro – se eu tinha dito a alguém que ela voltara com Evan. Quer dizer, *então tá. De jeito nenhum* ela ia conseguir guardar segredo. *Todo mundo* falava no assunto. Eu disse a ela: "Looly, a única coisa pior do que ser falada é não ser falada." Isso é do Oscar Wilde – acrescentou ela, gentilmente. – Mas a Looly não gostava desse lado da fama.

– Guy Somé acha que Lula não teria voltado com Duffield se ele não estivesse fora do país.

Ciara olhou a porta e baixou a voz.

– O Guy *diria* isso mesmo. Ele era tipo *super*protetor com a Looly. Adorava a garota; ele a amava de verdade. Achava que Evan era ruim para ela, mas *sinceramente*, ele não conhecia o verdadeiro Evan. O Evan é tipo *totalmente* fodido, mas é boa gente. Ele foi ver a Lady Bristow não faz muito tempo e eu disse a ele: "*Por que*, Evan, mas o que *deu* em você para passar por isso?" Porque a família dela o odeia. E sabe o que ele disse? "Eu só queria falar com alguém que se importava tanto quanto eu com a morte dela." Quer dizer, isso não é triste?

Strike deu um pigarro.

– A imprensa sempre quer prejudicar o Evan, é *tão* injusto, parece que ele não consegue fazer nada direito.

– Duffield foi à sua casa, não foi, na noite em que ela morreu?

– Nossa, foi, olha aí! – disse Ciara com indignação. – Eles fizeram parecer que a gente estava tipo *transando* ou coisa assim! Ele estava sem dinheiro nenhum e o motorista dele tinha sumido, e ele só tipo *atravessou* Londres a pé para chegar à minha casa. Dormiu no sofá. Então, estávamos juntos quando soubemos da notícia.

Ela levou o cigarro à boca carnuda e tragou fundo, com os olhos no chão.

– Foi horrível. Nem imagina. Horrível. Evan ficou... ai, meu Deus. E depois – disse ela, numa voz que mal passava de um sussurro –, todo mundo ficou dizendo que foi *ele*. Depois de Tansy Chillingham dizer que ouviu uma briga. A imprensa surtou. Foi medonho.

Ela levantou os olhos para Strike, tirando o cabelo do rosto. A luz severa do alto apenas iluminava sua estrutura óssea perfeita.

– Você não conheceu o Evan, conheceu?

– Não.

– Quer conhecer? Pode vir comigo agora. Ele disse que vai à Uzi hoje à noite.

– Seria ótimo.

– *Demais*. Espere aí.

Ela se levantou num salto e chamou pela porta aberta.

– Guy, amor, posso vestir isso essa noite? Anda, vai. Na Uzi?

Somé entrou na salinha. Parecia exausto por trás dos óculos.

– Tudo bem. Mas trate de ser fotografada. Se estragar esse, vou arrancar teu couro num processo.

– Não vou estragar. Vou levar Cormoran para conhecer o Evan.

Ela colocou os cigarros na bolsa imensa, que parecia conter também suas roupas do dia, e a pendurou no ombro. De saltos, ficava uns três centímetros mais alta que o detetive. Somé olhou para Strike, de olhos semicerrados.

– Vê se dá uma dura naquele merdinha.

– Guy! – disse Ciara, fazendo beicinho. – Não seja horrível.

– E se cuida, senhor Rokeby – acrescentou Somé, com seu tom habitual de desdém. – A Ciara é uma tremenda piranha, não é, querida? E ela é como eu. Gosta dos grandes.

– *Guy!* – Ciara fingiu ficar horrorizada. – Vem, Cormoran. Tenho um motorista lá fora.

8

STRIKE, JÁ PREVENIDO, não ficou nem de longe tão surpreso ao ver Kieran Kolovas-Jones quanto o motorista ao vê-lo. Kolovas-Jones mantinha aberta a porta esquerda dos passageiros, fracamente iluminada pela luz interna do carro, mas Strike notou uma mudança momentânea em sua expressão quando ele pôs os olhos no companheiro de Ciara.

– Boa-noite – disse Strike, contornando o carro para abrir sua própria porta e entrar ao lado de Ciara.

– Kieran, já conhece Cormoran, não? – Ciara fechou o cinto de segurança. Seu vestido tinha subido até o alto das pernas compridas. Strike não tinha certeza absoluta de que ela agora usava alguma coisa por baixo. Certamente estava sem sutiã por baixo do macacão branco.

– Oi, Kieran – disse Strike.

O motorista assentiu para Strike pelo retrovisor, mas não disse nada. Assumiu um comportamento estritamente profissional que Strike duvidava de que fosse habitual na ausência de detetives.

O carro arrancou do meio-fio. Ciara começou a vasculhar a bolsa; pegou um spray de perfume e se borrifou com liberalidade em círculos amplos pelo rosto e os ombros; depois passou gloss na boca, falando o tempo todo.

– Do que vou precisar mesmo? Dinheiro. Cormoran, pode ser bonzinho e guardar isso no seu bolso? Não vou levar essa coisa imensa lá para dentro. – Ela lhe entregou um maço amassado de cédulas de vinte. – Você é um amor. Ah, e vou precisar de meu telefone. Tem bolso para meu telefone? *Nossa*, essa bolsa é uma bagunça.

Ela a largou no piso do carro.

– Quando você disse que teria sido o sonho da vida de Lula encontrar o pai biológico...

— Ah, nossa, *teria* sido mesmo. Ela falava nisso *o tempo todo*. Ficou toda animada quando aquela vadia... a mãe biológica dela... disse que ele era africano. Guy sempre disse que isso era besteira, mas ele odiava a mulher.

— Ele conheceu Marlene Higson?

— Ah, não, só odiava, tipo, toda a *ideia* dela. Ele viu como a Looly ficou animada, e só queria *protegê-la* para que não se decepcionasse.

Tanta proteção, pensou Strike, enquanto o carro virava uma esquina no escuro. Será que Lula era tão frágil? A nuca de Kolovas-Jones estava rígida e reta; seus olhos iam com mais frequência do que o necessário à cara de Strike.

— E então Looly pensou que tinha uma pista dele... do pai verdadeiro... mas acabou que era completamente fria. Um beco sem saída. É, foi muito triste. Ela pensava mesmo que o tinha achado, e aí escapou tudo pelos dedos dela.

— E que pista era essa?

— Era algo relacionado com a faculdade dele. Algo que a mãe disse. Looly pensou que tinha encontrado o lugar e foi olhar os registros, ou coisa assim, com aquela amiga estranha dela chamada...

— Rochelle? — sugeriu Strike. O Mercedes agora ronronava pela Oxford Street.

— É, Rochelle, isso mesmo. Looly a conheceu na reabilitação ou coisa assim, coitadinha. A Looly era, tipo, *incrivelmente* doce com ela. Levava para fazer compras e tudo. Mas, então, elas nunca o encontraram, ou era o lugar errado, ou coisa assim. Não me lembro.

— Ela procurou por um homem chamado Agyeman?

— Acho que ela nunca me falou nesse nome.

— Ou Owusu?

Ciara virou os lindos olhos claros para ele, assombrada.

— Mas esse é o nome verdadeiro do *Guy*!

— Eu sei.

— Ai, meu Deus. — Ciara riu. — O pai do *Guy* nunca fez faculdade. Ele era *motorista de ônibus*. Batia no Guy por desenhar vestidos o tempo todo. Por isso o Guy trocou de nome.

O carro reduzia. A fila comprida, de quatro pessoas de largura, se estendia pelo quarteirão, levando a uma entrada discreta que podia ser de uma casa particular. Um grupo de figuras de preto se reunia em volta de uma porta de colunas brancas.

– Paparazzi – disse Kolovas-Jones, falando pela primeira vez. – Cuidado ao sair do carro, Ciara.

Ele saiu do banco do motorista e andou até a porta traseira da esquerda; mas os paparazzi já corriam; homens de roupas escuras e agourentas, erguendo suas câmeras de longos focinhos ao se aproximarem.

Ciara e Strike saíram para o tiroteio de flashes; as retinas de Strike ficaram súbita e ofuscantemente brancas; ele baixou a cabeça, a mão se fechou por instinto no braço magro de Ciara Porter, e a conduziu à frente pelo retângulo preto que representava o refúgio, enquanto as portas se abriam por mágica para recebê-los. As hordas em fila gritavam, protestando contra sua entrada fácil, berrando de excitação; e então os flashes pararam e eles estavam no interior do prédio, onde havia um rugido industrial de barulhos e um baixo insistente e alto.

– *Nossa*, você tem um excelente senso de direção – disse Ciara. – Em geral eu, tipo, quico pelos seguranças e eles têm de me empurrar para dentro.

Faixas e clarões de roxo e amarelo ainda ardiam no campo de visão de Strike. Ele soltou o braço dela. Ciara era tão branca que ficava quase luminosa na escuridão. Depois eles foram empurrados ainda mais para dentro da boate graças à entrada de mais uma dúzia de pessoas atrás deles.

– Vem – disse Ciara, passando a mão macia e de dedos longos pela dele, puxando-o atrás dela.

Rostos se viravam conforme eles passaram pela multidão comprimida, os dois mais altos do que a maioria dos frequentadores. Strike viu o que pareciam longos aquários de vidro embutidos nas paredes, contendo algo semelhante a globos flutuantes de cera, lembrando-o das lâmpadas lava de sua mãe. Havia longos bancos de couro preto pelas paredes e, mais para dentro, mais perto da pista, mesas. Era difícil saber que tamanho tinha a boate, devido aos espelhos criteriosamente colocados; a certa altura, Strike teve um vislumbre de si mesmo, de frente, elegantemente vestido atrás da sílfide prateada que era Ciara. A música martelava por cada parte dele, vibrando por sua cabeça e pelo corpo; a multidão na pista era tão compacta que parecia um milagre que conseguissem até bater os pés e rebolar.

Tinham chegado a uma porta acolchoada, protegida por um segurança careca que sorriu para Ciara, revelando dois dentes de ouro, e abriu a entrada oculta.

Eles entraram em uma área de bar mais silenciosa e muito menos apinhada, evidentemente reservada aos famosos e seus amigos. Strike notou uma apresentadora de TV de minissaia, um ator de novela, um comediante famoso principalmente por seu apetite sexual; e então, num canto distante, Evan Duffield.

Tinha um cachecol com estampa de caveira no pescoço e vestia jeans pretos apertados, sentado na junção entre dois bancos de couro preto, com os braços estendidos pelos encostos de cada lado, onde seus companheiros, principalmente mulheres, espremiam-se. O cabelo escuro na altura do ombro tinha sido tingido de louro; ele era pálido e de cara ossuda, e as manchas em volta dos olhos turquesa eram roxas.

O grupo que cercava Duffield emanava uma força quase magnética pela sala. Strike viu isso nos olhares de banda que outros ocupantes lhes lançavam; no espaço respeitoso que deixavam em volta deles, uma órbita maior do que qualquer outro teria assegurado. A aparente inconsciência de Duffield e seu grupo, reconheceu Strike, não passava de artifício habilidoso; tinham, todos, o excesso de alerta da presa combinado com a arrogância despreocupada dos predadores. Na cadeia alimentar invertida da fama, as grandes feras eram perseguidas e caçadas. Recebiam o que lhes era devido.

Duffield falava com uma morena sensual. Os lábios dela estavam separados ao escutar, quase sedutoramente imersa nele. Conforme Ciara e Strike se aproximavam, o detetive viu Duffield desviar os olhos da mulher por uma fração de segundo, fazendo, pensou ele, um rápido reconhecimento do bar, avaliando o grau de atenção da sala e outras possibilidades que pudesse oferecer.

– Ciara! – gritou ele com a voz rouca.

A morena pareceu murchar quando Duffield se levantou num torpor; magro e ainda assim musculoso, ele deslizou da mesa para abraçar Ciara, vinte centímetros mais alta do que ele com seus saltos plataforma; ela largou a mão de Strike para retribuir o abraço. Todo o bar, por alguns momentos de brilho, pareceu olhar; depois se lembraram de quem eram e voltaram à sua conversa e a seus coquetéis.

— Evan, este é Cormoran Strike — disse Ciara. Ela moveu a boca para perto da orelha de Duffield, e Strike viu mais do que a ouviu dizer: — Ele é filho de Jonny Rokeby!

— Beleza, parceiro? — perguntou Duffield, estendendo a mão, que Strike apertou.

Como outros mulherengos inveterados que Strike conheceu, a voz de Duffield e seus maneirismos eram ligeiramente afeminados. Talvez esses homens ficassem assim pela imersão prolongada na companhia das mulheres, ou talvez fosse um jeito de desarmar a presa. Com um gesto leve, Duffield indicou que os outros deviam se afastar no banco, para dar espaço para Ciara; a morena ficou desapontada. Strike teve de encontrar um banco baixo, arrastar pela mesa e perguntar o que Ciara queria beber.

— Ooooh, pegue uma Boozy-Uzi para mim — disse ela — e use meu dinheiro, querido.

O coquetel de Ciara tinha um forte cheiro de Pernod. Strike comprou água para si mesmo e voltou à mesa. Ciara e Duffield agora estavam quase nariz com nariz, conversando; mas quando Strike baixou as bebidas, Duffield olhou em volta.

— E o que você faz, Cormoran? No negócio da música?

— Não — disse Strike. — Sou detetive.

— Tá de sacanagem — disse Duffield. — Quem eu devo ter matado dessa vez?

O grupo em volta dele se permitiu sorrisos irônicos ou nervosos, mas Ciara disse:

— Deixa de brincadeira, Evan.

— Não estou brincando, Ciara. Você vai notar quando eu estiver, porque será muito engraçado.

A morena riu.

— Eu disse que *não* estou brincando — rebateu Duffield.

A morena parecia ter levado um tabefe. O resto do grupo se retraiu imperceptivelmente, mesmo no espaço apertado; começaram suas próprias conversas, excluindo temporariamente Ciara, Strike e Duffield.

— Evan, isso não é legal — disse Ciara, mas sua reprimenda mais pareceu acariciar do que ferir, e Strike notou que o olhar que ela lançou à morena não tinha compaixão.

Duffield tamborilou os dedos na beira da mesa.

– E aí, que tipo de detetive você é, Cormoran?

– Particular.

– Evan, querido. O Cormoran foi contratado pelo irmão de Looly...

Mas Duffield aparentemente viu alguém ou alguma coisa interessante no bar, porque se levantou de um salto e desapareceu na multidão ali.

– Ele sempre é meio disléxico – disse Ciara, desculpando-se. – Além do mais, ainda está muito fodido por causa da Looly. Ele *está mesmo* – insistiu ela, meio nervosa, mas também se divertindo, enquanto Strike erguia as sobrancelhas e olhava incisivamente na direção da morena voluptuosa, que agora segurava uma taça vazia de mojito e parecia carrancuda. – Tem uma coisa no seu paletó elegante – acrescentou Ciara, e se curvou para espanar o que Strike pensou ser farelo de pizza. Ele sentiu um forte cheiro do perfume doce e picante. O tecido prateado de seu vestido era tão rígido que se abriu, como uma armadura, para longe do corpo, permitindo que ele tivesse uma visão desimpedida de pequenos seios brancos e mamilos rosados e pontudos.

– Que perfume está usando?

Ela meteu o pulso embaixo do nariz.

– É o novo do Guy – disse ela. – O nome é Éprise... É "apaixonado" em francês, sabia?

– Sei – disse ele.

Duffield retornava, trazendo outra bebida, abrindo caminho pela multidão, cujos rostos se voltavam para ele, atraídos por sua aura. Suas pernas nos jeans apertados pareciam limpadores de chaminé pretos e, com os olhos manchados, ele parecia um pierrô pervertido.

– Evan, amor – disse Ciara, quando Duffield voltou a se sentar –, Cormoran está investigando...

– Ele te ouviu da primeira vez – interrompeu-a Strike. – Não precisa fazer isso.

Ele pensou que o ator também tivesse ouvido. Duffield bebeu seu drinque rapidamente e lançou alguns comentários ao grupo. Ciara bebericou o coquetel, depois cutucou Duffield.

– Como está indo o filme, querido?

– Ótimo. Bom. Traficante de drogas suicida. Não me custa muito, sabe como é.

Todos sorriram, menos o próprio Duffield. Ele tamborilou os dedos na mesa, com as pernas se sacudindo no ritmo.

– Que tédio – anunciou ele.

Ele semicerrou os olhos para a porta e o grupo o fitou, claramente ansioso, pensou Strike, para ser arrebanhado e levado dali.

Duffield olhou de Ciara para Strike.

– Querem ir pra minha casa?

– Fabuloso! – Ciara deu um gritinho e, com um olhar felino de triunfo para a morena, secou o drinque de um gole só.

Fora da área VIP, duas meninas bêbadas correram para Duffield; uma delas puxou a blusa para cima e lhe pediu para autografar seus seios.

– Não seja obscena, meu bem – disse Duffield, passando por ela. – Tá de carro, Cici? – gritou ele por sobre o ombro, enquanto abria caminho pelas multidões, ignorando gritos e dedos apontados.

– Estou, amor – gritou ela. – Vou ligar para ele. Cormoran, querido, pode me dar o celular?

Strike se perguntou o que os paparazzi lá fora fariam com Ciara e Duffield saindo da boate juntos. Ela gritava no iPhone. Eles chegaram à entrada; Ciara disse:

– Espere... ele vai mandar um torpedo quando estiver aí fora.

Ela e Duffield pareciam um tanto nervosos; atentos, seguros de si, como competidores esperando para entrar num estádio. Depois o telefone de Ciara soltou um pequeno zumbido.

– Tudo bem, ele chegou – disse ela.

Strike ficou para trás, para que ela e Duffield saíssem primeiro, depois foi rapidamente ao banco do carona enquanto Duffield dava a volta pela traseira do carro nas luzes ofuscantes que estouravam, aos gritos da fila, e se atirava no banco traseiro com Ciara, que Kolovas-Jones ajudou a entrar. Strike bateu a porta da frente, afugentando os dois homens que se curvavam para dentro para tirar uma foto depois de Duffield e Ciara entrarem.

Kolovas-Jones pareceu levar um tempo excessivamente longo para manobrar o carro; Strike sentia que o interior do Mercedes era como um tubo de ensaio, ao mesmo tempo fechado e exposto enquanto disparavam cada vez mais flashes. Lentes eram apertadas nas janelas e no para-brisa; rostos inamistosos flutuavam no escuro, e figuras de preto disparavam de um lado a outro na frente do carro parado. Para além da explosão de luz, agitava-se a fila na sombra, curiosa e excitada.

– Pisa fundo, pelo amor de Deus! – rosnou Strike para Kolovas-Jones, que acelerou o motor. Os paparazzi que bloqueavam a rua recuaram, ainda tirando fotos.

– Tchau, babacas – disse Evan Duffield do banco traseiro, conforme o carro arrancava do meio-fio.

Mas os fotógrafos correram junto do carro, os flashes estourando dos dois lados; e todo o corpo de Strike foi banhado em suor: de repente ele estava de volta à estrada de terra amarela no Viking sacudido, com um barulho de fogos de artifício pipocando no ar do Afeganistão; teve o vislumbre de um jovem fugindo da estrada à frente, arrastando um garoto pequeno. De forma inconsciente, ele tinha berrado: "*Freia!*", jogou-se para frente e pegou Anstis, pai havia apenas dois dias, sentado à direita do motorista; a última coisa de que se lembrou foi o grito de protesto de Anstis e a explosão metálica e baixa de seu corpo batendo nas portas traseiras, antes que o Viking se desintegrasse com um estrondo de furar os tímpanos e o mundo virasse um borrão nebuloso de dor e pavor.

O Mercedes virou a esquina para uma rua quase deserta; Strike percebeu que tinha se segurado com tal tensão que doíam os músculos de sua panturrilha remanescente. Pelo espelho lateral, via duas motos, cada uma delas com alguém na garupa, seguindo o carro. Princesa Diana e o túnel parisiense; a ambulância trazendo o corpo de Lula Landry, com câmeras erguidas para o vidro escurecido ao passar; as duas cenas galopavam por seus pensamentos enquanto o carro acelerava pelas ruas escuras.

Duffield acendeu um cigarro. Pelo canto do olho, Strike viu Kolovas-Jones fechar a cara para o passageiro pelo retrovisor. Mas não protestou. Depois de um ou dois minutos, Ciara começou a cochichar com Duffield. Strike pensou ter ouvido o próprio nome.

Cinco minutos depois, eles viraram outra esquina e viram, à frente, outro pequeno grupo de fotógrafos de preto, que começaram a disparar os flashes e correr para o carro no momento em que ele apareceu. As motos paravam atrás deles; Strike viu os quatro homens correrem para alcançá-los assim que as portas do carro se abriram. A adrenalina foi às alturas: Strike se imaginou explodindo para fora do carro, esmurrando, quebrando câmeras caras no concreto enquanto seus donos se amontoavam. E como se tivesse lido o pensamento de Strike, Duffield disse com a mão na maçaneta da porta:

– Arrebenta com eles, Cormoran, você tem corpo pra isso.

As portas abertas, o ar da noite e mais flashes enlouquecedores; como um touro, Strike saiu rapidamente com a cabeça grande abaixada, os olhos nos saltos vacilantes de Ciara, recusando-se a se deixar cegar. Eles subiram os três degraus correndo, Strike na retaguarda; e foi ele que bateu a porta do prédio na cara dos fotógrafos.

Strike se sentiu momentaneamente aliado dos outros dois pela experiência de ser perseguido. O saguão mínimo e mal iluminado parecia seguro e simpático. Os paparazzi ainda gritavam entre eles do outro lado da porta, e seus gritos concisos lembravam soldados fazendo o reconhecimento de uma construção. Duffield mexia numa porta interna, experimentando uma sucessão de chaves na fechadura.

– Só estou aqui há duas semanas – explicou ele, enfim abrindo a porta com um empurrão do ombro. Depois de passar da soleira, tirou a jaqueta apertada, jogou no chão perto da porta e então entrou na frente, os quadris estreitos gingando de um jeito um pouco menos exagerado do que os de Guy Somé, por um curto corredor até uma sala de estar, onde acendeu a luz.

A decoração despojada e elegante em cinza e preto tinha sido embotada pela bagunça e o fedor de cigarro, maconha e álcool. Strike se lembrou nitidamente de sua infância.

– Preciso ir ao banheiro – anunciou Duffield, e disse por sobre o ombro ao desaparecer, com um golpe diretivo do polegar: – As bebidas estão na cozinha, Cici.

Ela lançou um sorriso a Strike e passou pela porta que Duffield indicara.

Strike olhou a sala, que parecia ter sido deixada, por pais de gosto impecável, aos cuidados de um adolescente. Cada superfície estava coberta de lixo, grande parte na forma de notas rabiscadas. Havia três violões encostados na parede. Uma mesa de centro de tampo de vidro abarrotada era cercada por poltronas em preto e branco, viradas para uma enorme TV de plasma. Restos tinham transbordado da mesa de centro para o tapete felpudo e preto abaixo dela. Para além das janelas longas, com suas cortinas finas e cinza, Strike distinguia os fotógrafos ainda rondando sob a luz da rua.

Duffield voltou, fechando o zíper. Ao se ver sozinho com Strike, soltou uma risadinha nervosa.

— Sinta-se em casa, grandão. Eu conheço seu velho.

— É mesmo? — disse Strike, sentando-se em uma das poltronas cúbicas de couro macio de cavalo.

— É. Encontrei o homem algumas vezes — disse Duffield. — Um cara legal.

Ele pegou um violão, começou a brincar com uma música, pensou melhor e recolocou o instrumento encostado na parede.

Ciara voltou, trazendo uma garrafa de vinho e três taças.

— Não pode arrumar uma faxineira, amor? — perguntou ela a Duffield com censura.

— Elas desistem — disse Duffield. Ele pulou pelo encosto de uma poltrona e caiu de pernas esticadas pela lateral. — Não têm forças.

Strike afastou a bagunça na mesa de centro para que Ciara baixasse a garrafa e as taças.

— Pensei que estivesse morando com Mo Innes — disse ela, servindo o vinho.

— É, não deu certo. — Duffield varria as porcarias na mesa atrás dos cigarros. — O Freddie me alugou este lugar só por um mês, enquanto vou para Pinewood. Ele quer me manter longe dos velhos *fantasmas*.

Seus dedos sujos passaram pelo que parecia um rosário; vários maços de cigarros vazios e rasgados; três isqueiros, um deles um Zippo gravado; papel para enrolar cigarros; cabos embolados sem seus aparelhos; um baralho; um lenço manchado e imundo; pedaços amassados e variados de papel sujo; uma revista de música mostrando uma foto em preto e branco de Duffield deprimido na capa; correspondência aberta e fechada; duas luvas de couro pretas e amarfanhadas; várias moedas soltas e, num cinzeiro de porcelana limpo na beira do lixo, uma única abotoadura na forma de uma pequena arma de prata. Por fim, ele desencavou um maço mole de Gitanes debaixo do sofá; acendeu um cigarro, soprou um longo jato de fumaça para o teto e se voltou a Ciara, que se alojara no sofá, virada para os dois homens, bebendo seu vinho.

— Vão dizer que a gente tá trepando de novo, Ci — disse ele, apontando pela janela as sombras dos fotógrafos que zanzavam à espera.

— E o que vão dizer do Cormoran aqui? — perguntou Ciara, com um olhar de banda a Strike. — Um *ménage*?

— Segurança — disse Duffield, avaliando Strike pelos olhos estreitos. — Ele parece um pugilista. Ou aqueles caras da luta livre. Não quer uma bebida decente, Cormoran?

— Não, obrigado — disse Strike.

— O que é, AA ou de serviço?

— De serviço.

Duffield ergueu as sobrancelhas e deu uma risadinha. Parecia nervoso, lançando olhares rápidos a Strike, tamborilando os dedos na mesa de vidro. Quando Ciara perguntou se ele tinha ido à casa de Lady Bristow de novo, ele demonstrou alívio por ter algum assunto.

— Merda, não. Uma vez foi suficiente. Foi horrível, porra. A coitada. Naquela merda de leito de morte.

— Mas foi *pra lá* de bacana você ter ido, Evan.

Strike sabia que ela tentava mostrar Duffield sob uma ótica melhor.

— Conheceu bem a mãe de Lula? — perguntou Strike a Duffield.

— Não. Só a vi uma vez, antes de Lu morrer. Ela não me aprovava. Ninguém da família da Lu me aprovava. Sei lá — ele se remexeu —, eu só queria falar com alguém que realmente ligasse de ela estar morta.

— Evan! — Ciara fez beicinho. — *Eu* ligo de ela estar morta, dá licença?

— É, bom...

Com um de seus movimentos fluidos e estranhamente femininos, Duffield se enroscou na poltrona numa posição quase fetal, tragando fundo o cigarro. Numa mesa atrás de sua cabeça, iluminada pelo cone de uma luminária, havia uma foto grande dele com Lula Landry, claramente tirada de uma sessão de moda. Fingiam lutar tendo como cenário árvores falsas; ela estava com um vestido vermelho longo, ele com um terno preto slim e uma máscara peluda de lobo puxada no alto da cabeça.

— O que será que a *minha* mãe diria se eu empacotasse? Meus pais arrumaram um mandado contra mim — informou Duffield a Strike. — Bom, foi principalmente o merda do meu pai. Porque eu roubei a TV deles uns anos atrás. Sabe da última? — acrescentou ele, esticando o pescoço para olhar Ciara. — Estou limpo há cinco semanas e dois dias.

— Que demais, amor! Incrível!

— É — disse ele. Ele se colocou reto de novo. — Não vai me fazer nenhuma pergunta? — Ele quis saber de Strike. — Achei que estava investigando o *assassinato* da Lu.

A bravata foi solapada por um tremor de seus dedos. Os joelhos começaram a quicar, como os de John Bristow.

– Acha que foi assassinato? – perguntou Strike.

– Não. – Duffield deu um trago no cigarro. – É. Talvez. Sei lá. Assassinato faz mais sentido do que a porra do suicídio, de qualquer modo. Porque ela não ia morrer sem me deixar um bilhete. Eu fico esperando que apareça um bilhete, sabe, assim vou saber que é real. Não parece real. Eu nem me lembro do enterro. Estava muito doido. Tomei todas e nem conseguia andar, porra. Acho que se conseguisse me lembrar do enterro, seria mais fácil me acostumar com a ideia.

Ele meteu o cigarro entre os lábios e começou a tamborilar com os dedos na beira da mesa de vidro. Depois de um tempo, aparentemente pouco à vontade com a observação silenciosa de Strike, ele exigiu:

– Então, me pergunta alguma coisa. Quem te contratou mesmo?

– O irmão de Lula, John.

Duffield parou de tamborilar.

– Aquele babaca com cara de cu e fominha de grana?

– Fominha de grana?

– Ele era *obcecado*, queria saber como Lula gastava a merda do dinheiro dela, como se fosse da conta dele. Os ricos sempre acham que todo mundo é uma porra de aproveitador, já notou? Toda a merda da família dela achava que eu queria dar o golpe do baú, e depois de um tempo – ele levou um dedo à têmpora e fez um gesto de perfuração – acaba entrando, planta dúvidas, né?

Ele pegou um dos Zippos na mesa e ficou tentando acender. Strike viu as minúsculas faíscas azuis surgirem e morrerem enquanto Duffield falava.

– Acho que ele pensava que ela ficaria melhor com um contador babaca e rico, como ele.

– Ele é advogado.

– Tanto faz. Que diferença tem, não é tudo para ajudar os ricos a meter a mão no dinheiro que puderem? Ele tem aquela merda de fundo do papai, por que meter o bedelho no que a irmã fazia do próprio dinheiro?

– A que gastos dela ele fazia objeção, especificamente?

– As merdas que ela me dava. Toda a porra da família era igual; eles não ligavam se ela esbanjasse pro lado deles, sustentasse a merda da família, isso não tinha problema. Lu sabia que eles eram um bando de mercenários escrotos, mas, como eu disse, ainda fica uma pulga. Metiam ideias na cabeça dela.

Ele jogou o Zippo de volta à mesa, puxou os joelhos até o peito e olhou para Strike com seus olhos turquesa desconcertantes.

– Então, ele ainda acha que fui eu, é? Seu cliente?

– Não, ele não acha – disse Strike.

– Então ele mudou de ideia naquela cabeça estreita e fodida, porque eu soube que ele ia dizer a todo mundo que fui eu, antes de determinarem que foi suicídio. Só que eu tenho um álibi bom pra cacete, então ele que se foda. Fodam-se. Todos eles.

Inquieto e nervoso, ele se levantou, colocou mais vinho na taça praticamente intocada e acendeu outro cigarro.

– O que pode me dizer do dia em que Lula morreu? – perguntou Strike.

– Quer dizer a noite.

– O dia que levou a isso também é muito importante. Há algumas coisas que preciso esclarecer.

– Tá. Então, manda.

Duffield se jogou na poltrona e puxou os joelhos ao peito novamente.

– Lula telefonou para você várias vezes entre meio-dia e seis da tarde, mas você não atendeu.

– Não. – Duffield começou a mexer, infantilmente, num buraquinho no joelho do jeans. – Bom, eu estava ocupado. Trabalhando. Numa música. Não queria interromper o fluxo. A inspiração de sempre.

– Então, não sabia que ela estava ligando?

– Bom, sabia. Eu via o número aparecendo. – Ele esfregou o nariz, esticou as pernas na mesa de vidro, cruzou os braços e disse: – Eu queria dar uma lição nela. Deixar que ficasse se perguntando o que eu estava aprontando.

– Por que acha que ela precisava de uma lição?

– A porra do rapper. Eu queria que ela ficasse comigo enquanto ele estava no prédio dela. "Deixa de ser bobo, não confia em mim?" – Sua imitação da voz e da expressão de Lula era falsamente de menina. – Eu disse a ela: "Não, *você* é que está se fazendo de boba. Me mostra que não tenho motivo para me preocupar e vem ficar comigo." Mas ela não veio. Então eu pensei, isso não vai ficar assim, não, garota. Vai ter volta. Então levei Ellie Carreira para minha casa e a gente compôs umas coisas juntos, depois levei Ellie para a Uzi comigo. Lu não podia reclamar, porra. Eram só negócios. Só compondo. Só amigos, como Lula e aquele rapper gângster.

– Acho que ela nem conheceu o Deeby Macc.

– Não, mas ele deixou as intenções dele bem públicas, não foi? Já ouviu a música que ele fez? Deixava a Lu de calcinha frouxa.

– "Vaca, tu não é isso tudo..." – Ciara começou a citar gentilmente, mas um olhar feio de Duffield a calou.

– Ela deixou recados na sua caixa postal?

– Deixou, alguns. "Evan, me liga, por favor. É urgente. Não quero falar por telefone." Era sempre urgente, porra, quando ela queria descobrir o que eu tava fazendo. Ela sabia que eu tava puto. Ficou com medo que eu ligasse pra Ellie. A Lu tinha problemas com a Ellie, porque ela sabia que a gente já tinha trepado.

– Ela disse que era urgente e que não queria falar por telefone?

– Foi, mas era só pra me fazer telefonar. Um dos joguinhos dela. Ela podia ser muito ciumenta, a Lu. E manipuladora pra caralho.

– Pode pensar num motivo para ela ligar várias vezes para o tio dela também, no mesmo dia?

– Que tio?

– O nome dele é Tony Landry; é outro advogado.

– *Aquele cara?* Ela não ligaria pra *ele*, ela o odiava mais do que odiava o irmão.

– Ela ligou para ele várias vezes no mesmo período em que telefonava para você. Deixou mais ou menos o mesmo recado.

Duffield raspou as unhas sujas no queixo por barbear, encarando Strike.

– Sei lá o que era. A mãe dela, talvez. A velha Lady B ia para o hospital ou coisa assim.

– Não acha que pode ter acontecido alguma coisa naquela manhã que ela achou importante ou de seu interesse e do tio?

– Não tem nenhum assunto que poderia me interessar e também a merda do tio dela – retrucou Duffield. – Eu conheci o sujeito. Ele só quer saber do preço das ações e essas merdas.

– Quem sabe não era alguma coisa sobre ela, algo pessoal?

– Se fosse, ela não ia ligar praquele escroto. Eles não se gostavam.

– O que o faz afirmar isso?

– A opinião dela sobre ele era a mesma que eu tenho do meu pai. Nenhum deles achava que a gente valia alguma coisa.

– Ela conversou com você sobre isso?

– Ah, sim. Ele achava que os problemas mentais dela eram só pra chamar atenção, mau comportamento. Fingimento. Um fardo pra mãe dela. Ele amaciou um pouco quando ela começou a ganhar dinheiro, mas ela não esqueceu.

– E ela não te disse por que estava ligando para você, depois que chegou à Uzi?

– Não – disse Duffield. Ele acendeu outro cigarro. – Ela ficou puta desde que chegou lá, porque a Ellie também foi. Não gostou nada. Tava num mau humor horroroso, não tava?

Pela primeira vez, ele apelou a Ciara, que assentiu com tristeza.

– Ela nem falou comigo – disse Duffield. – Ficou falando mais com você, não foi?

– Foi – disse Ciara. – Ela não me disse o que a estava *perturbando* nem nada.

– Algumas pessoas me disseram que o telefone dela estava grampeado... – começou Strike; Duffield aproveitou a deixa.

– Ah, sim, ouviram nossos recados por semanas. Sabiam onde a gente se encontrava e tudo. Os filhos da puta. Trocamos de telefone quando descobrimos o que estava havendo e tivemos mais cuidado com os recados depois disso.

– Então você não se surpreenderia se Lula tivesse alguma coisa importante ou perturbadora para te dizer, que ela não quisesse explicitar por telefone?

– Não, mas se fosse importante mesmo, ela teria me falado na boate.

– Mas não falou?

– Não, eu te disse, ela não falou comigo a noite toda. – Um músculo pulou no queixo cinzelado de Duffield. – Ela ficava vendo a hora o tempo todo na merda do celular. Eu sabia o que ela tava fazendo; tentando me dar corda. Mostrando que estava louca pra ir pra casa e encontrar o merda do Deeby Macc. Ela esperou até Ellie ir ao banheiro; aí se levantou, veio me dizer que estava indo embora e disse que eu podia pegar minha pulseira de volta; aquela que eu dei a ela na nossa cerimônia de compromisso. Ela largou na mesa na minha frente, com todo mundo olhando de boca aberta. Então eu peguei e disse assim: "Alguém quer, tá sobrando?" E ela se mandou.

Ele não falava como se Lula tivesse morrido três meses antes, mas como se tudo tivesse acontecido na véspera e ainda houvesse uma possibilidade de reconciliação.

— Mas você tentou contê-la, não foi? – perguntou Strike.

Os olhos de Duffield se estreitaram.

— Contê-la?

— Você a segurou pelos braços, segundo testemunhas.

— Eu fiz isso? Não me lembro.

— Mas ela se soltou e você ficou lá, não é isso mesmo?

— Eu esperei dez minutos, porque não ia dar a ela a satisfação de ir atrás dela na frente de toda aquela gente, depois saí da boate e disse pra meu motorista me levar a Kentigern Gardens.

— Com a máscara de lobo – disse Strike.

— Foi, praqueles babacas – ele assentiu para a janela – não mandarem fotos minhas acabado nem puto da vida. Eles odeiam quando a gente cobre a cara. Assim eles não têm como ganhar a vida de parasita que eles têm. Um deles tentou tirar o Wolfie de mim, mas eu segurei. Entrei no carro e dei a eles umas fotos do lobo mostrando o dedo, pela janela de trás. Cheguei à esquina de Kentigern Gardens e tinha paparazzi pra todo lado. Eu sabia que ela já devia ter entrado.

— Não sabe o código da portaria?

— Sei, um nove meia meia. Mas eu sabia que ela tinha dito ao segurança pra não me deixar subir. Eu não ia andar na frente de todos eles e levar um pé na bunda cinco minutos depois. Tentei ligar pra ela do carro, mas ela não atendia. Pensei que devia ter descido pra receber o merda do Deeby Macc em Londres. Então fui ver um cara pra arrumar um analgésico.

Ele apagou o cigarro numa carta de baralho solta na mesa e começou a procurar mais tabaco. Strike, que queria azeitar o fluxo da conversa, ofereceu um dos dele.

— Ah, valeu. Valeu. É. Bom, eu disse pro motorista me levar lá e fui ver meu amigo, que depois deu uma declaração à polícia *para os devidos fins*, como diria o tio Tony. Aí zanzei um pouco, e tem uma gravação de câmera na estação que prova isso, e depois, lá pelas, sei lá... três horas? Quatro?

– Quatro e meia – disse Ciara.

– É, eu fui pra casa da Ciara.

Duffield deu um trago no cigarro, vendo a ponta arder, depois, soltando a fumaça, disse animadamente:

– Então o meu saiu da reta, né?

Strike não achou a satisfação dele agradável.

– E quando descobriu que Lula estava morta?

Duffield levou as pernas ao peito de novo.

– A Ciara me acordou e me disse. Eu não conseguia... Fiquei mal. Mal pra caralho.

Ele pôs os braços no alto da cabeça e encarou o teto.

– Eu não conseguia acreditar... não conseguia acreditar naquela porra.

Enquanto observava, Strike pensou ter visto Duffield enfim se render à constatação de que a garota de quem ele falava com tanta petulância, e que, segundo o próprio, provocara, escarnecera e amara, de fato e definitivamente não ia voltar; que ela fora esmagada numa polpa no asfalto coberto de neve, e que ela e a relação dos dois agora estavam além da possibilidade de reparo. Por um momento, olhando o teto branco e vazio, a cara de Duffield tornou-se grotesca, e ele parecia sorrir de orelha a orelha; era uma careta de dor, do esforço necessário para reprimir as lágrimas. Seus braços arriaram e ele enterrou o rosto neles, com a testa nos joelhos.

– Ah, *amor*. – Ciara baixou o copo com vinho na mesa com um tinido e estendeu a mão para o joelho ossudo de Duffield.

– Isso acabou comigo – disse Duffield com a voz embargada por trás dos braços. – Acabou de vez comigo. Eu queria me casar com ela. Eu a amava, porra, amava. Merda, não quero falar mais nada.

Ele se ergueu num salto e saiu da sala, fungando ostensivamente e enxugando o nariz na manga.

– Eu não te *falei*? – cochichou Ciara para Strike. – Ele está *péssimo*.

– Ah, não sei. Ele parece ter se corrigido. Sem heroína há um mês.

– Eu *sei,* e não quero que ele saia dos trilhos.

– Estou sendo muito mais gentil do que a polícia seria com ele. Sou educado.

– Mas você está com uma cara horrorosa. Sério, tipo, *severa*, como se não acreditasse em nada do que ele disse.

– Acha que ele vai voltar?

– Acho, claro que vai. *Por favor*, seja um pouco mais legal...

Ela se sentou rapidamente em seu lugar quando Duffield voltou; ele tinha a cara amarrada e o andar afeminado parecia um pouco mais discreto. Jogou-se na poltrona que antes ocupava e disse a Strike:

– Tô sem cigarro. Pode me arrumar outro dos seus?

Com relutância, porque agora tinha apenas três, Strike lhe entregou um, acendeu para ele e disse:

– Tudo bem se continuarmos conversando?

– Sobre Lula? Pode falar, se quiser. Não sei mais o que posso te dizer. Não tenho mais nenhuma informação.

– Por que vocês se separaram? Da primeira vez, quer dizer; entendi por que ela largou você na Uzi.

Pelo canto do olho, ele viu Ciara fazer um leve gesto de indignação; ao que parecia, isto não se qualificava com "mais legal".

– E que porra isso tem a ver com tudo?

– Tudo é relevante – disse Strike. – Dá um quadro geral de como ia a vida de Lula. Ajuda a explicar por que ela pode ter se matado.

– Pensei que estivesse procurando um assassino.

– Estou procurando a verdade. Então, *por que* vocês terminaram, na primeira vez?

– Merda, e isso lá é importante? – explodiu Duffield. Seu gênio, como Strike esperava, era violento e de pavio curto. – Que foi, tá tentando entender se foi minha culpa ela ter pulado de uma sacada? Como nossa separação da primeira vez pode ter a ver com isso, imbecil? Foi dois meses antes de ela morrer. Porra, eu mesmo podia virar detetive e fazer um monte de perguntas escrotas. Aposto que paga bem, né, se conseguir achar alguma merda de cliente rico?

– Evan, para – disse Ciara, aflita. – Você disse que queria ajudar...

– É, quero ajudar, mas acha que isso é justo?

– Tudo bem, se não quiser responder – disse Strike. – Não tem obrigação nenhuma aqui.

– Não tenho nada a esconder, é só coisa pessoal, tá? A gente se separou – gritou ele – por causa das drogas, e da família dela e os amigos que envenenaram a Lula contra mim, e porque ela não confiava em ninguém por causa da merda da imprensa, tá? Por causa de toda a *pressão*.

E Duffield formou garras trêmulas com as mãos e as apertou, como fones de ouvido, nas próprias orelhas, fazendo um movimento de compressão.

– Pressão, a porra da *pressão*, foi isso que nos separou.
– Estava se drogando muito na época, não?
– É.
– E Lula não gostava?
– Bom, as pessoas em volta dela ficavam dizendo que ela não gostava, tá?
– Quem, por exemplo?
– Tipo a família dela, o merda do Guy Somé. Aquele viado *babaca*.
– Quando você diz que ela não confiava em ninguém por causa da imprensa, o que quer dizer com isso?
– Porra, não é óbvio? Não sabe de nada disso, pelo seu velho?
– Eu não sei merda nenhuma do meu pai – disse Strike friamente.
– Bom, eles tinham grampeado o *telefone* dela, cara, e isso te dá uma *sensação* muito esquisita; não tem imaginação nenhuma? Ela começou a ficar paranoica com as pessoas vendendo as coisas dela. Tentando saber o que ela dizia ao telefone, e o que não tinha dito, e quem podia vender coisas aos jornais e tal. Isso fodeu com a cabeça dela.
– E ela acusava *você* de vender histórias?
– Não – vociferou Duffield, mas depois, com a mesma veemência: – É, às vezes. *Como eles sabiam que a gente vinha aqui, como eles sabiam que eu disse isso a você, blá-blá-blá...* Eu dizia a ela, tudo isso faz parte da fama, né, mas ela achava que podia ter o bolo e ainda por cima comer.
– Mas você nunca vendeu histórias dela à imprensa?

Ele ouviu o silvo de Ciara puxando o ar.

– Não, porra, não vendi – disse Duffield em voz baixa, sustentando o olhar de Strike sem piscar. – Não vendi, caralho. Tá legal?
– E ficaram separados por quanto tempo?
– Dois meses, no máximo.
– Mas vocês voltaram, o que, uma semana antes de ela morrer?
– Foi. Na festa de Mo Innes.
– E tiveram aquela cerimônia de compromisso 48 horas depois? Na casa de Carbury, nas Cotswolds?

– Foi.

– E quem sabia que isso ia acontecer?

– Foi uma coisa espontânea. Eu comprei as pulseiras e simplesmente fizemos. Foi lindo, cara.

– Foi mesmo. – Ciara fez eco com tristeza.

– Então, para a imprensa ter descoberto sobre isso com tanta rapidez, alguém que esteve lá contou a eles?

– É, acho que sim.

– Porque seus telefones não estavam grampeados na época, estavam? Vocês tinham trocado os números.

– Eu não sei se as merdas ainda estavam grampeadas. Pergunte aos tabloides que fazem isso.

– Ela contou a você que tentava localizar o pai?

– Ele morreu... o que, quer dizer o verdadeiro? É, ela ficou interessada, mas não deu em nada, deu? A mãe dela não sabia quem ele era.

– Ela nunca te contou se tinha conseguido achar alguma coisa sobre ele?

– Ela tentou, mas não deu em nada, então decidiu que ia fazer um curso de estudos africanos. Isso ia ser o papai, a porra toda do continente africano. O babaca do Somé estava por trás disso, futucando a merda, como sempre.

– De que maneira?

– Qualquer coisa que afastasse Lula de mim era boa. Qualquer coisa que juntasse os dois. Ele era um filhodaputa possessivo com ela. Era apaixonado por ela. Eu sei que ele é bicha – acrescentou Duffield com impaciência, quando Ciara começou a protestar –, mas ele não é o primeiro que conheço que fica estranho com uma amiga. Ele podia trepar com qualquer coisa, como qualquer homem, mas não queria perder a Lula de vista. Ele dava chilique quando ela não o procurava, não gostava que ela trabalhasse pra mais ninguém.

"Ele me odeia de morte. É recíproco, seu merdinha. Atiçando a Lu pra cima do Deeby Macc. Ia adorar que ela trepasse com ele. Me atacando. Ouvindo todas as merdas de detalhes. Conseguindo que ela o apresentasse, conseguindo as merdas das roupas dele fotografadas em um gângster. Ele não é bobo, o Somé. Ele a usou para seus negócios o tempo todo. Tentou que ela saísse barato ou de graça, e ela foi burra pra deixar que ele fizesse isso."

– Somé lhe deu isso? – perguntou Strike, apontando para as luvas de couro preto na mesa de centro. Ele reconhecera o minúsculo logo GS dourado no punho.

– Deu o quê?

Duffield se curvou e enganchou o indicador numa das luvas; pendurou-a diante dos olhos, examinando.

– Merda, é isso mesmo. Então elas vão pro lixo. – E ele jogou a luva num canto; ela bateu no violão abandonado, que soltou um acorde oco e ecoante. – Fiquei com elas, daquela sessão de fotos. – Duffield apontou a capa da revista em preto e branco. – Somé não ia me dar nada... Tem outro cigarro?

– Estou sem nenhum – mentiu Strike. – Vai me contar por que me convidou a sua casa, Evan?

Houve um longo silêncio. Duffield olhou feio para Strike, que intuiu que o ator sabia de sua mentira sobre não ter cigarros. Ciara também o olhava, com os lábios meio separados, o epítome do lindo assombro.

– Por que você acha que eu tenho alguma coisa pra te dizer? – disse Duffield com desprezo.

– Não acho que tenha me convidado a vir para cá pelo prazer de minha companhia.

– Sei lá – disse Duffield, com um nítido tom de maldade. – Talvez eu esperasse que você fosse uma piada, como seu velho.

– Evan – rebateu Ciara.

– Tá legal, se não tem mais nada para me dizer... – Strike se levantou da poltrona. Para sua leve surpresa e evidente desprazer de Duffield, Ciara baixou a taça de vinho na mesa e começou a descruzar as pernas, preparando-se para se levantar.

– Tá legal – disse Duffield asperamente. – Tem uma coisa.

Strike arriou novamente no lugar. Ciara jogou um de seus cigarros a Duffield, que pegou com agradecimentos aos murmúrios, depois ela se sentou também, olhando Strike.

– Diga – disse este último, enquanto Duffield se atrapalhava com o isqueiro.

– Tá legal. Não sei se isso importa – disse o ator. – Mas não quero que você diga de onde veio a informação.

– Não posso lhe garantir isto – disse Strike.

Duffield fechou a carranca, os joelhos subindo e descendo, fumando com os olhos no chão. Pelo canto do olho, Strike viu Ciara abrir a boca para falar e se antecipou a ela, erguendo a mão.

– Bom – disse Duffield –, dois dias atrás eu estava almoçando com Freddie Bestigui. Ele deixou o BlackBerry dele na mesa quando foi ao bar. – Duffield bufou e se sacudiu. – Não quero ser demitido – disse ele, olhando feio para Strike. – Preciso dessa merda de trabalho.

– Continue – disse Strike.

– Ele recebeu um e-mail. Vi o nome de Lula. E li.

– Tudo bem.

– Era da mulher dele. Dizia algo como: "Sei que devíamos estar falando através dos advogados, mas se não puder fazer melhor do que 1,5 milhão de libras, vou contar a todo mundo exatamente onde eu estava quando Lula Landry morreu, e exatamente como fui parar lá, porque estou enjoada de segurar suas merdas. Esta não é uma ameaça vazia. Estou começando a pensar que devia contar à polícia, de qualquer forma." Ou coisa parecida – disse Duffield.

Fraco, pela janela acortinada veio o som de dois paparazzi rindo juntos do lado de fora.

– Esta é uma informação muito útil – disse Strike a Duffield. – Obrigado.

– Não quero que Bestigui saiba que fui eu que te contei.

– Acho que seu nome não precisa entrar nisso – disse Strike, levantando-se de novo. – Obrigado pela água.

– Espere aí, amor, eu vou – disse Ciara, com o telefone na orelha. – Kieran? Vamos sair agora, Cormoran e eu. Agora mesmo. Tchau, Evan, amor.

Ela se curvou e lhe deu dois beijos no rosto, enquanto Duffield, com metade do corpo para fora da poltrona, parecia desconcertado.

– Pode ficar por aqui, se...

– Não, amor. Tenho um trabalho amanhã à tarde; preciso de meu sono de beleza.

Mais flashes cegaram Strike quando ele saiu; mas desta vez os paparazzi ficaram confusos. Enquanto ele ajudava Ciara a descer a escada e a seguia de volta ao carro, um deles gritou para Strike:

– Mas quem é você, merda?

Strike bateu a porta, sorrindo. Kolovas-Jones estava de volta ao volante; eles partiram e desta vez não foram seguidos.

Depois de mais ou menos uma quadra de silêncio, Kolovas-Jones olhou pelo retrovisor e perguntou a Ciara:

– Casa?

– Acho que sim. Kieran, pode ligar o rádio? Queria um pouco de música – disse ela. – Mais alto, amor. Ah, adoro essa.

"Telephone", de Lady Gaga, encheu o carro.

Ela se virou para Strike enquanto o brilho laranja dos postes percorria seu rosto extraordinário. Seu hálito cheirava a álcool, a pele tinha aquele perfume doce e apimentado.

– Quer me perguntar mais alguma coisa?

– Sabe do que mais? – disse Strike. – Quero. Por que tem um forro destacável na bolsa?

Ela o olhou por vários segundos, depois soltou uma gargalhada, arriando de lado no ombro dele, cutucando-o. Leve, ela continuou descansando ali ao responder.

– Você *é mesmo* engraçado.

– Mas por que tem?

– Bom, é só que a bolsa fica mais, tipo, individual; você pode customizar, sabe? Pode comprar alguns forros e trocar; pode tirá-los e usar como lenço; eles são lindos. Seda, com uma estampa linda. O lado do zíper é demais.

– Interessante – disse Strike, enquanto a perna de Ciara se deslocava e pousava de leve junto da dele e ela soltava uma segunda gargalhada gutural.

Call all you want, but there's no one home, cantava Lady Gaga.

A música mascarou a conversa, mas os olhos de Kolovas-Jones se moviam com uma regularidade desnecessária da rua para o retrovisor. Depois de mais um minuto, Ciara disse:

– O Guy tem razão, eu gosto dos grandes. Você é bem *machão*. E tipo *severo*. É sexy.

Uma quadra depois, ela sussurrou:

– Onde você mora? – Enquanto esfregava o rosto sedoso no dele, como uma gata.

– Durmo numa cama de campanha no meu escritório.

Ela riu de novo. Sem dúvida alguma, estava meio bêbada.

— Sério?
— É.
— Vamos para o meu, então, vamos?

A língua dela era fria e doce e tinha gosto de Pernod.

— Você dormiu com meu pai? — Ele conseguiu dizer entre uma e outra pressão dos lábios cheios dela nos dele.

— Não... *meu Deus*, não... — Uma risadinha. — Ele tinge o cabelo... é, tipo, quase *roxo*... Eu costumava chamar o cara de ameixa...

E então, dez minutos depois, uma voz lúcida na mente de Strike insistiu que ele não deixasse que o desejo o levasse à humilhação, e ele veio à tona, procurando ar e murmurando:

— Eu tenho uma perna só.

— Deixa de ser bobo...

— Não sou... foi uma explosão no Afeganistão.

— Coitadinho... — sussurrou ela. — Vou fazer carinho e vai ficar melhor.

— Tá... isso não é a minha perna... Mas está ajudando...

9

ROBIN CORREU ESCADA DE METAL barulhenta acima com os mesmos saltos baixos que usara no dia anterior. Vinte e quatro horas antes, incapaz de tirar da cabeça a expressão "sapato de borracha", ela escolheu o calçado mais desalinhado para um dia de caminhada; hoje, animada pelo que conseguiu com seus velhos sapatos pretos, eles assumiam o glamour dos sapatinhos de cristal da Cinderela. Mal conseguindo esperar para contar a Strike tudo o que descobrira, ela quase correu na Denmark Street pelo entulho ensolarado. Confiava que qualquer constrangimento que ainda houvesse por conta da aventura embriagada de Strike duas noites antes seria inteiramente eclipsado pela empolgação mútua com as descobertas impressionantes que fizera sozinha no dia anterior.

Mas quando chegou ao segundo andar, parou de pronto. Pela terceira vez, a porta de vidro estava trancada e a sala depois dela escura e silenciosa.

Ela entrou e fez uma rápida avaliação das evidências. A porta para a sala de Strike estava aberta. A cama de campanha estava dobrada e arrumada. Não havia sinal de uma refeição noturna na lixeira. O monitor do computador estava escuro, a chaleira fria. Robin foi obrigada a concluir que Strike não tinha (como disse consigo mesma) passado a noite em casa.

Ela pendurou o casaco, tirou da bolsa um pequeno bloco, ligou o computador e, depois de alguns minutos de espera esperançosa e infrutífera, começou a digitar um resumo do que descobrira no dia anterior. Mal conseguira dormir de empolgação para contar tudo pessoalmente a Strike. Digitar a coisa toda era um anticlímax amargo. Onde ele estava?

Enquanto seus dedos voavam pelo teclado, uma resposta que ela não gostava muito se apresentou para sua consideração. Arrasado como ficou com a notícia do noivado da ex, não era provável que ele tivesse ido pedir a ela para não se casar com aquele outro homem? Ele não gritou para que toda a Charing

Cross Road ouvisse que Charlotte não amava Jago Ross? Talvez, afinal, fosse verdade; talvez Charlotte tivesse se jogado nos braços de Strike e eles tivessem se reconciliado, dormido juntos, entrelaçados, na casa ou apartamento de que ele fora expulso quatro semanas antes. Robin se lembrava das perguntas e insinuações de Lucy sobre Charlotte, e desconfiou de que um reencontro desses não era bom para sua segurança no emprego. *Mas isso não importa*, lembrou-se ela, digitando furiosamente, com uma imprecisão pouco característica. *Você vai sair em uma semana.* A reflexão a deixou ainda mais agitada.

Ou Strike, é claro, fora à casa de Charlotte e ela o rejeitara. Neste caso, a questão de seu paradeiro atual tornava-se uma preocupação mais premente e menos pessoal. E se ele tivesse saído, descontrolado e desprotegido, e se embriagado de novo? Os dedos ocupados de Robin reduziram o ritmo e pararam no meio de uma frase. Ela girou na cadeira do computador para olhar o telefone silencioso da sala.

Ela podia muito bem ser a única pessoa que sabia que Cormoran Strike não estava onde deveria. Será que devia ligar para o celular dele? E se ele não atendesse? Quantas horas devia esperar antes de chamar a polícia? A ideia de ligar para o trabalho de Matthew e pedir os conselhos dele lhe ocorreu, sendo imediatamente rechaçada.

Ela e Matthew brigaram quando Robin chegou em casa, muito tarde, depois de levar um Strike bêbado do Tottenham ao escritório. Matthew disse a ela de novo que era ingênua, impressionável e uma otária para uma história de azar; que Strike queria uma secretária barata e usava a chantagem emocional para alcançar seus fins; que provavelmente nem existia nenhuma Charlotte, que era tudo uma trama extravagante para cativar a solidariedade e absorver os serviços de Robin. Depois Robin perdeu a paciência e disse a Matthew que, se alguém a estava chantageando, era ele, batendo sempre na tecla do dinheiro que ela devia estar ganhando, com suas insinuações de que ela não estava colaborando. Será que ele não notara que ela estava gostando de trabalhar para Strike; não passara pela sua cabeça insensível e obtusa de *contador* que ela talvez tivesse pavor do trabalho tedioso em recursos humanos? Matthew ficou perplexo, e depois (embora se reservando o direito de criticar o comportamento de Strike), desculpou-se; mas Robin, em geral conciliatória e amável, continuou distante e furiosa. A trégua que entrou em vigor na manhã seguinte formigava de antagonismo, principalmente da parte de Robin.

Agora, no silêncio, olhando o telefone, parte da raiva que ela sentia por Matthew transbordava para Strike. Onde tinha se metido? O que estava fazendo? Por que correspondia às acusações de irresponsabilidade de Matthew? Ela estava ali, guardando o forte, ele presumivelmente fora perseguir a ex-noiva, e o trabalho que se danasse...

... o trabalho *dele*...

Passos na escada: Robin pensou reconhecer a ligeira desigualdade no andar de Strike. Ela esperou, olhando fixamente a escada, até ter certeza de que os passos vinham para o segundo andar; depois virou a cadeira resolutamente para o monitor e recomeçou a martelar o teclado, enquanto seu coração disparava.

– Bom-dia.

– Oi.

Ela cedeu a Strike um olhar fugaz enquanto continuava a digitar. Ele parecia cansado, tinha a barba por fazer e estava incomumente bem-vestido. Ela de pronto confirmou sua opinião de que ele tentara uma reconciliação com Charlotte; pelo jeito, com sucesso. As duas frases seguintes foram pontilhadas de erros.

– Como estão as coisas? – perguntou Strike, notando o perfil de queixo cerrado de Robin, suas maneiras frias.

– Ótimas – disse Robin.

Ela agora pretendia colocar seu relatório digitado com perfeição diante dele e, com uma calma gélida, discutir os arranjos de sua partida. Podia sugerir que ele contratasse outra temporária esta semana, para que ela pudesse instruir a substituta na gestão diária do escritório antes de partir.

Strike, cujo impressionante golpe de sorte tinha terminado em estilo fabuloso algumas horas antes, e que se sentia muito perto de uma alegria que não experimentava havia muitos meses, estava ansioso para ver sua secretária. Não tinha a intenção de regalar Robin com um relato de suas atividades noturnas (ou, pelo menos, não aquelas que tanto fizeram para restaurar seu ego maltratado), pois era instintivamente fechado nessas questões e tinha esperanças de manter o máximo do que restava das fronteiras que foram rompidas por seu consumo copioso de Doom Bar. Porém, planejara um eloquente discurso de desculpas por seus excessos de duas noites antes, uma declaração de gratidão e uma exposição de todas as conclusões interessantes a que chegara das entrevistas da véspera.

– Quer uma xícara de chá?

– Não, obrigada.

Ele olhou o relógio.

– Estou só 11 minutos atrasado.

– Você é quem decide a que horas chegar. Quer dizer – ela tentou voltar atrás, porque seu tom foi patentemente hostil –, não é da minha conta o que você... quando você chega aqui.

Depois de ensaiar mentalmente várias respostas tranquilizadoras e magnânimas aos pedidos de desculpas imaginários de Strike por seu comportamento embriagado 48 horas antes, Robin agora sentia que a atitude dele carecia desagradavelmente de vergonha ou remorsos.

Strike se ocupou com a chaleira e as xícaras, e alguns minutos depois pousou uma xícara de chá fumegante ao lado dela.

– Já disse que não...

– Pode largar esse documento importante por um minuto enquanto eu lhe digo uma coisa?

Ela salvou o relatório com várias batidas nas teclas e se virou para ele, de braços cruzados. Strike se sentou no sofá velho.

– Eu queria pedir desculpas pela noite de anteontem.

– Não precisa – disse ela, numa voz dura e baixa.

– Sim, precisa. Não consigo me lembrar de muita coisa que eu fiz. Espero que não tenha sido irritante.

– Não foi.

– Você provavelmente entendeu o básico. Minha ex-noiva acaba de ficar noiva de um ex-namorado. Ela precisou de três semanas depois da separação para colocar outra aliança no dedo. Isto é só uma figura de linguagem; nunca comprei uma aliança para ela; nunca tive dinheiro para isso.

Robin entendeu, pelo tom de Strike, que não tinha havido reconciliação; mas, neste caso, onde ele passara a noite? Ela descruzou os braços e, sem pensar, pegou o chá.

– Não era sua responsabilidade aparecer e me encontrar daquele jeito, mas você provavelmente impediu que eu desmoronasse numa sarjeta ou esmurrasse alguém, então, muito obrigado.

– Tudo bem – disse Robin.

– E obrigado pelo Alka-Seltzer.

– Ajudou? – perguntou Robin rigidamente.

– Eu quase vomitei em tudo isso – disse Strike, dando no sofá arriado um leve soco –, mas depois que bateu ajudou muito.

Robin riu e Strike se lembrou, pela primeira vez, do bilhete que ela meteu por baixo da porta enquanto ele dormia e da desculpa que ela deu para sua ausência educada.

– Muito bem, então, eu estava ansioso para saber como você foi ontem – mentiu ele. – Não prolongue o suspense.

Robin se expandiu como uma flor aquática.

– Eu estava mesmo digitando...

– Vamos fazer verbalmente, e você pode colocar isso no arquivo depois – disse Strike, com a ressalva mental de que seria fácil retirar, se fosse inútil.

– Tudo bem. – Robin ficou animada e nervosa ao mesmo tempo. – Bom, como eu disse no bilhete, notei que você queria ver o professor Agyeman e o Malmaison Hotel em Oxford.

Strike assentiu, grato pelo lembrete, porque não conseguia se recordar dos detalhes do bilhete, lido uma única vez nas profundezas de sua ressaca ofuscante.

– Então – disse Robin, meio esbaforida –, antes de tudo eu fui à Russell Square, à Escola de Estudos Orientais e Africanos, a SOAS; é o que suas anotações significam, não? – acrescentou ela. – Olhei no mapa; fica a uma distância a pé do British Museum. Não era o que significavam todos aqueles garranchos?

Strike assentiu novamente.

– Bom, fui lá e fingi que estava escrevendo uma tese sobre política africana, e queria algumas informações sobre o professor Agyeman. Acabei falando com uma secretária muito prestativa no departamento de política, que na verdade trabalhou para ele e me deu muitas informações, inclusive uma bibliografia e uma breve biografia dele. Ele fez a graduação na SOAS.

– É?

– É – disse Robin. – E eu tenho uma foto.

De dentro do bloco, ela pegou uma fotocópia e passou a Strike.

Ele viu um negro de rosto comprido e maçãs altas; cabelo grisalho batido, barba e óculos de aros dourados escorados por orelhas grandes demais. Olhou a foto por vários segundos quando, por fim, disse:

– Meu Deus.

Robin esperou, extasiada.

– *Meu Deus* – disse Strike novamente. – Quando ele morreu?

– Há cinco anos. A secretária ficou triste ao falar nisso. Disse que ele era muito inteligente e o homem mais gentil do mundo. Um cristão praticante.

– Alguma família?

– Sim. Deixou viúva e um filho.

– Um filho – repetiu Strike.

– Sim. Está no exército.

– No exército – disse Strike, num eco sombrio e grave. – Não me diga.

– Está no Afeganistão.

Strike se levantou e desatou a andar de um lado a outro, segurando a foto do professor Josiah Agyeman.

– Não conseguiu o regimento, não é? Não importa. Posso descobrir – disse ele.

– Eu perguntei – disse Robin, consultando suas anotações –, mas não entendi bem... é um regimento chamado de Sapadores ou...

– A Real Engenharia. Posso verificar.

Ele parou ao lado da mesa de Robin e olhou novamente a cara do professor Josiah Agyeman.

– Ele era de Gana – disse ela. – Mas a família morou em Clerkenwell até sua morte.

Strike lhe devolveu a foto.

– Não perca isto. Fez um ótimo trabalho, Robin.

– Não é só isso – disse ela, corada, excitada e esforçando-se para não sorrir. – Peguei o trem para Oxford à tarde, até o Malmaison. Sabia que eles converteram uma antiga prisão num hotel?

– É mesmo? – disse Strike, voltando a arriar no sofá.

– É. E é bem bonito. Bom, de qualquer modo, pensei em fingir ser Alison e ver se Tony Landry tinha deixado alguma coisa lá...

Strike bebeu o chá, pensando que era muito implausível que uma secretária fosse despachada pessoalmente para uma averiguação dessas três meses depois do evento.

– Mas foi um erro.

– Foi? – disse Strike, o tom cuidadosamente neutro.

– Foi, porque Alison realmente foi ao Malmaison no dia 7, procurando Tony Landry. Foi tremendamente constrangedor, porque uma das meninas da recepção estava lá naquele dia e se lembrava dela.

Strike baixou a xícara.

– Ora – disse ele –, isso é muito interessante.

– Eu sei. – Robin estava animada. – Então tive de pensar muito rápido.

– Disse a elas que seu nome era Annabel?

– Não. – Ela riu um pouco. – Eu disse: bom, tudo bem, vou dizer a verdade, sou namorada dele. E chorei um pouco.

– Você chorou?

– Não foi assim tão difícil – disse Robin com um ar de surpresa. – Eu entrei no personagem. Disse que achava que ele tinha um caso.

– *Não* com Alison, né? Se elas a viram, não iam acreditar que...

– Não, mas eu disse que não pensava que ele realmente estivesse no hotel... Mas, então, fiz uma ceninha e a garota que falou com Alison me puxou de lado e tentou me acalmar; disse que não podiam dar informações sobre as pessoas sem um bom motivo, que tinham uma política, coisa e tal... sabe como é. Mas só para que eu parasse de chorar, ela no fim me disse que ele se registrou na noite do dia 6 e fechou a conta na manhã do dia 8. Ele fez um estardalhaço com o jornal errado que mandaram quando pagou a conta, por isso ela se lembrava. Então ele *esteve mesmo* lá. Eu até perguntei a ela, com um pouco de histeria, como ela sabia se era ele, e ela o descreveu com perfeição. Sei como ele é – acrescentou Robin antes que Strike perguntasse. – Verifiquei antes de sair; a foto dele no site da Landry, May, Patterson.

– Você é brilhante – disse Strike –, e tudo isso é muito suspeito. O que ela lhe disse sobre Alison?

– Que ela chegou e pediu para vê-lo, mas ele não estava. Mas eles confirmaram que ele estava hospedado ali. Depois ela foi embora.

– Muito estranho. Ela devia saber que ele estava na conferência; por que não foi até lá primeiro?

– Não sei.

– Essa funcionária prestativa do hotel viu Landry quando ele chegou e quando saiu?

— Não. Mas sabemos que ele foi à conferência, não é? Eu verifiquei, lembra?

— Sabemos que ele se inscreveu e deve ter apanhado um crachá. Depois voltou de carro a Chelsea para ver a irmã, Lady Bristow. Por quê?

— Bom... ela estava doente.

— Estava? Ela acabara de sair de uma cirurgia que devia curá-la.

— Uma histerectomia – disse Robin. – Não entendo por que você se admira disso.

— Então temos um homem que não gosta muito da irmã... eu ouvi isso dos lábios dele... que acredita que ela fez uma operação para salvar a própria vida e que sabe que ela tem a companhia de dois filhos. Por que a urgência em vê-la?

— Bom – disse Robin, com menos segurança. – Eu acho... a mulher tinha acabado de sair do hospital...

— O que ele já devia saber que ia acontecer antes de ir para Oxford. Então, por que ele não ficou na cidade e a visitou, se tinha tanta vontade, e depois foi para a sessão da tarde da conferência? Por que dirigir uns oitenta quilômetros, passar a noite nessa prisão de luxo, ir à conferência, inscrever-se e depois voltar à cidade?

— Quem sabe ele recebeu um telefonema dizendo que ela se sentia mal, algo assim? Talvez John Bristow tenha ligado para ele e pedido que viesse.

— Bristow nunca disse que pediu ao tio para ir até lá. Eu diria que eles na época não se falavam. Os dois são muito evasivos sobre essa visita de Landry. Nenhum deles gosta de falar no assunto.

Strike se levantou e andou de um lado a outro, mancando um pouco, mal notando a dor na perna.

— Não – disse ele –, Bristow pediu à irmã, que segundo consta era a menina dos olhos da mãe, para ir lá... isso faz sentido. Pedir ao irmão da mãe que estava fora da cidade e não era o maior fã de Lady Bristow para fazer um imenso desvio para vê-la... isso não me cheira bem. E agora descobrimos que Alison foi procurar Landry no hotel em Oxford. Era um dia útil. Ela foi procurá-lo por conta própria ou a mando de alguém?

O telefone tocou. Robin atendeu. Para surpresa de Strike, ela de imediato fingiu um sotaque australiano muito forçado.

— Desculpa, ela não tá aqui... Não... Não... Não sei onde tá... Não... Meu nome é Annabel...

Strike riu baixinho. Robin lhe lançou um olhar de falsa angústia. Depois de quase um minuto de um australiano estrangulado, ela desligou.

— Temporary Solutions — disse ela.

— Estou ouvindo muitas Annabels. Esta mais parece sul-africana do que australiana.

— Agora quero saber o que aconteceu com você ontem — disse Robin, incapaz de esconder a impaciência por mais tempo. — Encontrou-se com Bryony Radford e Ciara Porter?

Strike contou todo o ocorrido, omitindo apenas a consequência de sua excursão à casa de Evan Duffield. Deu uma ênfase particular à insistência de Bryony Radford de que a dislexia a levou a ouvir as mensagens de voz de Ursula May; à afirmação insistente de Ciara Porter de que Lula lhe disse que ia deixar tudo para o irmão; à irritação de Evan Duffield por Lula ficar olhando a hora enquanto estava na Uzi; e ao e-mail ameaçador que Tansy Bestigui mandou ao marido afastado.

— Então, onde *estava* Tansy? — perguntou Robin, que tinha ouvido cada palavra de Strike com uma atenção agradável. — Se conseguirmos descobrir...

— Ah, eu sei onde ela estava — disse Strike. — Conseguir que ela admita, quando pode estragar suas chances de um acordo milionário com Freddie, é que vai ser meio complicado. Você também poderá deduzir, se olhar de novo as fotos da polícia.

— Mas...

— Dê uma olhada nas fotos da frente do prédio na manhã da morte de Lula e pense em como estava o lugar quando nós fomos lá. Será um bom treinamento de detetive.

Robin sentiu uma imensa onda de empolgação e felicidade, moderada imediatamente por uma pontada fria de remorso, porque logo iria embora para os recursos humanos.

— Preciso me trocar — disse Strike, levantando-se. — Por favor, pode tentar Freddie Bestigui de novo para mim?

Ele desapareceu em sua sala, fechou a porta e tirou seu terno da sorte (como o chamaria dali em diante), vestindo uma camisa confortável e uma calça mais folgada. Quando passou à mesa de Robin a caminho do banheiro, ela estava ao telefone, com aquela expressão de atenção desinteressada que indicava uma pessoa na espera. Strike escovou os dentes na pia rachada, refletindo em como a vida seria mais fácil com Robin, agora que ele tacitamente admitira que vivia no escritório, e, quando voltou, encontrou-a desligando o telefone com um ar exasperado.

— Acho que agora eles não estão sequer se preocupando em passar meus recados — disse ela a Strike. — Disseram que ele está nos Pinewood Studios e não pode ser incomodado.

— Ah, bom, pelo menos sabemos que ele voltou ao país — disse Strike.

Ele pegou o relatório preliminar no arquivo, arriou de novo no sofá e começou a acrescentar suas notas das conversas da véspera, em silêncio. Robin olhava pelo canto do olho, fascinada com o cuidado com que Strike tabulava suas descobertas, fazendo um registro preciso de como, onde e de quem obteve cada informação.

— Eu acho — disse ela, depois de um longo silêncio, durante o qual dividiu seu tempo entre a observação disfarçada de Strike trabalhando e o exame de uma foto da fachada do número 18 de Kentigern Gardens no Google Earth — que você precisa ter muito cuidado para não se esquecer de alguma coisa, né?

— Não é só isso — disse Strike, ainda escrevendo, sem levantar a cabeça. — Não se pode dar nenhum ponto de apoio aos advogados de defesa.

Ele falava com tanta calma e sensatez que Robin pensou por vários minutos nas implicações de suas palavras, temendo não ter entendido direito.

— Quer dizer... em geral? — disse ela por fim. — Por princípio?

— Não — disse Strike, continuando o relatório. — Quero dizer que eu especificamente não quero deixar que a defesa no julgamento de quem matou Lula Landry se safe porque conseguiu demonstrar que eu não mantinha corretamente os registros, colocando, portanto, em dúvida minha confiabilidade como testemunha.

Strike se exibia de novo, e sabia disso; mas não conseguiu evitar. Ele estava, como colocava a si mesmo, numa fase de sucesso. Alguns podiam questionar o gosto de descobrir a diversão em meio a uma investigação de homicídio, mas ele já achara prazer em lugares mais sombrios.

— Pode comprar uns sanduíches, Robin, por favor? — acrescentou ele, só para levantar a cabeça e ver a expressão satisfatoriamente assombrada da secretária.

Ele terminou as anotações na ausência dela, e estava prestes a telefonar a um ex-colega na Alemanha quando Robin voltou, trazendo duas embalagens de sanduíche e um jornal.

— Sua foto está na primeira página do *Standard* — disse ela, afobada.

— Como é?

Era uma foto de Ciara seguindo Duffield ao apartamento dele. A modelo estava deslumbrante; por meio segundo Strike foi transportado de volta às 2:30 da manhã, quando ela se deitou, nua e branca, embaixo dele, aquele cabelo comprido e prateado esparramado no travesseiro como o de uma sereia, enquanto ela sussurrava e gemia.

Strike voltou a se concentrar: estava meio cortado na foto; um braço erguido para manter ao largo os paparazzi.

— Está tudo bem — disse ele a Robin, dando de ombros, devolvendo-lhe o jornal. — Eles acham que eu era o guarda-costas.

— Diz aqui — disse Robin, virando para a página interna — que ela saiu da casa de Duffield com o segurança às duas horas.

— Aí está.

Robin o encarou. O relato que ele fez da noite terminava com ele, Duffield e Ciara no apartamento de Duffield. Ela ficou tão interessada nas várias evidências que ele lhe mostrava, que se esquecera de perguntar onde ele tinha dormido. Supôs que tivesse deixado a modelo e o ator juntos.

Ele chegou ao escritório ainda com as roupas da foto.

Ela se virou, lendo a matéria na página dois. A implicação clara do artigo era de que Ciara e Duffield curtiram um encontro amoroso enquanto o suposto guarda-costas esperava no hall.

— Ela é tão estonteante pessoalmente? — perguntou Robin com uma despreocupação nada convincente conforme dobrava o *Standard*.

— Sim, é. — Strike se perguntou se era imaginação dele ou as duas sílabas soaram como revelação vaidosa. — Quer de queijo com picles ou salada de ovos?

Robin fez sua escolha ao acaso e voltou à sua cadeira para comer. Sua nova hipótese sobre o paradeiro de Strike à noite eclipsava até a empolgação com o progresso do caso. Seria difícil conciliar a visão que tinha de Strike como um romântico arruinado com o fato de que ele acabara (parecia inacreditável, ainda assim ela ouviu sua tentativa patética de esconder o orgulho) de dormir com uma supermodelo.

O telefone tocou novamente. Strike, cuja boca estava cheia de pão e queijo, ergueu a mão para impedir Robin, engoliu e atendeu ele mesmo.

– Cormoran Strike.

– Strike, é Wardle.

– Oi, Wardle; como vai?

– Nada bem, na verdade. Acabamos de pescar um corpo no Tâmisa que trazia o seu cartão. Estou me perguntando o que pode nos dizer sobre isso.

10

FOI O PRIMEIRO TÁXI que Strike se sentiu justificado em pegar desde o dia em que transferiu seus pertences do apartamento de Charlotte. Ele olhava o taxímetro subir com indiferença, enquanto o táxi rodava para Wapping. O taxista estava decidido a lhe dizer por que Gordon Brown era uma completa desgraça. Strike ficou sentado em silêncio por todo o percurso.

Este não seria o primeiro necrotério que Strike visitaria, e estava longe de ser o primeiro cadáver que vira. Ele se tornara quase imune ao despojamento de ferimentos a bala; corpos rasgados, despedaçados e estilhaçados, entranhas reveladas como o conteúdo de um açougue, brilhantes e sangrentas. Strike nunca foi melindroso; mesmo os cadáveres mais mutilados, frios e brancos em suas gavetas de resfriamento, tornavam-se esterilizados e padronizados para um homem com seu trabalho. Eram os corpos que ele via ao natural, sem processamento e desprotegidos do formalismo e dos procedimentos, que se erguiam e se arrastavam por seus sonhos. A mãe na sala funerária, com seu vestido longo preferido de mangas sino, descarnada, mas ainda jovem, sem marcas de agulha à vista. O sargento Gary Topley deitado na terra suja de sangue da estrada do Afeganistão, o rosto ileso, mas sem corpo abaixo das costelas. Prostrado na terra quente, Strike tentou não olhar a cara vazia de Gary, temeroso de baixar os olhos e ver o quanto faltava de seu próprio corpo... mas resvalou tão rapidamente no ventre do esquecimento que só descobriu quando despertou no hospital de campanha...

Uma gravura impressionista estava pendurada nas paredes de tijolos da pequena antessala do necrotério. Strike fixou os olhos ali, perguntando-se onde a vira antes, lembrando-se por fim da que ficava sobre o consolo da lareira da casa de Lucy e Greg.

– Sr. Strike? – disse o agente funerário grisalho, espiando pela porta interna, de jaleco branco e luvas de látex. – Entre.

Eles eram homens quase sempre alegres e agradáveis, aqueles curadores de cadáveres. Strike seguiu o agente até o brilho gelado da grande sala sem janelas, com as portas de aço da grande câmara frigorífica por toda a parede à direita. O piso frio um tanto inclinado corria para um ralo central; as luzes eram ofuscantes. Cada ruído ecoava nas superfícies duras e brilhantes, de modo a parecer que um pequeno grupo de homens marchava pela sala.

Um carrinho de metal estava preparado diante de uma das portas da câmara e, ao lado dele, dois agentes do Departamento de Investigação Criminal, o CID, Wardle e Carver. O primeiro cumprimentou Strike com um gesto de cabeça e murmurou uma saudação; o último, barrigudo e de cara mosqueada, os ombros do terno cobertos de caspa, meramente grunhiu.

O agente funerário puxou o braço de metal da porta da câmara. Revelou-se o alto da cabeça de três anônimos, empilhados um por sobre o outro, cada um deles enrolado num lençol branco que amoleceu e se afinou com as sucessivas lavagens. O mesmo funcionário verificou a etiqueta presa no tecido que cobria a cabeça do meio; não trazia nome, só a data escrita no dia anterior. Deslizou o corpo suavemente em sua longa bandeja e o depositou com eficiência no carrinho à espera. Strike notou o queixo de Carver se mexer conforme ele recuava, abrindo espaço ao agente funerário para afastar o carrinho da porta da câmara. Com um tinido e uma pancada, os cadáveres restantes desapareceram de vista.

– Não vamos nos incomodar com uma sala de reconhecimento, uma vez que só estamos nós aqui – disse o funcionário do necrotério rapidamente. – A luz é melhor no meio – acrescentou ele, posicionando o carrinho ao lado do ralo e puxando o lençol.

O corpo de Rochelle Onifade foi revelado, inchado e distendido, o rosto para sempre livre da suspeita, substituído por uma espécie de pasmo vazio. Pela breve descrição de Wardle ao telefone, Strike sabia quem veria quando o lençol fosse desvelado, mas a horrível vulnerabilidade da morta o chocou, de outra forma, conforme ele olhava o corpo, muito menor do que era quando ela se sentou de frente para ele, consumindo batatas fritas e escondendo informações.

Strike lhes deu seu nome, soletrando para que o agente funerário e Wardle pudessem transcrever com precisão em uma prancheta e um bloco, respectivamente; também deu o único endereço que sabia dela: o Albergue St. Elmo para Moradores de Rua, em Hammersmith.

— Quem a encontrou?

— A patrulha do rio a retirou ontem de madrugada — disse Carver, falando pela primeira vez. Sua voz, com um sotaque do sul de Londres, trazia um claro laivo de animosidade. — Em geral os corpos levam umas três semanas para vir à superfície, né? — acrescentou ele, dirigindo o comentário, mais uma declaração do que uma pergunta, ao agente funerário, que tossiu de leve e cautelosamente.

— Esta é a média, mas eu não me surpreenderia se não fosse o caso desta aqui. Há certos indícios...

— É, bom, vamos saber de tudo isso pelo legista — disse Carver com desdém.

— Não podem ter sido três semanas — disse Strike, e o agente funerário lhe abriu um discreto sorriso de solidariedade.

— E por que não? — Carver quis saber.

— Porque eu comprei hambúrguer e fritas para ela duas semanas atrás.

— Ah — disse o agente, assentindo para Strike, do outro lado do corpo. — Eu ia dizer que muito carboidrato consumido antes da morte pode afetar a flutuabilidade de um corpo. Há certo grau de intumescimento...

— Foi quando você deu seu cartão a ela? — perguntou Wardle a Strike.

— Foi. Estou surpreso que ainda esteja legível.

— Estava metido com o cartão Oyster, numa capa de plástico no bolso de trás dos jeans. O plástico o protegeu.

— O que ela vestia?

— Um casaco de pele falsa magenta. Parecia um Muppet de pele. Jeans e tênis.

— Era o que ela vestia quando eu lhe paguei o hambúrguer.

— Neste caso, o conteúdo estomacal deve fornecer um exato...

— Sabe se tinha algum parente? — perguntou Carver a Strike.

— Tem uma tia em Kilburn. Não sei o nome dela.

Lascas de globo ocular cintilante apareciam pelas pálpebras quase fechadas de Rochelle; tinham o brilho característico dos afogados. Havia vestígios de espuma ensanguentada nos vincos em volta das narinas.

— Como estão as mãos dela? — perguntou Strike ao agente funerário, porque Rochelle estava coberta até o peito.

— Deixe as mãos pra lá — rebateu Carver. — Acabamos aqui, obrigado — disse ele ao agente, a voz alta reverberando pela sala; depois, a Strike: — Queremos dar uma palavrinha com você, o carro está lá fora.

Ele estava ajudando a polícia em suas investigações. Strike se lembrou de ouvir a frase no noticiário quando era menino, obcecado com cada aspecto do trabalho policial. A mãe sempre atribuía a culpa daquela estranha preocupação precoce dele ao irmão, Ted, ex-policial militar e fonte (para Strike) de emocionantes histórias de viagens, mistério e aventuras. *Ajudar a polícia em suas investigações*: com 5 anos, Strike imaginava um cidadão nobre e desinteressado apresentando-se voluntariamente para ceder seu tempo e energia no auxílio à polícia, que lhe fornecia uma lupa e cassetete e lhe permitia operar sob um manto de anonimato glamouroso.

A realidade era esta: uma sala de interrogatório pequena, um copo de café de máquina dado a ele por Wardle, cuja atitude para com Strike não tinha a animosidade que crepitava por cada poro de Carver, mas tampouco demonstrava qualquer vestígio da amizade anterior. Strike desconfiava de que o superior de Wardle não soubesse de toda a extensão de suas interações passadas.

Uma pequena bandeja preta na mesa arranhada trazia 17 pence em moedas, uma chave Yale e um passe de ônibus em capa de plástico; o cartão de Strike estava descolorido e rachado, mas ainda legível.

— E a bolsa dela? — perguntou Strike a Carver, sentado do outro lado da mesa, enquanto Wardle se encostava no arquivo do canto. — Cinza. Barata e parecia de plástico. Não apareceu, não foi?

— Ela deve ter deixado no imóvel que invadiu, ou sei lá onde morava — disse Carver. — Os suicidas não costumam fazer as malas para pular.

— Não acho que ela tenha pulado — disse Strike.

— Ah, não acha, é?

— Eu queria ver as mãos dela. Ela odiava a água na cara, ela me disse isso. Quando as pessoas se debatem na água, a posição de suas mãos...

— Ora, é bom ouvir sua opinião de especialista — disse Carver, com uma ironia esmagadora. — Sei quem você é, sr. Strike.

Ele se recostou na cadeira, colocando as mãos na nuca, revelando trechos secos de suor nas axilas da camisa. O cheiro pungente, acre e acebolado de cê-cê pairou pela mesa.

— Ele é ex-SIB — intrometeu-se Wardle, ao lado do arquivo.

— Eu sei disso — berrou Carver, erguendo sobrancelhas duras e pontilhadas de caspa. — Anstis já me contou sobre a merda da perna e a medalha por salvar vidas. Um currículo bem divertido.

Carver retirou as mãos da nuca, curvou-se para frente e entrelaçou os dedos na mesa. Sua tez de carne enlatada e as bolsas roxas sob os olhos duros não eram melhoradas pela luz fluorescente da sala.

— Sei quem é seu pai e tudo o mais.

Strike coçou o queixo por barbear, esperando.

— Gostaria de ser rico e famoso como o papai, não é? É isso que você quer?

Carver tinha os olhos azuis e injetados que Strike (desde que conheceu um major paraquedista com olhos assim, que subsequentemente foi afastado por graves danos corporais) sempre associava com uma natureza colérica e violenta.

— Rochelle não pulou. Nem Lula Landry.

— Besteira — gritou Carver. — Está falando com os dois homens que *provaram* que Lula pulou. Passamos um pente fino em cada evidência que encontramos. Sei o que você está fazendo. Está mamando o que pode do coitado do Bristow. Por que está sorrindo para mim, merda?

— Estou pensando no idiota que você vai parecer quando este interrogatório for relatado à imprensa.

— Não se atreva a me ameaçar com a imprensa, babaca.

O semblante largo e grosseiro de Carver se comprimiu; seus olhos azuis brilhantes eram vívidos na cara vermelha arroxeada.

— Está bem encrencado por aqui, meu camarada, e um pai famoso, uma perna de pau e uma boa guerra não vão te livrar dessa. Como podemos saber que você não matou a infeliz de susto para ela pular? Doente mental, não era? Como vamos saber se você não a fez pensar que ela tinha feito alguma coisa errada? Você foi a última pessoa que a viu com vida, meu camarada. Eu não queria estar sentado onde você está agora.

— Rochelle atravessou a Grantley Road e se afastou de mim, viva como vocês. Vai encontrar alguém que a viu depois de mim. Ninguém ia se esquecer daquele casaco.

Wardle se afastou do arquivo, puxou uma cadeira de plástico duro para perto da mesa e se sentou.

– Vamos ouvir, então – disse ele a Strike. – A sua teoria.

– Ela estava chantageando o assassino de Lula Landry.

– Sem essa – vociferou Carver, e Wardle bufou debochado.

– Na véspera de sua morte – disse Strike –, Landry se encontrou com Rochelle por 15 minutos numa loja em Notting Hill. Ela arrastou Rochelle para um provador, onde deu um telefonema pedindo a alguém para se encontrar com ela em seu apartamento na madrugada seguinte. A ligação foi ouvida por uma vendedora na loja; ela estava no provador ao lado; são separados por uma cortina. A garota se chamava Mel, ruiva e de tatuagens.

– As pessoas soltam todo tipo de merda quando há uma celebridade envolvida – disse Carver.

– Se Landry telefonou para alguém daquele provador – disse Wardle –, foi para Duffield ou para o tio. O registro do telefone dela mostra que foram as únicas pessoas para quem ligou, a tarde toda.

– Por que ela queria que Rochelle estivesse lá quando deu o telefonema? – perguntou Strike. – Por que arrastar a amiga para o provador com ela?

– As mulheres fazem essas coisas – disse Carver. – Elas também mijam aos bandos.

– Use a merda da sua inteligência: ela fez a ligação do telefone de Rochelle – disse Strike, exasperado. – Ela testou todo mundo que conhecia para ver quem estava falando com a imprensa a respeito dela. Rochelle foi a única que ficou de boca fechada. Ela concluiu que a garota era digna de confiança, comprou um celular para ela, registrou no nome de Rochelle, mas pagava todas as contas. Ela teve o próprio telefone hackeado, não foi? Estava ficando paranoica com as pessoas ouvindo e passando adiante, então comprou um Nokia e registrou em nome de outra pessoa, dando a si mesma meios totalmente seguros de se comunicar quando bem quisesse.

"Posso garantir que isto não exclui necessariamente o tio dela ou Duffield, porque ligar para eles pelo número alternativo podia ser um sinal que eles tinham combinado. Ou ela usava o número de Rochelle para falar com outra pessoa; alguém que ela não queria dar a conhecer à imprensa. Peguei o número de Rochelle. Descubram qual era a operadora e poderão verificar isso. O aparelho era um Nokia rosa coberto de cristais, mas não vão encontrá-lo."

– É, porque está no fundo do Tâmisa – disse Wardle.

— Claro que não está — disse Strike. — O assassino pegou. Ele deve ter tirado dela antes de jogá-la no rio.

— Não fode! — zombou Carver, e Wardle, que parecia interessado mesmo a contragosto, meneou a cabeça.

— Por que Landry queria que Rochelle estivesse ali quando deu o telefonema? — repetiu Strike. — Por que não do carro? Por que, quando Rochelle era uma sem-teto e vivia praticamente na miséria, ela nunca vendeu uma história sobre Landry? Ela deve ter recebido uma boa grana por isso. Por que ela não lucraria, depois de Landry estar morta e não ter como se magoar?

— Decência? — sugeriu Wardle.

— É, é uma possibilidade — disse Strike. — A outra é que ela ganhava o bastante chantageando o assassino.

— *Bes-tei-ra* — gemeu Carver.

— Ah, é? Aquele casaco de Muppet que ela vestia custou mil e quinhentas pratas.

Uma leve pausa.

— Landry deve ter dado a ela — disse Wardle.

— Se deu, conseguiu comprar algo que só chegou às lojas em janeiro.

— Landry era modelo, tinha contatos... isso tudo é pura merda — rebateu Carver, como se estivesse irritado consigo mesmo.

— Por que — disse Strike, curvando-se para frente, apoiado nos braços para o miasma de odor corporal que cercava Carver — Lula Landry fez um desvio para aquela loja por 15 minutos?

— Ela estava com pressa.

— Por que ir até lá?

— Não queria dar bolo na garota.

— Ela pediu a Rochelle que atravessasse a cidade... aquela sem-teto miserável, a garota que em geral pegava uma carona para casa, no carro com motorista de Landry... arrastou-a a um provador e saiu 15 minutos depois, deixando-a ir sozinha para casa.

— Ela era uma vagaba mimada.

— Se era assim, por que aparecer, então? Porque valia a pena, para algum propósito só dela. E se ela não era uma vagaba mimada, devia estar em condições emocionais que a fizeram agir de um jeito estranho. Há uma testemunha para o fato de que Lula pediu a alguém, por telefone, para ir vê-la, no apartamento dela, em alguma hora depois de uma da manhã. Também há uma folha de papel azul que estava na mão dela antes de entrar na Vashti que ninguém admite ter visto desde então. O que ela fez com isso? Por que ela escreveu quando estava no banco traseiro do carro, antes de ver Rochelle?

– Pode ter sido... – disse Wardle.

– Não era a merda de uma lista de compras – gemeu Strike, batendo na mesa –, e ninguém escreve um bilhete de suicida oito horas antes de se matar, e depois vai dançar. Ela estava escrevendo um maldito *testamento*, não entendem? Ela o levou para a Vashti para Rochelle testemunhar...

– Que besteira! – disse Carver outra vez, mas Strike o ignorou, voltando-se para Wardle.

– ... o que combina com o que ela disse a Ciara Porter, que ia deixar tudo para o irmão, não foi? Ela simplesmente legalizou a coisa. Era o que tinha em mente.

– Por que um testamento de repente?

Strike hesitou e se recostou. Carver o olhou enviesado.

– Sua imaginação acabou?

Strike soltou um longo suspiro. Uma desagradável noite de inconsciência ensopada de álcool; os excessos de prazer da noite anterior; meio sanduíche de queijo com picles em 12 horas; ele estava esgotado, exausto.

– Se eu tivesse alguma prova, entregaria a vocês.

– Sabia que as chances de se matar aumentam para os que são próximos de suicidas? Essa Raquelle era deprimida. Teve um dia ruim, lembra como a amiga acabou e imita o salto. O que nos traz de volta a *você*, meu camarada, perseguindo as pessoas e pressionando-as...

– ... até o limite, sei – disse Strike. – As pessoas sempre dizem isso. De muito mau gosto, nas circunstâncias. E o testemunho de Tansy Bestigui?

– Quantas vezes, Strike? Já provamos que ela não pode ter ouvido nada – disse Wardle. – Provamos sem nenhuma dúvida.

– Não provaram, não – disse Strike que, enfim, quando menos esperava, perdia a paciência. – Vocês basearam o caso todo em um tremendo papo-furado. Se tivessem levado Tansy Bestigui a sério, se tivessem pressionado a mulher e conseguido que ela contasse a merda da verdade, Rochelle Onifade ainda estaria viva.

Pulsando de raiva, Carver manteve Strike ali por mais uma hora. Seu último ato de desdém foi dizer a Wardle que se certificasse de ter visto o "Rokeby Júnior" bem longe da central.

Wardle acompanhou Strike até a porta da frente, sem falar nada.

– Preciso de uma coisa – disse Strike, parando na saída, depois da qual eles viam o céu escurecendo.

– Já teve o suficiente de mim, parceiro – disse Wardle, com um sorriso irônico. – Vou passar dias cuidando disso – ele apontou o polegar por cima do ombro, para Carver e seu destempero – graças a você. Eu te falei que foi suicídio.

– Wardle, se ninguém pegar o filho da puta, mais duas pessoas correm o risco de morrer.

– Strike...

– E se eu te provar que Tansy Bestigui não estava dentro do apartamento quando Lula caiu? Que ela estava num lugar onde podia ouvir tudo?

Wardle olhou o teto e fechou os olhos por um momento.

– Se tiver essa prova...

– Não tenho, mas terei nos próximos dias.

Dois homens passaram por eles, falando, rindo. Wardle meneou a cabeça, demonstrando exasperação, mas ainda assim não se virou.

– Se quiser alguma coisa da polícia, ligue para Anstis. É ele que te deve alguma coisa.

– Anstis não pode fazer isso por mim. Preciso que você telefone para Deeby Macc.

– Mas que porra é essa?

– Você ouviu bem. Ele não vai atender a meus telefonemas, vai? Mas vai falar com você; você tem autoridade, e parece que ele gostou de você.

– Está me dizendo que Deeby Macc sabe onde Tansy Bestigui estava quando Lula Landry morreu?

– Não, claro que não sabe, ele estava em Barrack. Quero saber que roupas ele mandou de Kentigern Gardens para o Claridges. Especificamente, que objetos ele recebeu de Guy Somé.

Strike não pronunciou o nome como *Gui* para Wardle.

– Você quer... por quê?

— Porque um dos corredores naquela gravação de rua usava um dos casacos de Deeby.

A expressão de Wardle, paralisada por um momento, recaiu na exasperação.

— Você vê coisas em toda parte – disse ele depois de um ou dois segundos. – Aquela história do GS. Moletons.

— Este era customizado e tinha capuz, só havia um no mundo. Ligue para Deeby e pergunte o que ele recebeu de Somé. É só do que preciso. De que lado quer estar se eu estiver certo, Wardle?

— Não me ameace, Strike...

— Não estou te ameaçando. Estou pensando em um homicida que está por aí planejando o próximo crime... Mas, se é com os jornais que você se preocupa, não acho que eles vão engolir com facilidade alguém que se prende à teoria de suicídio depois que aparecer outro corpo. Ligue para Deeby Macc, Wardle, antes que mais alguém seja morto.

11

– Não – disse Strike vigorosamente ao telefone naquela noite. – Isto está ficando perigoso. Vigilância não está no escopo dos deveres de uma secretária.

– Nem ir ao Malmaison Hotel em Oxford, ou à SOAS – observou Robin –, mas você ficou bem feliz por eu ter ido aos dois lugares.

– Você não vai seguir ninguém, Robin. Duvido que Matthew vá ficar satisfeito com isso também.

Era engraçado, pensou Robin, sentada de robe na cama com o telefone apertado na orelha, como Strike memorizara o nome do noivo dela, mesmo sem conhecê-lo. Em sua experiência, os homens não costumavam se dar ao trabalho de registrar esse tipo de informação. Matthew com frequência se esquecia do nome das pessoas, até o do sobrinho recém-nascido; mas ela supunha que Strike tivesse sido treinado para se lembrar desses detalhes.

– Não preciso da permissão de Matthew – disse ela. – De qualquer modo, não seria perigoso; você não acha que *Ursula May* matou alguém...

(Houve um inaudível "*acha?*" no final da frase.)

– Não, mas não quero que alguém saiba que estou interessado nos movimentos dela. Pode deixar o assassino nervoso, e não quero mais ninguém sendo atirado de um lugar alto.

Robin via o próprio coração martelar pelo tecido fino do robe. Sabia que ele não lhe contaria quem pensava ser o assassino; ela até sentia certo medo de saber, apesar de não conseguir pensar em outra coisa.

Foi ela que telefonou para Strike. Horas se passaram desde que recebeu um torpedo dele dizendo que tinha sido obrigado a acompanhar a polícia à Scotland Yard, e pedindo que trancasse o escritório quando fosse embora às cinco. Robin ficou preocupada.

"Ligue para ele, então, se não vai dormir por causa disso", dissera Matthew; não exatamente ríspido, nem indicando que estava, mesmo sem saber dos detalhes, firmemente ao lado da polícia.

— Escute, quero que faça uma coisa para mim — disse Strike. — Telefone para John Bristow amanhã, assim que você chegar, e conte a ele sobre Rochelle.

— Tudo bem — disse Robin, com os olhos no elefante grande de pelúcia que Matthew lhe dera no primeiro Dia dos Namorados juntos, oito anos antes. O doador do presente agora assistia a *Newsnight* na sala de estar. — O que você vai fazer?

— Vou aos Pinewood Studios para dar uma palavrinha com Freddie Bestigui.

— Como? — disse Robin. — Eles não vão deixar que você chegue perto dele.

— Ah, vão sim — disse Strike.

Depois de Robin desligar, Strike ficou parado por um tempo em seu escritório escuro. A ideia da refeição do McDonald's semidigerida dentro do cadáver inchado de Rochelle não o impedira de consumir dois Big Macs, uma porção grande de fritas e um McFlurry quando saiu da Scotland Yard. Os ruídos gordurosos de seu estômago agora se misturavam com os estrondos abafados do baixo do 12 Bar Café, que Strike mal notava ultimamente; o som podia ser de sua própria pulsação.

O apartamento bagunçado e feminino de Ciara Porter, sua boca gemendo, grande, as pernas brancas e longas enroladas firmemente nas costas dele pertenciam a uma vida de um passado distante. Todos os pensamentos de Strike, agora, estavam na atarracada e sem graça Rochelle Onifade. Ele se lembrou de ela falando rapidamente ao telefone, menos de cinco minutos depois de deixá-lo, exatamente com as mesmas roupas que vestia quando a tiraram do rio.

Ele tinha certeza do que acontecera. Rochelle ligou para o assassino para dizer que tinha acabado de almoçar com um detetive particular; um encontro foi marcado pelo telefone rosa cintilante; naquela noite, depois de uma refeição ou uma bebida, eles andaram no escuro até o rio. Ele pensou na ponte Hammersmith, verde-sálvia e dourada, na área onde ela dizia ter um apartamento novo: um famoso ponto de suicidas, com suas laterais baixas e o Tâmisa veloz abaixo. Ela não sabia nadar. A noite: dois amantes fingindo uma briga, um carro passa, um grito e a batida na água. Alguém teria visto?

Não se o assassino tivesse nervos de aço e um bom golpe de sorte; e este era um assassino que já demonstrara muito do primeiro e uma confiança enervante e incauta no segundo. A defesa sem dúvida alguma argumentaria pela responsabilidade diminuída devido à burla presunçosa que tornava a presa de Strike única em sua experiência; e talvez, pensou ele, houvesse alguma patologia ali, alguma loucura classificável, mas ele não estava muito interessado na psicologia. Como John Bristow, queria justiça.

No escuro do escritório, seus pensamentos deram uma guinada repentina e inútil ao passado, à morte mais pessoal de todas; aquela que Lucy presumia, erroneamente, que assombrasse cada investigação de Strike, tingisse cada caso; a morte que dividiu a vida dele e a de Lucy em duas épocas, de modo que tudo na lembrança dos dois era claramente separado pelo que aconteceu antes de sua mãe morrer e o que veio depois disso. Lucy pensava que ele tivesse fugido para entrar para a polícia militar real, a RMP, por causa da morte de Leda; que tivesse sido impelido a isto pela crença insatisfeita na culpa do padrasto; que cada cadáver que ele via em sua vida profissional devia lembrá-lo da mãe; que cada assassino que ele conhecia parecia ser um eco do padrasto; que ele era levado a investigar outras mortes num ato eterno de justificação pessoal.

Mas Strike aspirara a esta carreira muito antes que a última agulha entrasse no corpo de Leda; muito antes de entender que a mãe (e cada ser humano) era mortal, e que os homicídios eram mais do que quebra-cabeças a serem resolvidos. Era Lucy que nunca se esquecia, que vivia em um enxame de lembranças como moscas de caixão; que projetava em qualquer morte não natural as emoções conflitantes suscitadas nela pelo falecimento prematuro da mãe.

Esta noite, porém, ele se via fazendo o que, para Lucy, certamente era um hábito: lembrava-se de Leda e a relacionava com este caso. *Leda Strike, super groupie*. Era como sempre a definiam na legenda da foto mais famosa de todas, a única que mostrava os pais juntos. Ali estava ela, em preto e branco, com a cara de coração, o cabelo preto brilhante e os olhos de sagui; e ali, separado de cada lado por um negociante de arte, um playboy aristocrata (um encontrou a morte pelas próprias mãos, o outro pela Aids) e Carla Astolfi, a segunda mulher do pai, estava o próprio Jonny Rokeby, andrógino e rebelde: o cabelo quase tão comprido quanto o de Leda. Taças de Martini e cigarros, a fumaça se enroscando para fora da boca da modelo, mas sua mãe tinha mais estilo do que qualquer um deles.

Todos, menos Strike, pareciam ver a morte de Leda como o resultado deplorável, mas esperado, de uma vida levada perigosamente, para além das normas sociais. Mesmo aqueles que a conheceram melhor e por mais tempo se conformaram que ela tenha se aplicado a overdose que encontraram em seu corpo. A mãe dele, por um consenso quase unânime, chegou perto demais das margens repugnantes da vida, e simplesmente se esperava que um dia desaparecesse e caísse para sua morte, rígida e fria, em uma cama de lençóis sujos.

Por que ela fez isso, ninguém podia explicar, nem mesmo o tio Ted (silencioso e estilhaçado, recostado na pia da cozinha) ou a tia Joan (de olhos vermelhos, mas furiosa à sua mesinha da cozinha, com os braços em volta da Lucy, de 19 anos, que chorava no ombro de Joan). Uma overdose parecia coerente com a tendência da vida de Leda; com os imóveis invadidos, os músicos e as festas desregradas; com a sordidez de seus últimos relacionamento e lar; com a presença constante das drogas em suas cercanias; com a busca incansável de emoções e intensidade. Só Strike tinha perguntado se alguém sabia que a mãe vinha se injetando; só ele vira uma distinção entre a predileção dela pela maconha e o gosto repentino pela heroína; só ele tinha perguntas sem resposta e via circunstâncias suspeitas. Mas ele era um estudante de 20 anos, e ninguém lhe dava ouvidos.

Depois do julgamento e da condenação, Strike fez as malas e deixou tudo para trás: a curta explosão da imprensa, a decepção desesperada da tia Joan com o fim de sua carreira em Oxford, Charlotte, desolada e furiosa com o desaparecimento dele e já dormindo com outro, os gritos e cenas de Lucy. Com o apoio apenas do tio Ted, ele desapareceu no exército e ali reencontrou a vida que Leda ensinara: desarraigamentos constantes, autossuficiência e o interminável apelo da novidade.

Esta noite, porém, ele não podia deixar de ver a mãe como uma irmã espiritual da garota bela, deprimida e carente que se arrebentou numa rua congelada, e com a sem-teto simples e intrometida que agora jazia no necrotério gelado. Leda, Lula e Rochelle não foram mulheres como Lucy, ou a tia Joan; não tomavam as precauções sensatas contra a violência e o acaso; não se prenderam à vida com hipotecas e trabalho voluntário, maridos seguros e dependentes de cara limpa: suas mortes, portanto, não eram classificadas como "trágicas", como aquelas de donas de casa moderadas e respeitáveis.

Como era fácil tirar proveito da tendência de uma pessoa à autodestruição; como era simples empurrá-las para a inexistência, depois recuar, dar de ombros e concordar que este fora o resultado inevitável de uma vida caótica e catastrófica.

Quase todas as evidências físicas do assassinato de Lula há muito foram eliminadas, as pegadas pisoteadas ou cobertas pela neve que caía grossa; a pista mais convincente que Strike tinha, afinal, aquela gravação granulada em preto e branco de dois homens correndo da cena: uma evidência que recebeu um exame apressado e foi desprezada pela polícia, convencida de que ninguém poderia ter entrado no prédio, que Landry cometera suicídio e que o filme mostrava nada mais do que dois aplicados ladrões vagabundos.

Strike se levantou e olhou o relógio. Passava das dez, mas ele tinha certeza de que o homem com quem queria falar estaria acordado. Ele acendeu a luminária da mesa, pegou o celular e discou, desta vez, para um número da Alemanha.

– Pastelão – berrou a voz fina do outro lado da linha. – Mas como é que você está?

– Preciso de um favor, amigo.

E Strike pediu ao tenente Graham Hardacre que lhe desse todas as informações que conseguisse de um Agyeman da Real Engenharia, nome de batismo e patente desconhecidos, mas com referência particular às datas de seus períodos de serviço no Afeganistão.

12

Este era o segundo carro que ele dirigia desde que sua perna fora explodida. Tentou dirigir o Lexus de Charlotte, mas hoje, procurando não se sentir castrado, alugou um Honda Civic automático.

A viagem a Iver Heath levou menos de uma hora. Entrar nos Pinewood Studios foi o resultado de uma combinação de falatório, intimidação e a exibição de documentação oficial genuína, embora ultrapassada; o segurança, no início impassível, ficou abalado com o ar de tranquila confiança de Strike, com as palavras "Ramo de Investigação Especial", com o passe que trazia sua fotografia.

– Marcou hora? – perguntou ele a Strike, de pé acima dele na caixa ao lado da barreira eletrônica, com a mão cobrindo o fone.

– Não.

– Do que se trata?

– Sr. Evan Duffield – disse Strike, vendo o segurança fechar a cara ao se afastar e murmurar no telefone.

Depois de mais ou menos um minuto, Strike recebeu instruções e passou. Seguiu uma rua suavemente sinuosa pelos arredores do prédio do estúdio, refletindo novamente sobre o uso conveniente que se podia dar à reputação para o caos e a autodestruição de algumas pessoas.

Estacionou algumas filas atrás de um Mercedes com motorista que ocupava uma vaga com uma placa que dizia PRODUTOR FREDDIE BESTIGUI, saiu sem pressa do carro enquanto o motorista de Bestigui o olhava pelo retrovisor, e passou por uma porta de vidro que levava a uma escada discreta e institucional. Um jovem descia correndo, parecendo uma versão um pouco mais arrumada de Spanner.

– Onde posso encontrar o sr. Freddie Bestigui? – perguntou-lhe Strike.

– Segundo andar, primeira sala à direita.

Ele era tão feio como nas fotos, pescoço de touro e esburacado; estava sentado a uma mesa na extremidade de uma divisória de vidro, de cara amarrada para o monitor do computador. A sala externa estava movimentada e atulhada, cheia de jovens mulheres atraentes às mesas; cartazes de cinema foram presos a pilastras e fotografias de animais de estimação pregadas ao lado de cronogramas de filmagem. A garota bonita mais perto da porta, que tinha um microfone telefônico na frente da boca, olhou para Strike e disse:

– Olá, como posso ajudar?

– Vim ver o sr. Bestigui. Não se preocupe, eu entro sozinho.

Ele estava dentro da sala de Bestigui antes que ela pudesse responder.

Bestigui levantou a cabeça, os olhos minúsculos entre bolsas de carne, verrugas pretas salpicando a pele morena.

– Quem é você?

Ele já se levantava, com as mãos de dedos grossos agarradas à beira da mesa.

– Meu nome é Cormoran Strike. Sou detetive particular. Fui contratado...

– *Elena!* – Bestigui derrubou o café; espalhou-se pela madeira polida, entrando nos papéis. – Dê o fora daqui! Saia! SAIA!

– ... pelo irmão de Lula Landry, John Bristow...

– ELENA!

A garota bonita e magra do microfone correu para dentro e parou palpitante atrás de Strike, apavorada.

– Chame a segurança, sua moloide cretina!

Ela saiu correndo. Bestigui, que tinha no máximo um metro e sessenta e cinco, agora saía com esforço de trás de sua mesa; tão sem medo do enorme Strike quanto um pit bull cujo quintal foi invadido por um rotweiller. Elena tinha deixado a porta aberta; os ocupantes da outra sala olhavam, assustados, hipnotizados.

– Estive tentando falar com você há algumas semanas, sr. Bestigui...

– Você é um monte de problema, meu amigo – disse Bestigui, avançando com o queixo cerrado e os ombros grossos preparados.

– ... para falar sobre a noite em que Lula Landry morreu.

Dois homens de camisa branca e walkie-talkies corriam pela parede de vidro à direita de Strike; jovens, em boa forma, tensos.

— Tirem esse sujeito daqui! — rugiu Bestigui, apontando para Strike, enquanto os dois seguranças se esbarravam na entrada, depois forçavam a entrada.

— Especificamente — disse Strike —, sobre o paradeiro de sua mulher, Tansy, quando Lula caiu...

— Tirem esse sujeito daqui e liguem para a merda da polícia! Como ele entrou aqui?

— ... porque eu vi algumas fotografias que dão sentido ao testemunho de sua esposa. Tire as mãos de mim — acrescentou Strike ao mais novo dos guardas, que agora puxava seu braço —, ou vou te atirar por aquela janela.

O segurança não o soltou, mas olhou para Bestigui, procurando instruções.

Os olhos escuros e brilhantes do produtor estavam fixos em Strike. Ele cerrou e relaxou as mãos de brutamontes. Depois de vários e longos segundos, disse:

— Está falando besteira.

Mas não instruiu os seguranças a arrastarem Strike para fora de sua sala.

— O fotógrafo estava na calçada na frente de sua casa nas primeiras horas do dia 8 de janeiro. O cara que tirou as fotos não percebeu o que conseguira. Se não quiser discutir isso, tudo bem; polícia ou imprensa, não me importa. No fim, vai dar no mesmo.

Strike deu alguns passos para a porta; os seguranças, cada um deles segurando-o pelo braço, foram apanhados de surpresa e, por um momento, obrigados à posição absurda de segurá-lo por trás.

— Saiam — disse Bestigui abruptamente a seus asseclas. — Eu informarei se precisar de vocês. Fechem a porta ao sair.

Eles partiram. Quando a porta estava fechada, Bestigui disse:

— Tudo bem, sei lá como se chama, posso te dar cinco minutos.

Strike se sentou, sem convite, em uma das cadeiras de couro preto de frente para a mesa de Bestigui, enquanto o produtor voltava a seu lugar atrás dela, sujeitando Strike a um olhar frio e duro que era muito diferente daquele que Strike recebera da ex-mulher de Bestigui; este era o exame intenso de um apostador profissional. Bestigui pegou um maço de cigarrilhas, puxou um cinzeiro de vidro preto e acendeu uma com um isqueiro de ouro.

– Tudo bem, vamos saber o que essas tais fotografias mostram – disse ele, semicerrando os olhos pelas nuvens de fumaça, a imagem de um mafioso de cinema.

– A silhueta – disse Strike – de uma mulher agachada na sacada das janelas de sua sala de estar. Ela parece nua, mas, como você e eu sabemos, estava de calcinha e sutiã.

Bestigui deu uma forte baforada por alguns segundos, depois retirou a cigarrilha e disse:

– Papo furado. Não dá para ver da rua. Tem pedra maciça na base da sacada; desse ângulo, não se vê nada. Você está chutando.

– As luzes estavam acesas na sua sala. Dá para ver a silhueta dela pelos vãos na pedra. Há um espaço ali, é claro, porque os arbustos não estavam lá, estavam? As pessoas não resistem a mexer na cena depois, mesmo quando se safam – acrescentou Strike, como se batesse papo. – Você tentou simular que nunca houve espaço para ninguém se acocorar naquela sacada, não é? Mas não pode voltar e fazer um photoshop na realidade. Sua mulher estava numa posição perfeita para ouvir o que aconteceu na sacada do terceiro andar, pouco antes da morte de Lula Landry.

"Eis aqui o que aconteceu", continuou Strike, enquanto Bestigui ainda semicerrava os olhos pela fumaça da cigarrilha. "Você e sua mulher tiveram uma briga, enquanto ela tirava a roupa para dormir. Talvez você tenha encontrado as drogas dela no banheiro, ou a interrompeu batendo umas carreiras. Então você decidiu que um bom castigo seria trancá-la do lado de fora numa sacada abaixo de zero.

"Pode-se se perguntar como uma rua cheia de paparazzi não notou uma mulher seminua sendo empurrada para uma sacada no alto, mas a neve caía grossa e todos estavam batendo os pés para manter a circulação, e a atenção deles estava concentrada nas extremidades da rua, esperando por Lula e Deeby Macc. E Tansy não fez nenhum barulho, fez? Ela se abaixou e se escondeu; não queria aparecer, seminua, na frente de trinta fotógrafos. Você pode tê-la empurrado para fora ao mesmo tempo em que o carro de Lula virava a esquina. Ninguém estaria olhando para a sua janela se Lula Landry estivesse aparecendo num vestidinho mínimo."

– Mas quanta besteira – disse Bestigui. – Você não tem nenhuma foto.

– Eu nunca disse que tinha. Eu disse que me mostraram.

Bestigui tirou a cigarrilha dos lábios, mudou de ideia sobre falar e a recolocou. Strike deixou que se passassem vários segundos, mas quando ficou claro que Bestigui não ia se beneficiar da oportunidade de falar, ele continuou.

— Tansy deve ter começado a bater na janela logo depois de Landry passar caindo por ela. Você não esperava que sua mulher começasse a gritar e bater no vidro, não é? Compreensivelmente avesso a qualquer testemunha de seus maus-tratos domésticos, você abriu a vidraça. Ela passou correndo por você, gritando como louca, saiu do apartamento e desceu até Derrick Wilson.

"A essa altura, você olhou pela balaustrada e viu Lula Landry prostrada na rua."

Bestigui dava baforadas lentas, sem tirar os olhos da cara de Strike.

— O que você fez em seguida pode parecer incriminador a um júri. Você não ligou para a emergência. Não correu atrás de sua mulher histérica e semicongelada. Nem mesmo... o que o júri pode achar mais compreensível... correu e despejou na privada a cocaína, que você sabia que estava à plena vista no banheiro.

"Não, o que você fez ali, antes de seguir sua mulher ou ligar para a polícia, foi limpar aquela janela. Não havia digitais que mostrassem que Tansy tinha colocado as mãos do lado de fora, havia? Sua prioridade era se certificar de que ninguém pudesse provar que você empurrou sua mulher para uma sacada numa temperatura de dez negativos. Com sua reputação desagradável de ataques e maus-tratos, e a possibilidade de um processo de uma jovem funcionária, você não ia dar mais provas à imprensa ou a um promotor, ia?

"Depois de ter certeza de ter eliminado qualquer vestígio de impressões dela no vidro, você desceu correndo e a obrigou a voltar a seu apartamento. No curto espaço de tempo que tinha disponível, antes que a polícia chegasse, você a torturou para que concordasse em não admitir onde estava quando o corpo caiu. Não sei o que prometeu a ela ou que ameaças fez; fosse o que fosse, funcionou.

"Mas você ainda não se sentia inteiramente seguro, porque ela estava tão chocada e aflita que você pensou que ela podia soltar a história toda. Então tentou distrair a polícia gritando pelas flores que foram derrubadas no apartamento de Deeby Macc, na esperança de que Tansy se recompusesse e cumprisse o trato.

"Bom, ela cumpriu, não foi? Só Deus sabe o quanto isso custou a você, mas ela se deixou levar pela sujeira na imprensa; suportou ser chamada de fantasista cheia de pó; ateve-se à sua história absurda sobre ter ouvido Landry e o assassino brigarem, por dois andares e vidro à prova de som.

"Mas quando ela souber da existência de uma prova fotográfica de onde ela estava", disse Strike, "acho que ficará feliz em colocar tudo em pratos limpos. Sua mulher pode pensar que adora dinheiro mais do que qualquer coisa no mundo, mas a consciência a está incomodando. Tenho certeza de que ela vai se abrir muito em breve."

Bestigui tinha fumado toda a cigarrilha até os últimos milímetros. Lentamente, apagou-a no cinzeiro de vidro preto. Passaram-se longos segundos, e o barulho fora da sala era filtrado pela parede de vidro ao lado: vozes, o toque de um telefone.

Bestigui se levantou e baixou as persianas de lona pela divisória de vidro, para que nenhuma das garotas nervosas na sala ao lado pudesse ver. Voltou a se sentar e passou pensativamente os dedos grossos no terreno amarrotado de sua cara aviltada, olhando para Strike e se desviando para a tela creme que tinha criado. Strike quase podia ver as alternativas ocorrendo ao produtor, como se ele estivesse embaralhando cartas.

– As cortinas estavam fechadas – disse Bestigui por fim. – Não havia luz suficiente fora da janela para distinguir uma mulher escondida na sacada. Tansy não vai mudar sua história.

– Eu não apostaria nisso – disse Strike, esticando as pernas; a prótese ainda desconfortável. – Quando eu disser a ela que o termo jurídico para o que vocês dois fizeram é "conspirar para obstrução da justiça", e que uma demonstração tardia de consciência pode tirá-la da prisão; quando eu acrescentar a simpatia do público que ela vai angariar como vítima de maus-tratos domésticos e a quantia que provavelmente vão oferecer para ter direitos exclusivos da história; quando ela perceber que terá de falar em tribunal e que acreditarão nela, e que ela poderá levar à condenação o homem que ouviu matar a vizinha... sr. Bestigui, não creio que nem você tenha dinheiro suficiente para calar a boca de sua mulher.

A pele áspera em volta da boca de Bestigui se mexeu. Ele pegou o maço de cigarrilhas, mas não tirou uma. Fez-se um longo silêncio, durante o qual ele virava o maço entre os dedos, virava e virava.

Por fim, disse:

– Não admito nada. Saia daqui.

Strike não se mexeu.

– Sei que está louco para telefonar a seu advogado – disse ele –, mas acho que está deixando passar aqui um raio de esperança.

– Já estou cheio de você. Já disse, saia.

– Por mais desagradável que possa ser confessar o que aconteceu naquela noite, ainda é preferível a se tornar o principal suspeito de um homicídio. Será o menor dos males a partir daqui. Se você soltar o que realmente aconteceu, estará se inocentando do assassinato.

Ele agora tinha a atenção de Bestigui.

– Você não pode ter feito isso – disse Strike –, porque se foi você que atirou Landry pela sacada dois andares acima, não teria conseguido deixar Tansy entrar segundos depois de o corpo cair. Acho que você trancou sua mulher do lado de fora, foi ao quarto, subiu na cama, colocou-se à vontade... a polícia disse que a cama parecia desarrumada, que alguém se deitara ali... e ficou de olho no relógio. Não creio que você quisesse dormir. Se a deixasse por muito tempo na sacada, estaria incorrendo em homicídio culposo. Não admira que Wilson dissesse que ela tremia feito um cachorrinho. Provavelmente eram os primeiros estágios da hipotermia.

Outro silêncio, a não ser pelos dedos gordos de Bestigui tamborilando de leve na beira da mesa. Strike pegou o bloco.

– Agora está pronto para responder a algumas perguntas?

– Vai se foder!

O produtor de repente foi consumido pela fúria que até agora reprimira, seu queixo se projetando e os ombros recurvados, ao mesmo nível das orelhas. Strike podia imaginá-lo com essa aparência enquanto dominava a esposa emaciada e cheia de pó, de mãos estendidas.

– Você está na merda – disse Strike calmamente –, mas depende inteiramente de você o quanto vai afundar nela. Pode negar tudo, batalhar com sua mulher no tribunal e nos jornais, acabar na cadeia por perjúrio e obstrução do trabalho policial. Ou pode começar a cooperar, agora, e angariar a gratidão e a boa vontade da família de Lula. Já se passou tempo suficiente para demonstrar remorsos, e isso ajudará quando tiver de apelar por clemência. Se suas informações ajudarem a pegar o assassino de Lula, não vejo como você pode conseguir algo pior do que uma repreensão do júri. Será a polícia que vai levar a verdadeira bronca do público e da imprensa.

Bestigui respirava ruidosamente, mas parecia refletir sobre as palavras de Strike. Por fim, rosnou:

– Não tinha merda de assassino nenhum. Wilson nunca encontrou ninguém lá. Landry pulou – disse ele, com um repentino gesto, leve e desdenhoso, de cabeça. – Ela era uma drogadinha fodida, como a merda da minha mulher.

– Tinha um assassino – disse Strike simplesmente – e você o ajudou a se safar.

Algo na expressão de Strike conteve o claro impulso de Bestigui de zombar dele. Seus olhos eram fendas de ônix enquanto ele remoía o que Strike lhe disse.

– Sei que você queria colocar Lula num filme.

Bestigui ficou desconcertado com a mudança de assunto.

– Era só uma ideia – murmurou ele. – Ela era instável, mas linda.

– Você queria colocar Lula e Deeby Macc juntos num filme?

– Era permissão para imprimir dinheiro aqueles dois juntos.

– E o filme em que estava pensando fazer desde que ela morreu... como chamam mesmo, um filme biográfico? Soube que Tony Landry não ficou nada feliz com isso.

Para surpresa de Strike, um sorriso de sátiro se imprimiu na cara empapuçada de Bestigui.

– Quem te disse isso?

– Não é verdade?

Pela primeira vez, Bestigui parecia sentir que tinha vantagem na conversa.

– Não, não é verdade. Anthony Landry me insinuou claramente que depois que Lady Bristow morresse, ele ficaria feliz em falar nisso.

– Então ele não estava irritado quando ligou para você para falar no assunto?

– Desde que fosse tratado com bom gosto, blá-blá-blá...

– Você conhece bem Tony Landry?

— Eu sei dele.

— Em que contexto?

Bestigui coçou o queixo, sorrindo consigo mesmo.

— Ele é o advogado do divórcio de sua mulher, é claro.

— Por enquanto – disse Bestigui.

— Acha que ela vai dispensá-lo?

— Talvez tenha de fazer – disse Bestigui, e o sorriso se tornou um olhar enviesado de satisfação pessoal. – Conflito de interesses. Veremos.

Strike olhou seu bloco, considerando, com o cálculo desapaixonado das chances de um bom jogador de pôquer, quanto risco havia em insistir nessa linha de interrogatório até o limite, sem provas.

— Devo entender – disse ele, levantando a cabeça – que você disse a Landry que sabe que ele está dormindo com a mulher do sócio dele?

Um momento de surpresa aturdida, depois Bestigui riu alto, uma explosão de alegria grosseira e agressiva.

— Então sabe disso?

— Como *você* descobriu?

— Contratei um de vocês. Pensei que a sujeira fosse de Tansy, mas por acaso ela dava álibis para a desgraçada da irmã, enquanto Ursula dava as escapulidas com Tony Landry. Vai ser muito engraçado ver os May se divorciando. Advogados poderosos de ambos os lados. A velha firma de família ruindo. Cyprian May não é o frouxo que parece. Ele representou minha segunda mulher. Eu vou explodir de rir vendo como isso vai terminar. Vendo os advogados se ferrarem entre si, para variar.

— Essa é uma bela influência que você tem com o advogado do divórcio de sua mulher, então?

Bestigui sorriu com malícia através da fumaça.

— Nenhum deles sabe que eu sei. Estou esperando por uma boa hora para contar.

Mas Bestigui pareceu se lembrar, de repente, de que Tansy agora podia estar de posse de uma arma ainda mais poderosa na batalha do divórcio, e o sorriso sumiu da cara amarfanhada, deixando-a amarga.

— Uma última coisa – disse Strike. – Na noite em que Lula morreu: depois de seguir sua mulher até o saguão e trazê-la de volta para casa, ouviu alguma coisa do lado de fora do apartamento?

– Mas você não quis dizer com isso tudo que não dá para ouvir nada de dentro do meu apartamento com a janela fechada? – vociferou Bestigui.

– Não estou falando da rua; estou falando fora de sua porta no prédio. Tansy pode ter feito muito barulho para ouvir alguma coisa, mas fico me perguntando se, quando vocês dois estavam no hall do seu andar... talvez você tenha parado ali, tentando acalmar sua mulher, depois a colocou para dentro?... você ouviu algum movimento do outro lado da porta? Ou Tansy estava gritando demais?

– Ela fazia uma barulheira do cacete – disse Bestigui. – Não ouvi nada.

– Nada mesmo?

– Nada de suspeito. Só Wilson, passando correndo pela porta.

– Wilson.

– É.

– E quando foi isso?

– Quando aconteceu o que você disse. Quando voltávamos para casa.

– Logo depois de você fechar a porta?

– Foi.

– Mas Wilson já havia subido enquanto você ainda estava no saguão, não é?

– É.

Os vincos na testa de Bestigui e em volta da boca se aprofundaram.

– Então, quando você chegou ao seu apartamento no primeiro andar, Wilson devia estar fora de vista e não dava para ouvi-lo, não é?

– É...

– Mas você ouviu passos na escada, logo depois de fechar sua porta?

Bestigui não respondeu. Strike via que ele reunia todas as peças mentalmente pela primeira vez.

– Eu ouvi... sim... passos. Correndo. Na escada.

– Sim – disse Strike. – E pôde distinguir se era uma ou duas pessoas?

Bestigui franziu o cenho, os olhos desfocados, parecendo além do detetive no passado enganoso.

– Era... uma pessoa. Então pensei que fosse Wilson. Mas não podia... Wilson ainda estava no terceiro andar, dando uma busca no apartamento dela... porque eu o ouvi descendo de novo, depois disso... depois de eu ligar para a polícia, ouvi Wilson passando pela porta...

"Eu tinha me esquecido disso", afirmou Bestigui, e por uma fração de segundo pareceu quase vulnerável. "Eu me esqueci. Tinha muita coisa acontecendo. Tansy gritava."

– E é claro que você pensava na própria pele – disse Strike rapidamente, devolvendo o bloco e a caneta ao bolso e se levantando da cadeira de couro. – Bom, não vou prender mais você; vai querer ligar para seu advogado. Você foi muito útil. Espero que nos vejamos novamente no tribunal.

13

Eric Wardle telefonou para Strike no dia seguinte.

– Liguei para Deeby – disse ele rispidamente.

– E? – Strike gesticulou para Robin lhe passar papel e caneta. Eles estavam sentados à mesa dela, desfrutando de chá e biscoitos enquanto discutiam a mais recente ameaça de morte de Brian Mathers, em que ele prometia, e não pela primeira vez, abrir as tripas de Strike e mijar em suas entranhas.

– Ele recebeu um casaco de capuz customizado de Somé. Um revólver de tachas na frente e dois versos de uma letra do próprio Deeby nas costas.

– Só um?

– É.

– E o que mais? – perguntou Strike.

– Ele se lembra de um cinto, um gorro e um par de abotoaduras.

– E luvas, não?

Wardle parou, talvez verificando as anotações.

– Não, ele não falou em luvas.

– Bom, isso esclarece tudo – disse Strike.

Wardle não falou nada. Strike esperou que o policial desligasse ou partilhasse mais informações.

– A autópsia será na quinta-feira – disse Wardle abruptamente. – Em Rochelle Onifade.

– Sei.

– Você não parece interessado.

– Não estou.

– Pensei que tivesse certeza de ser homicídio.

– Tenho, mas a autópsia não vai provar nem uma coisa, nem outra. Alguma ideia de quando será o enterro dela?

– Não – disse Wardle, irritado. – Que importância tem isso?

— Pensei em ir.

— Para quê?

— Ela tem uma tia, lembra? – disse Strike.

Wardle desligou aborrecido e parecia revoltado.

Bristow telefonou para Strike no final daquela manhã, com a hora e o local do funeral de Rochelle.

— Alison conseguiu todas as informações – disse ele ao detetive por telefone. – Ela é supereficiente.

— É evidente que sim – disse Strike.

— Eu irei. Representando Lula. Eu devia ter ajudado Rochelle.

— Acho que ia mesmo terminar assim, John. Vai levar Alison?

— Ela disse que quer ir – disse Bristow, embora parecesse pouco afeito à ideia.

— Então verei vocês lá. Espero poder falar com a tia de Rochelle, se ela aparecer.

Quando Strike contou a Robin que a namorada de Bristow descobrira a hora e o lugar do funeral, ela ficou irritada. Ela mesma tinha tentado obter as informações a pedido de Strike, e parecia sentir que Alison havia lhe passado a perna.

— Não sabia que você era tão competitiva – disse Strike, com ironia. – Não se preocupe. Talvez ela tivesse alguma vantagem em relação a você.

— Como o quê?

Mas Strike olhava para ela especulativamente.

— Que foi? – disse Robin, meio na defensiva.

— Quero que vá comigo ao funeral.

— Ah – disse Robin. – Tudo bem. Por quê?

Ela esperava que Strike respondesse que pareceria mais natural se aparecessem como um casal, como pareceu mais natural a ele ir à Vashti com uma mulher a reboque. Em vez disso, ele disse:

— Tem uma coisa que quero que você faça para mim lá.

Depois de ele ter explicado, com clareza e concisão, o que queria dela, Robin ficou inteiramente aturdida.

— Mas por quê?

— Não posso dizer.

– Por que não?

Robin não via mais Strike pelos olhos de Matthew; não se perguntava mais se ele era um impostor, ou se ele se exibia, ou se fingia ser mais inteligente do que era. Ela agora lhe dava crédito, descontando a possibilidade de ele estar sendo deliberadamente misterioso. Mesmo assim ela repetiu, como se o tivesse ouvido mal:

– *Brian Mathers.*

– É.

– O Homem da Ameaça de Morte.

– É.

– Mas o que ele pode ter a ver com a morte de Lula Landry?

– Nada – disse Strike, com sinceridade suficiente. – Ainda não.

O crematório ao norte de Londres onde se deu o funeral de Rochelle três dias depois era gélido, desconhecido e deprimente. Tudo era suavemente ecumênico; dos bancos de madeira escura e paredes nuas, cuidadosamente desprovidas de qualquer emblema religioso; ao vitral abstrato, um mosaico de quadrados pequenos e brilhantes como joias. Sentado no banco duro, enquanto um ministro de voz lamurienta chamava Rochelle de "Roselle" e uma chuva fina pontilhava o vitral berrante acima dele, Strike entendeu o apelo de querubins dourados e santos de gesso, de gárgulas e anjos do Antigo Testamento, de crucifixos de ouro cravejados de pedras preciosas; qualquer coisa que pudesse propiciar uma aura de majestade e grandeza, a firme promessa de um além ou um valor retroativo a uma vida como a de Rochelle. A morta teve seu vislumbre do paraíso terreno: cheia de artigos de grife, celebridades de quem zombar, motoristas bonitos com quem fazer piada e o desejo que a levou a isto: sete enlutados e um ministro que não sabia seu nome.

Havia uma impessoalidade espalhafatosa em todo o caso; uma sensação de leve constrangimento; uma evasão dolorosa dos fatos da vida de Rochelle. Ninguém parecia achar ter o direito de se sentar na fila da frente. Até a negra obesa com óculos de lentes grossas e um chapéu de tricô, que Strike supunha ser a tia de Rochelle, decidira se sentar a três bancos da frente do crematório, guardando distância do caixão barato. O trabalhador careca que Strike conheceu no albergue para sem-teto apareceu, de camisa aberta e jaqueta de couro; atrás dele estava um jovem asiático, bem barbeado e bem-vestido, que Strike pensou ser um dos psiquiatras que cuidavam do grupo ambulatorial de Rochelle.

Strike, com seu antigo terno azul-marinho, e Robin, com o conjunto preto de saia e casaco que usava nas entrevistas, sentaram-se bem no fundo. Do outro lado do corredor estavam Bristow, infeliz e pálido, e Alison, cuja capa de chuva trespassada, úmida e preta cintilava um pouco na luz fria.

Abriram-se cortinas vermelhas e baratas, o caixão saiu de vista deslizando e a afogada foi consumida pelo fogo. Os enlutados silenciosos trocaram sorrisos dolorosos e constrangidos no fundo do crematório; adejando, tentando não acrescentar uma afobação inadequada de partida às outras impropriedades da cerimônia. A tia de Rochelle, que projetava uma aura de excentricidade que beirava a instabilidade, apresentou-se como Winifred e anunciou em voz alta, com uma insinuação acusativa:

– Tem sanduíches no pub. Achei que lá teria mais gente.

Ela saiu primeiro, como se não tolerasse oposição, até o Red Lion, com os outros seis presentes em sua esteira, um tanto cabisbaixos, protegendo-se da chuva.

Os prometidos sanduíches eram secos e nada apetitosos, dispostos em uma bandeja de metal coberta por um filme plástico grudento, numa mesinha no canto do pub sujo. A certa altura da caminhada até o Red Lion, a tia Winifred percebeu quem era John Bristow, e agora apoderava-se opressivamente dele, prendendo-o ao balcão, tagarelando sem parar. Bristow respondia sempre que ela permitia para dar uma opinião, mas os olhares que lançava a Strike, que falava com o psiquiatra de Rochelle, ficavam mais frequentes e mais desesperados com o passar dos minutos.

O psiquiatra se esquivou de todas as tentativas de Strike de envolvê-lo numa conversa sobre o grupo de pacientes de que ele cuidava, finalmente reagindo a uma pergunta sobre revelações que Rochelle pudesse ter feito, com um educado, mas firme lembrete da confidencialidade do paciente.

– Ficou surpreso de ela ter se matado?

– Não, na verdade não. Ela era uma garota muito problemática, sabe, e a morte de Lula Landry foi um grande choque para ela.

Logo depois ele se despediu de modo geral e partiu.

Robin, que tentava entabular uma conversa com uma Alison monossilábica em uma mesinha perto da janela, desistiu e foi ao toalete feminino.

Strike andou pela sala pequena e se sentou no lugar abandonado por Robin. Alison lançou-lhe um olhar inamistoso, voltando, então, a contemplar Bristow, que ainda ouvia a arenga da tia de Rochelle. Alison não tinha desabotoado a capa de chuva respingada. Um copinho do que parecia vinho do Porto estava na mesa diante dela, e um sorriso um tanto desdenhoso brincou por sua boca, como se ela achasse o ambiente decrépito e inadequado. Strike ainda tentava pensar numa boa abertura quando ela falou inesperadamente.

– John devia estar numa reunião com os executores de Conway Oates esta manhã. Ele deixou que Tony fosse sozinho. Tony está furioso.

Seu tom insinuava que Strike de certo modo era responsável por isso, e que ele merecia saber que problemas tinha causado. Ela tomou um gole do Porto. Seu cabelo caía nos ombros, e as mãos grandes sumiam com o copo. Apesar de uma simplicidade que teria tornado outras mulheres invisíveis, ela irradiava um forte convencimento.

– Não acha que foi gentileza de John ir ao funeral? – perguntou Strike.

Alison soltou um leve "hã" mordaz, um riso simbólico.

– Até parece que ele *conhecia* a garota.

– Por que *você* veio, então?

– Tony me pediu.

Strike notou o constrangimento prazeroso com que ela pronunciou o nome do chefe.

– Por quê?

– Para ficar de olho em John.

– Tony acha que ele precisa ser vigiado?

Ela não respondeu.

– Eles dividem você, John e Tony, não é?

– Como é? – disse ela incisivamente.

Ele ficou satisfeito por ela ter perdido a compostura.

– Eles dividem seus serviços? Como secretária?

– Ah... ah, não. Eu trabalho para Tony e Cyprian; sou a secretária dos sócios seniores.

– Ah. Perguntei porque pensei que você também trabalhasse para John.

– Eu trabalho num nível inteiramente diferente. John usa as datilógrafas. Eu não tenho nada a ver com ele no trabalho.

— Mas o romance floresceu pela hierarquia de secretárias?

Ela recebeu a ironia dele com outro silêncio desdenhoso. Parecia considerar Strike intrinsecamente ofensivo, alguém indigno de boas maneiras, fora dos padrões da decência.

O funcionário do albergue ficou sozinho num canto, servindo-se de sanduíches, visivelmente matando tempo até poder partir com educação. Robin saiu do toalete e foi imediatamente abordada por Bristow, que parecia ansioso por alguma ajuda para lidar com a tia Winifred.

— E então, há quanto tempo você e John estão juntos? – perguntou Strike.

— Alguns meses.

— Estavam juntos antes de Lula morrer, não é?

— Ele me convidou para sair pouco depois disso – disse ela.

— Ele devia estar muito mal, não estava?

— Estava péssimo.

Ela não parecia solidária, mas um tanto desdenhosa.

— Ele a esteve seduzindo por algum tempo?

Ele esperava que ela se recusasse a responder; mas se enganou. Embora ela tentasse fingir o contrário, havia uma satisfação pessoal e um orgulho inconfundíveis na resposta.

— Ele subiu para ver Tony. Tony estava ocupado, então John esperou em minha sala. Começou a falar da irmã e ficou emocionado. Eu lhe dei lenços, e ele acabou me convidando para jantar.

Apesar da aparente indiferença por Bristow, ele julgou que ela se orgulhava das propostas dele; eram uma espécie de troféu. Strike se perguntou se Alison algum dia, antes que aparecesse o desesperado John Bristow, fora convidada para jantar. Foi a colisão de duas pessoas com uma necessidade insalubre: *eu lhe dei os lenços, ele me convidou para jantar.*

O funcionário do albergue abotoava a jaqueta. Capturado pelo olhar de Strike, acenou uma despedida e partiu sem falar com ninguém.

— Então, como o chefão vê a secretária namorando o sobrinho dele?

— Não cabe a Tony determinar o que faço de minha vida particular.

— Não há dúvida. De qualquer modo, ele não pode falar da mistura de negócios com prazer, não? Dormindo com a mulher de Cyprian May, como ele faz.

Momentaneamente ludibriada pelo tom despreocupado de Strike, Alison abriu a boca para responder; depois compreendeu o significado das palavras dele e a autoconfiança se espatifou.

– Isso não é verdade! – disse ela com ferocidade, o rosto em brasa. – Quem lhe disse isso? É uma mentira. Uma *completa* mentira. Não é verdade. Não é.

Ele ouviu uma criança apavorada por trás dos protestos da mulher.

– Mesmo? Então, por que Cyprian May mandou você a Oxford para encontrar Tony no dia 7 de janeiro?

– Isso... foi só que... ele tinha se esquecido de dar uns documentos para Tony assinar, só isso.

– E ele não usou um fax nem um mensageiro porque...?

– Eram documentos importantes.

– Alison – disse Strike, gostando da agitação da mulher. – Nós dois sabemos que isso é papo furado. Cyprian pensava que Tony tinha escapulido para algum lugar com Ursula naquele dia, não foi?

– Não! Não pensou!

No balcão, a tia Winifred agitava os braços, feito um moinho, para Bristow e Robin, que tinham sorrisos cristalizados.

– Você o encontrou em Oxford, não foi?

– Não, porque...

– A que horas chegou lá?

– Lá pelas 11, mas ele...

– Cyprian deve ter mandado você assim que chegou ao trabalho, não?

– Os documentos eram urgentes.

– Mas você não encontrou Tony no hotel, nem no centro de conferência?

– Eu me desencontrei dele – disse ela, desesperada e furiosa –, porque ele tinha voltado a Londres para visitar Lady Bristow.

– Ah – disse Strike. – É verdade. Meio estranho que ele não tenha informado a você ou a Cyprian que ia voltar a Londres, não?

– Não – disse ela, com uma valente tentativa de recuperar a superioridade perdida. – Ele podia ser contatado. Ainda estava com o celular. Isso não importava.

– Você ligou para o celular dele?

Ela não respondeu.

– Você ligou e não conseguiu falar?

Ela bebeu o Porto num silêncio tenso.

– Na verdade, quebraria o clima, receber um telefonema da secretária enquanto você está no trabalho.

Ele pensou que ela acharia isso ofensivo, e não se decepcionou.

– Você é repulsivo. Verdadeiramente repulsivo – disse ela com a voz embargada, as bochechas num vermelho-escuro e opaco do puritanismo que tentava disfarçar sob uma exibição de superioridade.

– Você mora sozinha? – perguntou-lhe ele.

– O que isso tem a ver? – Ela agora estava inteiramente desequilibrada.

– Só estou perguntando. Então, você não viu nada de estranho em Tony reservando um hotel para a noite, voltando a Londres de carro na manhã seguinte, depois retornando a Oxford, a tempo de sair do hotel no dia seguinte?

– Ele voltou a Oxford para comparecer à conferência à tarde – disse ela obstinadamente.

– Ah, é mesmo? Você estava por lá e o encontrou?

– Ele estava lá – disse ela na evasiva.

– Tem alguma prova?

Ela não disse nada.

– Diga-me uma coisa, você preferia pensar que Tony estava na cama com Ursula May o dia todo, ou ter algum confronto com o sobrinho dele?

No balcão, a tia Winifred endireitava o chapéu de tricô e apertava o cinto. Parecia se preparar para ir embora.

Por vários segundos, Alison lutou consigo mesma, e então, com um ar de quem solta algo há muito reprimido, disse num sussurro feroz:

– Eles não têm um caso. Eu *sei* que não têm. Não pode acontecer. Ursula só liga para dinheiro; é só o que importa para ela, e Tony tem muito menos do que Cyprian. Ursula não ia querer Tony. Ela não ia.

– Ah, nunca se sabe. A paixão física pode ter sobrepujado as tendências mercenárias – disse Strike, olhando atentamente Alison. – Pode acontecer. É difícil para qualquer outro homem julgar, mas ele não é feio, o Tony, não?

Ele viu a crueza da dor que Alison sentia, sua fúria, e a voz estava sufocada quando ela disse:

– Tony tem razão... você está se aproveitando... só está nessa para tirar o que puder... John se engana... Lula *pulou*. Ela *pulou*. Ela sempre foi desequilibrada. John parece a mãe, é histérico, imagina coisas. Lula se drogava, era esse tipo de gente, descontrolada, sempre criando problemas e tentando chamar atenção. Mimada. Jogando dinheiro fora. Ela podia ter o que quisesse, quem ela quisesse, mas nada bastava para ela.

– Não tinha notado que você a conhecia bem.

– Eu... Tony me falou dela.

– Ele não gostava mesmo dela, não é?

– Ele simplesmente via o que ela realmente era. Ela não era boa. Algumas mulheres – disse ela, o peito ofegante por baixo da capa de chuva amorfa – não são.

Uma brisa gelada cortou o ar embolorado do salão quando a porta se fechou depois da passagem da tia de Rochelle. Bristow e Robin mantiveram um sorriso amarelo até que a porta se fechou inteiramente, depois trocaram um olhar de alívio.

O barman tinha desaparecido. Só quatro deles estavam agora no bar. Strike, pela primeira vez, percebeu a canção dos anos 1980 que tocava ao fundo: Jennifer Rush, "The Power of Love". Bristow e Robin aproximaram-se de sua mesa.

– Pensei que quisesse falar com a tia de Rochelle – disse Bristow, aflito, como se tivesse passado por uma provação a troco de nada.

– Não tanto para ir atrás dela – respondeu Strike animadamente. – Você pode me contar tudo.

Strike sabia, pelas expressões de Robin e Bristow, que os dois achavam sua atitude estranhamente indiferente. Alison mexia em alguma coisa na bolsa, com o rosto oculto.

A chuva tinha parado, as calçadas estavam escorregadias e o céu escuro prenunciava um novo aguaceiro. As duas mulheres andavam à frente em silêncio, enquanto Bristow contava a Strike tudo de que se lembrava da conversa com a tia Winifred. Strike, porém, não ouvia. Olhava as costas das duas mulheres, as duas de preto – quase, ao observador descuidado, parecidas, intercambiáveis. Ele se lembrou das esculturas dos dois lados do Queen's Gate; não eram idênticas, apesar dos pressupostos de olhos preguiçosos; um macho, uma fêmea, a mesma espécie, é verdade, mas profundamente diferentes.

Quando ele viu Robin e Alison parando ao lado de um BMW, supôs que fosse de Bristow e reduziu também o passo, interrompendo o recital desconexo de Bristow sobre as relações tempestuosas de Rochelle com a família.

– John, preciso verificar uma coisa com você.

– Pode falar.

– Você disse que ouviu seu tio entrar no apartamento de sua mãe na manhã antes de Lula morrer?

– Sim, foi isso mesmo.

– Tem certeza absoluta de que o homem que ouviu era Tony?

– Sim, claro.

– Mas você não o viu?

– Eu... – A cara de coelho de Bristow de repente ficou confusa. – ... Não, eu... acho que na verdade não o vi. Mas eu o ouvi entrar. Ouvi a voz dele do corredor.

– Não acha que, talvez, como você estava esperando Tony, tenha suposto que *era* Tony?

Outra pausa.

E então, numa voz alterada:

– Está dizendo que Tony não esteve lá?

– Só quero saber se tem mesmo certeza de que era ele.

– Bom... até agora, eu tinha certeza absoluta. Ninguém mais tem a chave do apartamento de minha mãe. Não podia ser mais ninguém *além* de Tony.

– Então você ouviu alguém entrar com uma chave no apartamento. Ouviu uma voz de homem. Ele falava com sua mãe ou com Lula?

– Er... – Os dentões de Bristow estavam em franca evidência conforme ele refletia. – Eu o ouvi entrar. Acho que o ouvi falando com Lula...

– E o ouviu ir embora?

– Sim. Ouvi andando pelo corredor. Ouvi a porta se fechar.

– Quando Lula se despediu de você, ela fez alguma menção a Tony ter estado lá?

Mais silêncio. Bristow levou a mão à boca, pensando.

– Eu... ela me abraçou, é só o que eu... sim, acho que ela disse que tinha falado com Tony. Ou não falou? Eu supus que tivesse falado com ele, porque pensei... Mas se não era meu tio, quem era?

Strike esperou. Bristow olhou a calçada, pensando.

– Deve ter sido ele. Lula deve ter visto quem era e não julgou sua presença extraordinária, e quem mais teria sido, se não Tony? Quem mais teria a chave?

— Quantas chaves são?

— Quatro. Três de reserva.

— É muita coisa.

— Bom, Lula, Tony e eu temos uma. Minha mãe quer que todos possam entrar e sair sozinhos, especialmente por causa de sua doença.

— E todas essas chaves ainda existem e não sumiram?

— Sim... bom, acho que sim. Imagino que a de Lula tenha sido devolvida a minha mãe, junto com todas as outras coisas dela. Tony ainda tem a dele. Eu tenho a minha, e a de minha mãe... acho que está em algum lugar no apartamento.

— Então, não tem ciência de nenhuma chave perdida?

— Não.

— E nenhum de vocês emprestou a chave a alguém?

— Meu Deus, por que faríamos isso?

— Eu sempre me lembro do arquivo de fotos que foi apagado do laptop de Lula enquanto estava no apartamento de sua mãe. Se existe outra chave por aí...

— Não pode ser – disse Bristow. – Isto é... eu... por que está dizendo que Tony não esteve lá? Ele deve ter estado. Ele disse que me viu pela porta.

— Você foi à firma depois de sair da casa de Lula, não?

— Sim.

— Para pegar arquivos?

— Sim. Passei por lá e peguei. Foi rápido.

— Então, voltou à casa de sua mãe...?

— Não devia passar das dez quando cheguei lá.

— E o homem que entrou, a que horas chegou?

— Talvez... talvez meia hora depois de mim. Não me lembro bem. Não estava olhando o relógio. Mas por que Tony diria que esteve lá, se ele não foi?

— Bom, se ele sabia que você estava trabalhando em casa, podia muito bem dizer que entrou, não queria incomodá-lo e que simplesmente andou pelo corredor para falar com sua mãe. Ela, pelo que presumo, confirmou a presença dele à polícia, não?

— Creio que sim. Sim, acho que sim.

— Mas não tem certeza?

— Não acho que tenhamos conversado sobre isso. Mamãe estava grogue e sentia dor; ela dormiu muito naquele dia. E na manhã seguinte tivemos a notícia de Lula...

— Mas você nunca achou estranho que Tony não tenha entrado no escritório para falar com você?

— Não foi nada estranho – disse Bristow. – Ele estava de mau humor por conta dos negócios de Conway Oates. Eu teria me surpreendido mais se ele estivesse loquaz.

— John, não quero alarmá-lo, mas acho que você e sua mãe podem estar em perigo.

O balido de riso nervoso de Bristow saiu fraco e não era convincente. Strike via Alison parada a cinquenta metros, de braços cruzados, ignorando Robin, olhando os dois homens.

— Você... Não pode estar falando sério – disse Bristow.

— Estou, muito.

— Mas... Cormoran... está dizendo que sabe quem matou Lula?

— Sim, acho que sim... mas ainda preciso falar com sua mãe antes de encerrar esse assunto.

Bristow parecia querer poder beber o conteúdo da mente de Strike. Seus olhos míopes sondaram cada centímetro da cara do detetive com uma expressão entre o temor e a súplica.

— Eu preciso estar presente – disse ele. – Ela está muito fraca.

— Claro. Que tal amanhã de manhã?

— Tony ficará furioso se eu me afastar por mais tempo em horário de trabalho.

Strike esperou.

— Muito bem – disse Bristow. – Está bem. Às 10:30 de amanhã.

14

A MANHÃ SEGUINTE estava fresca e luminosa. Strike pegou o metrô à requintada e arborizada Chelsea. Esta era uma parte de Londres que ele mal conhecia, porque Leda nunca, nem em suas fases mais perdulárias, conseguiu arrumar uma toca nas vizinhanças do Royal Chelsea Hospital, branco e elegante ao sol de primavera.

A Franklin Row era uma rua atraente com mais casas de tijolinhos; aqui havia plátanos e um grande espaço gramado cercado de grades, em que brincava um grupo de crianças da escola primária, de camisetas azul-claras Aertex e shorts azul-marinho, observadas por professores de agasalhos esportivos. Seus gritos felizes pontuavam o sossego que só seria perturbado pelo canto dos passarinhos; nenhum carro passou enquanto Strike, de mãos nos bolsos, andou pela calçada em direção à casa de Lady Yvette Bristow.

A parede ao lado da porta parcialmente de vidro, no alto de quatro degraus de pedra branca, trazia um painel antiquado de baquelite com campainhas. Strike verificou se o nome de Lady Yvette Bristow estava claramente sinalizado ao lado do Apartamento E, depois foi à calçada e ficou esperando no calor suave do dia, olhando os dois lados da rua.

Chegaram as 10:30, e nada de John Bristow. A praça ainda estava deserta, exceto pelas vinte crianças pequenas que corriam entre os aros e os cones coloridos depois das cercas.

Às 10:45, o celular de Strike vibrou no bolso. A mensagem era de Robin:

Alison acaba de ligar dizendo que JB ficou inevitavelmente retido. Ele não quer que você fale com a mãe sem que ele esteja presente.

Strike de imediato mandou um torpedo a Bristow:

Por quanto tempo ficará retido? Alguma chance de fazermos isso mais tarde?

Ele mal tinha enviado a mensagem quando o celular tocou.

– Sim, alô? – disse Strike.

– Pastelão? – Era a voz fraca de Graham Hardacre, ouvida da Alemanha. – Consegui o material sobre o Agyeman.

– Seu *timing* é fantástico. – Strike pegou o bloco. – Pode falar.

– Ele é o tenente Jonah Francis Agyeman, da Real Engenharia. Vinte e um anos, solteiro, partida para o serviço em 11 de janeiro. Volta em junho. Parente próximo, a mãe. Sem irmãos, nem filhos.

Strike escreveu tudo no bloco, com o celular preso entre o queixo e o ombro.

– Te devo uma, Hardy – disse ele, guardando o bloco. – Conseguiu uma foto?

– Posso te mandar uma por e-mail.

Strike deu a Hardacre o e-mail de seu escritório e, depois das perguntas de rotina sobre a vida de ambos e expressões mútuas de afeto, encerraram a conversa.

Eram 10:55. Strike esperou, de telefone na mão, na rua tranquila e arborizada, enquanto as crianças saltitantes brincavam com seus aros e sacos de feijões, e um avião prateado e minúsculo traçava uma linha grossa e branca pelo céu azul-pervinca. Por fim, com um trinado claramente audível na rua sossegada, chegou a mensagem de resposta de Bristow:

Hoje não é possível. Fui obrigado a ir a Rye. Quem sabe amanhã?

Strike suspirou.

– Desculpe, John – murmurou ele, subiu a escada e tocou a campainha de Lady Bristow.

O hall de entrada, silencioso, espaçoso e ensolarado, tinha, todavia, o ar ligeiramente deprimente de trivialidade, que um vaso no formato de balde com flores secas, um carpete verde opaco e as paredes amarelas e pálidas, provavelmente escolhidos por seu caráter inofensivo, não conseguiam dissipar. Como em Kentigern Gardens, havia um elevador, este com portas de madeira. Strike preferiu subir de escada. O prédio tinha certa deterioração que não reduzia em nada sua aura de riqueza.

A porta do último andar foi aberta pela sorridente enfermeira antilhana Macmillan, que abrira a portaria para ele.

– O senhor não é o sr. Bristow – disse ela animadamente.

– Não, sou Cormoran Strike. John está a caminho.

Ela o deixou entrar. O hall de Lady Bristow era agradavelmente abarrotado, com um papel de parede vermelho desbotado e coberto de aquarelas em antigas molduras douradas; um porta-guarda-chuvas estava cheio de bengalas e havia casacos pendurados numa fila de ganchos. Strike olhou para a direita e viu uma nesga do escritório no final do corredor: uma mesa de madeira pesada e uma cadeira giratória de costas para a porta.

– Pode esperar na sala de estar enquanto vejo se Lady Bristow está pronta para recebê-lo?

– Sim, claro.

Ele atravessou a porta que ela indicou para uma encantadora sala com paredes prímula em que se alinhavam estantes com fotografias. Havia um antigo telefone de disco numa mesa de canto ao lado de um confortável sofá de chintz. Strike verificou se a enfermeira estava fora de vista antes de pegar o fone e reposicioná-lo, torto e fora do gancho.

Perto da janela de sacada em um *bonheur du jour* havia uma fotografia grande, em porta-retrato de prata, mostrando o casamento de Sir e Lady Alec Bristow. O noivo parecia bem mais velho do que a esposa, um homem rotundo, radiante e barbudo; a noiva era magra, loura e bonita de um jeito insípido. Admirando ostensivamente a fotografia, Strike se colocou de costas para a porta e abriu uma gavetinha na delicada mesa de cerejeira. Dentro dela havia um suprimento de papel de carta fino azul-claro e os envelopes do conjunto. Ele fechou a gaveta.

– Sr. Strike? Pode entrar agora.

De volta pela parede de papel vermelho, por uma curta passagem, entrou em um quarto grande, onde as cores dominantes eram azul-esverdeado e branco. E tudo dava a impressão de elegância e bom gosto. Duas portas à esquerda, ambas entreabertas, levavam a um pequeno banheiro e ao que parecia ser um grande closet. A mobília era delicada e afrancesada; os utensílios da doença grave – o soro num suporte de metal, a comadre limpa e brilhante numa cômoda, com um leque de medicamentos – eram impostores evidentes.

A moribunda usava um robe marfim e estava reclinada, diminuída por sua cama de madeira entalhada, sobre muitos travesseiros brancos. Não lhe restava nenhum vestígio da beleza juvenil. Os ossos rudes do esqueleto agora eram claramente delineados por baixo da pele fina que brilhava e descamava. Seus olhos eram fundos, baços e opacos, e o cabelo ralo, fino como de um bebê, era grisalho contra grandes trechos de couro cabeludo rosado. Seus braços emaciados estendiam-se flácidos por cima das cobertas, de onde se projetava um cateter. Sua morte era uma presença quase palpável no quarto, como se esperasse pacientemente, com educação, atrás das cortinas.

Um leve cheiro de flor de lima penetrava a atmosfera, mas não suplantava inteiramente o de desinfetante e deterioração corporal; cheiros que lembravam a Strike do hospital onde ele ficou impotente por meses. Uma segunda janela de sacada tinha sido aberta alguns centímetros, para que o ar cálido e fresco e os gritos distantes das crianças brincando pudessem entrar no quarto. A vista era dos galhos mais altos dos plátanos verdejantes e iluminados pelo sol.

– Você é o detetive?

Sua voz era fraca e aguda, as palavras ligeiramente balbuciadas. Strike, que se perguntava se Bristow lhe dissera a verdade sobre sua profissão, ficou satisfeito que ela soubesse.

– Sim, meu nome é Cormoran Strike.

– Onde está John?

– Ficou preso no escritório.

– De novo – murmurou ela, e então: – Tony o faz trabalhar demais. Não é justo. – Ela o espiou, a visão embaçada, e indicou, com um único dedo levemente erguido, uma pequena cadeira pintada. – Sente-se.

Havia linhas brancas em volta das íris desbotadas. Ao se sentar, Strike notou mais duas fotos em porta-retratos de prata na mesa de cabeceira. Com algo semelhante a um choque elétrico, ele se viu olhando nos olhos de Charlie Bristow aos 10 anos, a cara gorducha, o cabelo com um discreto corte mullet: para sempre paralisado nos anos 1980, a camisa da escola com a gola longa e pontuda e o imenso nó na gravata, exatamente como estava quando acenou uma despedida a seu melhor amigo, Cormoran Strike, esperando que se reencontrassem depois da Páscoa.

Ao lado da foto de Charlie havia outra menor, de uma menininha delicada com cachos longos e pretos e grandes olhos castanhos, de uniforme escolar azul-marinho: Lula Landry, no máximo com 6 anos.

– Mary – disse Lady Bristow sem elevar a voz, e a enfermeira entrou, apressada. – Pode trazer para o sr. Strike... café, chá? – perguntou ela, e ele foi transportado a duas décadas e meia antes, ao jardim ensolarado de Charlie Bristow e à graciosa mãe loura e sua limonada gelada.

– Um café seria ótimo, muito obrigado.

– Peço desculpas por não providenciar eu mesma – disse Lady Bristow, enquanto a enfermeira saía a passos pesados –, mas, como pode ver, agora dependo inteiramente da gentileza de estranhos. Como a pobre Blanche Dubois.

Ela fechou os olhos por um momento, como se melhor se concentrasse em alguma dor interna. Ele se perguntou se os medicamentos que tomava eram fortes. Por trás das maneiras elegantes, ele percebia um levíssimo sopro de algo mais amargo em suas palavras, da mesma forma que a flor de lima não conseguia encobrir o cheiro da decrepitude, e se indagou sobre isso, considerando que Bristow passava a maior parte do tempo dando assistência a ela.

– Por que John não está aqui? – perguntou mais uma vez Lady Bristow, de olhos ainda fechados.

– Ele ficou preso no escritório – repetiu Strike.

– Ah, sim. Sim, você já disse.

– Lady Bristow, gostaria de lhe fazer algumas perguntas, e desde já peço desculpas se parecerem demasiado pessoais ou dolorosas.

– Quando você passa por isso que eu estou passando – disse ela em voz baixa –, nada mais pode doer. Pode me chamar de Yvette.

– Obrigado. Importa-se se eu tomar notas?

– Não, de maneira alguma – disse ela, e o viu pegar a caneta e o bloco com um leve interesse.

– Gostaria de começar, se não se importa, por como Lula chegou à sua família. Sabia de algo do passado dela quando a adotou?

Ela era a imagem da impotência e da passividade, deitada ali com os braços flácidos sobre as cobertas.

– Não – disse ela. – Não sabia de nada. Alec talvez soubesse, mas, se foi assim, nunca me falou.

– O que a faz pensar que seu marido sabia de alguma coisa?

– Alec sempre se aprofundava o máximo que podia nas coisas – disse ela, com um leve sorriso de recordação. – Ele era um homem de negócios bem-sucedido, como sabe.

– Mas nunca lhe falou nada sobre a primeira família de Lula?

– Ah, não, ele não teria feito isso. – Ela parecia estranhar esta sugestão. – Eu queria que ela fosse minha, só minha, entenda. Alec teria desejado me proteger, se soubesse de alguma coisa. Eu não suportaria a ideia de que alguém lá fora um dia pudesse aparecer e reivindicá-la. Eu já havia perdido Charlie, e queria tanto uma menina; a ideia de perdê-la também...

A enfermeira voltou trazendo uma bandeja com duas xícaras e um prato de biscoitos Bourbon de chocolate.

– Um café – disse ela animadamente, colocando-o ao lado de Strike na mais próxima das mesas de cabeceira – e um chá de camomila.

Ela saiu novamente. Lady Bristow fechou os olhos. Strike tomou um gole do café puro e disse:

– Lula foi procurar os pais biológicos no ano antes de sua morte, não foi?

– É verdade – disse Lady Bristow, ainda de olhos fechados. – Eu tinha acabado de receber o diagnóstico de câncer.

Houve uma pausa, em que Strike baixou a xícara de café com um leve tilintar e os gritos distantes das crianças na praça flutuaram pela janela aberta.

– John e Tony ficaram muito, muito zangados com ela – disse Lady Bristow. – Eles achavam que ela não devia ter começado a procurar a mãe biológica quando eu estava tão doente. O tumor já estava avançado quando descobriram. Tive de cair direto na quimioterapia. John foi muito bom; me levava e trazia do hospital, e veio ficar comigo durante os piores momentos, e até Tony aparecia, mas Lula só parecia se importar... – Ela suspirou e abriu os olhos desbotados, procurando o rosto de Strike. – Tony sempre disse que ela foi muito mimada. Creio ter sido minha culpa. Eu tinha perdido Charlie, entenda; nada que eu fizesse por ela era demais.

– Sabe o quanto Lula conseguiu descobrir de sua família de origem?

– Não, não sei. Acho que ela sabia o quanto isso me aborrecia. Ela não me disse muita coisa. Sei que ela descobriu a mãe, é claro, porque houve toda aquela publicidade medonha. Ela era exatamente como Tony previu. Jamais quis a filha. Uma mulher horrenda, horrenda – sussurrou Lady Bristow. – Mas Lula continuava a vê-la. Eu fazia quimioterapia nesse tempo todo. Perdi o cabelo...

Sua voz falhou. Strike se sentiu, como talvez ela pretendesse, um brutamontes ao pressionar:

– E o pai biológico? Ela lhe disse se descobriu alguma coisa sobre ele?

— Não — disse Lady Bristow com a voz fraca. — Eu não perguntei. Tinha a impressão de que ela desistira de toda a história depois de descobrir aquela mãe horrível. Eu não queria discutir esse assunto, nada disso. Era tudo doloroso demais. Acho que ela percebeu isso.

— Ela não falou no pai biológico da última vez em que a senhora a viu? — pressionou Strike.

— Ah, não — disse ela, em sua voz suave. — Não. Não foi uma visita muito longa, entenda. Assim que chegou, ela me disse, lembro-me bem, que não podia ficar muito tempo. Tinha de encontrar a amiga Ciara Porter.

Seu senso de desumanidade flutuou suavemente até ele como o cheiro da decrepitude que dela emanava: meio rançoso, meio passado. Algo nela lembrava Rochelle; embora fossem mulheres inteiramente diferentes, as duas demonstravam o ressentimento daqueles que se sentiam enganados e menosprezados.

— Lembra-se do que a senhora e Lula conversaram naquele dia?

— Bem, eu tinha tomado muitos analgésicos, entenda. Passei por uma cirurgia muito séria. Não me lembro de cada detalhe.

— Mas lembra-se de Lula vir vê-la? — perguntou Strike.

— Ah, sim. Ela me acordou, eu estava dormindo.

— Lembra-se do que conversaram?

— De minha cirurgia, é claro. — Ela falou com certa aspereza. — Depois, um pouquinho sobre o irmão mais velho dela.

— O irmão mais...?

— Charlie — disse Lady Bristow num lamento. — Contei a ela do dia em que ele morreu. Eu nunca havia falado realmente com ela sobre isso. O pior, sem nenhuma dúvida o pior dia de minha vida.

Strike podia imaginá-la, prostrada e meio grogue, mas nem por isso menos ressentida, retendo a filha relutante ali a seu lado ao falar de sua dor e do filho morto.

— Como eu podia saber que seria a última vez que a veria? — Lady Bristow suspirou. — Não percebi que estava a ponto de perder um segundo filho.

Seus olhos injetados se encheram d'água. Ela piscou e duas lágrimas grossas caíram pelas faces encovadas.

— Por favor, pode olhar naquela gaveta — sussurrou ela, apontando um dedo murcho para a mesa de cabeceira — e pegar meus comprimidos?

Strike abriu a gaveta e viu muitas caixas brancas, de variados tipos e com vários rótulos diferentes.

– Qual...?

– Não importa. São todos iguais – disse ela.

Ele pegou um; claramente tinha o rótulo de Valium. Havia o bastante ali para dez overdoses.

– Pode pegar dois para mim? – disse ela. – Vou tomar com o chá, se já tiver esfriado.

Strike lhe entregou os comprimidos e a xícara; suas mãos tremiam; ele teve de segurar o pires e pensou, inadequadamente, em um sacerdote oferecendo a comunhão.

– Obrigada – murmurou ela, relaxando nos travesseiros, enquanto ele recolocava o chá na mesa, e lhe fixando os olhos queixosos. – John não me disse que você conhecia Charlie.

– Sim, eu conheci – disse Strike. – Nunca vou me esquecer dele.

– Não, claro que não. Era a criança mais adorável do mundo. Todos sempre diziam isso. O menino mais doce, o mais doce que já conheci. Sinto falta dele todo santo dia.

Do lado de fora da janela, as crianças gritaram, os plátanos farfalharam e Strike pensou em como o quarto estaria uma manhã de inverno meses antes, quando as árvores deviam estar desfolhadas, quando Lula Landry se sentou onde ele agora estava sentado, com os lindos olhos talvez fixos na foto do Charlie morto, enquanto a mãe grogue contava a história horrível.

– Eu nunca havia falado com Lula sobre isso. Os meninos tinham saído de bicicleta. Ouvimos John gritar, depois Tony gritando, gritando...

A caneta de Strike ainda não fizera contato com o papel. Ele observava o rosto da moribunda, que falava.

– Alec não me deixou olhar, não me deixou chegar perto da pedreira. Quando me contou o que tinha acontecido, eu desmaiei. Pensei que ia morrer. Eu queria morrer. Não entendia como Deus tinha deixado aquilo acontecer.

"Mas, desde então, passei a pensar que talvez eu tenha merecido tudo isso", disse Lady Bristow num tom distante, com os olhos fixos no teto. "Eu me perguntava se estava sendo castigada. Porque eu os amava demais. Eu os mimava. Não conseguia dizer não. Charlie, Alec e Lula. Acho que deve ter sido castigo, caso contrário seria uma crueldade indizível, não? Fazer-me passar por tudo isso de novo, e mais uma vez, sem parar."

Strike não tinha resposta a dar. Ela inspirava piedade, mas ele achava que não podia ter pena dela tanto quanto talvez ela merecesse. Ela jazia moribunda, enrolada em mantos invisíveis de martírio, apresentando sua impotência e passividade a ele como adornos, e a sensação dominante dele era a repugnância.

– Eu queria tanto a Lula – disse Lady Bristow –, mas não acho que ela um dia... ela era uma coisinha linda. Tão bonita. Eu teria feito qualquer coisa por aquela menina. Mas ela não me amava como Charlie e John me amaram. Talvez fosse tarde demais. Talvez tenhamos chegado tarde demais a ela.

"John ficou com ciúme quando ela veio para nós. Ficou arrasado pelo Charlie... mas eles acabaram muito amigos. Muito próximos."

Um leve franzido amarfalhou a pele fina como papel de sua testa.

– Então, Tony estava muito enganado.

– Ele estava enganado com relação a quê? – perguntou Strike em voz baixa.

Seus dedos se torceram nas cobertas. Ela engoliu em seco.

– Tony não acha que devíamos ter adotado Lula.

– Por que não? – perguntou Strike.

– Tony jamais gostou de nenhum de meus filhos – disse Yvette Bristow. – Meu irmão é um homem muito duro. Muito frio. Disse coisas pavorosas depois da morte de Charlie. Alec bateu nele. Não era verdade. Não era verdade... o que Tony disse.

Seu olhar leitoso passou lentamente pelo rosto de Strike e ele pensou ter visto de relance a mulher que ela deve ter sido quando ainda tinha sua beleza: um tanto grudenta, meio infantil, consideravelmente dependente, uma criatura ultrafeminina, protegida e mimada por Sir Alec, que se esforçava para satisfazer cada desejo e capricho dela.

– O que Tony disse?

– Coisas horríveis sobre John e Charlie. Coisas medonhas. Eu não quero – disse ela com fraqueza – repetir. E ele telefonou para Alec quando soube que estávamos adotando uma garotinha, disse a ele que não devíamos fazer aquilo. Alec ficou furioso – sussurrou ela. – Proibiu que Tony entrasse em nossa casa.

— A senhora contou tudo isso a Lula quando ela a visitou naquele dia? — perguntou Strike. — Sobre Tony, as coisas que ele disse depois que Charlie morreu; e quando a adotou?

Ela pareceu sentir uma censura.

— Não me lembro exatamente do que eu disse a ela. Eu havia passado por uma cirurgia muito grave. Estava meio tonta de todos os remédios. Não me lembro exatamente do que disse agora mesmo...

E então, com uma mudança repentina de assunto:

— Aquele menino me lembrou Charlie. O namorado de Lula. O rapaz muito bonito. Qual é o nome dele mesmo?

— Evan Duffield?

— Isso. Ele veio me ver algum tempo atrás, sabe? Bem recentemente. Não sei bem quando... perdi a noção do tempo. Agora me dão tantos remédios. Mas ele veio me ver. Foi um amor da parte dele. Ele queria falar de Lula.

Strike se lembrou da declaração de Bristow de que a mãe não sabia quem era Duffield, e se perguntou se Lady Bristow estivera fazendo um joguinho com o filho; fazendo-se passar por mais confusa do que realmente estava, para estimular seus instintos de proteção.

— Charlie teria sido lindo assim, se tivesse vivido. Ele podia ter sido cantor ou ator. Ele adorava representar, você se lembra? Senti tanta pena desse menino Evan. Ele chorou aqui, comigo. Me disse que pensava que ela estivesse saindo com outro homem.

— Que outro homem era esse?

— O cantor — disse Lady Bristow vagamente. — O cantor que compôs músicas para ela. Quando você é jovem e bonita, pode ser muito cruel. Eu senti muita pena dele. Ele me disse que se sentia culpado. Eu lhe falei que não tinha motivos para se culpar.

— Por que ele disse que se sentia culpado?

— Por não ir atrás dela até o apartamento. Por não estar ali, para impedi-la de morrer.

— Se pudermos voltar só por um momento, Yvette, ao dia antes da morte de Lula...

Ela pareceu reprovar.

— Acho que não me lembro de mais nada. Eu lhe disse tudo de que me lembrava. Tinha acabado de sair do hospital. Não estava em meu juízo perfeito. Eles me deram tantos remédios, para a dor.

– Compreendo. Só queria saber se a senhora se lembra de seu irmão, Tony, fazendo uma visita naquele dia.

Houve uma pausa, e Strike viu algo mais duro no rosto enfermo.

– Não, não me lembro de Tony ter vindo aqui – disse Lady Bristow por fim. – Sei que ele esteve aqui, mas não me lembro dele entrando. Talvez eu estivesse dormindo.

– Ele alega que esteve aqui quando Lula a visitava – disse Strike.

Lady Bristow sacudiu ligeiramente os ombros frágeis.

– Talvez tenha vindo, mas não me lembro disso. – E então sua voz se elevou. – Agora que sabe que estou morrendo, meu irmão está sendo muito mais gentil comigo. Agora vem me ver muitas vezes. Sempre tentando envenenar John, é claro. Sempre fez isso. Mas John sempre foi muito bom para mim. Ele fez coisas para mim enquanto eu estava doente... coisas que nenhum filho deveria fazer. Teria sido mais adequado que Lula fizesse... mas ela era uma garota mimada. Eu a amava, mas ela sabia ser egoísta. Muito egoísta.

– Então, naquele último dia, da última vez que viu Lula... – disse Strike, persistindo na questão central, mas Lady Bristow o interrompeu.

– Depois que ela foi embora, fiquei muito aflita. Muito aflita mesmo. Falar de Charlie sempre faz isso comigo. Ela viu que eu estava angustiada, mas ainda assim saiu para se encontrar com a amiga. Tive de tomar comprimidos e dormi. Não, não vi Tony; não vi mais ninguém. Ele pode dizer que esteve aqui, mas não me lembro de nada até John me acordar com a bandeja do jantar. John estava irritado. Ele me disse.

– Por quê?

– Ele acha que eu tomo comprimidos demais – disse Lady Bristow, como uma garotinha. – Sei que ele quer o melhor para mim, o pobre John, mas ele não percebe... ele não pode... senti tanta dor na minha vida. Ele ficou muito tempo sentado comigo naquela noite. Conversamos sobre Charlie. Conversamos até as primeiras horas da madrugada. E enquanto conversávamos – disse ela, baixando a voz a um sussurro –, no exato momento em que estávamos aqui conversando, Lula caiu... Ela caiu da sacada.

"Então, foi John que teve de me dar a notícia, na manhã seguinte. A polícia estava à porta, logo ao amanhecer. Ele entrou no quarto para me contar e..."

Ela engoliu em seco e meneou a cabeça, sem energia, mal parecia viva.

– Por isso o câncer voltou, eu sei disso. Ninguém consegue suportar tanta dor.

Sua voz ficava mais arrastada. Strike se perguntou quanto Valium ela já tomara, e ela fechou os olhos, sonolenta.

– Yvette, posso usar seu banheiro? – perguntou ele.

Ela assentiu, sonolenta.

Strike se levantou e agiu rapidamente, com um surpreendente silêncio para um homem com seu corpanzil, entrando no closet.

O espaço era revestido de portas de mogno que se estendiam até o teto. Strike abriu uma delas e olhou seu interior – cabides apinhados de vestidos e casacos, uma prateleira de bolsas e chapéus no alto –, respirando o cheiro mofado de sapatos e tecido velhos que, apesar do evidente preço alto do conteúdo, evocava um antigo brechó de caridade. Em silêncio, ele abriu e fechou uma porta após outra até que, na quarta tentativa, viu um amontoado de bolsas claramente novas, cada uma delas de uma cor diferente, espremidas na prateleira de cima.

Ele pegou a azul, nova em folha e reluzente. Ali estavam o logo GS e o forro de seda preso à bolsa com zíper. Passou os dedos em cada canto da bolsa, e, com agilidade, a colocou na prateleira.

Escolheu em seguida a branca: o forro tinha estampa africana estilizada. Novamente ele passou os dedos por todo o interior. Depois abriu o zíper do forro.

Saiu, como descrevera Ciara, uma espécie de lenço com borda de metal, expondo o interior cru do couro branco. Nada era visível por dentro até que, num olhar mais atento, ele viu a linha azul-clara correndo pela lateral da prancha retangular forrada de tecido que dava forma ao fundo da bolsa. Strike ergueu esta base e viu, por baixo dele, um papel azul-claro dobrado, todo escrito numa letra desordenada.

Strike recolocou a bolsa rapidamente na prateleira com o forro embolado por dentro e, do bolso interno do seu paletó, tirou um saco de plástico transparente, em que inseriu o papel azul-claro, aberto, mas não lido. Fechou a porta de mogno e abriu outras. Atrás da penúltima porta havia um cofre, operado por um teclado digital.

Strike pegou um segundo saco plástico no bolso, enfiou a mão dentro dele e começou a apertar as teclas, mas, antes que concluísse sua tentativa, ouviu movimento do lado de fora. Metendo apressadamente o saco amassado no bolso, ele fechou a porta do armário no maior silêncio possível e voltou ao quarto, onde encontrou a enfermeira Macmillan curvada sobre Lady Bristow. Ela olhou em volta quando o ouviu.

– Porta errada – disse Strike. – Pensei que fosse o banheiro.

Ele entrou no pequeno banheiro e ali, de porta fechada, antes de dar a descarga e abrir as torneiras para que a enfermeira ouvisse, leu o testamento de Lula Landry, escrito no papel de carta da mãe e testemunhado por Rochelle Onifade.

Yvette Bristow ainda estava deitada de olhos fechados quando ele voltou ao quarto.

– Ela está dormindo – disse a enfermeira com gentileza. – Ela dorme muito.

– Sim – disse Strike, com o sangue latejando nos ouvidos. – Por favor, quando ela acordar, diga que me despedi. Agora terei de ir embora.

Eles foram juntos pelo corredor confortável.

– Lady Bristow parece muito doente – comentou Strike.

– Ah, sim, está – disse a enfermeira. – Pode morrer a qualquer momento. Ela está muito mal.

– Acho que deixei meu... – disse Strike vagamente, desviando para a sala de estar amarela em que entrara primeiro, curvando-se sobre o sofá para bloquear a visão da enfermeira e recolocando cuidadosamente o telefone no gancho.

– Sim, está aqui – disse ele, fingindo pegar algo pequeno e colocar no bolso. – Bom, muito obrigado pelo café.

Com a mão na porta, ele se virou para ela.

– O vício em Valium continua bem ruim, então?

Sem desconfiar de nada, a enfermeira abriu um sorriso tolerante.

– Sim, continua, mas agora não pode fazer mal a ela. Imagine – disse ela –, eu daria uma bronca naqueles médicos. Ela teve três deles lhe dando receitas por anos, a julgar pelos rótulos nas caixas.

– Muito pouco profissional – disse Strike. – Obrigado novamente pelo café. Adeus.

Ele desceu às pressas a escada, o celular já fora do bolso, em tal júbilo que não se concentrou onde pisava e, assim, pegou um canto da escada e soltou um berro de dor quando o pé postiço escorregou da beira; seu joelho se torceu e ele caiu, pesadamente, pelos seis degraus, pousando amontoado no chão, com uma dor feroz e excruciante na articulação e na ponta do coto, como se a perna tivesse acabado de ser amputada, como se o tecido cicatricial ainda estivesse se curando.

– Merda. *Merda!*

– O senhor está bem? – gritou a enfermeira Macmillan, olhando-o por cima do corrimão, com a cara comicamente invertida.

– Estou bem... estou bem! – gritou ele. – Escorreguei! Não se preocupe! *Merda, merda, merda* – gemeu ele baixinho, conforme se recolocava de pé junto do pilar, com medo de jogar todo o peso na prótese.

Ele mancou para baixo, apoiando-se no corrimão o máximo possível; pulando um pouco pelo saguão e se pendurando na porta da frente enquanto manobrava o corpo para a escada da entrada.

As crianças que brincavam recuavam em um crocodilo distante, azul-claro e marinho, voltando à escola e ao almoço. Strike se encostou no tijolo quente, xingando a si mesmo fluentemente e se perguntando que danos teria causado. A dor era torturante, e a pele, que já estava irritada, parecia ter sido rasgada; ardia por baixo do gel que devia protegê-la, e a ideia de andar até o metrô era dolorosamente desagradável.

Ele se sentou no último degrau e chamou um táxi, depois de ter dado uma série de telefonemas, primeiro para Robin, depois para Wardle, em seguida para os escritórios da Landry, May, Paterson.

O táxi preto virou a esquina. Pela primeira vez, ocorreu a Strike que aqueles veículos pretos e majestosos pareciam carros fúnebres em miniatura, enquanto ele se impelia para cima e mancava, numa dor crescente, pela calçada.

PARTE CINCO

Felix qui potuit rerum cognoscere causas.

Feliz o que pode conhecer as causas das coisas.

Virgílio, *Geórgicas*, Livro 2

1

— Pensei — disse Eric Wardle devagar, baixando os olhos para o testamento no saco plástico – que você quisesse mostrar isso primeiro a seu cliente.

— Eu mostraria, mas ele está em Rye – disse Strike –, e isto é urgente. Eu te disse, quero evitar mais dois assassinatos. Estamos lidando com um maníaco, Wardle.

Ele transpirava de dor. Mesmo sentado ali, na janela ensolarada do Feathers, insistindo que o policial agisse, Strike se perguntava se podia ter deslocado o joelho ou fraturado o pouco de tíbia que lhe restava na queda da escada de Yvette Bristow. Não queria mexer na perna dentro do táxi, que agora esperava por ele junto ao meio-fio. O taxímetro devorava o adiantamento que Bristow lhe pagara, do qual ele nunca receberia outra parcela, porque o dia de hoje veria uma prisão, se Wardle se animasse.

— Eu garanto que isso pode indicar motivo...

— Pode? – repetiu Strike. – Pode? Dez milhões podem constituir um motivo? Puta que pariu...

— ... Mas preciso de provas que se sustentem no tribunal, e você não me trouxe nada disso.

— Acabei de dizer onde pode encontrar! Alguma vez eu estive enganado? Eu te falei que existia uma merda de testamento, e aí está – Strike bateu na capa do plástico –, ele existe. Consiga um mandado!

Wardle esfregou o rosto bonito como se sentisse dor de dentes, franzindo o cenho para o testamento.

— Meu Deus do céu – disse Strike –, quantas vezes mais? Tansy Bestigui estava na sacada, ela ouviu Landry dizer: "Eu já fiz..."

— Você se colocou em gelo muito fino, parceiro – disse Wardle. – A defesa faz carne moída de quem mente para suspeitos. Quando Bestigui descobrir que não existe nenhuma foto, ele vai negar tudo.

– Que negue. Mas ela não vai negar. Está pronta para contar, de qualquer modo, mas se você é fresco demais para fazer alguma coisa a respeito, Wardle – disse Strike, que sentia o suor nas costas e uma dor feroz no que restava da perna direita –, e mais alguém que era próximo de Landry aparecer morto, eu vou direto à merda da imprensa. Vou dizer a eles que lhe dei todas as informações que tinha e que você desperdiçou todas as chances de pegar o assassino. Vou compensar meus honorários vendendo os direitos de minha história, e você pode passar esse recado a Carver por mim.

"Tome", disse ele, empurrando pela mesa uma folha de papel rasgado em que escrevera vários números de seis dígitos. "Experimente estes primeiro. Agora consiga uma merda de mandado."

Ele empurrou o testamento pela mesa para Wardle e saiu da banqueta. A caminhada do pub ao táxi foi uma agonia. Quanto mais pressão impunha à perna direita, mais torturante a dor ficava.

Robin vinha ligando para Strike a cada dez minutos desde a uma da tarde, mas ele não atendia. Fez uma nova tentativa enquanto ele subia com enorme dificuldade a escada de metal para o escritório, escorando-se com o uso dos braços. Ela ouviu o toque do celular dele ecoar pela escada e correu para o patamar.

– Aí está você! Estive ligando sem parar, tem um monte de... mas o que foi, está tudo bem?

– Eu estou bem – mentiu ele.

– Não está, não... O que houve com você?

Ela desceu a escada até ele. Strike estava pálido, suado e parecia, na opinião de Robin, prestes a vomitar.

– Esteve bebendo?

– Não, eu não bebi nada, porra! – vociferou ele. – Eu... desculpe, Robin, estou com um pouco de dor aqui. Só preciso me sentar.

– O que houve? Me deixa...

– Pode deixar. Tudo bem. Posso fazer isso sozinho.

Lentamente, ele se impeliu para o patamar e mancou muito até o sofá velho. Quando baixou o peso do corpo ali, Robin pensou ter ouvido algo no fundo da estrutura ranger e notou: *Precisamos de um novo*, depois: *Mas eu estou indo embora.*

— O que aconteceu? — perguntou ela.

— Caí de uma escada — disse Strike, ofegando um pouco, ainda de casaco. — Como um completo idiota.

— Que escada? O que houve?

Das profundezas de sua agonia, ele sorriu para a expressão em parte apavorada, em parte empolgada de Robin.

— Não estava brigando com ninguém, Robin, só escorreguei.

— Ah, entendi. Você está meio... meio pálido. Não acha que pode ter havido alguma coisa grave, não? Posso chamar um táxi... Talvez você precise de um médico.

— Não preciso disso. Ainda tem um daqueles analgésicos por aí?

Ela pegou água e paracetamol. Ele tomou, depois esticou as pernas, retraiu-se e perguntou:

— O que aconteceu por aqui? Graham Hardacre lhe mandou uma foto?

— Sim — disse ela, correndo ao monitor do computador. — Aqui.

Com um desvio do mouse e um clic, a foto do tenente Jonah Agyeman encheu o monitor.

Em silêncio, eles contemplaram o rosto de um jovem cuja beleza irrefutável não era diminuída pelas orelhas exageradas que herdara do pai. A farda escarlate, preta e dourada combinava com ele. Seu sorriso era meio torto, as maçãs do rosto altas, o queixo quadrado e a pele escura tinha um tom avermelhado, como um chá recém-preparado. Transmitia o charme despreocupado que Lula Landry também possuía; o caráter indefinível que fazia o espectador se demorar na imagem.

— Ele é parecido com ela — disse Robin numa voz baixa.

— Sim, é. Aconteceu mais alguma coisa?

Robin recuperou a atenção repentinamente.

— Ah, meu Deus. Sim... John Bristow telefonou meia hora atrás, para dizer que não conseguiu falar com você, e Tony Landry ligou três vezes.

— Achei que ligaria mesmo. O que ele disse?

— Ele estava totalmente... bom, na primeira vez, pediu para falar com você, e quando eu disse que não estava, desligou antes que eu pudesse dar o número de seu celular. Da segunda vez, ele me disse que você precisava ligar para ele imediatamente, mas bateu o telefone antes que eu pudesse dizer que você ainda não tinha voltado. Mas na terceira vez ele estava... bom... incrivelmente furioso. Gritava comigo.

— É melhor que não tenha sido ofensivo — disse Strike, de cara amarrada.
— Na verdade, não foi. Bom, não comigo... era tudo com você.
— O que ele disse?
— Não fazia muito sentido, mas ele chamou John Bristow de um "imbecil burro", e berrou algo sobre Alison ir embora, dando a entender que isto tinha algo a ver com você, porque falava gritando sobre te processar, difamação e todo tipo de coisa.
— Alison saiu do emprego?
— Sim.
— Ele disse onde ela... não, claro que não disse, por que saberia? — concluiu, mais para si mesmo do que para Robin.

Strike baixou os olhos para o pulso. Parecia que seu relógio barato tinha batido em alguma coisa quando ele caiu da escada, porque tinha parado às 12:45.

— Que horas são?
— Dez para as cinco.
— Já?
— É. Precisa de alguma coisa? Posso ficar mais um pouco.
— Não, quero que saia daqui.

Seu tom era tal que em vez de pegar o casaco e a bolsa, Robin continuou exatamente onde estava.

— O que espera que vá acontecer?

Strike estava ocupado mexendo na perna, pouco abaixo do joelho.

— Nada. Você tem trabalhado muito além do horário ultimamente. Aposto que Matthew vai ficar feliz de ver você chegar em casa cedo, para variar.

Não houve ajuste na prótese pela perna da calça.

— Por favor, Robin, vá embora — disse ele, levantando a cabeça.

Ela hesitou, depois foi pegar o casaco e a bolsa.

— Obrigado. Vejo você amanhã.

Ela saiu. Ele esperou pelo som de passos na escada antes de enrolar a perna da calça, mas não ouviu nada. A porta de vidro se abriu e ela reapareceu.

— Está esperando que alguém venha aqui — disse ela, segurando-se na beira da porta. — Não está?

— Talvez — disse Strike. — Mas isso não importa.

Ele exibiu um sorriso para uma Robin de expressão fechada e ansiosa.

– Não se preocupe comigo. – Como a expressão dela não mudou, ele acrescentou: – Eu lutei boxe no exército, sabia?

Robin riu um pouco.

– Sim, você já falou.

– Falei?

– Várias vezes. Naquela noite do... você sabe.

– Ah. Sim. Bom, é verdade.

– Mas quem você está...?

– Matthew não ia me agradecer por contar a você. Vá para casa, Robin, e a gente se vê amanhã.

E desta vez, embora relutante, ela saiu. Ele esperou até ouvir bater a porta para a Denmark Street, depois enrolou a perna da calça, soltou a prótese e examinou o joelho inchado e a ponta da perna, inflamada e ferida. Perguntou-se exatamente o que fizera consigo mesmo, mas esta noite não tinha tempo para levar o problema a um especialista.

De certo modo, agora ele desejava ter pedido a Robin para pegar alguma coisa para ele comer antes de ela sair. Desajeitado, pulando de um lugar a outro, segurando-se na mesa, no alto do arquivo e no braço do sofá para se equilibrar, ele conseguiu preparar uma xícara de chá. Bebeu sentado na cadeira de Robin e comeu meio pacote de biscoito integral, passando a maior parte do tempo contemplando o rosto de Jonah Agyeman. O paracetamol mal tocava a dor de sua perna.

Quando terminou todos os biscoitos, ele olhou o celular. Havia várias chamadas não atendidas de Robin e duas de John Bristow.

Das três pessoas que Strike pensou que pudessem aparecer em seu escritório esta noite, era Bristow que ele esperava chegar primeiro. Se a polícia quisesse provas concretas de assassinato, só seu cliente (embora ele não percebesse isso) poderia dar. Se Tony Landry ou Alison Cresswell aparecessem em sua sala, *eu só terei de...* depois Strike bufou um pouco no escritório vazio, porque a expressão que lhe ocorreu foi "pensar com os pés".

Mas vieram as seis horas, meia hora se passou depois disso, e ninguém tocou a campainha. Strike esfregou mais creme na ponta da perna e recolocou a prótese, o que foi uma agonia. Mancou para sua sala, soltando grunhidos de dor, baixou em sua cadeira e, desistindo, tirou a perna postiça de novo e arriou, apoiando a cabeça nos braços, pretendendo não fazer nada além de repousar os olhos cansados.

2

Passos na escada de metal. De súbito, Strike aprumou-se na cadeira, sem saber se tinha dormido cinco ou cinquenta minutos. Alguém bateu na porta de vidro.

— Entre, está aberta! – gritou ele, verificando se a prótese solta estava coberta pela perna da calça.

Para imenso alívio de Strike, foi John Bristow que entrou na sala, piscando pelos óculos de lentes grossas e parecendo agitado.

— Oi, John. Entre e sente-se.

Mas Bristow andou até ele, de cara manchada, tão enfurecido como estivera no dia em que Strike recusou-se a pegar o caso, e agarrou o encosto da cadeira que lhe foi oferecida.

— Eu disse a você – começou ele, a intensidade de cor oscilando no rosto fino enquanto ele apontava um dedo para Strike –, eu lhe disse *muito claramente* que não queria que se encontrasse com a minha mãe sem a minha presença!

— Eu sei que disse John, mas...

— Ela está *incrivelmente* perturbada. Não sei o que disse a ela, mas ouvi minha mãe aos prantos pelo telefone comigo esta tarde!

— Lamento saber disso; ela não pareceu se importar com minhas perguntas quando...

— Ela está péssima! – gritou Bristow, com a dentuça cintilando. – Como *se atreveu* a vê-la sem mim? Como *pôde* fazer isso?

— Porque, John, como eu lhe disse depois do funeral de Rochelle, acho que estamos lidando com um assassino que pode matar de novo – disse Strike. – A situação é perigosa, e eu quero que isso acabe.

— *Você* quer que acabe? Como acha que *eu* me sinto? – gritou Bristow, e sua voz falhou, caindo num falsete. – Tem alguma ideia de quanto dano você causou? Minha mãe está arrasada, e agora minha namorada parece ter sumido em pleno ar, e Tony está culpando você! O que você fez com Alison? Onde ela está?

– Não sei. Já tentou falar com ela por telefone?

– Ela não está atendendo. Mas o que diabos está havendo? Fiquei numa caçada inútil o dia todo e quando volto...

– Caçada inútil? – repetiu Strike, disfarçadamente mexendo a perna para manter a prótese reta.

Bristow se jogou na cadeira, respirando com dificuldade e semicerrando os olhos para Strike no forte sol de fim de tarde que entrava pela janela atrás dele.

– Alguém – disse ele, furioso – ligou para minha secretária hoje de manhã, alegando ser um cliente nosso muito importante de Rye que solicitava uma reunião urgente. Fui até lá só para descobrir que ele tinha saído do país e que ninguém tinha me telefonado. Poderia, por favor – acrescentou ele, erguendo a mão para proteger os olhos –, baixar essa persiana? Não consigo enxergar nada.

Strike puxou o cordão e a persiana caiu com estardalhaço, lançando os dois numa escuridão fria e meio listrada.

– Essa é uma história muito estranha – disse Strike. – Parece que alguém queria atrair você para fora da cidade.

Bristow não respondeu. Fuzilava Strike com os olhos, o peito ofegava.

– Para mim, já basta – disse ele com aspereza. – Estou encerrando essa investigação. Pode ficar com todo o dinheiro que lhe dei. Tenho de pensar em minha mãe.

Strike tirou o celular do bolso, apertou alguns botões e o colocou no colo.

– Não quer nem mesmo saber o que descobri hoje no closet de sua mãe?

– Você entrou... *você entrou no closet de minha mãe?*

– Entrei. Queria dar uma olhada dentro daquelas bolsas novas que Lula recebeu, no dia em que ela morreu.

Bristow começou a gaguejar.

– Seu... seu...

– As bolsas tinham forros destacáveis. Ideia estranha, não? Escondido embaixo do forro da bolsa branca estava um testamento, escrito à mão por

Lula no papel de carta azul de sua mãe, testemunhado por Rochelle Onifade. Entreguei à polícia.

A boca de Bristow se abriu. Por vários segundos, ele parecia incapaz de falar. Por fim, sussurrou:

– Mas... o que dizia?

– Que ela deixava tudo, todos os seus bens, ao irmão, o tenente Jonah Agyeman da Real Engenharia.

– Jonah... de quê?

– Dê uma olhada no monitor do computador na sala ao lado. Vai encontrar uma foto ali.

Bristow se levantou e, como um sonâmbulo, foi até o computador. Strike viu a tela se iluminar conforme Bristow mexia no mouse. O rosto bonito de Agyeman brilhou no monitor, com seu sorriso sardônico, imaculado na farda.

– Ah, meu Deus – disse Bristow.

Ele voltou a Strike e baixou novamente na cadeira, boquiaberto para o detetive.

– Eu... nem acredito.

– Este é o homem que aparece nas gravações das câmeras de vigilância – disse Strike –, correndo da cena na noite em que Lula morreu. Ele estava em Clerkenwell com a mãe viúva durante uma licença. Por isso andava às pressas pela Theobalds Road vinte minutos depois. Ia para casa.

Bristow soltou um arquejar longo.

– Todos disseram que eu estava iludido – ele quase gritou. – Mas eu não me iludi com nada!

– Não, John, você não estava iludido – disse Strike. – Nadinha. Mais parece um doido de pedra.

Pela janela sombreada entravam os sons de Londres, viva a toda hora, roncando e rosnando, parte homem, parte máquina. Não havia barulho dentro da sala além da respiração entrecortada de Bristow.

– Como disse? – perguntou ele, ridiculamente educado. – Do que me chamou?

Strike sorriu.

– Eu disse que você é doido de pedra. Você matou sua irmã, conseguiu escapar impune da coisa toda e depois me pediu para reinvestigar sua morte.

– Não pode... não pode estar falando sério.

– Ah, sim, eu posso. Ficou bem óbvio para mim desde o começo que a pessoa que mais se beneficiaria com a morte de Lula era você. Dez milhões de libras, depois que sua mãe virasse fantasma. Não dá para torcer o nariz para isso, dá? Especialmente porque não acho que você tenha muito mais do que seu salário, por mais que possa tirar de seu fundo de fideicomisso. Ultimamente as ações da Albris mal valem o papel em que foram escritas, não é?

Bristow ficou boquiaberto diante dele por um bom tempo; depois, sentando-se um pouco mais reto, olhou a cama de campanha encostada no canto.

– Partindo de um virtual sem-teto que dorme no escritório, esta afirmativa me parece risível. – A voz de Bristow era calma e desdenhosa, mas sua respiração estava anormalmente acelerada.

– Sei que você tem muito mais dinheiro do que eu – disse Strike. – Mas, como observou corretamente, isso não é grande coisa. E direi em minha defesa que ainda não cheguei ao ponto de desfalcar meus clientes. Quanto dinheiro de Conway Oates você roubou antes de Tony perceber o que estava aprontando?

– Ah, então também sou um fraudador? – disse Bristow, com um riso artificial.

– Sim, acho que é. Mas isso não me interessa. Não estou preocupado se matou Lula porque precisava repor o dinheiro que tinha afanado, ou porque quisesse os milhões dela, ou porque a odiava mortalmente. Mas o júri vai querer saber. Eles são ávidos por um motivo.

O joelho de Bristow começou a subir e descer.

– Você está louco – disse ele, com outro riso forçado. – Encontrou um testamento em que ela deixa tudo não para mim, mas para *aquele homem*. – Ele apontou para a outra sala, onde tinha visto a foto de Jonah. – Diz que era o mesmo homem que aparece na câmera andando para o apartamento de Lula, na noite em que ela caiu e morreu, e que passou correndo pela câmera dez minutos depois. E ainda acusa a mim. *A mim*.

– John, você sabia, antes mesmo de vir me ver, que era Jonah nas gravações. Rochelle contou a você. Ela estava na Vashti quando Lula ligou para Jonah e marcou de encontrá-lo naquela noite, e ela testemunhou um testamento que deixava tudo para ele. Ela procurou você, contou-lhe tudo e começou a chantageá-lo. Queria dinheiro para um apartamento e algumas roupas caras, e em troca prometeu ficar de boca fechada sobre o fato de que você não era o herdeiro de Lula.

"Rochelle não percebeu que você era o assassino. Pensou que Jonah tivesse empurrado Lula pela janela. E ela ficou amargurada o suficiente, depois de ver um testamento em que ela própria não era contemplada, e de ser abandonada naquela loja no último dia de vida de Lula, para não se importar que o assassino andasse livremente, desde que ela conseguisse o dinheiro."

– Isso é uma completa sandice. Você está fora de si.

– Você criou cada obstáculo que pôde para que eu não encontrasse Rochelle – continuou Strike, como se não tivesse ouvido Bristow. – Fingiu que não sabia seu nome, nem onde morava; bancou o incrédulo quando pensei que ela pudesse ser útil nas investigações e você tirou do laptop de Lula as fotos, para que eu não visse como era Rochelle. É verdade que ela podia ter me apontado diretamente o homem que você tentava acusar de assassinato, mas, por outro lado, ela sabia que havia um testamento que privaria você de sua herança, e seu objetivo número um, John, era manter tudo isso em silêncio enquanto tentava encontrar o documento e destruí-lo. O que de certo modo foi uma piada, porque estava lá no closet de sua mãe o tempo todo.

"Mas mesmo que você o destruísse, John, o que faria depois? Pelo que você sabia, o próprio Jonah tinha conhecimento de que era herdeiro de Lula. E havia outra testemunha da existência de um testamento, embora você não soubesse disso: Bryony Radford, a maquiadora."

Strike viu a língua de Bristow correr pela boca, umedecendo os lábios. Sentiu o medo do advogado.

– Bryony não queria admitir que esteve xeretando as coisas de Lula, mas ela viu aquele testamento na casa de Lula, antes que esta tivesse tempo de esconder. Mas Bryony é disléxica. Pensou que "Jonah" era "John". Ligou isto a Ciara dizendo que Lula ia deixar tudo para o irmão, e concluiu que não precisava contar a ninguém o que tinha lido às escondidas, porque você ia ficar com o dinheiro de qualquer modo. Às vezes você teve uma sorte danada, John.

"Mas posso entender como... a uma mente distorcida como a sua... a melhor solução para seus problemas seria enquadrar Jonah por assassinato. Se ele pegasse prisão perpétua, não importaria se o testamento viesse à tona ou não... ou se ele, ou qualquer outro, soubesse disso... porque o dinheiro iria para você, de qualquer maneira."

— Ridículo — disse Bristow sem fôlego. — Devia desistir de ser detetive e experimentar escrever romances, Strike. Não tem um fiapo de prova para nada do que está dizendo...

— Sim, eu tenho — interrompeu-o Strike, e Bristow parou de falar de pronto, sua palidez visível no escuro. — A gravação de vigilância.

— Aquela gravação mostra Jonah Agyeman correndo da cena do crime, como você mesmo reconheceu!

— Tem outro homem apanhado pela câmera — acrescentou Strike.

— Então ele tinha um cúmplice... um vigia.

— Qual será o problema que a defesa dirá que você tem, John? — perguntou Strike num tom tranquilo. — Narcisismo? Um complexo de Deus? Você se acha inteiramente intocável, não acha, um gênio que faz com que todos nós pareçamos chimpanzés? O segundo homem correndo da cena não era cúmplice de Jonah, nem um vigia, nem ladrão de carro. Ele nem mesmo era negro. Era um branco de luvas pretas. Era você.

— Não — disse Bristow. Esta única palavra pulsava de pânico; mas, com um esforço quase visível, ele trouxe de volta o sorriso desdenhoso ao rosto. — Como podia ser eu? Eu estava em Chelsea com minha mãe. Ela lhe disse isso. Tony me viu lá. Eu estava em Chelsea.

— Sua mãe é uma inválida viciada em Valium que dorme a maior parte do dia. Você só voltou a Chelsea depois de ter matado Lula. Acho que foi ao quarto de sua mãe de madrugada, reajustou o relógio e a acordou, fingindo que era hora do jantar. Você se acha um gênio do crime, John, mas isso já foi feito mil vezes, embora raramente com tanta ingenuidade. Sua mãe mal sabe que dia é hoje, tal a quantidade de opiáceos que tem no sangue.

— Eu fiquei em Chelsea o dia todo — repetiu Bristow, com o joelho quicando. — O dia todo, a não ser quando passei no escritório para pegar os arquivos.

— Você pegou o casaco com capuz e as luvas no apartamento abaixo do de Lula. Era o que usava na gravação das câmeras — disse Strike, ignorando a interrupção —, e este foi um grande erro. Aquele casaco é exclusivo. Só existia um no mundo; foi customizado para Deeby Macc por Guy Somé. Só podia ter saído do apartamento abaixo do de Lula, então sabemos que você esteve lá.

– Não tem nenhuma prova – disse Bristow. – Estou esperando uma prova.

– Claro que está – disse Strike simplesmente. – Um inocente não ficaria sentado aqui, me ouvindo. A essa altura, já teria saído com raiva. Mas não se preocupe. Eu tenho provas.

– Não tem – disse Bristow com a voz rouca.

– Motivo, meios e oportunidade, John. Você tem o pacote completo.

"Vamos começar pelo princípio. Você não nega que foi ao apartamento de Lula de manhã cedo..."

– Não, claro que não.

– ... porque viram você lá. Mas não acho que Lula tenha lhe dado o contrato com Somé que você usou para subir para vê-la. Acho que você roubou isso em algum momento anteriormente. Wilson autorizou sua entrada, e minutos depois você brigou aos gritos com Lula na porta da casa dela. Não podia fingir que não aconteceu, porque a faxineira ouviu. Para sua sorte, o inglês de Lechsinka é tão ruim que ela confirmou sua versão da briga: que você estava furioso por Lula ter voltado com o namorado drogado e aproveitador.

"Mas acho que a briga na verdade era pela recusa de Lula de lhe dar dinheiro. Todos os amigos mais inteligentes dela me disseram que você tinha a fama de cobiçar sua fortuna, mas você deve ter ficado particularmente desesperado por uma esmola naquele dia, a ponto de forçar sua entrada e gritar daquele jeito. Tony notou a falta de fundos da conta de Conway Oates? Você precisava repor com urgência?"

– Uma especulação infundada – disse Bristow, com o joelho ainda quicando.

– Veremos se é infundada ou não depois de irmos a julgamento – retrucou Strike.

– Eu nunca neguei ter discutido com Lula.

– Depois de ela se recusar a lhe dar um cheque e bater a porta na sua cara, você desce a escada e ali está a porta do Apartamento Dois, aberta. Wilson e o técnico do alarme estavam ocupados olhando o teclado, e Lechsinka em algum lugar lá dentro... talvez passando o aspirador, porque isso ajudaria a mascarar o barulho de você entrando de fininho no hall atrás dos dois homens.

"Mas nem foi um risco tão grande assim. Se eles se virassem e o vissem, você poderia fingir que tinha entrado para agradecer a Wilson por deixá-lo subir. Você atravessou o hall enquanto eles estavam ocupados com a caixa de fusíveis do alarme, e se escondeu em algum lugar do apartamento grande. Tinha muito espaço. Armários vazios. Debaixo da cama."

Bristow sacudia a cabeça numa negação silenciosa. Strike continuou no mesmo tom categórico.

– Você deve ter ouvido Wilson dizer a Lechsinka para ajustar o alarme em 1966. Por fim, Lechsinka, Wilson e o técnico da Securibell saíram e você ficou de posse exclusiva do apartamento. Infelizmente para você, porém, Lula agora saía do prédio, então você não podia voltar para cima e tentar atormentá-la a soltar a grana.

– Uma completa fantasia – disse o advogado. – Nunca na vida eu pus os pés no Apartamento Dois. Saí da casa de Lula e fui ao escritório pegar os arquivos...

– Com Alison, não foi o que disse, na primeira vez que repassamos o que você fez naquele dia? – perguntou Strike.

Manchas cor-de-rosa brotaram novamente pelo pescoço fino de Bristow. Depois de uma leve hesitação, ele deu um pigarro e disse:

– Não me lembro se... só sei que fui muito rápido; eu queria voltar à casa de minha mãe.

– Que efeito acha que terá num tribunal, John, quando Alison se sentar no banco das testemunhas e disser ao júri que você pediu que ela mentisse por você? Você bancou o irmão de luto e arrasado na frente dela e a convidou para jantar, e a pobre coitada ficou tão deliciada por ter a chance de parecer uma mulher desejável para Tony, que concordou. Alguns dias depois, você a convenceu a dizer que ela o viu no escritório na manhã antes da morte de Lula. Ela pensou que você fosse apenas ansioso demais e paranoico, não foi? Ela acreditava que você já tivesse um álibi sólido do amado Tony, naquele mesmo dia. Ela não pensou que haveria algum problema se contasse uma mentirinha para acalmar você.

"Mas Alison não estava lá naquele dia, John, para lhe dar arquivo nenhum. Cyprian a mandou a Oxford no momento em que ela chegou para trabalhar, para procurar por Tony. Você ficou meio nervoso, depois do funeral de Rochelle, quando percebeu que eu sabia de tudo isso, não foi?"

– Alison não é muito inteligente – disse Bristow devagar, esfregando as mãos sem parar, e os joelhos quicando. – Deve ter confundido os dias. Claramente, ela me entendeu mal. Eu nunca pedi a ela para dizer que me viu no escritório. É a palavra dela contra a minha. Talvez esteja tentando se vingar de mim, porque nós nos separamos.

Strike riu.

– Ah, você está mesmo ferrado, John. Depois de minha assistente ligar para você esta manhã para atraí-lo até Rye...

– *Sua assistente?*

– Sim, claro; eu não ia querer você por perto quando revistasse o apartamento de sua mãe, não é? Alison nos ajudou com o nome do cliente. Liguei para ela, veja só, e contei tudo, inclusive o fato de que tenho provas de que Tony está dormindo com Ursula May e que você está prestes a ser preso por homicídio. Parece que isto a convenceu de que devia procurar um novo namorado e um novo emprego. Espero que ela tenha conseguido chegar à casa da mãe em Sussex... foi o que eu sugeri que fizesse. Você tem mantido Alison por perto porque achou que ela fosse um álibi à prova de fogo, e também porque ela é um meio de saber o que pensa Tony, de quem você tem medo. Mas ultimamente fiquei meio preocupado que a utilidade dela se tornasse obsoleta para você e ela caísse de algum lugar alto.

Bristow tentou soltar outro riso sarcástico, mas o som era artificial e oco.

– Então, acontece que ninguém viu você passar no escritório para pegar os arquivos naquela manhã – continuou Strike. – Você ainda estava escondido no apartamento do meio do número 18 de Kentigern Gardens.

– Eu não estava lá. Estava em Chelsea, com minha mãe – disse Bristow.

– Acho que àquela altura não planejava matar Lula – continuou Strike, apesar de tudo. – Você provavelmente pensava apenas em alguma cilada, quando ela voltasse. Ninguém o esperava no escritório naquele dia, porque você devia estar trabalhando em casa, para fazer companhia à mãe doente. Tinha uma geladeira cheia e você sabia como entrar e sair sem ativar o alarme. Você tinha uma visão desimpedida da rua e assim, se Deeby Macc e sua comitiva aparecessem, teria muito tempo para sair dali e descer com alguma história absurda de ter ficado esperando sua irmã na casa dela. O único risco remoto era a possibilidade de entregas no apartamento; mas aquele imenso vaso de rosas chegou sem que ninguém notasse que você estava escondido ali, não foi?

"Suponho que a ideia do crime tenha começado a germinar ali, durante todas aquelas horas de solidão, em todo aquele luxo. Você começou a imaginar como seria maravilhoso se Lula, que você tinha certeza não possuir um testamento, morresse: você devia saber que seria mais fácil convencer sua mãe doente, sobretudo porque você seria o único filho que lhe restava. E isto, em si, deve ter sido ótimo, John, não foi? A ideia de ser o único filho, enfim? E nunca perder de novo para um irmão mais bonito e mais adorável?"

Mesmo no escuro que se adensava, Strike via os dentes projetados de Bristow e a encarada intensa dos olhos fracos.

– Não importa o quanto você tenha bajulado sua mãe e bancado o filho dedicado, você nunca foi o primeiro para ela, não é? Ela sempre amou mais o Charlie, não foi? Todo mundo amava, até o tio Tony. E no momento em que Charlie se foi, quando você podia ser enfim o centro das atenções, o que aconteceu? Lula chega e todo mundo começa a se preocupar com Lula, cuidar de Lula, adorar Lula. Sua mãe nem tem uma foto sua ao lado do leito de morte. Só Charlie e Lula. Os dois que ela amava.

– Vai se foder – rosnou Bristow. – Vai se foder, Strike. O que pode saber disso, tendo uma puta como mãe? Do que ela morreu mesmo, gonorreia?

– Que gentileza – disse Strike, apreciando. – Eu ia mesmo perguntar se você pesquisou minha vida pessoal quando tentava encontrar um trouxa para manipular. Aposto que achou que eu seria particularmente solidário com o pobre enlutado John Bristow, não foi, com minha própria mãe morrendo jovem, em circunstâncias suspeitas? Você achou que seria capaz de tocar minhas cordas como uma merda de violino...

"Mas pouco importa, John. Se sua equipe de defesa não conseguir encontrar um distúrbio de personalidade para você, espero que argumentem que a culpa foi de sua criação. Sem amor. Desprezado. Na sombra dos outros. Sempre foi difícil, não foi? Notei quando o conheci, quando você caiu num pranto comovente ao se lembrar de Lula sendo levada de carro para sua casa, para sua vida. Seus pais nem mesmo o levaram para buscá-la, não foi? Eles o deixaram em casa como um cachorrinho de estimação, o filho que não bastava para eles desde a morte de Charlie; o filho que estava prestes a ser o coitado secundário de novo."

– Eu não tenho de ouvir isso – sussurrou Bristow.

– Está livre para ir embora – disse Strike, vendo o ponto onde não podia mais distinguir olhos nas sombras que se aprofundavam atrás dos óculos de Bristow. – Por que não vai embora?

Mas o advogado permaneceu ali, o joelho ainda quicando, as mãos deslizando uma na outra, querendo ouvir as provas de Strike.

– Foi mais fácil na segunda vez? – perguntou o detetive em voz baixa. – Foi mais fácil matar Lula do que Charlie?

Ele viu os dentes brancos, expostos quando Bristow abriu a boca, mas som algum foi emitido.

– Tony sabe o que você fez, não? Toda aquela bobagem sobre as coisas cruéis e duras que ele disse depois da morte de Charlie. Tony estava lá; ele viu você pedalando para longe do lugar onde tinha empurrado Charlie. Você o desafiou a chegar perto da beira? Eu conhecia Charlie; ele não resistia a um desafio. Tony viu Charlie morto no fundo daquela pedreira e contou a seus pais ter pensado que você tinha feito aquilo, não foi? Por isso seu pai bateu nele. Por isso sua mãe desmaiou. Por isso Tony foi expulso da casa depois da morte de Charlie: não porque Tony disse que sua mãe tinha criado delinquentes, mas porque ele disse a ela que criava um psicopata.

– Isto é... não – grasnou Bristow. – Não!

– Mas Tony não podia enfrentar um escândalo de família. Ficou de boca fechada. Mas sentiu certo pânico, quando soube que eles iam adotar uma garotinha, não foi? Ele telefonou e tentou impedir. Ele tinha razão em se preocupar, não tinha? Acho que você sempre teve um pouco de medo de Tony. Que tremenda ironia que ele tenha ficado encurralado e se sentido obrigado a te dar um álibi para o assassinato de Lula.

Bristow nada disse. Agora sua respiração era acelerada.

– Tony precisava fingir que naquele dia estava em algum lugar, qualquer lugar, e não acompanhado da mulher de Cyprian May em um hotel, então disse que tinha voltado a Londres para visitar a irmã doente. Depois percebeu que você e Lula deviam ter estado lá no mesmo horário.

"A sobrinha estava morta, então ela não podia contradizê-lo; mas ele não teve alternativa a não ser fingir ter visto você pela porta do escritório e não ter falado com você. E você o apoiou. Os dois, mentindo descaradamente, perguntando-se o que o outro teria aprontado, mas assustados demais para questionar um ao outro. Acho que Tony disse a si mesmo que esperaria até que a irmã dele morresse antes de confrontar você. Talvez assim ele mantivesse a consciência tranquila. Mas ele continuou preocupado o suficiente para pedir a Alison que ficasse de olho em você. Enquanto isso, você me dava aquela bobajada toda de Lula abraçá-lo, da reconciliação comovente antes de ela voltar para casa."

– Eu estava lá – disse Bristow num sussurro áspero. – Estava na casa de minha mãe. Se Tony não esteve lá, é problema dele. Não pode provar que eu não estava.

– Não estou nesse negócio para dar provas em contrário, John. Só estou dizendo que agora você perdeu todo álibi, exceto sua mãe confusa pelo Valium.

"Mas, pelo bem da argumentação, vamos supor que enquanto Lula visitava sua mãe grogue e Tony trepava com Ursula num hotel em algum lugar, você ainda estivesse escondido no Apartamento Dois e começando a pensar em uma solução mais ousada para seu problema de fluxo de caixa. Você espera. A certa altura, calça as luvas pretas que foram deixadas no closet para Deeby, como precaução contra digitais. Isso é suspeito. Quase como se você começasse a pensar em violência.

"Por fim, no início da tarde, Lula volta para casa, mas infelizmente para você... como você sem dúvida viu pelo olho mágico do apartamento... ela está com amigas.

"E agora", disse Strike, endurecendo o tom, "acho que o caso contra você começa a ficar mais grave. Uma defesa de homicídio culposo... foi um acidente, nós brigamos um pouco e ela caiu da sacada... poderia sustentar-se se você não tivesse ficado no andar de baixo o tempo todo, sabendo que Lula tinha visitas. Um homem sem nada pior em mente do que pressionar a irmã a lhe entregar um cheque polpudo podia, eu disse podia, esperar até que ela ficasse sozinha; mas você já havia tentado isso sem sucesso. Então, por que não subir até lá quando ela estivesse, quem sabe, de melhor humor, e tentar com a presença moderadora das amigas no cômodo ao lado? Talvez ela lhe desse alguma coisa só para se livrar de você."

Strike quase sentia as ondas de medo e ódio emanando da figura que sumia nas sombras do outro lado da mesa.

– Mas, em vez disso – disse ele –, você esperou. Esperou a noite toda, tendo visto que ela saíra do prédio. Você deve ter ficado muito enrolado nessa hora. Teve tempo para formular um plano tosco. Ficou olhando a rua; sabia exatamente quem estava no prédio e quem não estava; pensou que talvez houvesse um meio de dar o fora, sem que alguém tomasse conhecimento. E não vamos nos esquecer... você já havia matado. Isso faz diferença.

Bristow fez um movimento ríspido, pouco mais do que um solavanco; Strike se retesou, mas Bristow continuou parado, e o detetive teve a consciência aguda da prótese solta encostada em sua perna.

– Você olhava pela janela e viu Lula chegar em casa sozinha, mas os paparazzi ainda estavam lá fora. A essa altura, devia estar desesperado, não?

"Mas então, por milagre, como se o universo realmente quisesse apenas ajudar John Bristow a conseguir o que queria, todos eles foram embora. Tenho certeza de que o motorista de Lula deu a dica a eles. É um homem que adora forjar contatos com a imprensa.

"Então, agora a rua está vazia. Chegou o momento. Você vestiu o casaco com capuz de Deeby. Um erro crasso. Mas deve admitir, com todos os golpes de sorte daquela noite, que algo tinha de dar errado.

"E então... e vou lhe dar cinco pontos por isso, porque me confundiu por muito tempo... você pegou algumas daquelas rosas do vaso, não foi? Você enxugou as pontas... não inteiramente, como devia ter feito, mas muito bem... e as levou do Apartamento Dois, deixando a porta entreaberta, e subiu a escada para o apartamento de sua irmã.

"Aliás, você não notou que deixou pingar umas gotas de água das rosas. Wilson escorregou nelas mais tarde.

"Você subiu ao apartamento de Lula e bateu. Quando ela olhou pelo olho mágico, o que viu? Rosas brancas. Ela esteve na sacada, com as janelas escancaradas, olhando e esperando que o irmão há muito perdido aparecesse na rua, mas de algum modo parecia que ele tinha entrado sem que ela o visse! Em sua empolgação, ela abriu a porta... e você entrou."

Bristow estava imóvel. Até o joelho tinha parado de quicar.

– E você a matou, exatamente como matou Charlie, exatamente como mais tarde matou Rochelle: empurrou-a, com força e rapidamente... talvez a tenha levantado... mas ela foi apanhada de surpresa, não foi, como os outros?

"Você gritou com ela por não lhe dar dinheiro, por deixá-lo desprovido, como sempre foi desprovido, não foi, John, de sua parte do amor dos pais.

"Ela gritou que você não teria um centavo, mesmo que a matasse. Enquanto você lutava e a empurrava pela sala de estar a caminho da sacada e da queda, ela lhe disse que tinha outro irmão, um irmão verdadeiro, que ele estava a caminho, e que ela havia feito um testamento em favor dele.

"'É tarde demais, eu já fiz!', ela gritou. E você a chamou de vaca mentirosa e a jogou na rua, para sua morte."

Bristow mal respirava.

– Acho que você deve ter deixado cair as rosas na porta dela. Correu de volta, pegou-as, disparou escada abaixo e voltou ao Apartamento Dois, onde as enfiou de volta no vaso. Puta que pariu, você teve sorte. O vaso foi quebrado por acidente por um policial, e aquelas rosas eram a única pista que mostravam que alguém esteve naquele apartamento; você não podia recolocá-las do jeito que fez o florista, não quando sabia que tinha poucos minutos para dar o fora daquele prédio.

"A parte seguinte exigiu coragem. Duvido que você esperasse que alguém desse alarme de pronto, mas Tansy Bestigui estava na sacada abaixo de você. Você a ouviu gritar e percebeu que tinha menos tempo ainda do que contava para sair dali. Wilson correu à rua para ver Lula e então, esperando na porta, pelo olho mágico, você o viu correr escada acima para o último andar.

"Você reativou o alarme, saiu do apartamento e desceu a escada. Os Bestigui brigavam aos berros em seu próprio apartamento. Você correu escada abaixo... ouvido por Freddie Bestigui, mas na hora ele tinha outras preocupações... o saguão vazio... você passou por ali correndo e saiu para a rua, onde nevava muito.

"E você correu, não foi? De capuz na cabeça, a cara coberta, as mãos com luva sacudindo. No fim da rua, viu outro homem correndo, desesperadamente, para longe da esquina onde acabara de ver a irmã cair e morrer. Vocês não se conheciam. Não creio que você tenha parado para pensar em quem ele seria, não naquela hora. Você correu o mais rápido que pôde, com as roupas que pegou de Deeby Macc, passando pela câmera de vigilância que gravou os dois, e seguiu pela Halliwell Street, onde a sorte bateu na sua porta de novo e não havia mais câmeras.

"Imagino que você tenha jogado o casaco e as luvas numa lixeira e apanhado um táxi, não? A polícia nunca se preocupou em procurar um branco de terno que estivesse pela rua naquela noite. Você foi para a casa de sua mãe, preparou comida para ela, mudou a hora do relógio e a acordou. Ela ainda estava convencida de que vocês dois conversavam sobre Charlie... um bom toque, John... no momento exato em que Lula mergulhava para a morte.

"Você se safou com essa, John. Podia ter continuado a pagar Rochelle pelo resto da vida. Com sua sorte, Jonah Agyeman até morreria no Afeganistão; suas esperanças foram às alturas quando você viu a foto de um soldado negro no jornal, não foi? Mas não queria confiar na sorte. Você é um escroto arrogante e pervertido, e pensou que podia arranjar melhor as coisas."

Houve um longo silêncio.

– Sem provas – disse Bristow, por fim. Agora estava tão escuro no escritório que ele mal passava de uma silhueta para Strike. – Sem nenhuma prova.

– Acho que nisto está enganado – disse Strike. – A polícia deve ter conseguido um mandado agora.

– Para quê? – perguntou Bristow, finalmente sentindo-se confiante para rir. – Para procurar nas lixeiras de Londres um casaco com capuz que você disse que foi jogado fora três meses atrás?

– Não, para olhar o cofre de sua mãe, é claro.

Strike se perguntava se conseguiria levantar a persiana com rapidez suficiente. Estava muito longe do interruptor da luz e a sala estava muito escura, mas ele não queria tirar os olhos da figura sombreada de Bristow. Tinha certeza de que este triplo homicida não teria vindo despreparado.

– Eu dei a eles algumas combinações a tentar – continuou Strike. – Se não conseguirem, acho que terão de chamar um especialista para abri-lo. Mas, se eu fosse de apostar, colocaria meu dinheiro em 030483.

Um farfalhar, o borrão da mão pálida, e Bristow arremeteu. A ponta da faca roçou no peito de Strike enquanto ele jogava Bristow de lado com uma pancada; o advogado deslizou pela mesa, rolou e atacou de novo, e desta vez Strike caiu de costas da cadeira, com Bristow por cima dele, preso entre a parede e a mesa.

Strike segurava um dos pulsos de Bristow, mas não conseguia ver onde estava a faca: tudo estava escuro, e ele deu um soco que atingiu Bristow com força abaixo do queixo, jogando sua cabeça para trás e fazendo voar seus óculos; Strike empurrou de novo e Bristow bateu na parede; Strike tentou se sentar, com a parte inferior do corpo de Bristow prendendo sua meia perna agonizante ao chão, e a faca o atingiu com força no braço: ele a sentiu penetrar na carne, o fluxo de sangue quente, a dor ardente e aguda.

Contra a janela, ele viu a silhueta escura de Bristow erguer o braço; forçando-se novamente contra o peso do advogado, ele se desviou de uma segunda facada e, com um esforço imenso, conseguiu jogar longe o advogado, a prótese escorregou pela perna da calça conforme ele tentava prender Bristow no chão, o sangue quente espirrando por tudo e agora sem saber onde estava a faca.

A mesa foi derrubada pelo peso de Strike em luta, e então, enquanto estava ajoelhado com a perna boa no peito fino de Bristow, procurando a faca com a mão que não estava ferida, a luz dividiu suas retinas em duas e uma mulher gritou.

Tonto, Strike teve um vislumbre da faca se erguendo até a sua barriga; pegou a perna postiça ao lado dele e a desceu como uma maça na cara de Bristow, uma, duas vezes...

– Pare! Cormoran, PARE! VOCÊ VAI MATÁ-LO!

Strike rolou para longe de Bristow, que não se mexia mais, largou a perna postiça e se deitou de costas, segurando o braço ensanguentado ao lado da mesa virada.

– Eu pensei – disse ele, ofegante, incapaz de enxergar Robin – ter dito a você para ir para casa.

Mas ela já estava ao telefone.

– Polícia e ambulância!

– E chame um táxi – Strike grasnou do chão com a garganta seca de tanto falatório. – Não vou para o hospital com esse merda.

Ele estendeu um braço e pegou o celular que tinha caído a uma boa distância. A frente estava amassada, mas ele ainda estava gravando.

EPÍLOGO

Nihil est ab omni
Parte beatum.

Não há, na vida, felicidade completa.

HORÁCIO, *Odes*, Livro 2

DEZ DIAS DEPOIS

O EXÉRCITO BRITÂNICO EXIGE de seus soldados uma subjugação das necessidades e laços individuais quase incompreensível para a mente civil. Não reconhece praticamente nenhum direito superior aos próprios; e as crises imprevisíveis da vida humana – nascimentos e mortes, casamentos, divórcios e doenças – em geral não provocam um desvio maior dos planos militares do que o cascalho que bate na parte inferior de um tanque. Todavia, existem circunstâncias excepcionais, e foi devido a uma delas que a segunda viagem de serviço ao Afeganistão do tenente Jonah Agyeman foi interrompida.

Sua presença na Grã-Bretanha foi solicitada com urgência pela Polícia Metropolitana e, embora o exército geralmente não julgasse os direitos da polícia maiores do que os dele, neste caso se dispôs a cooperar. As circunstâncias que cercaram a morte da irmã de Agyeman angariavam atenção internacional, e uma tempestade da mídia em torno do sapador até então desconhecido era considerada de pouco auxílio tanto para ele próprio como para o exército a que servia. E assim Jonah foi colocado num avião de volta à Grã-Bretanha, onde o exército fez um esforço impressionante para protegê-lo da imprensa voraz.

Um número considerável de leitores de jornais supunha que o tenente Agyeman ficaria deliciado, primeiro por voltar para casa e deixar os combates, em segundo lugar por voltar na expectativa de riqueza muito além de suas fantasias mais loucas. Porém, o jovem soldado que Cormoran Strike encontrou no pub Tottenham na hora do almoço, dez dias depois da prisão do assassino de sua irmã, era quase truculento, e parecia ainda se encontrar em estado de choque.

Os dois homens, por diferentes períodos de tempo, viveram a mesma vida e se arriscaram à mesma morte. Era um vínculo que nenhum civil podia entender, e por meia hora eles não falaram de outra coisa que não fosse o exército.

– Você era um Terno, não? – disse Agyeman. – Tinha que ser um Terno para ferrar com a minha vida.

Strike sorriu. Não viu ingratidão em Agyeman, embora os pontos de seu braço saltassem aflitivamente sempre que ele levantava o copo.

– Minha mãe quer que eu saia – disse o soldado. – Fica dizendo, vai ser uma boa coisa sair dessa confusão.

Era a primeira referência indireta ao motivo da presença deles ali, que Jonah não estava em seu lugar, com o regimento, na vida que escolhera.

E então, subitamente, ele começou a falar, como se estivesse esperando por Strike havia meses.

– Ela nunca soube que meu pai teve outra filha. Ele jamais contou a ela. Ele nunca teve sequer certeza se aquela mulher, a Marlene, dizia a verdade sobre estar grávida. Pouco antes de morrer, quando soube que tinha só dias de vida, ele me contou. "Não aborreça sua mãe", disse ele. "Estou lhe contando porque estou morrendo, e não sei se você tem uma meia-irmã ou meio-irmão por aí." Ele disse que a mãe era branca, e que havia desaparecido. Podia ter abortado. Não fode. Eu conhecia bem meu pai. Nunca faltava a um domingo na igreja. Recebeu a extrema-unção em seu leito de morte. Eu nunca teria esperado nada assim, nunca.

"Eu jamais ia dizer alguma coisa a ela sobre papai e essa mulher. Mas então, do nada, recebo um telefonema. Graças a Deus eu estava lá, de licença. Só que Lula", ele disse o nome com hesitação, como se não tivesse certeza do direito de fazer isso, "disse que teria desligado se fosse minha mãe, e que não queria magoar ninguém. Ela parecia legal."

– Acho que era mesmo – disse Strike.

– É... mas, porra, foi esquisito. Você acreditaria se uma supermodelo ligasse para você e te dissesse que é sua irmã?

Strike pensou na história bizarra da própria família.

– Provavelmente – disse ele.

– Tá, bom, acho que sim. Por que ela ia mentir? Foi o que eu pensei. Então dei meu celular a ela e conversamos algumas vezes, quando ela conseguia sair com a amiga Rochelle. Ela pensava em tudo, para a imprensa não descobrir. Por mim, tudo bem. Eu não queria perturbar a minha mãe.

Agyeman tinha sacado um maço de cigarros Lambert and Butler e virava a caixa nervosamente nos dedos. Eles teriam custado muito pouco, pensou Strike, com uma onda de recordações, no Instituto das Forças Armadas, o NAAFI.

– Então ela me ligou um dia antes de... acontecer – continuou Jonah –, e me pediu para ir até lá. Eu já havia dito que não podia encontrá-la naquela licença. Cara, a situação estava me deixando maluco. Minha irmã, a supermodelo. Minha mãe tinha medo que eu partisse para Helmand. Eu não podia jogar essa pra cima dela, que papai teve outra filha. Não na época. Então disse a Lula que não podia vê-la.

"Ela implorou que me encontrasse com ela antes de partir. Parecia perturbada. Eu disse que talvez fosse mais tarde, sabe, depois de minha mãe ir dormir. Eu diria a ela que ia sair para beber alguma coisa com um amigo ou algo assim. Lula me disse para ir bem tarde, tipo à uma e meia.

"E então", disse Jonah, coçando a nuca, pouco à vontade, "eu fui. Estava na esquina da rua dela... e vi quando aconteceu."

Ele passou a mão na boca.

– Eu corri. Simplesmente corri. Não sabia o que pensar. Não queria estar lá, não queria ter de explicar nada a ninguém. Eu sabia que Lula tinha problemas mentais, me lembrei de como estava perturbada ao telefone e pensei, ela me trouxe para cá para vê-la pular?

"Não consegui dormir. Fiquei feliz em ir embora, pra te falar a verdade. Largar toda aquela merda de cobertura da imprensa."

O pub zunia em volta deles, apinhado de clientes da hora do almoço.

– Acho que ela queria muito te ver devido ao que a mãe dela falou – disse Strike. – Lady Bristow tomava muito Valium. Estou achando que ela queria que a menina se sentisse mal por deixá-la, então contou a Lula o que Tony tinha dito sobre John todos aqueles anos antes: que ele empurrou o irmão mais novo, Charlie, na pedreira, e o matou.

"Por isso Lula estava daquele jeito quando saiu do apartamento da mãe, por isso ela ligou insistentemente para o tio, tentando descobrir onde estava a verdade nessa história. E acho que ela estava desesperada para ver você, porque queria alguém, qualquer um, que ela pudesse amar, em quem confiar. A mãe era difícil e estava morrendo, ela odiava o tio e acabara de saber que o irmão adotivo era um homicida. Devia estar desesperada. E acho que tinha medo. Na véspera de sua morte, Bristow tentou obrigá-la a lhe dar dinheiro. Ela devia estar imaginando o que ele faria depois disso."

O pub era barulhento e tinia de conversas e copos, mas a voz de Jonah soou com clareza acima de tudo aquilo.

– Ainda bem que você quebrou o queixo daquele filhodaputa.

– E o nariz dele – disse Strike animadamente. – É uma sorte que ele tenha metido uma faca em mim, ou eu não teria me safado com "força razoável".

– Ele foi armado – disse Jonah pensativamente.

– Claro que foi – confirmou Strike. – Pedi à minha secretária para dar a dica a ele, no funeral de Rochelle, que eu recebia ameaças de morte de um biruta que queria me esfaquear. Isso plantou a semente em sua cabeça. Ele pensou que, se chegasse a esse ponto, ele tentaria fazer com que minha morte passasse por obra do pobre Brian Mathers. Depois, presumivelmente, iria para casa, mexeria no relógio da mãe e tentaria repetir o mesmo truque. Ele não é mentalmente são. Mas não estou dizendo com isso que não seja um merda inteligente.

Parecia haver pouco mais a dizer. Ao saírem do pub, Agyeman, que tinha pagado as bebidas com uma insistência nervosa, fez o que podia ser uma oferta tentadora de dinheiro a Strike, cuja penúria enchera boa parte da cobertura da mídia. Strike interrompeu a oferta, mas não ficou ofendido. Via que o jovem sapador lutava para lidar com a ideia de sua riqueza nova e imensa; que ele vergava sob a responsabilidade dela, as exigências que fazia, os apelos que tinha, as decisões que envolvia; que ele estava muito mais intimidado do que feliz. Também havia, é claro, o conhecimento terrível e sempre presente de como seus milhões chegaram a ele. Strike imaginou que os pensamentos de Jonah Agyeman flutuavam loucamente entre seus camaradas no Afeganistão, visões de carros esportes e do corpo da meia-irmã prostrado na neve. Quem, mais do que um soldado, tinha mais consciência dos caprichos da sorte, do rolar aleatório dos dados?

– Ele não vai se safar, vai? – perguntou Agyeman, de repente, enquanto eles estavam prestes a se separar.

– Não, claro que não. A papelada ainda não está pronta, mas a polícia encontrou o celular de Rochelle no cofre da mãe dele. Ele não se atreveu a se livrar dele. Reajustou o código de segurança do cofre para que ninguém o abrisse além dele: 030483. O domingo de Páscoa de 1983: o dia em que ele matou meu amigo Charlie.

Era o último dia de Robin. Strike a convidou a acompanhá-lo para conhecer Jonah Agyeman, que ela tanto ajudou a descobrir, mas ela declinou. Strike tinha a sensação de que Robin se afastava deliberadamente do caso, do trabalho, dele. Ele tinha hora marcada no Centro de Amputados do hospital Queen Mary's naquela tarde; ela já teria ido embora quando ele voltasse de Roehampton. Matthew a levaria para passar o fim de semana em Yorkshire.

Enquanto mancava de volta ao escritório pelo caos contínuo das obras na rua, Strike se perguntou se um dia veria de novo sua secretária temporária depois de hoje, e duvidou disso. Há não muito tempo, a impermanência de seu acordo era a única coisa que o apaziguava com sua presença, mas agora ele sabia que sentiria falta dela. Ela tinha ido com ele no táxi até o hospital e enrolou seu sobretudo no braço ensanguentado de Strike.

A explosão de publicidade em torno da prisão de Bristow não fez, afinal, mal algum aos negócios de Strike. Ele podia verdadeiramente precisar de uma secretária muito em breve; e de fato, ao subir dolorosamente a escada à sua sala, ele ouviu a voz de Robin ao telefone.

– ... uma hora marcada para terça-feira, receio, porque o sr. Strike estará ocupado na segunda o dia todo... Sim... perfeitamente... colocarei o senhor às 11 horas, então. Sim. Obrigada. Adeus.

Ela girou na cadeira assim que Strike entrou.

– Como era o Jonah?

– Um cara legal – disse Strike, baixando-se no sofá arriado. – A situação o está perturbando. Mas a alternativa era Bristow acabar com os dez milhões, então ele precisa lidar com isso.

– Três clientes em potencial ligaram enquanto você estava fora – disse ela –, mas fiquei meio preocupada com o último. Pode ser outro jornalista. Estava muito mais interessado em falar de você do que do próprio problema.

Houve ainda alguns telefonemas. A imprensa atacava com alegria a história que tinha abundantes ângulos e tudo de que eles mais gostavam. O próprio Strike apareceu muito em toda a cobertura. A foto que eles mais usaram, e ele ficou feliz com isso, era de dez anos antes e foi tirada quando ele ainda era um Boina Vermelha; mas eles também desencavaram a foto do astro do rock, sua mulher e a super groupie.

Muito foi escrito sobre a incompetência da polícia; Carver foi fotografado correndo pela rua, com o casaco voando, os trechos de suor visíveis na camisa; mas Wardle, o belo Wardle, que ajudou Strike a prender Bristow, até agora era tratado com complacência, sobretudo pelas jornalistas mulheres. Por fim, a mídia de notícias se regalava principalmente e de novo com o cadáver de Lula Landry; cada versão da história faiscava de fotos do rosto impecável da modelo morta, de seu corpo magro e esculpido.

Robin falava; Strike não estivera ouvindo, sua atenção desviada pelo latejar no braço e na perna.

– ... uma anotação de todos os seus arquivos e de sua agenda. Porque vai precisar de alguém agora, sabe disso; não vai conseguir cuidar de tudo isso sozinho.

– Não – concordou ele, esforçando-se para se levantar; pretendia fazer isso mais tarde, no momento da partida de Robin, mas agora era uma hora tão boa quanto qualquer outra, e era uma desculpa para sair do sofá, por sinal, muito desconfortável. – Escute, Robin, eu não agradeci a você direito...

– Agradeceu, sim – disse ela apressadamente. – No táxi, a caminho do hospital... e, de qualquer modo, não precisa. Eu gostei. Na verdade, adorei.

Ele cambaleava para sua sala e não ouviu o embaraço na voz de Robin. O presente, muito mal embrulhado, estava escondido no fundo de sua bolsa de viagem.

– Tome – disse ele. – Isso é para você. Eu não teria conseguido sem você.

– Oh – disse Robin, com um tom estrangulado, e Strike ficou ao mesmo tempo comovido e um tanto alarmado ao ver lágrimas se derramarem pelo rosto dela. – Você não precisava...

– Abra em casa – disse ele, mas era tarde demais; o pacote literalmente se desfazia nas mãos dela. Algo verde-veneno escorregou pela fenda no papel, caindo na mesa diante dela. Ela arquejou.

– Você... ai, meu Deus, Cormoran...

Ela ergueu o vestido que havia experimentado, e adorado, na Vashti, e o olhou por cima dele, rosada, com os olhos faiscando.

– Não pode pagar por isso!

– Sim, eu posso – disse ele, recostando-se na divisória, porque era um pouco mais confortável do que sentar-se no sofá. – Agora o trabalho está aparecendo. Você foi incrível. Seu novo emprego tem sorte por ter você.

Ela enxugava freneticamente os olhos com as mangas da blusa. Um soluço e palavras incompreensíveis lhe escaparam. Tateou às cegas, procurando os lenços que tinha comprado da caixa de despesas, esperando por mais clientes como a sra. Hook, assoou o nariz, enxugou os olhos e disse, com o vestido verde mole e esquecido no colo:

– Eu não quero ir!

– Não posso pagar seu salário, Robin – disse ele sem rodeios.

Mas ele já havia pensado nisso; na noite anterior, ficou acordado na cama de campanha, calculando mentalmente, tentando chegar a uma proposta que não parecesse ofensiva perto do salário oferecido pela consultoria de mídia. Não era possível. Ele não podia mais adiar o pagamento do maior de seus empréstimos; enfrentava um aumento no aluguel e precisava encontrar um lugar onde morar que não fosse o escritório. Embora as perspectivas de curto prazo melhorassem imensuravelmente, o futuro ainda era incerto.

– Eu não esperaria que você me pagasse o que eles me ofereceram – disse Robin com a voz embargada.

– Eu não poderia nem chegar perto – disse Strike.

(Mas ela conhecia a situação das finanças de Strike quase tão bem quanto ele e já imaginara o máximo do que podia esperar. Na noite anterior, quando Matthew a encontrou às lágrimas com a perspectiva de sair, ela disse a ele sua estimativa da melhor oferta de Strike.

– Mas ele ainda não te ofereceu nada – dissera Matthew. – Ofereceu?

– Não, mas se ele...

– Bom, depende de você – dissera Matthew rigidamente. – A decisão será sua. É você que tem de decidir.

Ela sabia que Matthew não queria que ela ficasse. Ele ficou sentado por horas na emergência enquanto costuravam Strike, esperando para levar Robin para casa. Disse-lhe, com muita formalidade, que ela se saiu muito bem, mostrando muita iniciativa, mas desde então ficou meio distante e expressava desagrado, especialmente quando os amigos insistiam em saber dos detalhes internos sobre tudo que aparecia na imprensa.

Mas certamente Matthew ia gostar de Strike, se o conhecesse: e o próprio Matthew havia dito que a decisão era dela...)

Robin se recompôs um pouco, assoou o nariz novamente e disse a Strike, com a calma ligeiramente solapada por um leve soluço, o valor que aceitaria com muita satisfação.

Strike precisou de alguns segundos para responder. Podia pagar o que ela sugeria; estava dentro das quinhentas libras que ele mesmo calculara que conseguiria pagar. Ela, de qualquer ângulo que se olhasse, era um ativo que seria impossível substituir a este preço. Só havia uma mosquinha na sopa...

— Eu posso pagar isso — disse ele. — É. Posso pagar.

O telefone tocou. Radiante, ela atendeu, e o prazer em sua voz era tanto que parecia que esperava ansiosamente por esta ligação havia dias.

— Oi, alô, sr. Gillespie! Como vai? O sr. Strike acaba de lhe enviar um cheque, eu mesma despachei pelo correio esta manhã... Todas as prestações, sim, e um pouco mais... Ah, não, o sr. Strike faz questão de pagar o empréstimo... Bem, é muita gentileza do sr. Rokeby, mas o sr. Strike prefere pagar. Ele espera poder liquidar todo o valor nos próximos meses...

Uma hora depois, enquanto Strike estava sentado numa cadeira de plástico duro no Centro de Amputados, a perna ferida esticada, ele refletia que não teria comprado o vestido verde, se soubesse que Robin ia ficar. O presente, tinha certeza, não seria bem-visto por Matthew, especialmente porque ele a vira nele, e sabia que ela o experimentara antes para Strike.

Com um suspiro, ele pegou um exemplar da *Private Eye* na mesa ao lado. Quando o médico o chamou, Strike não respondeu; estava imerso na página com a manchete "Landryces", apinhada de exemplos de excessos jornalísticos relacionados com o caso que ele e Robin resolveram. Tantos colunistas falaram em Caim e Abel que a revista fez uma matéria especial.

— Sr. Strick? — gritou o médico, pela segunda vez. — Sr. Cameron Strick?

Ele levantou a cabeça, sorrindo.

— Strike — disse ele com clareza. — Meu nome é Cormoran Strike.

— Ah, peço desculpas... por aqui...

Enquanto Strike mancava atrás do médico, uma frase flutuou por seu subconsciente, uma frase que ele lera muito antes de ver seu primeiro cadáver, ou se maravilhar em uma cachoeira na encosta de montanha africana, ou observar a cara de um assassino desabar ao perceber que foi apanhado.

Tornei-me um nome.

– Na mesa de exames, por favor, e tire a prótese.

De onde vinha essa frase? Strike se deitou na mesa e franziu a testa para o teto, ignorando o médico que agora se curvava sobre o que restava de sua perna, murmurando ao olhar e examinar gentilmente.

Minutos depois, Strike desencavou os versos que aprendera havia tanto tempo:

> *Não posso descansar da viagem: beberei*
> *A vida até a última gota; todo tempo gozei*
> *Imenso, sofri imenso, tanto com aqueles*
> *Que me amaram, como sozinho; em terra e quando*
> *Por correntes arrastadas as Híades chuvosas*
> *Agitavam o mar sombrio: tornei-me um nome...*

RR DONNELLEY

IMPRESSÃO E ACABAMENTO
Av Tucunaré 299 - Tamboré
Cep. 06460.020 - Barueri - SP - Brasil
Tel.: (55-11) 2148 3500 (55-21) 3906 2300
Fax: (55-11) 2148 3701 (55-21) 3906 2324

IMPRESSO EM SISTEMA CTP